*Revised and Enlarged*
# Follett
# Vest-Pocket
# Dictionary

# German

## GERMAN-ENGLISH / ENGLISH-GERMAN
### (American English)

*compiled by*

**T. C. APPELT, Ph.D.**
Late Professor of German
Concordia Teachers College,
River Forest, Illinois

*revised by*

**VYTAUTAS BABUSIS, M.A.**

# FOLLETT PUBLISHING COMPANY

Chicago

Library of Congress Catalog Card Number 66-11046
Manufactured in the United States of America
ISBN 0-695-80608-4 Trade binding

456789/807978

# CONTENTS

# A Tool for Travelers and Students

"Our world is shrinking." Modern means of travel and communication have shortened distance and time to an astounding degree and facilitated contacts between people and nations. This "shrinking" is placing renewed emphasis on the value of foreign-language learning for a deeper appreciation of other cultures and a more rewarding experience in communication.

This dictionary is a valuable aid in the study of German and English. Its more than 20,000 entries have been carefully and scientifically selected on the basis of frequency and with a view to its greatest usefulness for both students and travelers. Besides accurate translations of various meanings of the listed words, a large number of the entries include derivations and compounds of the words and illustrate their use in many idiomatic phrases. Thus the German word **Glocke** is interpreted by three English words: "bell; (glass) shade; clock." Two compounds with their equivalents in English complete the entry. The same procedure is followed for English words. In this way the book becomes a most useful tool for guidance in correct and enriched expression in speaking and writing

The dictionary has been revised and updated by including many new terms such as **biodegradable, heart transplant, skyjacker, environmental protection, Afro-American, space shuttle, hippie, counterculture, women's liberation, transsexual,** and others. Lists of abbreviations and irregular verbs in both languages, maps, and statistical tables on German-speaking countries have also been added.

# GERMAN PRONUNCIATION

A proper pronunciation of foreign words is best acquired by imitation. The following statements will be helpful for German.

## VOWELS AND DIPHTHONGS

Vowels are either long or short. A vowel is long when followed by a single consonant, when doubled, or when followed by h. Examples: *sagen, Haar, Jahr.* A vowel is short when followed by more than one consonant. Ex.: *Mann, Kappe, wenn.* In some short words the vowel is short even if followed by only one consonant: *in, am, um, mit, das.*

*a, aa, ah* long, like *a* in *father*. Examples: *Vater, Aal, Jahr.*

*a* short, like *a* in *artistic*, but shorter. Ex.: *Mann, Park.*

*ä, äh* long, like *ai* in *air*. Ex.: *Mädchen, mähen, Mähne.*

*ä* short, like *e* in *let*. Ex.: *Kälte, Bälle.*

*e, ee, eh* long, like *ay* in *gay*. Ex.: *den, See, sehr.*

*e* short, like *e* in *let*. Ex.: *Bett, nett, Emma.*

*e* in unaccented syllables, like the slurred *e* in *open*. Ex.: *Frage, Glocke.*

*i, ie, ih* long, like *ee* in *meet*. Ex.: *wir, Bier, Wien, ihr.*

*i* short, like *i* in *it*. Ex.: *mit, Finger, Wind.*

*o, oo, oh* long, like *o* in *note*. Ex.: *oder, wo, Grossvater.*

*o* short, like *u* in *fun*. Ex.: *Gott, kommt.*

*ö, öh* long, like the vowel sound in *her* or *hurt*. Ex.: *hören, Röhre.*

*ö* short, like the vowel sound in unaccented *-ter* in *Walter*, but quite short. Ex.: *können, zwölf.*

*u, uh* long, like *oo* in *boot*. Ex.: *gut, rufen, Schuh.*

*u* short, like *oo* in *foot*. Ex.: *Butter, Busch, und.*

*ü, üh* long, like *ee* with lips rounded for long *oo* (in *boot*). Ex.: *Mühle, über.*

5

*ü* short, like short *i* with lips rounded for short *oo* (in foot). Ex.: *Rücken, Glück.*

*y* is pronounced like *ü.*

*au* like *ou* in *out.* Ex.: *Haus, laufen.*

*ei, ai, ay, ey* like *y* in *my.* Ex.: *Ei, mein, Mai, Bayern, Mayer, Meyer.*

*eu, äu* like *oi* in *oil.* Ex.: *heute, Deutschland, Fräulein.*

# CONSONANTS

*b, d, f, g, h, m, n, p, ph, t,* and *x* are pronounced as in English. When *b, d,* and *g* are in final position they are pronounced like *p, t, k.* Ex.: *gab* (like *gap*), *Kind* (like *Kint*), *Tag* (like *Tak*). *g* before a vowel is always pronounced hard as in English *go,* never soft as in *gem.* In the final syllables *-ig, igst, -igt* the *g* is pronounced like German *ch* (see below). Ex.: *ewig, billigst, verewigt.*

*c* is retained only in words of foreign origin. It is pronounced like *ts* before *e, ä, i, y,* otherwise like *k.*

*ch* like the *h* when whispering English *huge.* Ex.: *ich, weich, euch.* When preceded by *a, o, u, au,* it is produced by forcing the breath between the tongue and the uvula. Ex.: *ach, doch, Tuch, auch.* In some words of Greek origin *ch* is pronounced like *k.* Ex.: *Chor, Christus.*

*chs* like *ks* or *x.* Ex.: *Fuchs, Sachsen.*

*j* like *y* in *yes,* never like English *j.* Ex.: *ja, jung.*

*kn* like *k* followed by *n;* the *k* is pronounced; not like English *knee.* Ex.: *Knie.*

*l* not like English *l.* The tip of the tongue is placed at the base of the upper teeth. Ex.: *leben, lang.*

*ng* like the *ng* in *sing,* not like *finger.* Ex.: *singen, Finger.*

*pf* like *p* followed by *f;* both *p* and *f* are pronounced. Ex.: *Pferd, Pfund.*

*ps* like *p* followed by *s,* not like *ps* in English *psalm.* Ex.: *Psalm, Psychologie.*

*qu* like *qv.* Ex.: *Quelle, quitt.*

*r* is produced either by the uvula vibrating against the tongue, or by trilling with the tip of the tongue. The latter is easier.

*s* like *z* in *zone.* Ex.: *sagen, Sonne.* At the end of a word or syllable, *s* is pronounced like *s* in *son*. Ex.: *das, was, Gras, Wasser*.

*ss* or *sz* like *s* in *son*. Ex.: *gross* or *grosz*.

*sch* like *sh* in *shine*. Ex.: *schon, scheinen*.

*sp* and *st* at the beginning of a word or syllable sound like *shp* and *sht*. Ex.: *sprechen, stehen*.

*th* like *t*, never like English *th*. Ex.: *Theke, Thomas, Goethe*.

*z, tz* like *ts* in *fits*. Ex.: *zu, zeigen, sitzen*. *z* is never pronounced like English *z*.

*v* like *f* in *father*. Ex.: *Vater, von*.

*w* like *v* in *very*. Ex.: *wer, wo, wie, was*.

# THE GLOTTAL STOP

In English there is a tendency to permit words to "run together," as when *not at all* is spoken as *notatall*; the glottis or opening between the vocal chords remains open. In German the glottis is closed before a word or syllable beginning with an accented vowel; every word or syllable of this type is enunciated separately. Ex.: *Wo ist er?* In English this may also occur in emphatic expressions, as e.g. "It's awful!"

# ACCENT

German words are accented on the stem syllable; generally, this is the first syllable: *le'ben, Fräu'lein*. In words compounded with prefixes (syllables placed before the stem) the prefix is accented except for the following: *be-, emp-, ent-, er-, ge-, ver-, zer-*. These prefixes are never stressed. Ex.: *ge'hen, aus'gehen, bege'hen, verge'hen, zerge'hen*.

The end-syllable (suffix) *-ei* is always stressed. Ex.: *Fischerei'*.

Words of foreign origin are generally accented on the last syllable: *Student', Papier'*. In some foreign words the accent is on the next-to-last syllable: *Charak'ter*.

# ABBREVIATIONS

| | | | |
|---|---|---|---|
| *abbr.* | abbreviation | lit. | literature |
| *adj.* | adjective | *m.* | masculine |
| *adv.* | adverb | math. | mathematics |
| Am. | American | mech. | mechanics |
| avi. | aviation | med. | medicine |
| agr. | agriculture | mil. | military |
| anat. | anatomy | min. | mining, minerals |
| arch. | architecture | mus. | music |
| *art.* | article | *n.* | noun |
| ast. | astronomy | naut. | nautical |
| auto. | automobile | *neu.* | neuter |
| bibl. | biblical | opt. | optical |
| biol. | biology | orn. | ornithology |
| bot. | botany | phil. | philosophy |
| chem. | chemistry | phot. | photography |
| coll. | colloquial | phy. | physics |
| com. | commerce | physiol. | physiology |
| *conj.* | conjunction | *pl.* | plural |
| dent. | dentistry | poet. | poetry |
| dial. | dialectal | pol. | politics |
| eccl. | ecclesiastic | *p.p.* | past participle |
| educ. | education | *prep.* | preposition |
| elec. | electricity | *pron.* | pronoun |
| ent. | entomology | rad. | radio |
| *f.* | feminine | rail. | railway |
| fig. | figurative(ly) | rel. | religion |
| geog. | geography | rhet. | rhetoric |
| geol. | geology | *sing.* | singular |
| geom. | geometry | sl. | slang |
| gram. | grammar | theat. | theater |
| hort. | horticulture | TV | television |
| ichth. | ichthyology | typ. | typography |
| *interj.* | interjection | *v.* | verb |
| *interr.* | interrogative | zool. | zoology |

# GERMAN—ENGLISH

## A

**Aal** *m.* eel

**aalglatt** *adj.* elusive

**Aar** *m.* (poet.) eagle

**Aas** *neu.* carcass, carrion

**ab** *adv.* away, down, from, off; — **und zu** now and then

**abändern** *v.* to alter, to modify; to amend

**Abänderung** *f.* alteration

**Abart** *f.* variety

**Abbild** *neu.* copy, image

**abbilden** *v.* to copy, to portray

**Abbildung** *f.* picture

**Abbitte** *f.* apology

**abblenden** *v.* to dim, to shade

**abbrennen** *v.* to burn down

**Abbruch** *m.* breaking off; — **tun** to damage; **auf** — **verkaufen** to sell as scrap

**abbüssen** *v.* to atone for

**abdanken** *v.* to resign

**abdrehen** *v.* to switch (*oder* turn) off

**Abdruck** *m.* copy; impression; **-srecht** *neu.* copyright

**abdrucken** *v.* to print

**Abend** *m.* evening, night; **gestern** — yesterday evening; **heute** — this evening

**Abenteuer** *neu.* adventure

**aber** *conj.* but, yet; however; **-mals** *adv.* once more

**Aberglaube** *m.* superstition

**abergläubisch** *adj.* superstitious

**Aberkennung** *f.* deprivation

**abfahren** *v.* to depart; to start

**Abfahrt** *f.* departure

**Abfall** *m.* falling off; refuse, garbage; (fig.) revolt

**abfallen** *v.* to fall off, to slope

**abfertigen** *v.* to dispatch

**abfinden** *v.* **sich** — **mit** to come to terms with

**Abflug** *m.* (avi.) take-off, start

**Abfluss** *m.* flowing off; **-rohr** *neu.* drain pipe

**abfragen** *v.* to interrogate

**Abführmittel** *neu.* laxative

**Abgabe** *f.* delivery; duty, tax

**Abgang** *m.* departure; exit; **-sprüfung** *f.* final examination

**Abgas** *neu.* exhaust (*oder* waste) gas

**abgeben** *v.* to deliver; **sich** — **mit** to occupy oneself with

**abgebrannt** *adj.* burned down

9

**abgebrüht** *adj.* scalded
**abgedroschen** *adj.* trite
**abgegriffen** *adj.* thumbed
**abgehen** *v.* to depart; to deviate
**abgelebt** *adj.* worn out
**abgelegen** *adj.* distant
**abgemacht** *adj.* settled
**abgeneigt** *adj.* disinclined; averse to
**Abgeordnete(r)** *m.* representative, deputy
**Abgesandte(r)** *m.* delegate; ambassador, envoy
**abgeschieden** *adj.* secluded; deceased
**abgespannt** *adj.* exhausted, tired
**abgewöhnen** *v.* to wean from; **sich etwas —** to give up the habit of something
**Abgott** *m.* idol
**Abgötterei** *f.* idolatry
**abgrenzen** *v.* to mark off
**Abgrund** *m.* abyss; precipice
**Abguss** *m.* cast, copy
**abhalten** *v.* to hinder; **Versammlung —** to hold a meeting
**abhanden** *adv.* missing, lost; **–kommen** to get lost
**Abhandlung** *f.* treatise, essay
**Abhang** *m.* slope, declivity
**abhängen** *v.* **— von** to depend on
**Abhängigkeit** *f.* dependence
**abhärten** *v.* to harden
**abhelfen** *v.* to help, to remedy
**abholen** *v.* to pick up, to call for
**abhören** *v.* to hear (lesson)
**abkanzeln** *v.* to rebuke
**abkarten** *v.* to prearrange
**abkaufen** *v.* to buy from
**abkehren** *v.* to turn away
**Abklatsch** *m.* poor imitation
**Abkomme, Abkömmling** *m.* descendant; derivative
**Abkommen** *neu.* agreement
**abkühlen** *v.* to cool, to chill
**Abkunft** *f.* descent, origin

**abkürzen** *v.* to shorten
**abladen** *v.* to unload
**Ablauf** *m.* expiration
**ableben** *v.* to die
**ablegen** *v.* to put away
**ablehnen** *v.* to decline
**Ablehnung** *f.* refusal
**ablenken** *v.* to distract
**ablesen** *v.* to read off
**ableugnen** *v.* to deny
**abliefern** *v.* to deliver
**abmachen** *v.* to undo, to arrange for
**Abmachung** *f.* arrangement; agreement
**abmelden** *v.* to give notice of departure
**Abnahme** *f.* decrease, decline; loss (in weight)
**abnehmen** *v.* to lose weight; to take off; to decrease
**Abnehmer** *m.* buyer, customer
**Abneigung** *f.* aversion, dislike
**Abnutzungsvergütung** *f.* depletion allowance
**Abonnent** *m.* subscriber
**Abort** *m.* toilet, latrine
**abprallen** *v.* to rebound
**abraten** *v.* to dissuade
**abrechnen** *v.* to settle
**abreiben** *v.* to rub off
**Abreise** *f.* departure
**abreissen** *v.* to tear off
**Abrüstung** *f.* disarmament
**abschaffen** *v.* to do away with; to abolish
**abscheulich** *adj.* abominable
**abschicken** *v.* to send off
**Abschied** *m.* parting; **— nehmen** to say goodbye
**abschlagen** *v.* to refuse
**abschlägig** *adj.* negative
**abschliessen** *v.* to finish (work); **–d** *adj.* conclusive, final
**Abschluss** *m.* conclusion
**abschneiden** *v.* to cut off
**Abschnitt** *m.* cut; division; part
**abschreiben** *v.* to copy
**Abschrift** *f.* copy
**Abschuss (Rakete)** *m.* blast-off; **–basis** *f.* launching pad

**abschweifen** v. to stray
**abseifen** v. to lather
**abseits** adv. apart, aside
**absenden** v. to send off
**Absender** m. sender
**absetzen** v. to depose
**Absicht** f. intention
**absichtlich** adj. intentional
**absondern** v. to detach
**absperren** v. to bar, to lock
**abspielen** v. sich — to take place;
**Absprung** m. jump
**abstammen** v. to descend
**Abstand** m. distance
**abstatten** v. to make, to give, to render
**Abstecher** m. side-trip
**absteigen** v. to alight; to put up (at a hotel)
**abstimmen** v. to vote
**abstrakt** adj. abstract; -e Kunstrichtung abstractionism
**Abstufung** f. gradation
**Absturz** m. crash
**abstürzen** v. to crash
**Abt** m. abbot; -ei f. abbey
**Abteil** neu. (rail.) compartment
**Abteilung** f. department
**abtragen** v. to wear out
**abtrennen** v. to detach
**Abtrünnige** m. deviationist
**abwägen** v. to weigh; to consider carefully
**abwälzen** v. to roll away
**abwarten** v. to await; to wait and see
**abwärts** adv. downward(s)
**abwechselnd** adj. alternating, intermittent
**Abwechslung** f. change
**Abwehrgeschoss** neu. antimissile
**abweichen** v. to deviate
**abweisen** v. to refuse
**abwenden** v. to avert
**abwerfen** v. to throw off
**abwesend** adj. absent
**abwickeln** v. to unwind
**abzahlen** v. to pay off
**Abzeichen** neu. badge; stripe; — pl. insignia
**Abziehbild** neu. decalcomania
**Abzug** m. departure; out-

let; (com.) discount, rebate; (phot.) print
**ach!** interj. ah! oh! alas!
— so! I see! — was! — wo! nonsense! not at all!
**Achse** f. axle; axis
**Achsel** f. shoulder
**Acht** f. eight
**Acht** f. attention, care; ban; ausser — lassen to disregard
**acht** adj. eight; -mal adv. eight times; -zehn adj. eighteen; -zig adj. eighty
**Achtung** f. esteem, regard; —! interj. attention!
**achtungsvoll** adj. respectful
**Acker** m. field, soil; acre; -bau m. agriculture
**addieren** v. to add up
**Adel** m. aristocracy
**ad(e)lig** adj. noble, titled
**Ader** f. vein
**Adler** m. eagle
**adressieren** v. to address
**Adria** f. Adriatic Sea
**Affe** m. ape, monkey
**Afro** adj. Afro
**Afro-Amerikaner** m. Afro-American
**Agentur** f. agency
**ahnen** v. to anticipate
**ähnlich** adj. resembling
**Ahnung** f. presentiment
**Ahorn** m. maple
**akademisch** adj. academic; -e Freiheit academic freedom
**Akkord** m. agreement; (mus.) chord
**Akt** m. action; act; (art) nude; -en pl. documents
**Aktie** f. share, stock; -ngesellschaft f. stock company
**Aktionär** m. shareholder
**aktuell** adj. current, actual
**Alarm** m. alarm; blinder — false alarm
**albern** adj. foolish, silly
**Albrecht** m. Albert
**all** adj. all, entire, whole; -e Tage every day; -e Menschen everybody; auf -e Fälle in any case
**Allee** f. parkway; avenue

ALLEIN

**allein** *adj.* alone, apart
**allerdings** *adv.* however
**Allergie** *f.* allergy
**Alliierte** *m.* ally
**Alp** *f.* mountain (meadow); **-en** *f.* Alps
**als** *conj.* as, than, when, like; **— ob** as if (*oder* though); **sobald —** as soon as; **sowohl —** as well as; **-bald** *adv.* at once; **-dann** *adv.* then
**also** *adv.* thus, so; **—** *conj.* therefore, consequently
**alt** *adj.* old; ancient; **-ern** *v.* to age, to grow old; **-ertümlich** *adj.* antique
**Alter** *neu.* age; epoch; **-sversorgung** *f.* old age insurance; **-tum** *neu.* antiquity; **-tumsforschung** *f.* archeology
**älter** *adj.* older; elder, senior
**ältlich** *adj.* elderly
**Altpapier** *neu.* waste paper
**Altwaren** *f. pl.* second-hand goods
**am (an dem)** *prep.* at (*oder* by, in, on) the
**Amboss** *m.* anvil
**Ameise** *f.* ant
**Amöbenruhr** *f.* amoebic dysentery
**amputieren** *v.* to amputate
**Amsel** *f.* blackbird
**Amt** *neu.* office, charge; duty; board; **seines -es walten** to officiate; **von -s wegen** officially; **-salter** *neu.* seniority; **-sbereich** *m.* jurisdiction, **-sbewerber** *m.* candidate; **-sgericht** *neu.* district court; **-sniederlegung** *f.* resignation; **-sschimmel** *m.* red tape
**amtieren** *v.* to officiate
**amtlich** *adj.* official
**amüsieren** *v.* to amuse
**an** *prep.* at, by, in, on; **— der Arbeit sein** to be at work; **es ist — mir** it is my turn
**Analyse** *f.* analysis
**analysieren** *v.* to analyze
**analytisch** *adj.* ana-

lytic(al)
**Ananas** *f.* pineapple
**Anbau** *m.* (agr.) cultivation; (arch.) annex, wing
**anbei** *adv.* herewith
**anberaumen** *v.* to appoint
**anbeten** *v.* to adore; to worship
**Anbeter** *m.* worshiper; admirer
**anbieten** *v.* to offer
**Anblick** *m.* sight, view
**anbrennen** *v.* to kindle
**Anbruch** *m.* beginning
**Andacht** *f.* devotion; prayers
**andächtig** *adj.* devout
**Andenken** *neu.* remembrance
**ander** *adj. and pron.* (an)other; different; **am — en Morgen** next morning; **ein ums -e Mal** repeatedly
**ändern** *v.* to alter, to change
**anders** *adv.* otherwise; differently; else
**anderthalb** *adj.* one and a half
**andeuten** *v.* to indicate
**Andosteron** *neu.* andosterone
**Andrang** *m.* congestion
**Andreas** *m.* Andrew
**andrehen** *v.* to turn on
**aneignen** *v.* to appropriate
**Anerbieten** *neu.* offer
**anerkennen** *v.* to acknowledge
**Anfall** *m.* (med.) fit; spell
**anfallen** *v.* to assail, to attack
**Anfang** *m.* beginning
**anfangen** *v.* to begin
**Anfänger** *m.* beginner
**anfänglich** *adv.* at first
**anfassen** *v.* to touch
**anfeuern** *v.* to inflame; to incite; to kindle
**anflehen** *v.* to implore
**Anflug** *m.* incoming flight; (min.) efflorescence
**Anforderung** *f.* demand
**anfragen** *v.* to inquire
**Angabe** *f.* statement
**angeben** *v.* to state, to indicate, to specify

12

**Angeber** m. informer, spy

**angeblich** adj. alleged

**angeboren** adj. congenital; innate

**Angebot** neu. bid, offer, tender; — **und Nachfrage** supply and demand

**Angehörige** m. relative

**Angeklagte** m. the accused

**Angel** f. fishing-rod; (mech.) hinge

**Angelegenheit** f. affair, concern

**angeln** v. to angle, to fish

**angenehm** adj. agreeable; **sehr —!** pleased to meet you!

**angesehen** adj. respected

**Angesicht** neu. face

**Angestellte** m. employee

**angewandt** adj. applied

**angewöhnen** v. to accustom

**Angewohnheit** f. habit, custom

**angreifen** v. to attack

**Angreifer** m. aggressor

**angrenzen** v. to border on

**Angriff** m. attack

**Angst** f. anguish, anxiety

**ängstigen** v. to frighten

**ängstlich** adj. afraid

**anhaben** v. to have on

**Anhalt** m. support; foothold

**anhalten** v. to stop

**anhängen** v. to hang on; (tel.) to hang up

**Anhänger** m. disciple

**anhäufen** v. to accumulate

**Anhöhe** f. elevation, hill

**anhören** v. to listen to

**Ankauf** m. purchase

**Anker** m. anchor

**Anklage** f. accusation

**anklagen** v. to accuse

**Ankläger** m. accuser

**ankleben** v. to glue on

**ankleiden** v. to dress

**ankommen** v. to arrive; **darauf —** to depend on

**Ankömmling** m. newcomer

**Ankunft** f. arrival, coming

**ankurbeln** v. to start

**Anlage** f. grounds; plant; investment

**anlangen** v. to arrive

**Anlasser** m. (auto.) starter

**anlegen** v. to apply; to put on

**anlehnen** v. to lean against

**Anleihe** f. loan

**anleiten** v. to guide; to instruct

**Anliegen** neu. request; desire

**anlocken** v. to allure, entice

**anmachen** v. to attach, to fix; to light (fire)

**anmelden** v. to announce

**anmerken** v. to jot down

**Anmut** f. charm, grace

**anmutig** adj. charming

**Anna** f. Ann

**Annahme** f. acceptance

**Ännchen** f. Nancy

**annehmbar** adj. acceptable

**annehmen** v. to accept

**Annonce** f. ad(vertisement)

**annoncieren** v. to advertise

**anodisieren** v. to anodize

**anordnen** v. to direct; to arrange

**Anpassung** f. adjustment; **kulturelle —** acculturation

**anpassungsfähig** adj. flexible; adaptable

**anpflanzen** v. to plant

**anpreisen** v. to commend

**anprob(ier)en** v. to fit on

**anraten** v. to advise

**anrechnen** v. to charge

**Anrecht** neu. claim, title

**anreden** v. to address

**anregen** v. to incite

**anrichten** v. to prepare

**Anruf** m. shout; (tel.) call

**anrufen** v. to hail; (tel.) to call

**anrühren** v. to touch; to mix

**ansagen** v. to announce

**Ansager** m. announcer; master of ceremonies

**ansammeln** v. to accumu-

13

late

**anschaffen** *v.* to buy
**anschauen** *v.* to look at
**Anschein** *m.* appearance
**anscheinend** *adj.* apparent
**Anschlag** *m.* poster, placard
**anschlagen** *v.* to post
**anschliessen** *v.* to annex
**Anschluss** *m.* annexation
**anschmieren** *v.* to smear
**anschreiben** *v.* to write down; to charge; to score
**Anschrift** *f.* (letter) address
**anschuldigen** *v.* to charge with
**anschwärzen** *v.* to blacken
**anschwellen** *v.* to swell
**ansehen** *v.* to look at
**ansehnlich** *adj.* considerable
**Ansicht** *f.* sight, view; opinion; **nach meiner —** in my opinion; **zur —** on approval; **-skarte** *f.* picture postcard
**ansiedeln** *v.* to colonize
**anspannen** *v.* to harness
**anspitzen** *v.* to sharpen
**Ansporn** *m.* spur, stimulus
**anspornen** *v.* to spur on
**Ansprache** *f.* address, speech
**ansprechen** *v.* to speak to; **-d** *adj.* attractive
**anspringen** *v.* (motor) to start
**Anspruch** *m.* claim, demand
**anspruchslos** *adj.* modest
**anstacheln** *v.* to spur on
**Anstalt** *f.* establishment, institution
**Anstand** *m.* decency; decorum
**anständig** *adj.* decent
**anstatt** *conj.* and *prep.* instead of
**anstecken** *v.* to pin on; to light; (med.) to contaminate; **-d** *adj.* contagious
**anstellig** *adj.* able, handy
**anstiften** *v.* to cause, to incite; to plot
**Anstifter** *m.* instigator
**Anstoss** *m.* collision; impulse; (football) kickoff
**anstössig** *adj.* improper
**anstreichen** *v.* to score; to paint
**Anstreicher** *m.* house painter
**anstrengen** *v.* to exert
**Anstrich** *m.* paint; color
**antasten** *v.* to touch
**Anteil** *m.* portion; share
**Antenne** *f.* aerial; antenna
**Antibiotikum** *neu.* antibiotic
**Antike** *f.* antiquity
**Antiquar** *m.* dealer in antiques (secondhand books)
**Antlitz** *neu.* face
**Antrag** *m.* proposal
**antreiben** *v.* to urge
**antreten** *v.* to start; to take up; to take possession of
**Antrieb** *m.* impulse; motive
**Antritt** *m.* accession; **-srede** inaugural address
**antun** *v.* to put on
**Antwort** *f.* answer, reply
**antworten** *v.* to answer
**anvertrauen** *v.* to confide in
**anwachsen** *v.* to take root
**Anwalt** *m.* attorney; counsel
**Anweisung** *f.* instruction
**anwendbar** *adj.* applicable
**anwenden** *v.* to apply; to use
**anwerben** *v.* to recruit
**anwesend** *adj.* present
**Anzahl** *f.* number; quantity
**anzapfen** *v.* to tap
**Anzeichen** *neu.* indication
**Anzeige** *f.* advertisement
**anzeigen** *v.* to advertise
**anziehen** *v.* to draw; to tighten; to dress, to put on; **-d** *adj.* attractive
**Anzug** *m.* dress; suit
**anzünden** *v.* to light; to kindle
**Apfel** *m.* apple
**Apfelsine** *f.* orange
**Apotheke** *f.* pharmacy; **-r** *m.* pharmacist
**Apparat** *m.* apparatus, appliance; instrument; tele-

phone; (coll.) camera

**Aprikose** *f.* apricot

**Arbeit** *f.* work, job; **–sein-stellung** *f.* strike; **–slohn** *m.* wages; **–slosenun-terstützung** *f.* unemployment compensation; **–slo-sigkeit** *f.* unemployment; **–ssperre** *f.* lockout

**Arbeiter** *m.* worker, laborer; **–bund** *m.*, **–ge-werkschaft** *f.* labor union; **–schaft** *f.* working class

**arbeitsam** *adj.* diligent, industrious

**arbeitsfähig** *adj.* able-bodied

**arbeitslos** *adj.* unemployed

**Arche** *f.* ark

**Areal** *neu.* area

**arg** *adj.* bad, evil; **–listig** *adj.* crafty, cunning; **–los** *adj.* harmless; **–wöhnisch** *adj.* suspicious

**Ärger** *m.* anger; vexation

**ärgerlich** *adj.* angry, annoying

**ärgern** *v.* to make angry

**arktisch** *adj.* arctic

**arm** *adj.* poor; indigent

**Arm** *m.* arm; branch; **–banduhr** *f.* wristwatch

**Armee** *f.* army

**Ärmel** *m.* sleeve

**Ärmelkanal** *m.* English Channel

**ärmlich** *adj.* needy

**Arm- und Beinamputierte** *m.* (med.) basket case

**Armut** *f.* poverty

**Art** *f.* manner; kind, sort

**Arterie** *f.* artery; **–nver-kalkung** *f.* arteriosclerosis

**Arznei** *f.* medicine

**Arzt** *m.* physician, doctor

**ärztlich** *adj.* medical

**Asche** *f.* ash(es); **–nbrö-del** *neu.* scullion

**Aschermittwoch** *m.* Ash Wednesday; Mardi Gras

**asiatische Grippe** *f.* Asian flu

**Assessor** *m.* assistant judge

**Ast** *m.* branch

**Astronaut** *m.* astronaut

**Astrophysik** *f.* astrophysics

**Atem** *m.* breath

**Äther** *m.* ether

**atmen** *v.* to breathe

**Atom** *neu.* (phys.) atom; **–kern** *m.* nucleus; **–säule** *f.* atomic pile

**Atomkrieg** *m.* nuclear war

**Attentat** *neu.* assassination

**auch** *conj.* also, too; even

**Audionfrequenz** *f.* audio-frequency

**auf** *prep.* on, upon; at; in; — **deutsch** in German; — **jeden Fall** in any case

**aufatmen** *v.* to breathe again

**Aufbahrung** *f.* lying in state

**Aufbau** *m.* construction

**aufbessern** *v.* to mend

**aufbewahren** *v.* to preserve

**aufbieten** *v.* **alles** — to make every possible effort

**aufblasen** *v.* to inflate

**aufblättern** *v.* to open (book)

**aufbleiben** *v.* to remain open; **spät** — to stay up late

**aufblicken** *v.* to look up

**aufbrauchen** *v.* to use up

**aufbrausen** *v.* to bubble up

**aufbrechen** *v.* to break open; to depart

**aufbürden** *v.* to burden with

**aufdecken** *v.* to uncover

**aufdringlich** *adj.* importunate

**aufdrucken** *v.* to imprint

**aufdrücken** *v.* to press on

**Aufeinanderfolge** *f.* succession

**Aufenthalt** *m.* sojourn

**auferlegen** *v.* to inflict

**Auferstehung** *f.* resurrection

**auffahren** *v.* to ascend, to rise

**Auffahrt** *f.* ascent; ramp

**auffallend** *adj.* striking

**auffangen** *v.* to catch

**Auffassung** *f.* comprehension; interpretation

**auffliegen** *v.* to fly up

15

**aufführen** v. to erect; to behave; (theat.) to perform

**Aufgabe** f. duty, task; problem

**Aufgang** m. stairs; (sun) rising

**aufgeben** v. to give up

**aufgebracht** adj. angry

**aufgeh(e)n** v. to open; to get loose; to rise

**aufgeklärt** adj. enlightened

**aufgeräumt** adj. high-spirited

**aufgeweckt** adj. awake; alert

**aufhaben** v. **wir haben zuviel auf** we have too much homework

**aufhäufen** v. to heap up

**aufheben** v. to lift, to pick up; **eine Sitzung —** to adjourn a meeting

**aufheitern** v. to cheer up

**aufhelfen** v. to help up

**aufhören** v. to cease, to stop

**aufkaufen** v. to buy up

**aufklären** v. to clear up

**Aufklärungsflug** m. reconnaissance flight

**aufkommen** v. to come up

**aufladen** v. load

**Auflage** f. edition; tax

**auflassen** v. to leave open

**Auflauf** m. mob; commotion

**auflegen** v. to lay on; to publish

**auflesen** v. to pick up

**aufliegen** v. to lie on; to be on show

**auflösbar** adj. (dis)soluble

**auflösen** v. to dissolve

**aufmerksam** adj. attentive

**aufmuntern** v. to cheer up

**Aufnahme** f. enrollment; reception; photograph

**aufnehmen** v. to take up; to take (picture)

**aufopfern** v. to sacrifice

**aufpassen** v. to be attentive

**aufputzen** v. to spruce up

**aufraffen** v. to snatch up

**aufragen** v. to tower up

**aufräumen** v. to clear away

**aufrecht** adj. erect, upright

**aufregen** v. to excite

**Aufregung** f. excitement

**aufreissen** v. to tear open

**aufreizen** v. to incite

**aufrichten** v. to set up

**aufrichtig** adj. frank, sincere

**Aufriss** m. draft, sketch

**aufrollen** v. to roll up

**Aufruf** m. call; proclamation

**aufrufen** v. to call up

**Aufruhr** m. rebellion

**aufrühren** v. to stir up

**Aufrührer** m. insurgent

**Aufrüstung** f. rearmament

**aufrütteln** v. to rouse

**aufsagen** v. to recite; **Dienst —** to give notice to quit a position (*oder* job)

**aufsässig** adj. rebellious

**Aufsatz** m. composition

**aufsaugen** v. to absorb

**aufscheuern** v. to wash up

**aufschichten** v. to pile up

**aufschieben** v. to defer, to postpone

**Aufschlag** m. (price) advance; (tennis) service

**aufschlagen** v. to open (eyes, books); to advance (prices); (tennis) to serve

**Aufschluss** m. explanation

**aufschneiden** v. to cut open

**Aufschnitt** m. (act of) cutting open; **kalter —** cold cut (meat)

**Aufschrei** m. scream, shriek

**aufschreiben** v. to write down

**Aufschrift** f. label; inscription; epitaph

**Aufschub** m. delay

**Aufschwung** m. upswing

**Aufsehen** neu. sensation

**Aufseher** m. inspector

**aufsetzen** v. to put on; to set up

**Aufsicht** f. supervision

**aufsitzen** v. to sit up(on)
**aufspannen** v. to stretch
**aufsperren** v. to open wide
**aufspiessen** v. to impale
**aufspringen** v. to jump up
**aufstacheln** v. to goad
**Aufstand** m. insurrection
**aufstechen** v. to prick open
**aufstehen** v. to get up
**aufsteigen** v. to ascend; to rise
**aufstellen** v. to set up; (mil.) to activate
**aufsuchen** v. to look up
**auftauen** v. to thaw
**aufteilen** v. to divide
**auftischen** v. to serve up
**Auftrag** m. commission
**auftragen** v. to order; to serve
**auftreten** v. to appear
**auftrumpfen** v. to brag
**auftun** v. to open; to disclose
**aufwachen** v. to awake
**aufwachsen** v. to grow up
**Aufwand** m. expenditure
**aufwärmen** v. to warm up
**aufwarten** v. to wait on
**Aufwärterin** f. waitress
**aufwärts** adv. upwards
**aufwecken** v. to wake up
**aufweisen** v. to show
**aufwenden** v. to spend
**aufwerfen** v. to throw open
**aufwiegeln** v. to stir up
**aufwinden** v. to reel; to hoist
**aufzählen** v. to count up
**aufzäumen** v. to bridle
**aufzehren** v. to consume
**aufzeichnen** v. to note down
**aufziehen** v. to pull up; to wind up (watch); to rear
**Aufzug** m. attire; pageant; parade; crane; elevator; (theat.) act
**Augapfel** m. eyeball
**Auge** neu. eye; (cards) spot; **unter vier —n** privately; **-narzt** m. ophthalmologist; **-nblick** m. moment; **-nbraue** f. eyebrow; **-nspezialist** m. oculist; **-nspiegel** m. ophthalmoscope; **-nwimper** f. eye-

lash; **-nzeuge** m. eyewitness
**augenblicklich** adj. momentary, at present
**Aula** f. auditorium
**aus** prep. from, of, out of; **von Grund —** thoroughly
**ausarbeiten** v. to work out
**ausarten** v. to degenerate; (mil.) to escalate
**ausatmen** v. to exhale
**ausbaggern** v. to dredge
**Ausbau** m. extension
**ausbessern** v. to repair
**ausbeuten** v. to exploit
**Ausbeutungsvergütung** f. depletion allowance
**ausbieten** v. to offer for sale
**ausbilden** v. to educate
**ausblasen** v. to blow out
**ausbleiben** v. to stay away
**Ausblick** m. outlook, view
**ausbrechen** v. to break out
**ausbreiten** v. to spread
**ausbrennen** v. to burn out
**ausbrüten** v. to hatch out
**ausdehnen** v. to expand
**ausdenken** v. to devise
**ausdeuten** p. to interpret
**ausdrehen** v. to switch off
**Ausdruck** m. expression
**ausdrücken** v. to express
**ausdrücklich** adj. explicit
**ausdrucksvoll** adj. expressive
**auseinander** adv. apart
**auser:** **-koren** adj. selected; **-lesen** adj. choice; **-sehen** v. to choose; **-wählen** v. to single out
**Ausfahrt** f. drive; gateway
**Ausfall** m. shortage
**ausfertigen** v. to make out
**ausfinden** v. to find out
**ausfliegen** v. to fly out
**ausfliessen** v. to flow out
**Ausflucht** f. loophole; excuse; evasion; pretext
**Ausflug** m. excursion
**Ausflügler** m. excursionist
**ausforschen** v. to investigate
**ausfragen** v. to quiz
**Ausfuhr** f. export
**ausführbar** adj. feasible
**Ausführung** f. performance

17

**ausfüllen** v. fill up (*oder* in)
**Ausgabe** f. expenditure
**Ausgang** m. exit; result
**ausgeben** v. to give out; spend
**ausgelassen** adj. exuberant
**ausgemacht** adj. agreed
**ausgerechnet** adv. precisely
**ausgeschlossen** adj. excluded
**ausgeschnitten** adj. cut out
**ausgesprochen** adj. pronounced; decided, marked
**ausgesucht** adj. choice
**ausgezeichnet** adj. excellent
**ausgiebig** adj. abundant
**ausgiessen** v. to pour out
**Ausgleich** m. settlement
**ausgleichen** v. to equalize; to compromise, to settle
**ausgleiten** v. to slip, to slide
**ausgraben** v. to dig out
**Ausguss** m. sink
**aushalten** v. to hold out
**aushändigen** v. to hand over
**Aushang** m. display; placard
**Aushängeschild** neu. signboard
**ausharren** v. to hold out
**ausheben** v. to lift out
**aushecken** v. to hatch; to plot
**ausheilen** v. to heal up
**Aushilfe** f. temporary aid
**aushöhlen** v. to hollow out
**ausholen** v. to raise the arm (for striking, throwing)
**aushorchen** v. to sound out
**aushungern** v. to famish
**aushusten** v. to expectorate
**auskleiden** v. to undress
**Auskleideakt** m. striptease
**ausklopfen** v. to beat out
**Auskommen** neu. livelihood
**auskundschaften** v. to explore
**Auskunft** f. information;

**–sbüro** neu., **–sstelle** f. information office
**auskuppeln** v. to throw out of gear
**auslachen** v. to laugh at
**ausladen** v. to unload
**Auslage** f. outlay
**Ausland** neu. foreign country
**Ausländer** m. foreigner
**ausländisch** adj. foreign
**auslassen** v. to omit
**auslaufen** v. to run out
**Ausläufer** m. errand boy
**ausleeren** v. to empty
**auslegen** v. to interpret
**ausleihen** v. to lend out
**Auslese** f. selection
**auslesen** v. to choose; to sort; to pick out
**ausliefern** v. to hand over
**auslosen** v. to raffle
**auslöschen** v. to extinguish
**ausmachen** v. to constitute; to extinguish; to decide
**Ausmass** neu. degree, extent
**ausmessen** v. to measure
**Ausnahme** f. exception
**ausnahmsweise** adv. exceptionally
**ausnehmen** v. to take out; to draw (fowl); to except
**ausplaudern** v. to blab
**auspolstern** v. to upholster
**ausprägen** v. to coin
**auspressen** v. to squeeze out
**ausprob(ier)en** v. to test, to try
**Auspuff** m. exhaust; **–klappe** f. exhaust valve; **–rohr** neu. exhaust pipe; **–topf** m. muffler
**ausradieren** v. to erase
**ausrangieren** v. to eliminate
**ausräuchern** v. to smoke out
**ausräumen** v. to clear away
**ausrechnen** v. to calculate
**Ausrede** f. excuse, pretext
**ausreichen** v. to suffice
**Ausreise** f. departure

**ausreissen** v. to tear out
**ausrichten** v. to accomplish
**ausringen** v. to wring out
**ausrotten** v. to eradicate
**ausrücken** v. to march off
**Ausruf** m. outcry, shout
**ausrufen** v. to call out
**ausruhen** v. to rest; to relax
**ausrüsten** v. to equip
**ausrutschen** v. to slide, skid
**aussäen** v. to sow
**Aussage** f. assertion
**aussagen** v. to state
**Aussatz** m. leprosy
**Aussätzige** m. leper
**aussaugen** v. to suck dry
**ausschalten** v. to switch off; to exclude
**Ausschank** m. bar, tavern
**ausscheiden** v. to separate
**ausschelten** v. to scold
**ausschlafen** v. to sleep amply
**ausschliessen** v. exclude
**ausschliesslich** adj. exclusive
**Ausschnitt** m. cut(ting) out; clipping; low neck
**ausschöpfen** v. to exhaust
**ausschreiben** v. to write out
**ausschreien** v. to shout out
**Ausschuss** m. board, committee; wastepaper
**ausschütten** v. to pour out
**ausschweifen** v. to digress; to lead a dissolute life
**aussehen** v. to appear
**Aussehen** neu. appearance
**aussen** adv. outside
**ausser** prep. beside(s), outside of; — **sich sein** to be beside oneself; — **Dienst** off duty; out of employment; — **Frage** beyond all doubt; — conj. but, except; **-dem** adv. moreover; **-halb** prep. outside; **-ordentlich** adj. extraordinary
**äusser: -e** adj. outer, outward; external; **-lich** adj. external; **-st** adv. extremely; **-ste** adj. outer-

most
**Aussicht** f. view; prospect
**aussichtslos** adj. hopeless
**aussöhnen** v. to reconcile
**ausspannen** v. to unharness
**aussperren** v. to lock out
**Aussprache** f. pronunciation
**Ausspruch** m. utterance
**ausspülen** v. to rinse out
**ausspüren** v. to trace
**Ausstand** m. outstanding debt
**ausstatten** v. to equip
**ausersteh(e)n** v. to endure
**aussteigen** v. to get out
**Ausstellung** f. exhibition
**aussterben** v. to die out
**Aussteuer** f. dowry; trousseau; endowment
**ausstopfen** v. to stuff
**ausstossen** v. to push out
**ausstrahlen** v. to radiate
**ausstreichen** v. to cross out
**aussuchen** v. to pick out
**austauschen** v. to exchange
**austeilen** v. to dole out
**Auster** f. oyster
**austilgen** v. to obliterate
**austragen** v. to carry out
**austreiben** v. to drive out
**austreten** v. to step out
**Austritt** m. resignation
**Ausverkauf** m. clearance sale
**ausverkaufen** v. to sell out
**Auswahl** f. selection
**auswählen** v. to choose
**auswandern** v. to emigrate
**auswärtig** adj. foreign
**auswärts** adv. outward(s)
**Ausweg** m. way out
**ausweichen** v. to turn aside
**Ausweis** m. proof of identity; certification
**ausweisen** v. **sich** — to identify oneself
**auswendig** adj. outward, external; by heart
**auswerfen** v. to throw out
**auswerten** v. to evaluate
**auswirken** v. to work out
**auswischen** v. to wipe out
**Auswuchs** m. excrescence

**Auswurf** *m.* refuse; garbage, rubbish
**auszahlen** *v.* to pay out
**auszählen** *v.* to count out
**Auszehrung** *f.* consumption
**auszeichnen** *v.* to mark out; **sich —** to excell
**ausziehen** *v.* to take off; to disrobe; to extract; to move away
**Auszug** *m.* departure; summary
**Auto, Automobil** *neu.* auto(mobile),, (motor)-car; **–bahn** *f.* highway; **–heber** *m.* jack; **–mat** *m.* slot machine; **–schuppen** *m.* carport
**Autor** *m.* author, writer
**autorisieren** *v.* to authorize
**Axt** *f.* ax, hatchet

**B**

**Bach** *m.* brook, creek
**Back:** **–fisch** *m.* fried fish; teen-age girl; bobby-soxer; **–stein** *m.* brick
**backen** *v.* to bake
**Bäcker** *m.* baker; **–ei** *f.* bakery; pastries
**Bad** *neu.* bath; spa; **–ewanne** *f.* bathtub; **–ezimmer** *neu.* bathroom
**baden** *v.* to bathe
**Bagage** *f.* baggage
**Bagger** *m.* dredger
**Bahn** *f.* road, track, way; course; career; railway; orbit
**bahnen** *v.* to open up (path)
**Bahre** *f.* stretcher
**Bai** *f.* bay
**Baisse** *f.* fall in prices
**Bakkalaureus** *m.* bachelor (B.A., B.S., etc.)
**bald** *adv.* soon; presently
**Balg** *m.* skin; slough; bellows
**balgen** *v.* to scuffle
**Balken** *m.* beam, rafter
**Ball** *m.* ball; globe; dance

**Ballen** *m.* bale; packet
**ballen** *v.* **die Faust —** to clench one's fist
**balsamieren** *v.* to embalm
**Bambus** *m.* bamboo
**Band** *neu.* ribbon; tape
**Band** *m.* binding; volume
**Bande** *f.* band; gang, pack
**bändigen** *v.* to subdue
**bange** *adj.* alarmed
**Bank** *f.* bench, seat
**Bank** *f.* bank; **die — sprengen** to break the bank; **–abschluss** *m.* balance sheet; **–konto** *neu.* bank account
**Bänkelsänger** *m.* ballad singer
**bankrott** *adj.* bankrupt
**bannen** *v.* to banish
**bar** *adj.* **— bezahlen** to pay in cash
**Bär** *m.* bear
**Baracke** *f.* barracks
**Barbar** *m.* barbarian
**barbarisch** *adj.* barbaric
**Barbier** *m.* barber
**Barbitursäure** *f.* barbiturate
**barfuss** *adj.* barefoot(ed)
**barhäuptig** *adj.* bareheaded
**barmherzig** *adj.* merciful
**Baron** *m.* baron; **–esse** *f.*, **–in** *f.* baroness
**Barsch** *m.* (ichth.) perch
**barsch** *adj.* gruff, rude
**Bart** *m.* beard; whiskers
**bärtig** *adj.* bearded
**Base** *f.* female cousin
**basteln** *v.* to put together
**Batterie** *f.* battery
**Bau** *m.* building, construction; **–meister** *m.* architect
**Bauch** *m.* belly, abdomen; **–fellentzündung** *f.* peritonitis; **–redner** *m.* ventriloquist
**bauen** *v.* to build
**Bauer** *neu.* bird cage
**Bauer** *m.* builder; farmer
**Bäuerin** *f.* peasant woman
**baufällig** *adj.* dilapidated
**Baum** *m.* tree; beam
**bauschen** *v.* to bulge, to swell
**Bayern** *neu.* Bavaria
**beabsichtigen** *v.* to in-

tend
**beacht: —en** v. to take
notice
**Beamte** m., **Beamtin** f.
official; **—nherrschaft** f.
bureaucracy; **—nschaft** f.,
**—ntum** neu. civil service;
**—nwirtschaft** f. red tape,
bureaucracy
**bean: —spruchen** v. to
claim; **—standen** to object; **—tragen** to propose;
**—worten** to answer
**beängstigen** v. to alarm
**beaufsichtigen** v. to supervise
**beauftragen** v. commission
**beben** v. to quiver, tremble
**bebildern** v. to illustrate
**Becher** m. cup, goblet
**Becken** neu. basin, bowl
**bedacht** adj. intent on;
**—sam** considerate; (coll.)
a bit slow
**Bedacht** m. reflection
**bedächtig** adj. circum-
spect
**Bedarf** m. need, requirement
**bedauern** v. to pity; to regret
**bedecken** v. to cover
**bedenken** v. to consider
**Bedenken** neu. doubt,
scruple
**bedenklich** adj. serious
**bedeut: —en** v. to mean
**Bedien: —stete** m. em-
ployee; **—te** m. servant;
footman; **—ung** f. service
**bedienen** v. to attend, to
serve; to wait on
**bedingen** v. to stipulate
**bedingt** adj. conditional
**Bedingung** f. condition
**bedrängen** v. to press hard
**bedrohen** v. to menace
**bedrücken** v. to depress
**bedürfen** v. to need
**Bedürfnis** neu. need
**bedürftig** adj. needy, poor
**beehren** v. to honor
**beeiden** v. to confirm by
oath; to swear
**beeilen** v. to hasten,
hurry; to hustle

**beeinflussen** v. to influence
**beend(ig)en** v. to end,
finish
**Beerdigung** f. burial; funeral
**Beere** f. berry
**befähigen** v. to enable
**befähigt** adj. capable; fit
**befahrbar** adj. passable
**befallen** v. to befall
**Befehl** m. command; order
**befestigen** v. to fasten
**befeuchten** v. to moisten
**befinden v. sich** — to be
present; to feel (ill, well,
etc.)
**Befinden** neu. condition;
health
**befolgen** v. to follow, to
obey; to observe
**befragen** v. to consult
**befreien** v. to liberate
**befriedigen** v. to satisfy
**befürchten** v. to fear, to
dread; to suspect
**begabt** adj. gifted, talented
**Begabung** f. gift, talent
**Begebenheit** f. event
**begegnen** v. to meet
**begehren** v. to desire, to
covet
**begeistern** v. to inspire
**Begier(de)** f. desire; lust
**begierig** adj. eager, desirous; lustful; covetous
**begiessen** v. to water
**Beginn** m. beginning; **—en**
neu. undertaking
**beglaubigen** v. to attest
**Begleit: —er** m. companion; accompanist; (ast.)
satellite
**begleiten** v. to accompany
**beglückwünschen** v. to
congratulate
**Begräbnis** neu. burial
**begreifen** v. to comprehend
**begreiflich** adj. conceivable
**begrenzen** v. to bound, to
limit
**Begriff** m. concept, idea;
**im — sein** to be about
(oder on the point of);

# BEGRÜNDEN

**–sbestimmung** *f.* definition; **–svermögen** *neu.* intellectual capacity
**begründen** *v.* to prove
**begrüssen** *v.* to greet
**begünstigen** *v.* to favor
**begütert** *adj.* rich, wealthy
**begütigen** *v.* to appease
**behaart** *adj.* hairy; hirsute
**behaftet** *adj.* afflicted with
**behagen** *v.* to please
**behaglich** *adj.* comfortable
**behalten** *v.* to keep
**Behälter** *m.* container
**behandeln** *v.* to deal with
**behängen** *v.* to drape
**beharren** *v.* to persevere
**beharrlich** *adj.* persevering
**behaupten** *v.* to assert
**Behausung** *f.* lodging
**Behelf** *m.* expedient
**behelligen** *v.* to annoy
**behend(e)** *adj.* agile, nimble
**beherbergen** *v.* to lodge
**beherrschen** *v.* to govern
**beherzigen** *v.* to take to heart
**behexen** *v.* to bewitch
**behilflich** *adj.* helpful
**Behörde** *f.* governmental authorities
**behutsam** *adj.* careful; wary
**bei** *prep.* at, by, near; amid, among; — **alledem** for all that; — **Gelegenheit** on occasion
**Beiblatt** *neu.* supplement
**Beicht:** **–e** *f.* confession; **–vater** *m.* father confessor
**beichten** *v.* to confess
**beide** *adj.* and *pron.* both; **–rlei** *adj.* both kinds; **–rseitig** *adv.* mutually
**beieinander** *adv.* together
**Beifall** *m.* assent; applause
**beifolgend** *adj.* enclosed
**beifügen** *v.* to add
**Beigabe** *f.* supplement
**Beihilfe** *f.* assistance; aid
**beikommen** *v.* to come at
**Beil** *neu.* hatchet; axe

**Beilage** *f.* supplement
**beiläufig** *adv.* incidentally
**beilegen** *v.* to enclose
**beiliegen** *v.* to be enclosed
**Bein** *neu.* leg; bone; **–kleider** *neu. pl.* trousers
**beinahe** *adv.* almost
**Beiname** *m.* surname; nickname; epithet
**beiordnen** *v.* to co-ordinate
**beipflichten** *v.* to agree
**Beischlaf** *m.* cohabitation
**Beisein** *neu.* presence
**beiseite** *adv.* apart, aside
**Beispiel** *neu.* example
**beispiellos** *adj.* unheard of
**beispringen** *v.* to run to assist
**beissen** *v.* to bite; to burn
**Beistand** *m.* support
**beistehen** *v.* to render aid
**Beisteuer** *f.* contribution
**beistimmen** *v.* to agree to
**Beitrag** *m.* contribution
**beitreten** *v.* to join
**Beiwagen** *m.* sidecar
**Beiwerk** *neu.* accessories
**beizeiten** *adv.* betimes, early
**beizen** *v.* to corrode; etch
**bejahen** *v.* to affirm
**bejahrt** *adj.* aged; elderly
**bejammern** *v.* to deplore
**bekämpfen** *v.* to combat
**bekannt** *adj.* (well-) known; **–lich** *adv.* as everybody knows
**Bekanntschaft** *f.* acquaintance
**bekehren** *v.* to convert
**bekennen** *v.* to confess
**Bekenntnis** *neu.* confession; (rel.) denomination
**beklagen** *v.* to deplore
**Beklagte** *m.* accused
**bekleiden** *v.* to clothe, to dress; **ein Amt —** to hold office
**bekommen** *v.* to get, receive
**beköstigen** *v.* to board
**bekräftigen** *v.* to confirm
**bekreuz(ig)en** *v.* (rel.) to cross oneself
**bekritteln** *v.* to criticize
**beladen** *v.* to burden with

22

**Belag** *m.* sandwich meat
**belagern** *v.* to besiege
**Belang** *m.* importance
**belasten** *v.* to burden
**belästigen** *v.* to bother
**Belastung** *f.* load; charge
**belaufen** *v.* **sich —** to amount (*oder* come up) to
**belauschen** *v.* to overhear
**beleben** *v.* to animate
**belebt** *adj.* animated, lively
**Beleg** *m.* proof; voucher; **–stelle** *f.* quotation
**belehren** *v.* to instruct
**beleibt** *adj.* stout; plump
**beleidigen** *v.* to insult
**beleuchten** *v.* to illuminate
**Beleuchtung** *f.* illumination
**belichten** *v.* (phot.) to expose to light
**belieb: –en** *v.* to be pleasing; **–ig** *adj.* optional
**bellen** *v.* to bark, to bay
**belohnen** *v.* to reward
**belügen** *v.* to tell a falsehood
**belustigen** *v.* to amuse
**bemannen** *v.* to man
**bemänteln** *v.* to cloak
**bemerkbar** *adj.* observable
**bemerken** *v.* to notice
**bemitleiden** *v.* to pity
**bemittelt** *adj.* prosperous
**bemühen** *v.* to trouble
**benach: –bart** *adj.* neighboring; **–richtigen** to notify; **–teiligen** to damage
**benehmen** *v.* **sich —** to behave
**Benehmen** *neu.* behavior
**beneiden** *v.* to envy
**benötigen** *v.* to be in want of
**benutzen** *v.* to use, to utilize
**Benzin** *neu.* benzine; gasoline
**beobachten** *v.* to observe
**Beobachtung** *f.* observation
**Bequemlichkeit** *f.* comfort
**beraten** *v.* to advise
**Beratung** *f.* conference
**berauben** *v.* to deprive of

**berechnen** *v.* to calculate
**berechtigen** *v.* to authorize
**bereden** *v.* to persuade
**Beredsamkeit** *f.* eloquence
**Bereich** *m.* and *neu.* range, sphere; province
**bereichern** *v.* to enrich
**bereit** *adj.* prepared, ready; **–en** *v.* to get (*oder* make) ready; **–s** *adv.* already; **–willig** *adj.* ready to do
**Bereitschaft** *f.* preparedness
**bereuen** *v.* to regret
**Berg** *m.* mountain; hill; **hinter dem — halten** to keep in the dark; **–kette** *f.* mountain range; **–rutsch** *m.* landslide; **–schlucht** *f.* ravine; **–werk** *neu.* mine
**Berg– und Talbahn** *f.* switchback
**Bericht** *m.* account; report
**berichten** *v.* to report
**berichtigen** *v.* to correct
**Bernstein** *m.* amber
**bersten** *v.* to burst, to split
**berüchtigt** *adj.* notorious
**berücksichtigen** *v.* to consider, to regard
**Beruf** *m.* occupation, profession, business; vocation
**beruf: –en** *v.* to call
**beruhigen** *v.* to calm
**Beruhigungsmittel** *neu.* (med.) sedative
**berühmt** *adj.* celebrated
**berühren** *v.* to touch
**besänftigen** *v.* to soothe
**Besatzung** *f.* garrison; crew
**beschädigen** *v.* to damage
**beschaffen** *v.* to procure
**Beschaffenheit** *f.* condition
**beschäftigen** *v.* to engage
**beschämen** *v.* to put to shame; **–d** *adj.* shameful
**beschauen** *v.* to look at
**Bescheid** *m.* answer
**bescheiden** *adj.* modest
**bescheinigen** *v.* to certify
**beschenken** *v.* to present
**bescheren** *v.* to give gifts
**beschimpfen** *v.* to insult

**beschirmen** v. to protect
**beschliessen** v. to resolve
**Beschluss** m. resolution
**beschmutzen** v. to soil
**beschneiden** v. to circumcise; to trim
**beschränkt** adj. dull; limited
**beschreiben** v. to describe
**beschuldigen** v. to accuse
**beschummeln** v. to cheat
**beschützen** v. to protect
**Beschwerde** f. grievance
**beschweren** v. to burden
**beschwerlich** adj. troublesome
**beseelen** v. to animate
**beseh(e)n** v. to look at
**beseitigen** v. to eliminate
**Besen** m. broom; **–stiel** m. broomstick
**besessen** adj. possessed, fanatic; raving
**Besetzung** f. occupation
**besichtigen** v. to inspect
**besiegeln** v. to seal
**besiegen** v. to defeat
**Besinnung** f. consciousness
**besinnungslos** adj. unconscious
**Besitz** m. property
**besitzen** v. to possess; to own
**besoffen** adj. (coll.) drunk
**besolden** v. to pay wages
**besonders** adv. especially
**besonnen** adj. prudent
**besorgen** v. to take care of
**besorgt** adj. alarmed
**Besorgung** f. procurement; shopping; errand
**besprechen** v. to discuss
**besser** adj. better; **um so — so** much the better
**bessern** v. to improve
**Bestand** m. stock on hand; **–saufnahme** f. inventory; **–teil** m. ingredient, component; part
**beständig** adj. constant
**bestärken** v. to confirm; to fortify
**bestätigen** v. to confirm inter
**bestauben, bestäuben** v. to cover with dust, to

spray
**beste** adj. best; **etwas zum –n geben** to treat, to entertain with; **zum –n haben** to tease
**bestechen** v. to bribe
**Besteck** neu. knife, fork, and spoon; set of instruments
**bestehen** v. to undergo; to exist; to subsist; **— auf** to insist on; **— aus** to consist of; **nicht —** to fail
**besteigen** v. to ascend
**bestellen** v. to order
**besteuern** v. to tax
**Bestie** f. beast; brute
**bestimmen** v. to determine
**bestimmt** adj. decided; certain; definite
**Bestimmung** f. destiny
**bestrafen** v. to punish
**bestrebt sein** to exert oneself, to strive
**bestreiten** v. to contest
**bestürmen** v. to storm
**bestürzt** adj. dismayed
**Besuch** m. visit; visitor(s)
**besuchen** v. to visit
**betagt** adj. aged, elderly
**betäuben** v. to deafen
**beteiligen** v. **sich — to** take part in
**beten** v. to pray
**Beton** m. concrete
**betonen** v. to stress
**betrachten** v. to consider
**beträchtlich** adj. considerable
**Betrag** m. amount
**betrauen** v. to entrust with
**betrauern** v. to mourn for
**Betreff** m. reference
**betreffen** v. to concern
**betreiben** v. to carry on
**Betrieb** m. factory, plant; **–sjahr** neu. fiscal year; **–sleiter** m. manager
**betrübt** adj. sad, dejected
**Betrug** m. fraud, deceit
**betrügen** v. to cheat
**Bett** neu. bed; **–decke** f. blanket; **–laken** neu., **–tuch** neu. sheet; **–stelle** f. bedstead; **–wäsche** f.

24

bed linen
**Bettler** m. beggar
**Beule** f. boil, tumor, lump
**beunruhigen** v. to alarm
**beurteilen** v. to judge
**Beute** f. booty, prey
**Beutel** m. bag, pouch
**Bevölkerung** f. population
**Bevollmächtigte** m. authorized agent; attorney
**bevor** conj. before
**bewachen** v. to guard
**bewaffnen** v. to arm
**bewahren** v. to keep
**bewältigen** v. to overcome
**bewandert** adj. versed, skilled
**beweg:** –en v. to move; to excite; to induce
**Beweggrund** m. motive
**Bewegung** f. motion
**beweinen** v. to deplore
**Beweis** m. proof; sign, evidence
**beweisen** v. to prove
**Bewerber** m. applicant, suitor
**bewerkstelligen** v. to accomplish, to effect
**bewilligen** v. to grant
**bewirken** v. to bring out
**bewirten** v. to entertain
**bewohnen** v. to inhabit
**bewölkt** adj. cloudy
**bewundern** v. to admire
**bewusst** adj. conscious; –los adj. unconscious
**Bewusst:** –heit f. consciousness; –losigkeit f. unconsciousness
**bezahlen** v. to pay
**bezeichnen** v. to designate
**bezeugen** v. to testify
**beziehen** v. to cover; to receive; **sich — auf** to relate to
**Beziehung** f. relation
**beziehungsweise** adj. respectively
**Bezirk** m. district
**Bezug** m. cover(ing); supply; reference, relation; **— nehmen auf** to refer to; **in — auf** in regard to
**bezüglich** adj. relative; –prep. respecting
**bezweifeln** v. to doubt
**bezwingen** v. to overcome

**Bibel** f. Bible
**Biber** m. beaver
**Bibliothek** f. library
**biblisch** adj. biblical
**biegen** v. to bend, to bow
**Biene** f. bee; –nkorb m., –nstock m., –nzüchter m. beekeeper
**bieten** v. to offer; to bid
**Bilanz** f. (com.) balance
**Bild** neu. picture, portrait; –sucher m. (phot.) viewfinder; –ung f. education
**bilden** v. to form, to shape
**bildlich** adj. figurative
**Billet** neu. ticket; note
**billig** adj. cheap; fair, just
**billigen** v. to approve
**binär** adj. binary; –ziffer f. binary digit
**Binde** f. band; bandage
**binden** v. to bind; to tie; to thicken (gravy)
**Bindfaden** m. string, twine
**binnen** prep. within
**Binnen:** –handel m. domestic trade; –land neu. interior
**biochemisch** adj. biochemical
**Biogenese** f. biogenesis
**biogenetische Grundgesetz** neu. biogenesis
**Biometrie** f. biometry
**Bioökologie** f. bioecology
**Biosphäre** f. biosphere
**Birke** f. birch
**Birne** f. pear; bulb
**bis** prep. till; to; until; **alle — auf einen** all but one
**Bischof** m. bishop
**bisexuell** adj. bisexual
**Biss** m. bite, sting; –en m. mouthful; snack, morsel
**Bitte** f. request, petition
**bitten** v. to ask; to beg
**bitter** adj. bitter
**blank** adj. bright, polished
**Blas: e** f. bubble; bladder
**blasen** v. to blow
**blass** adj. pale
**Blatt** neu. leaf; sheet; blade; newspaper
**Blattern** f. pl. smallpox
**blättern** v. to leaf through
**blau** adj. blue; (coll.) drunk
**Blech** neu. tin; sheet metal;

**-kanne** *f.* tin can; **-schmied** *m.* tinsmith

**blechern** *adj.* tin

**Blei** *neu.* lead; plummet; **-stift** *m.* pencil; **-stiftanspitzer** *m.* pencil sharpener

**bleiben** *v.* to remain, to stay; **es bleibt dabei** agreed

**bleich** *adj.* pale

**blenden** *v.* to blind; to dazzle

**Blick** *m.* look; glance; view

**blind** *adj.* blind; dull

**Blind: -darm** *m.* appendix; **-darmentzündung** *f.* appendicitis

**Blinkfeuer** *neu.* blinker

**blinzeln** *v.* to blink

**Blitz** *m.* lightning, flash; **-ableiter** *m.* lightning rod; **-funk** *m.* radiotelegraphy; **-licht** *neu.* (photo.) flashlight; **-lichtlampe** *f.* flash bulb

**Blitzer** *m.* streaker

**Block** *m.* block; log; pad

**Blödsinn** *m.* nonsense

**blödsinnig** *adj.* idiotic(al)

**blöken** *v.* to bleat; to low

**blond** *adj.* blond(e), fair

**bloss** *adj.* bare, naked; plain, simple; mere; — *adv.* barely, merely, only

**Blösse** *f.* bareness, nakedness

**blühen** *v.* to bloom; flourish

**Blume** *f.* flower; aroma, flavor; **-nkohl** *m.* cauliflower

**Bluse** *f.* blouse

**Blut** *neu.* blood; lineage

**Blüte** *f.* blossom; bloom; (fig.) efflorescence

**Bock** *m.* ram; male goat

**bocken** *v.* to stall; to balk

**Boden** *m.* ground; soil; floor, bottom; attic, loft

**bodenlos** *adj.* bottomless

**Bodensee** *m.* Lake Constance

**bodenständig** *adj.* deeply rooted, ingrained

**Bogen** *m.* bow, bend; curve; **-gang** *m.* arcade

**Böhmen** *neu.* Bohemia

**Bohne** *f.* bean

**bohnern** *v.* to polish, to wax

**Bohnerbesen** *m.* buffer

**Bohrer** *m.* borer, drill, gimlet

**Bolzen** *m.* bolt; pin; rivet

**Bombe** *f.* bomb, shell

**bombensicher** *adj.* bombproof

**Bonze** *m.* (coll.) big shot

**Boot** *neu.* boat

**Bord** *m.* border, edge, rim

**borgen** *v.* to borrow

**Borke** *f.* bark, rind

**borniert** *adj.* narrowminded

**Börse** *f.* purse; stock exchange; **-nkurs** *m.* rate of exchange; **-nmakler** *m.* stockbroker

**börsenfähig** *adj.* negotiable

**Borste** *f.* bristle

**Borte** *f.* border, braid, lace

**bösartig** *adj.* malicious

**böse** *adj.* bad, evil, angry

**boshaft** *adj.* malicious

**Botanik** *f.* botany

**Bote** *m.* messenger

**Botschaft** *f.* message

**Böttcher** *m.* cooper

**Bowle** *f.* bowl; spiced wine

**brach** *adj.* fallow, unploughed

**Brand** *m.* burning; fire; **-mal** *neu.* scar; stigma; **-stifter** *m.* arsonist

**Brandung** *f.* surf

**Branntwein** *m.* brandy, whiskey; **-brennerei** *f.* distillery

**Braten** *m.* roast meat

**braten** *v.* to fry, to roast

**Bräu** *m.* and *neu.* brew

**brauchbar** *adj.* serviceable

**brauchen** *v.* to use; to need

**Braue** *f.* eyebrow

**brauen** *v.* to brew

**Brauer** *m.* brewer; **-ei** *f.* brewery

**braun** *adj.* brown; tanned

**bräunen** *v.* to brown; to tan

**brausen** *v.* to storm; to roar, to shower; to effervesce

**Braut** f. bride; fiancée;
–**ausstattung** f. trousseau;
–**führer** m. best man;
–**jungfer** f. bridesmaid;
–**schatz** m. dowry

**Bräutigam** m. bridegroom

**brav** adj. honest; good

**brechen** v. to break; to vomit

**Brei** m. pap; mush, porridge

**breit** adj. broad; wide

**Brems: –e** f. gadfly; brake;
–**klotz** m. chock; –**rakete** f. retro-rocket; –**schuh** m. brake shoe; –**strahlung** f. bremsstrahlung

**bremsen** v. to brake

**Brenn: –er** m. burner; distiller

**brennbar** adj. combustible

**brennen** v. to burn

**Bretagne** f. Brittany

**Brett** neu. board, plank

**Brief** m. letter; **eingeschriebener — registered** letter; –**marke** f. postage stamp; –**porto** neu. postage; –**tasche** f. billfold; –**umschlag** m. envelope

**Brille** f. glasses, spectacles

**bringen** v. to bring; to deliver

**bröckeln** v. to crumble

**Brocken** m. crumb; scrap

**Brokat** m. brocade

**Brosche** f. brooch

**Broschüre** f. brochure

**Brot** neu. bread; loaf

**Brötchen** neu. roll; **belegtes — sandwich**

**Bruch** m. breach, break; fold, crease; (law) violation; (math.) fraction; (med.) fracture, rupture; –**landung** f. crash landing; –**stück** neu. fragment; –**teil** m. fraction

**Brücke** f. bridge; dental arch

**Bruder** m. brother; friar

**brüderlich** adj. brotherly

**Brüderschaft** f. brotherhood

**Brühe** f. broth; sauce; gravy

**brüllen** v. to roar; to bellow

**brummen** v. to grumble

**Brunnen** m. fountain, spring; well; spa

**brünstig** adj. ardent; lustful

**Brust** f. breast, chest; –**bonbon** m. cough drop; –**fellentzündung** f. pleurisy

**brüten** v. to brood, to hatch

**Brutto: –betrag** m. gross amount; –**registerinhalt** m. payload

**Bube** m. boy; (cards) jack

**Bubikopf** m. bobbed hair

**Buch** neu. book; –**druck** m. printing; –**halter** m. bookkeeper; –**führung** f., –**haltung** f. bookkeeping; –**handel** m. book trade; –**handlung** f. bookshop; –**stabe** letter (of alphabet); type; –**umschlag** m. jacket; –**ung** f. entry

**buchen** v. to enter, to book

**Bücher** neu. pl. books; –**abschluss** m. balancing of books; –**ei** f. library; –**kunde** f. bibliography; –**schrank** m. bookcase

**Büchse** f. box; can; rifle; –**nöffner** m. can opener

**buchstäblich** adj. literal

**Bucht** f. bay, creek, inlet

**bücken** v. to stoop; to bow

**Bude** f. booth, stall; den

**Buf(f)ett** neu. sideboard

**Bug** m. bow (of a ship)

**Bügel** m. handle; coat hanger; –**brett** neu. ironing board; –**eisen** neu. flatiron; –**falte** f. crease

**bügeln** v. to iron; to press

**buhlen** v. to court

**Bühne** f. stage; platform; –**bild** neu. stage background; –**dichter** m. playwright; dramatist; –**leiter** m. stage manager

**Bund** m. alliance; band; –**esgenosse** m. ally; –**eslade** f. Ark of the Covenant; –**estag** m. (pol.) Lower House

**Bündel** neu. bundle, bunch

**bündig** *adj.* concise; convincing

**Bündnis** *neu.* alliance, union

**bunt** *adj.* many-colored

**Bürde** *f.* burden, load

**Burg** *f.* castle, citadel

**Bürge** *m.* guarantor

**Bürger** *m.* citizen, commoner; **–krieg** *m.* civil war; **–kunde** *f.* civics; **–meister** *m.* mayor; **–steig** *m.* sidewalk; **–wehr** *f.* militia

**bürgerlich** *adj.* civic, civil

**Bürgschaft** *f.* bail; guaranty

**Bursche** *m.* lad; (coll.) guy

**Bürste** *f.* brush; **–nabzug** *m.* (typ.) galley

**bürsten** *v.* to brush

**Büschel** *neu.* bunch, tuft

**buschig** *adj.* bushy, shaggy

**Busen** *m.* bosom, breast

**Busse** *f.* penance

**bussfertig** *adj.* penitent

**Büste** *f.* bust; **–nhalter** *m.* brassiere

**Butter** *f.* butter

**buttern** *v.* to churn

## C

**Champagner** *m.* champagne

**Charakter** *m.* character; type

**Chef** *m.* chief; head; **–redakteur** *m.* editor-in-chief

**Chemi:** **–e** *f.* chemistry; **–ker** *m.* chemist; **–kalien** *f. pl.* chemicals

**chemisch** *adj.* chemical

**Chinese** *m.* Chinese

**Chinin** *neu.* quinine

**Chirurg** *m.* surgeon

**Chlor** *neu.* chlorine

**cholerisch** *adj.* choleric

**Cholesterin** *neu.* cholesterol

**Chor** *m.* choir, chorus

**Christ** *m.* Christian; **Christ(us)** *m.* Christ; **–baum** *m.* Christmas tree; **–entum** *neu.* Christianity

**christlich** *adj.* Christian

**Chrom** *neu.* chromium

**Chronik** *f.* chronicle

**chronisch** *adj.* (med.) chronic

**Conférencier** *m.* master of ceremonies; M.C.

## D

**da** *adv.* here, there; present; — *conj.* as, when, while; because, since; — **haben wir's** there we are

**dabei** *adv.* nearby; therewith; — **kommt nichts heraus** nothing can be gained by it

**Dach** *neu.* roof, shelter

**Dachs** *m.* badger

**dadurch** *adv.* through it; thereby

**dafür** *adv.* for it (*oder* that); **ich kann nichts** — I can't help it

**dagegen** *adv.* and *conj.* against; on the contrary; on the other hand

**daheim** *adv.* at home

**daher** *adv.* from that place; — *conj.* therefore

**dahin** *adv.* to that place (*oder* time); along; gone

**dahinter** *adv.* behind it; **–kommen** to find out

**damals** *adv.* then; at that time

**damit** *adv.* and *conj.* with it (*oder* that); by it (*oder* that); **es ist nichts** — it is useless; — *conj.* in order to

**dämlich** *adj.* stupid, dull

**dämmen** *v.* to dam up

**dämmerig** *adj.* dusky, dim

**Dämmerung** *f.*, **Dämmerlicht** *neu.* twilight, dawn

**Dampf** *m.* steam, vapor; **–kochtopf** *m.* pressure cooker

**dämpfen** *v.* to dampen; to stew

**Dämpfer** *m.* damper

**danach** *adv.* after it (*oder* that); accordingly; **ich frage nicht** — I don't care

**daneben** *adv.* next to it — *conj.* besides

**Dank** *m.* thanks; reward

**dankbar** *adj.* grateful

**danken** *v.* to thank

**dann** *adv.* then, moreover

**d(a)rauf** *adv.* (up)on it, after that

**d(a)raus** *adv.* from it; **ich mache mir nichts —** I don't care

**darbieten** *v.* to offer

**darbringen** *v.* to offer

**d(a)rein** *adv.* into it

**d(a)rin(nen)** *adv.* in it; inside

**Darleh(e)n** *neu.* loan

**Darm** *m.* intestine, bowel

**darstellen** *v.* to describe; to exhibit, to act

**d(a)rüber** *adv.* about (*oder* across, over) something

**d(a)rum** *adv.* around; therefore

**d(a)runter** *adv.* and *prep.* among (*oder* under) something; **— und d(a)-rüber** topsy turvy

**das** *art. neu.* the; **—** *pron.* that, which

**Dasein** *neu.* existence; life

**dass** *conj.* that; **auf —** in order that; **es sei denn —** unless

**Datenverarbeitung** *f.* data processing

**Dattel** *f.* (bot.) date

**Datum** *neu.* (time) date

**Dauer** *f.* duration; continuance; **auf die —** in the long run; **-flug** *m.* nonstop flight; **-karte** *f.* season-ticket; **-welle** *f.* permanent wave

**dauer: -haft** *adj.* durable; **-n** *v.* to continue; **es -t mich** I am sorry for it

**Daumen** *m.* thumb

**davon** *adv.* of it; away; **das kommt —** that's the result; **-kommen** *v.* to escape

**davor** *adv.* in front of; before

**dazu** *adv.* for (*oder* to) something; **ich komme**

nie **—** I can never find time for that

**dazwischen** *adj.* among

**Deck** *neu.* deck; **-adresse** *f.* "in care of" address; **-e** *f.* blanket, cover; ceiling; **-el** *m.* cover, lid; **-name** *m.* pseudonym

**decken** *v.* to cover, to protect; **den Tisch —** to set the table

**Degen** *m.* sword

**dehnen** *v.* to stretch

**Deich** *m.* dike

**dein** *pron.* and *adj.* your; (bibl.) thy, thine; **-esgleichen** *adj.* and *pron.* such as you; **-ethalben** *adv.*, **-etwegen** *adj.*, **-etwillen** *adv.* on your account

**Dekan** *m.* dean

**dem** *art.* to the; **—** *conj.* whom; **-gemäss**, **-nach** *adv.*, **-zufolge** *adv.* accordingly; **-nächst** *adv.* shortly

**demokratisch** *adj.* democratic

**Demut** *f.* humility

**demütig** *adj.* humble

**Denk: -er** *m.* thinker; **-mal** *neu.* memorial, **-zettel** *m.* reminder

**denk: -bar** *adj.* conceivable; **-en** *v.* to think

**denn** *adv.* and *conj.* because, for

**dennoch** *conj.* nevertheless

**Dentin** *neu.* dentine

**Dentist** *m.* dentist

**Depesche** *f.* telegram, cable

**deponieren** *v.* to deposit

**Deputierte** *m.* deputy

**der** *art. m.* the; **—** *pron.* that, who, which; **-artig** *adj.* of such kind

**derb** *adj.* rough; blunt

**Dermatologie** *f.* dermatology

**des: -gleichen** *adv.* likewise; **-halb** *prep.* therefore; **-to besser** all the better

**deutlich** *adj.* distinct

**deutsch** *adj.* German

**Deutschland** *neu.* Germany

**Dezember** *m.* December

**Diagnose** f. diagnosis
**Diät** f. diet; daily allowance
**dicht** adj. dense, hick, close
**Dichter** m. poet
**dick** adj. thick; corpulent, fat
**die** art. f. the; — pron. that, who, which
**Dieb** m. thief, crook; **–stahl** m. theft
**Diele** f. board; floor; hall
**dienen** v. to serve
**Diener** m. domestic, servant; **–schaft** f. servants
**Dienst** m. service; duty; employment, post; **–mädchen** neu. servant girl, maid; **–mann** m. porter; **–stelle** f. headquarters; **–zwang** m. compulsory (oder military) service
**Dienstag** m. Tuesday
**dies:** **-e, -er, -es** pron. this; **–mal** adv. this time
**Dietrich** m. Theodore; (coll.) skeleton key
**diktieren** v. to dictate
**Ding** neu. thing; matter
**Diözese** f. diocese
**dir** pron. to you, to thee
**Direktor** m. principal
**Dirigent** m. conductor
**dirigieren** v. to conduct
**Dirne** f. girl; (coll.) prostitute
**Diskothek** f. discotheque
**diskret** adj. discreet
**diskutieren** v. to discuss
**Distel** f. thistle
**dividieren** v. to divide
**doch** conj. and adv. however, nevertheless; but, still, yet
**Docht** m. wick
**Dock** neu. dock (yard)
**Dogge** f. bulldog
**Doktor** m. doctor; physician; surgeon
**Dolch** m. dagger
**dolmetschen** v. to interpret
**Dom** m. cathedral; dome
**Domäne** f. domain; province
**dominieren** v. to domineer

**Donau** f. Danube
**Donner** m. thunder; **–stag** m. Thursday
**donnern** v. to thunder
**Doppel** neu. double; duplicate; **–ehe** f. bigamy; **–sinn** m. ambiguity; **–stern** m. (um ein Zentrum) m. pl. binary stars; **–steuerung** f. dual controls
**Dorf** neu. village, hamlet; **–schenke** f. country inn; **–schulze** m. village magistrate
**Dorn** m. thorn, prickle; **–röschen** neu. Sleeping Beauty
**dort** adv. yonder; (over) there; **–her** adv. from there
**Dose** f. box; can; **–nöffner** m. can opener
**Dosis** f. dose
**Dotter** m. and neu. yolk
**Dozent** m. university teacher
**dozieren** v. to teach, to lecture
**Draht** m. cable, wire; line; **–anschrift** f. telegraphic address; **–antwort** f. telegraphic reply; **–nachricht** f. wire, telegram; **–puppe** f. marionette
**drahten** v. to telegraph
**drall** adj. tight; firm; buxom
**dramatisch** adj. dramatic
**Drang** m. pressure; hurry; **–sal** f., neu. affliction
**dränge(l)n** v. to crowd, to press
**drangsalieren** v. to oppress
**Draufgänger** m. daredevil
**Drauflosfahren** neu. reckless driving
**draussen** adv. outside, abroad
**drechseln** v. to turn on a lathe
**Dreck** m. dirt, filth, mud
**dreckig** adj. dirty, filthy
**Dreh:** **–bank** f. turning lathe; **–buch** neu. (film) scenario; **–kran** m. derrick; **–kreuz** neu. turnstile; **–ring** m. swivel;

**–scheibe** f. (potter's) wheel; turntable
**drehen** v. to revolve, to turn
**drei** adj. three; **–eckig** adj. triangular; **–erlei** adj. of three kinds; **–fach** adj. threefold; **–mal** adv. three times; **–ssig** adj. thirty; **–stellig** adj. (math.) of three places; **–zehn** adj. thirteen
**Drei** f. three; **–bund** m. Triple Alliance; **–eck** neu. triangle; **–einigkeit** f. Trinity; **–fuss** m. tripod; **–königsabend** m. Twelfth-night; **–königsfest** neu. Epiphany; **–rad** neu. tricycle; **–zack** m. trident
**dreist** adj. bold, daring
**Dresch: –en** neu. threshing; **–er** m. thresher; **–maschine** f. threshing machine
**Drillich** m. (fabric) ticking
**dring: –en** v. to press forward
**dritt: –e** adj. third; **–ens** adv. thirdly
**Drittel** neu. third
**Drog: –e** f. drug; **–erie** f. pharmacy; **–ist** m. druggist
**drohen** v. to threaten
**Droschke** f. cab; taxi
**drüben** adv. over there, yonder
**Druck** m. pressure; **–er** m. printer; **–erei** f. print shop; **–fehler** m. misprint; **–freiheit** f. freedom of the press; **–knopf** m. snap fastener; **–luft** f. compressed air; **–sache** f. printed matter
**drucken** v. to print, to impress
**drücken** v. to press; to squeeze
**Drücker** m. latch; (gun) trigger
**drunten** adv. below, down there
**Drüse** f. gland
**du** pron. thou, you

**Dudelei** f. monotonous music
**Duft** m. fragrance, scent
**duften** v. to be fragrant
**Dukat** m. ducat
**duld: –bar** adj. tolerable; **–en** v. to tolerate; **–sam** adj. tolerant
**dumm** adj. stupid; foolish
**Dummkopf** m. blockhead
**dumpf** adj. damp, stuffy
**Dung, Dünger** m. manure
**dunkel** adj. dark, dim
**Dünkel** m. conceit, arrogance
**Dunkelkammer** f. (photo.) darkroom
**dünn** adj. thin, fine; slender
**Dunst** m. exhalation; vapor
**durch** adv. and prep. through
**durchaus** adv. thoroughly
**durchblicken** v. to look through; to appear
**durchbohren** v. to bore through
**durchbrechen** v. to pierce
**durchbrennen** v. to burn through; (elec.) to fuse; (coll.) to abscond, to flee
**durchdringen** v to permeate
**durcheinander** adv. confusedly; topsy turvy
**durchfahren** v. to drive through; to traverse
**Durchfahrt** f. thoroughfare
**Durchfall** m. falling through; (med.) diarrhea; failure, rejection
**durchfallen** v. to fall through; to fail
**durchfechten** v. to fight it out
**durchfinden** v. sich — to find one's way through
**Durchflug** m. nonstop flight
**Durchfuhr** f. transit
**durchführbar** adj. practicable
**durchführen** v. to convey (oder lead) through; to execute
**Durchgang** m. thoroughfare; **–swagen** m. (rail.)

through car

**durchgängig** *adj.* through-out

**durchgeistigt** *adj.* intellectual

**durchhalten** *v.* to hold out

**durchhauen** *v.* to cut through

**durchkommen** *v.* to get through

**durchkreuzen** *v.* to cross, to traverse; to thwart

**Durchlass** *m.* passage

**durchlassen** *v.* to let through

**durchlaufen** *v.* to go through

**durchlüften** *v.* to ventilate

**durchmachen** *v.* to experience

**Durchmesser** *m.* diameter

**durchmustern** *v.* to review

**durchnässen** *v.* to soak

**durchnehmen** *v.* to go over

**durchprügeln** *v.* to beat (*oder* thrash) soundly

**durchqueren** *v.* to cross

**durchreiben** *v.* to rub through; to wear out by friction; to chafe

**Durchreise** *f.* journey through

**durchscheinen** *v.* to shine through; **-d** *adj.* transparent

**durchschiffen** *v.* to navigate

**Durchschlag** *m.* colander, strainer; carbon copy

**durchschlagen** *v.* to beat (*oder* punch) through; to filter

**durchschneiden** *v.* to cut through

**Durchschnitt** *m.* cross-section; average

**durchschnittlich** *adj.* average

**durchsehen** *v.* to look through

**durchsetzen** *v.* to carry through; to make one's way

**durchsichtig** *adj.* trans-

parent

**durchsickern** *v.* to percolate

**durchsieben** *v.* to sift, to bolt

**durchsprechen** *v.* to talk over

**durchstechen** *v.* to perforate

**durchstöbern** *v.* to ransack

**durchstossen** *v.* to pierce

**durchstreichen** *v.* to strike out

**durchsuchen** *v.* to search

**durchtrieben** *adj.* cunning

**Durchwässerung** *f.* (chem.) saturation

**durchweg** *adv.* throughout; without exception

**durchwirken** *v.* to interweave; to have effect

**durchwühlen** *v.* to rummage

**durchzeichnen** *v.* to trace (through paper)

**durchzucken** *v.* to flash through; to realize suddenly

**Durchzug** *m.* passing (*oder* drawing) through; through draft

**dürfen** *v.* to be allowed
**darf ich?** may I?

**dürftig** *adj.* indigent, needy

**dürr** *adj.* parched, arid

**Dürre** *f.* dryness; drought

**Durst** *m.* thirst

**dursten, dürsten** *v.* to thirst

**Dusche** *f.* shower bath

**Düse** *f.* nozzle, jet; **-nbomber** *m.* jet bomber

**Dusel** *m.* dizziness; pure luck

**duselig** *adj.* dreamy, drowsy

**düster** *adj.* dark, gloomy; sad

**Dutzend** *neu.* dozen; **-mensch** *m.* commonplace person

**duzen** *v.* to address familiarly

**dynamisch** *adj.* dynamic(al)

**D-Zug** *m.* express train

# E

**Ebbe** f. ebb tide
**ebben** v. to ebb
**eben** adj. even, level; smooth; — adv. just, quite; — **erst** just now; **–falls** adv. likewise; **–so** adv. just so
**Eben: –bild** neu. image; **–e** f. plain; level ground
**Ebenholz** neu. ebony
**ebnen** v. to make level
**echt** adj. genuine, authentic
**Eck: –e** f. angle, corner; **–stein** m. cornerstone
**eckig** adj. angular
**edel** adj. noble, genteel; **–gesinnt** adj. high-minded
**Edikt** neu. edict
**Efeu** m. ivy
**Effekt** m. effect; **–en** pl. movable goods (com.) securities; **–enbörse** f. stock exchange; **–enhändler** m. stockbroker
**effektvoll** adj. effective
**egal** adj. equal; alike, same
**Egge** f. (agr.) harrow
**eggen** v. (agr.) to harrow
**Egoismus** m. egoism
**egoistisch** adj. egoistic; selfish
**ehe** adv. before, until; **–dem** adv. before this; **–malig** adj. former; **–mals** adv. formerly; **–r** adv. earlier, sooner; rather, more easily; **–stens** adv. as soon as possible
**Ehe** f. marriage; **–brecher** m. adulterer; **–bruch** m. adultery; **–hälfte** f. one's "better half"; **–scheidung** f. divorce; **–stand** m. married life; **–vertrag** m. marriage contract
**ehelos** adj. unmarried, single
**Ehr: –e** f. honor; **–furcht** f. awe; **–gefühl** neu. self-respect; **–geiz** m. ambition; **–würden** f. Reverence
**ehr: –bar** adj. honorable, decent; **–erbietig** adj. respectful; **–fürchtig** adj.

awe-inspiring; **–lich** adj. honest; **–los** adj. dishonorable; **–würdig** adj. reverent
**ehren** v. to honor; to esteem; **–haft** adj. honorable; **–wert** adj. respectable
**Ei** neu. egg; **verlorenes —** poached egg; **–erkuchen** m. omelet; **–weiss** neu. white of egg
**Eiche** f. oak
**Eid** m. oath; **–bruch** m. perjury; **–genosse** m. confederate
**Eidechse** f. lizard
**eif: –ern** v. to show zeal **–ersüchtig** adj. jealous; **–rig** adj. eager, zealous
**Eifer** m. zeal, ardor, **–sucht** f. jealousy
**eigen** adj. own, individual; **–artig** adj. peculiar; **–nützig** adj. selfish; **–s** adv. expressly, purposely; **–sinnig** adj. stubborn; **–tlich** adj. real, true; proper; **–tümlich** adj. specific; peculiar; **–willig** adj. willful
**Eigen: –art** f. peculiarity; **–gewicht** neu. net weight; **–liebe** f. self-love, egotism; **–name** m. proper name; **–nutz** m. self-interest; **–schaft** f. quality; **–sinn** m. obstinacy; **–tum** neu. property; **–tümer** m. proprietor
**Eil: –brief** m. special delivery letter; **–e** f. haste; **–fracht** f., **–gut** neu. express freight; **–zug** m. express train
**eil: –en** v. to hasten, to hurry; **–ends** adv. hastily, quickly; **–ig** adj. urgent
**Eimer** m. pail; bucket
**ein** art. a(n); — adj. one; **in –em fort** continuously; **um –s** at one o'clock; — pron. a, one; **–ander** pron. one another, each other; **–erlei** adj. of one kind; **–erseits, –esteils** adv. on the one hand; **–fach** adj. simple;

single; **–fache Buchführung** single entry bookkeeping; **–fältig** *adj.* silly; **–geboren** *adj.* native; (rel.) only begotten; **–heitlich** *adj.* uniform; **–ig** *adj.* in agreement; **–ige** *adj.* some; **–(ig)en** *v.* to unite; **sich –igen** to agree; **–mal** *adv.* once; formerly; **–sam** *adj.* solitary; lonely; **–stimmig** *adj.* unanimous; **–stöckig** *adj.* one-storied; **–tägig** *adj.* lasting one day; **–tönig** *adj.* monotonous; **–trächtig** *adj.* harmonious; **–zig** *adj.* only, single, unique; **–zigartig** *adj.* unique

**Ein: –bahnstrasse** *f.* one-way street; **–decker** *m.* monoplane; **–erlei** *neu.* sameness; **–falt** *f.* simplicity; **–faltspinsel** *m.* simpleton; **–geborene** *m.* native; **–heit** *f.* unity; unit; **–maleins** *neu.* multiplication table; **–schienenbahn** *f.* monorail; **–siedler** *m.* hermit; **–tracht** *f.* harmony

**einatmen** *v.* to inhale
**einbalsamieren** *v.* to embalm
**Einband** *m.* (book) binding
**einbauen** *v.* to install
**einbilden** *f.* imagine
**Einbildungskraft** *f.* imagination
**einbinden** *v.* to bind (book); to wrap up
**Einblick** *m.* insight
**einbrechen** *v.* to break into
**Einbrecher** *m.* burglar
**Einbruch** *m.* burglary
**einbürgern** *v.* to naturalize
**Einbusse** *f.* damage, loss
**einbüssen** *v.* to forfeit, to lose
**eindrängen** *v.* to push in; **sich —** to intrude
**eindringen** *v.* to penetrate
**Eindringling** *m.* intruder

**Eindruck** *m.* impression
**eindrücken** *v.* to crush
**eindrucksvoll** *adj.* impressive
**einfädeln** *v.* to thread
**einfahren** *v.* to drive in(to)
**Einfahrt** *f.* gateway
**Einfall** *m.* sudden idea
**einfallen** *v.* to invade
**einfassen** *v.* to enclose
**einfinden v. sich —** to appear, to arrive, to turn up
**Einflug** *m.* (act of) flying in
**Einfluss** *m.* influx; influence
**einflussreich** *adj.* influential
**einflüstern** *v.* to whisper to
**einfordern** *v.* to call in
**einfrieren** *v.* to freeze in
**einfügen** *v.* to insert
**Einfuhr** *f.* import(ation); **–sperre** *f.* embargo on imports; **–zoll** *m.* import duty
**einführen** *v.* to import; introduce; to inaugurate
**Einführung** *f.* introduction
**Eingang** *m.* entry; **kein — no** admission; **nach — on** receipt
**eingeben** *v.* to prompt; to give
**eingebildet** *adj.* conceited
**eingehen** *v.* to go in; to shrink; **–d** *adj.* in detail
**Eingemachte** *neu.* preserves
**eingenommen** *adj.* biased
**Eingesandt** *neu.* letter to the editor
**eingeschränkt** *adj.* limited
**eingeschrieben** *adj.* registered
**Eingeständnis** *neu.* avowal, confession
**Eingeweide** *neu. pl.* intestines
**eingraben** *v.* to bury; to engrave
**eingravieren** *v.* to engrave
**eingreifen** *v.* to interfere
**Eingriff** *m.* interference

**einhalten** v. to pause, stop
**einhändigen** v. hand over
**einhauchen** v. breathe into
**einheimisch** adj. native
**einholen** v. to bring in, to collect; to overtake
**einhüllen** v. to wrap up
**Einkauf** f. purchase; shopping; **-szentrum** neu. shopping center
**einkaufen** v. to purchase
**Einkäufer** m. buyer
**einkehren** v. to turn in, to enter; to stop at (an inn); to call at
**einkerkern** v. to imprison
**einklammern** v. to put in brackets (oder parentheses)
**einkleiden** v. to clothe
**einkochen** v. to boil down; to put up (preserves)
**einkommen** v. to come in
**Einkommen** neu. income; **-steuer** f. income tax
**Einkünfte** f. pl. income
**einkuppeln** v. throw into gear
**einladen** v. to invite
**Einlage** f. enclosure
**Einlass** m. admission
**einlassen** v. to admit
**einlegen** v. to put in; (cooking) to preserve
**einleiten** v. to introduce
**Einleitung** f. introduction
**einleuchten** v. to be clear
**einliefern** v. to deliver up
**einliegend** adj. enclosed
**einmachen** v. to preserve, to pickle, to can
**einmauern** v. to wall in
**einmengen, einmischen** v. to intermix, to mingle (oder meddle) with
**einmünden** v. to flow into
**Einmündung** f. junction
**Einnahme** f. receipt
**einnehmen** v. to take in; **-d** adj. captivating, charming
**einnicken** v. to fall asleep
**Einöde** f. desert
**einölen** v. to oil, to grease
**einordnen** v. to put in proper order; to classify

**einpacken** v. to wrap up
**einpauken** v. to drum into
**einpflanzen** v. to implant
**einpfropfen** v. to engraft
**einpökeln** v. to pickle
**einprägen** v. to impress
**einrahmen** v. to frame
**einräumen** v. to concede; to furnish (rooms)
**einrechnen** v. to include (in account); to allow for
**Einrede** f. objection, protest
**einreiben** v. to rub in
**einreichen** v. to hand in
**einreihen** v. to arrange in a line (oder row), to rank; to insert
**einrennen** v. to batter into
**einrichten** v. to arrange; to establish; to furnish
**einrücken** v. to enter; to insert; to announce (in newspapers)
**eins** adj. one; — adv. the same; — **werden** to agree; **es kommt auf — hinaus** it amounts to the same thing
**einsacken** v. to pocket
**einsalben** v. to anoint
**einsalzen** v. to salt, to pickle
**einsammeln** v. to gather
**Einsatz** m. insertion; stake; **-rennen** neu. (racing) sweepstakes
**einschalten** v. to insert; to engage (gears); (elec.) to switch on
**einschärfen** v. impress upon
**einscharren** v. to bury
**einschätzen** v. to assess
**einschenken** v. to pour in; **reinen Wein —** to tell the plain truth
**Einschiebsel** neu. interpolation
**einschiffen** v. to embark
**einschlafen** v. to fall asleep
**einschläfern** v. to lull to sleep
**Einschlag** m. impact; (bomb) burst; woof; wrapper; **-papier** neu. wrapping paper

35

**einschliessen** v. to enclose; to include, to comprise

**einschliesslich** adj. inclusive

**Einschluss** m. inclusion

**einschmeicheln** v. sich — to insinuate oneself (into)

**einschmieren** v. to grease, oil

**Einschnitt** m. incision; cut

**einschränken** v. to restrict; **sich** — to economize

**einschreiben** v. to register

**einschreiten** v. to interfere

**einschüchtern** v. to intimidate

**einsehen** v. to understand

**einseifen** v. to soap, lather

**Einsender** m. contributor

**Einsicht** f. insight

**einsperren** v. to lock up

**einspringen** v. to jump in

**einspritzen** v. to give a shot

**Einspruch** m. objection; — **erheben** to protest

**einst** adv. in days past, at some future time; **–weilen** adv. meanwhile; **–weilig** adj. temporary

**einstecken** v. to pocket

**einstehen** v. to answer (oder be responsible) for

**einsteigen** v. to get in

**einstellen** v. to put in; to adjust; to focus; to engage; to stop; to suspend; (rad.) to tune in; **Arbeit** — to strike; **Betrieb** — to close down; **sich** — to appear

**einstimmen** v. to agree with; to join in

**Einsturz** m. collapse; cave-in

**einstürzen** v. to collapse

**eintauchen** v. to immerse

**eintauschen** v. to exchange

**einteilen** v. to divide

**Eintrag** m. earnings, proceeds

**eintragen** v. to register

**eintreffen** v. to arrive; to coincide; to happen

**eintreten** v. to enter; to join; to occur

**Eintritt** m. admission; **–skarte** f. admission ticket

**eintunken** v. to dip in

**einüben** v. practice

**Einvernehmen** neu. agreement

**Einwand** m. objection, protest

**Einwanderer** m. immigrant

**einwandern** v. to immigrate

**Einwanderung** f. immigration

**einwechseln** v. to cash

**einwenden** v. to object

**einwickeln** v. to wrap up

**einwilligen** v. to consent

**Einwohnerschaft** f. population

**Einwurf** m. objection

**einzahlen** v. to pay in

**Einzel: –handel** m. retail trade; **–heit** f. detail

**einzeln** adj. single; individual

**Eis** neu. ice, ice cream; **–bahn** f. skating-rink; **–lauf** m., skating; **–läufer** m. skater; **–maschine** f. freezer; **–schrank** m. refrigerator; **–zacken** m., **–zapfen** m. icicle

**Eisen** neu. iron; **Not bricht** — necessity knows no law; **–beton** m. reinforced concrete; **–blech** neu. sheet-iron; **–guss** m. iron casting; **–hammer** m. sledge hammer; **–walzwerk** neu. iron rolling mill; **–ware** f. hardware

**Eisenbahn** f. railroad; **–übergang** m. railway crossing; **–zug** m. train

**eisern** adj. iron; hard, stern

**Eiter** m. pus, matter

**eitern** v. to fester, to suppurate, to ulcerate

**ekelhaft** adj. nauseous

**Ekzem** *neu.* eczema

**Elektriker** *m.* electrician

**elektrisch** *adj.* electric(al)

**Elektrizität** *f.* electricity

**Elektro-**: **-kardiogramm** *neu.* electrocardiogram; **-lyse** *f.* electrolysis; **-technik** *f.* electrical engineering

**Elektronen**: **-gehirn** *neu.* Univac; **-physik** *f.* electrophysics; **-technik** *f.* electronics

**Elend** *neu.* misery, distress

**elend** *adj.* miserable, distressed

**Elf** *m.*, **Elfe** *f.* elf, fairy

**elf** *adj.* eleven

**Elfenbein** *neu.* ivory

**Ell(en)bogen** *m.* elbow

**eloxieren** *v.* to anodize

**Elsass** *neu.* Alsace

**elterlich** *adj* parental

**Eltern** *pl.* parents

**Email** *neu.* enamel

**emaillieren** *v.* to enamel

**Empfang** *m.* reception; receipt; **-sapparat** *m.* receiver; **-sdame** *f.* receptionist; **-sschein** *m.* receipt; **-störung** *f.* (rad.) interference, static

**empfangen** *v.* to receive

**Empfänger** *m.* recipient

**empfehlen** *v.* to commend; to give regards to

**Empfehlung** *f.* recommendation

**empfind**: **-en** *v.* to feel; **-lich** *adj.* sensitive; **-sam** *adj.* sentimental; **-ungslos** *adj.* unfeeling

**Empfindung** *f.* feeling; sensation

**Emphysem** *neu.* emphysema

**empören** *v.* to enrage, to excite

**Empörung** *f.* indignation

**emsig** *adj.* industrious

**End**: **-e** *neu.* end; aim; ending; **-ergebnis** *neu.* result; **-ziel** *neu.* goal

**end**: **-gültig** *adj.* conclusive; **-en** *v.* to end, to finish; **-lich** *adv.* at last; finally; **-los** *adj.* endless

**Energie** *f.* energy, vigor

**energisch** *adj.* energetic

**eng** *adj.* narrow; tight; **-anschliessend** *adj.* tightfitting; **-brüstig** *adj.* asthmatic; **-herzig** *adj.* narrow-minded

**Enge** *f.* narrowness; strait

**Engel** *m.* angel

**Engländer** *m.* Englishman

**en gros** *adv.* wholesale

**Enkel** *m.* grandson; **-in** *f.* granddaughter; **-kind** *neu.* grandchild

**entbehren** *v.* to do without

**Entbehrung** *f.* privation want

**Entbindung** *f.* release; childbirth; **-sanstalt** *f.* maternity hospital

**entbrennen** *v.* to catch fire, to blaze up

**entdecken** *v.* to discover

**Ente** *f.* duck; (coll.) hoax

**enterben** *v.* to disinherit

**Enterhaken** *m.* grappling

**entfalten** *v.* to unfold

**Entfaltung** *f.* efflorescence

**entfernen** *v.* to remove

**entfernt** *adj.* remote

**Entfernung** *f.* distance, range; removal

**entflammen** *v.* kindle

**entfliehen** *v.* to flee

**entfremden** *v.* to estrange

**entführen** *v.* to kidnap

**entgegen** *adv.* and *prep.* towards; opposed to; **-kommen** *v.* to meet halfway; **-kommend** *adj.* obliging; **-nehmen** *v.* to accept; **-sehen** *v.* to expect

**entgeh(e)n** *v.* to escape

**Entgelt** *neu.* and *m.* remuneration; compensation

**entgleisen** *v.* to derail

**enthalten** *v.* to contain, hold

**enthaupten** *v.* to behead

**enthüllen** *v.* to unveil

**entkleiden** *v.* to undress

**entkommen** *v.* to escape

**entladen** *v.* to unload; to explode, to discharge

**entlang** *adv.* along

**entlassen** *v.* to dismiss

**entlasten** *v.* to unburden

**Entlastung** f. relief; exoneration; **–szeuge** m. witness for the defense
**entlaufen** v. to run away
**entleeren** v. to empty
**entlegen** adj. distant
**entlehnen** v. to borrow
**entlocken** v. to draw, to elicit
**entmenscht** adj. inhuman
**entmutigen** v. to discourage
**entnerven** v. to unnerve
**enträtseln** v. to decipher
**entreissen** v. to snatch from
**entrichten** v. to pay
**entrinnen** v. to escape
**entsagen** v. to renounce
**entschädigen** v. to compensate; to reimburse
**entscheiden** v. to decide
**entschieden** adj. decided
**entschliessen** v. to decide
**entschlossen** adj. determined
**Entschluss** m. resolution
**entschuldigen** v. to excuse
**entschwinden** v. to disappear
**entseelt** adj. dead, lifeless
**Entsetzen** neu. horror
**entsetzlich** adj. horrible
**entsinnen** v. sich — to recollect, to remember
**Entspannung** f. relaxation
**entsprechen** v. to correspond to, to be analogous to; **–d** adj. adequate
**entsteh(e)n** v. to originate
**enttäuschen** v. to disappoint
**Entwaffnung** f. disarmament
**Entwarnung** f. all-clear signal
**entweder** conj. either; — **oder** either . . . or
**entwerfen** v. to draft; to sketch
**entwerten** v. to depreciate
**entwickeln** v. to develop
**Entwickler** m. (phot.) developer
**Entwicklung** f. development; **–sgeschichte** f. biogenesis; **–szeit** f. adolescence

**entwischen** v. to slip away
**Entwurf** m. draft; design
**entziehen** v. to deprive of
**entziffern** v. to decode
**entzünden** v. to kindle
**Entzündung** f. ignition
**entzwei** adv. in two, asunder; **–en** v. to estrange; **–geh(e)n** v. to break
**Epidemie** f. epidemic
**Epistel** neu. and f. epistle
**er** pron. he; **— selbst** he himself
**Erb** **– e** m. heir; successor; **–e** neu. heritage, inheritance; **–lasser** m. testator; **–schaft** f. inheritance, legacy; **–schaftsgericht** neu. probate court; **–stück** neu. heirloom; **–sünde** original sin; **–teil** neu. share of an inheritance
**erb–** **–en** v. to inherit
**erbarmen** v. sich — to pity
**Erbarmen** neu. compassion
**erbärmlich** adj. miserable
**erbarmungslos** adj. pitiless
**erbauen** v. to build, to erect; to edify
**erbeben** v. to tremble
**erbittern** v. to embitter
**Erbse** f. pea
**Erd** **–beben** neu. earthquake; **–beere** f. strawberry; **–geschoss** neu. ground floor; **–kunde** f. geography; **–leitung** f. earth connection; ground wire; **–nähe** f. (ast.) perigee; **–nuss** f. peanut; **–öl** neu. petroleum; **–reich** neu. earth, soil; **–rinde** f. earth's crust; **–rutsch** m. landslide; **–schluss** m. (elec.) ground; **–teil** m. continent
**erdenken** v. to conceive
**erdenklich** adj. imaginable
**erdichten** v. to invent, to imagine
**erdolchen** v. to stab to death
**erdrosseln** v. to strangle
**erdrücken** v. to crush
**erdulden** v. to endure

ereignen v. sich — to happen

Ereignis neu. event, occurence

erfahren v. to hear, to learn; — adj. experienced

Erfahrung f. experience

erfassen v. to seize, to take hold of; to comprehend

erfinden to invent

Erfindung f. invention; fiction

erflehen v. to implore for

Erfolg m. result; success

erfolgreich adj. successful

erforderlich adj. necessary

erfordern v. to require

Erfordernis neu. requirement

erforschen v. to explore

erfreuen v. to delight, to gladden; to cheer

erfreulich adj. gratifying

erfrieren v. to freeze to death

erfrischen v. to refresh

erfüllen v. to fulfill

ergänzen v. to complete

Ergeb: -nis neu. result; outcome; -ung f. surrender; submission

ergeben v. sich — to submit

ergötzlich adj. amusing

ergreifen v. to seize

ergriffen adj. moved

ergründen v. to fathom

erhaben adj. elevated; exalted

erhalten v. to obtain; preserve

erhängen v. to hang

erhaschen v. to catch, seize

erheben v. to lift up, to heave

erheitern v. to amuse, cheer

erhitzen v. to heat; inflame

erhöhen v. to raise, to elevate

erholen v. sich — to recover

Erholung f. recreation

erhören v. to hear; grant

Erika f. heather

erinnern v. to remind; sich — to recollect, to remember

erkälten v. to chill; sich — to catch a cold

Erkenn: -tnis f. knowledge; -ung f. recognition

erkennen v. to recognize

erkenntlich adj. grateful

erklären v. to explain

Erklärung f. explanation

erklettern v. to climb

erkoren adj. chosen, selected

erkundigen v. sich — (nach) to inquire about

Erkundigung f. inquiry

erlangen v. to attain, achieve

Erlass m. dispensation

erlauben v. to allow, to license

Erlaubnis f. permission

erläutern v. to explain

erleben v. to live to see

Erlebnis neu. experience

erledigen v. to settle, finish

erledigt adj taken care of

erleichtern v. to facilitate

erleiden v. to suffer, bear

erlernen v. to learn, to master

erleuchten v. to light up

erliegen v .to be defeated

Erlös m. proceeds; -er m. deliverer; Redeemer; -ung f. deliverance; redemption

erlösen v. to deliver, to free

ermahnen v. to admonish

ermässigen v. to moderate; to abate; to reduce

ermatten v. to fatigue

ermitteln v. to ascertain

ermöglichen v. to make possible (oder feasible)

ermorden v. to murder

ermüden v. to tire, to weary

ermuntern v. to encourage

ernähren v. to nourish

ernennen v. to appoint

erneue(r)n v. to renew

Ernst m. seriousness; gravity

**ernst(haft)** *adj.* earnest
**Ernte** *f.* harvest; **-dank-fest** *neu.* thanksgiving
**ernten** *v.* to harvest
**erobern** *v.* to conquer
**eröffnen** *v.* to open
**erörtern** *v.* to consider
**erproben** *v.* to test, to try
**erquicken** *v.* to refresh
**erraten** *v.* to guess; to solve
**errechnen** *v.* to calculate
**Erreg:** **-er** *m.* agitator; (med.) germ; **-ung** *f.* excitation
**erregen** *v.* to excite
**erreichen** *v.* to reach; attain
**erretten** *v.* to rescue, to save
**errichten** *v.* to erect, to found
**Errungenschaft** *f.* acquisition
**Ersatz** *m.* reparation; compensation; substitute; **-rad** *neu.* spare wheel (*oder* tire)
**erschallen** *v.* to resound
**erscheinen** *v.* to appear
**Erscheinung** *f.* appearance
**erschiessen** *v.* to shoot (dead)
**erschlagen** *v.* to slay, to kill
**erschöpfen** *v.* to exhaust
**erschrecken** *v.* to frighten
**Erschütterung** *f.* shaking, shock; (med.) concussion
**erschweren** *v.* to aggravate
**ersehen** *v.* to see; to observe
**ersehnen** *v.* to long for
**ersetzen** *v.* to replace
**ersichtlich** *adj.* obvious
**ersparen** *v.* to save, to spare
**erst** *adv.* (at) first; above all; just; not till; only; **-e** *adj.* first; leading; **eben — just now;** **— recht** all the more; **fürs -e** for the present; **-ens** *adv.* in the first place; **-klassig** *adj.* first class; **-malig** *adj.* first-time; **-mals** *adv.* for the first time

**erstatten** *v.* to restore
**erstaunen** *v.* to astonish
**erstaunlich** *adj.* amazing
**erstechen** *v.* to stab to death
**ersteh(e)n** *v.* to arise, to rise
**ersteigen** *v.* to ascend
**ersticken** *v.* to suffocate
**erstrecken** *v.* to extend
**ersuchen** *v.* to request
**ertappen** *v.* to catch, to detect
**erteilen** *v.* to grant; to give
**Ertrag** *m.* yield; **-sfähig-keit** *f.* productivity
**ertragen** *v.* to bear, to endure
**erträglich** *adj.* endurable
**ertränken** *v.* to drown
**ertrinken** *v.* to be drowned
**erwachsen** *v.* to grow up
**erwägen** *v.* to consider
**erwählen** *v.* to choose, to select; to elect
**erwähnen** *v.* to mention
**erwarten** *v.* to await; expect
**erweichen** *v.* to soften
**erweisen** *v.* to render, show
**erweitern** *v.* to enlarge
**Erwerb** *m.* gain; earnings; **-slosenunterstützung** *f.* unemployment compensation
**erwidern** *v.* to reply, to retort
**erwünscht** *adj.* desired
**erwürgen** *v.* to strangle
**Erz** *neu.* metal; ore; **-giesserei** *f.* brass (*oder* bronze) foundry; **-hütte** *f.* smeltery; **-kunde** *f.* metallurgy
**Erz:** **-bischof** *m.* archbishop; **-bistum** *neu.* archbishopric; **-engel** *m.* archangel; **-herzog** *m.* archduke
**erzählen** *v.* to relate; to report
**Erzähler** *m.* narrator; writer
**erzeigen** *v.* to show, render
**Erzeugnis** *neu.* product

**erziehen** *v.* to educate

**es** *pron.* it; — **gibt** there is, there are

**Esel** *m.* donkey; ass; **–ei** *f.* stupidity; **–sbrücke** *f.* pony (students)

**Ess: –en** *neu.* food; meal; dish; **–gier** *f.* gluttony; **–löffel** *m.* tablespoon; **–waren** *f. pl.* eatables

**essen** *v.* to eat

**Essig** *m.* vinegar

**Estrogen** *neu.* estrogene

**Etappe** *f.* stage, section

**Etat** *m.* budget; **–sjahr** *neu.* fiscal year

**ethisch** *adj.* ethical

**Etikett** *neu.* label, tag

**Etikette** *f.* etiquette

**etliche** *pron.* some; several

**etwa** *adv.* about, nearly

**etwas** *pron.* something; — *adj.* some, any; — *adv.* somewhat; a little

**Etzel** *m.* Attila

**euch** *pron. pl.* (to) you

**euer** *adj. pl.* your

**Eule** *f.* owl; **–nspiegelei** *f.* practical joke

**eur: –esgleichen** *pron.* like you, of your kind; **–ethalben** *adv.*, **–etwegen** *adv.*, **–etwillen** *adv.* for your sake, on your account; **–ig** *pron.* yours

**e.V. (eingetragener Verein)** *m.* Inc. (Incorporated)

**evangelisch** *adj.* evangelical, protestant

**Evangelium** *neu.* (rel.) gospel

**ewig** *adj.* eternal; endless

**examinieren** *v.* to examine

**exemplarisch** *adj.* exemplary

**Expedition** *f.* expedition; shipping department

**exportieren** *v.* to export

## F

**Fabel** *f.* fable; (lit.) plot; tale

**fabelhaft** *adj.* fabulous

**Fabrik** *f.* factory, plant;

**–ant** *m.* manufacturer; **–zeichen** *neu.* trade-mark

**fabrizieren** *v.* to manufacture

**Fach** *neu.* compartment, drawer, pigeonhole; branch, department; speciality, subject; line; **–ausdruck** *m.* technical term; **–gelehrte** *m.* specialist; **–mann** *m.* expert; **–ordnung** *f.* classification

**Fächer** *m.* fan

**Fackel** *f.* torch

**fad(e)** *adj.* insipid; stale; dull

**Faden** *m.* thread; string; **–nudeln** *f. pl.* vermicelli

**Fagott** *neu.* bassoon

**fähig** *adj.* able, capable; gifted

**fahl** *adj.* pale, faded

**Fahne** *f.* flag, banner; (typ.) galley proof; **–neid** *m.* oath of allegiance

**Fähnrich** *m.* (mil.) ensign; (naut.) midshipman

**Fahr: –bahn** *f.,* **–damm** *m.* roadway; **–betrieb** *m.* traffic; **–geld** *neu.* fare; **–karte** *f.* (rail.) ticket; **–kartenausgabe** *f.,* **–kartenschalter** *m.* (rail.) ticket office; **–plan** *m.* timetable; **–rad** *neu.* bicycle; **–strasse** *f.* highway; **–stuhl** *m.* elevator; **–t** *f.* journey; trip; drive, ride; **–zeug** *neu.* vehicle

**fahr: –en** *v.* to drive, to ride, to go (by train, etc.); **–lässig** *adj.* negligent, careless; **–planmässig** *adj.* on schedule

**Fährte** *f.* scent, track, trail

**faktisch** *adj.* founded on facts

**Faktura** *f.* invoice

**Fakultät** *f.* faculty

**fakultativ** *adj.* optional

**Fall** *m.* fall; waterfall; ruin; case; **auf jeden** — in any event; **auf keinen** — on no account; **im –e** in case; **zu — bringen** to ruin; **–e** *f.* trap; **–schirm** *m.* parachute; **–schirm-**

**truppen** f. pl. paratroopers; **schirmspringer** m. parachutist; **–strick** m. snare, noose; **–sucht** f. epilepsy; **–tür** f. trapdoor

**fall:** **-en** v. to fall; to drop; **-s** adv. if; in case

**fällen** v. to cut, to fell

**fällig** adj. due; payable

**falsch** adj. wrong; false; counterfeit, forged

**Falsch:** **–heit** f. deceit- (fulness); **–münzer** m. counterfeiter; **–spieler** m. cardsharp

**fälschen** v. to falsify; to forge; to counterfeit

**falten** v. to fold; to crease

**Falter** m. butterfly, moth

**Familie** f. family; tribe

**Fanal** neu. beacon; signal

**Fanatiker** m. fanatic

**Fanatismus** m. fanaticism

**Fang** m. booty; haul; claw, talon, fang; **–eisen** neu. iron trap

**fangen** v. to catch; to hook, to trap, to snare

**Farb:** **–band** neu. typewriter ribbon; **–e** f. color; dye, paint; **–stift** m. colored pencil

**farbecht** adj. fast, fadeless

**färben** v. to color; to dye

**farbig** adj. colored; stained

**Fasan** m. pheasant

**Fasching** m. carnival

**Faschismus** m. fascism

**faseln** v. to talk nonsense

**Faser** f. fiber, filament; thread

**Fass** neu. barrel; tub, vat

**fass:** **-en** v. to seize, to catch; **einen Vorsatz –en** to resolve; **ein Herz** (oder **Mut**) **-en** to summon up courage; **ins Auge –en** to consider

**Fassung** f. mounting; wording; self-control

**fast** adv. almost, nearly

**Fast:** **-en** neu. fasting; **–enzeit** f. Lent; **–nacht** f. Shrove Tuesday

**fasten** v. to fast

**fatal** adj. unfortunate

**faul** adj. rotten; lazy

**Faul:** **–heit** f. laziness; **–pelz** m. lazybones

**Faust** f. fist; **–kampf** m. boxing match; **–kämpfer** m. boxer

**fechten** v. to fence

**Feder** f. feather; pen; spring; **–ball** m. badminton; **–kraft** f. elasticity; **–taschenmesser** neu. switchblade; **–zug** m. stroke of the pen; signature

**feenhaft** adj. fairylike

**Fegefeuer** neu. purgatory

**fegen** v. to sweep, to clean

**Fehde** f. feud; **–handschuh** m. gauntlet

**Fehl** m. fault, blemish; **–betrag** m. deficit; **–er** m. fault, error, mistake; **–geburt** f. miscarriage; **–griff** m. mistake; **–schlag** m. failure; **–tritt** m. false step; **–zündung** f. (mech.) misfire, backfire

**fehl:** **-en** v. to miss; to err; to be absent; **–erhaft** adj. faulty, defective

**Feier** f. celebration; festival; **–abend** m. cessation of work; **–lichkeit** f. solemnity; **–tag** m. day of rest, holiday

**feiern** v. to celebrate; to feast

**feige** adj. cowardly

**Feige** f. fig

**Feigling** m. coward

**feil** adj. for sale; venal; **-bieten** to offer for sale

**feilen** v. to file (oder rub)

**Fein:** **–bäckerei** f. fancy bakery; **–kosthandlung** f. delicatessen

**Feind** m. enemy, foe; **–schaft** m. enmity

**feindlich** adj. hostile; inimical

**Feld** neu. field; ground; **–arzt** m. army surgeon; **–bett** neu. camp-bed; **–dienst** m. (mil.) active service; **–herr** m. commander-in-chief; **–lager** neu. camp; **–messer** m. surveyor; **–prediger** m. army chaplain; **–stecher** m. field glasses; **–webel**

*m.* sergeant
**Felge** *f.* felloe; wheel rim
**Fell** *neu.* hide, skin; fur
**Fels, Felsen** *m.* rock; cliff
**Felsengebirge** *neu.* Rocky Mountains
**Fenster** *neu.* window; hotbed; **–brett** *neu.*, **–sims** *neu.* window sill; **–kitt** *m.* putty; **–laden** *m.* window shutter; **–rahmen** *m.* window frame; **–riegel** *m.* window catch; **–scheibe** *f.* window pane
**Ferien** *pl.* vacation
**fern** *adj.* far distant, remote; **–er** *adv.* further; besides; **–mündlich** *adj.* by telephone
**Fern: –e** *f.* distance; **–gespräch** *neu.* long distance call; **–glas** *neu.*, **–rohr** *neu.* telescope; **–sehen** *neu.* television, video; **–seher** *m.* television set; **–sprecher** *m.* telephone
**Ferse** *f.* heel
**fertig** *adj.* ready; accomplished; finished; **–en** *v.* to manufacture; **–stellen** *v.* to complete
**Fertigkeit** *f.* dexterity; skill
**fesch** *adj.* fashionable; stylish
**Fessel** *f.* fetter, shackle
**fest** *adj.* solid; firm; tight; **–er Schlaf** sound sleep; **–nehmen** *v.* to arrest, to seize
**Fest** *neu.* festival; feast; **–halle** *f.* banquet hall; **–körperphysik** *f.* solid-state physics; **–lichkeit** festivity; **–tag** *m.* holiday
**festlich** *adj.* festive; solemn
**Festung** *f.* fortress
**fett** *adj.* fat; stout; greasy
**Fett** *neu.* fat; grease; lard
**feucht** *adj.* moist; damp; humid
**Feuchtigkeit** *f.* moisture
**Feuer** *neu.* fire; firing; **–bestattung** *f.* cremation; **–eifer** *m.* ardent zeal; **–leiter** *f.* fire escape; **–löschapparat** *m.*, **löscher** *m.* fire extinguisher;

**–melder** *m.* fire alarm; **–ung** *f.* fuel; heating; **–versicherung** *f.* fire insurance; **–wehr** *f.* fire department; **–zeug** *neu.* lighter
**Fex** *m.* faddist
**Fiaker** *m.* hackney-coach
**Fichte** *f.* spruce (tree)
**fidel** *adj.* jolly, jovial; merry
**Fieber** *neu.* fever; **–thermometer** *neu.* clinical thermometer
**Fiedel** *f.* fiddle; **–bogen** *m.* fiddle bow
**Figur** *f.* figure; shape, form
**Filiale** *f.* branch (establishment)
**Film** *m.* film; movie; **–rolle** *f.*, **–streifen** *m.* real; film strip
**Finanz** *f.*, **–en** *pl.* finance(s); **–amt** *neu.* tax office; **–jahr** *neu.* fiscal year; **–minister** *m.* secretary of the treasury
**finanzieren** *v.* to finance
**finden** *v.* to find; to discover
**Finger** *m.* finger; **–abdruck** *m.* finger print; **–hut** *m.* thimble; **–zeig** *m.* hint, tip
**Finsternis** *f.* darkness, gloom
**Finte** *f.* feint; trick; excuse
**Firlefanz** *m.* fiddle-faddle
**Firma** *f.* firm, business
**Firmelung** *f.* (Catholic) confirmation
**First** *m.* ridge, roof
**Fisch** *m.* fish; **–bein** *neu.* whalebone; **–er** *m.* fisherman; **–ereigerät** *neu.* fishing tackle; **–gräte** *f.* fish bone; **–zug** *m.* catch (*oder* haul) of fish
**fiskalisch** *adj.* fiscal
**Fiskus** *m.* state treasury
**fix** *adj.* fixed; fast, immovable; (coll.) quick; **–und fertig** quite ready
**Fix: –ierbad** *neu.* (phot.) fixing bath
**flach** *adj.* flat, level; shallow

**Fläche** *f.* surface; level, plain; **-ninhalt** *m.* area

**Flachs** *m.* flax

**flackern** *v.* to flicker; to flare

**Flagge** *f.* flag; colors

**Flak** *f.* anti-aircraft battery

**Flakon** *neu.* phial; scent bottle

**Flamme** *f.* flame; blaze

**flammen** *v.* to flame, blaze

**Flanke** *f.* flank; (tennis) side

**Flasche** *f.* bottle; flask; **-nzug** *m.* block and tackle

**flattern** *v.* to flutter; to wave

**flau** *adj.* feeble, weak; faint

**Flaum** *m.* down, fluff

**Flause** *f.* fib; humbug

**Flaute** *f.* poor business

**Flechte** *f.* braid, plait, tress

**flechten** *v.* to braid, to plait

**Fleck** *m.* **-en** *v.* to blot, to spot

**Fledermaus** *f.* (zool.) bat

**flehen** *v.* to implore; to beseech

**Fleisch** *neu.* flesh; meat; **-er** *m.* butcher; **-kloss** *m.* meatball; **-konserve** *f.* canned meat; **-pastete** *f.* meatpie

**Fleiss** *m.* diligence; application

**fleissig** *adj.* diligent, industrious; regular

**Flick** *m.* **-arbeit** *f.* patchwork; **-en** *v.* patch; **-schuster** *m.* cobbler

**flicken** *v.* to mend

**Flieder** *m.* lilac; elder (tree)

**Fliege** *f.* fly; **-nfenster** *neu.* window screen; **-r** *m.* aviator, pilot; **-rabwehr** *f.* anti-aircraft defense; **-ralarm** *m.* airraid alarm; alert; **-rstation** *f.* air base

**fliegen** *v.* to fly; to rush

**fliehen** *v.* to flee; to retreat

**Fliehkraft** *f.* centrifugal force

**Fliess** *neu.* fleece; **-band** *neu.* conveyor belt; **-papier** *neu.* blotting paper

**fliessen** *v.* to flow, to stream; **-des Wasser** running water

**flimmern** *v.* to glimmer, to glitter; to sparkle

**flink** *adj.* brisk, nimble

**Flinte** *f.* gun, rifle

**Flocke** *f.* flake; flock

**flockig** *adj.* flaky; fluffy

**Floh** *m.* flea

**Floss** *neu.* float, raft; **-e** *f.* fin

**Flöte** *f.* flute

**flott** *adj.* afloat; fast, gay

**Flotte** *f.* fleet; navy

**Fluch** *m.* curse

**fluchen** *v.* to curse; to swear

**Flucht** *f.* flight; escape

**flüchten** *v.* to flee; to escape

**Flüchtling** *m.* fugitive; refugee

**Flug** *m.* flying, flight; **-abwehr** *f.* anti-aircraft defense; **-hafen** *m.,* **-platz** *m.* air port; **-schrift** *f.* pamphlet

**Flugbahn** *f.* trajectory

**flugfertig** *adj.* ready to fly

**Flügel** *m.* wing; leaf, grand piano; **-fenster** *neu.* casement window; **-haube** *f.* (motor) hood; **-schlag** *m.* beat of wings; **-tür** *f.* French window (door)

**Flugzeug** *neu.* (air)plane; **-entführer** *m.* skyjacker; **-träger** *m.* aircraft carrier

**Flur** *f.* field, meadow; — *m.* lobby; corridor

**Fluss** *m.* river; **-mündung** *f.* mouth of a river; **-pferd** *neu.* hippopotamus

**flüssig** *adj.* fluid, liquid

**flüstern** *v.* to whisper

**Flut** *f.* flood; high tide

**Fohlen** *neu.* colt, foal

**folg-** **en** *v.* to follow; to succeed; to obey; to follow; **-endermassen** *adv.* as follows; **-lich** *adv.* consequently;

**-sam** *adj.* obedient, docile; **-ern** *v.* to conclude, to infer

**Folge** *f.* sequence; consequence

**Folter** *f.* torture, rack

**foltern** *v.* to torture

**Fond** *m.* stock; foundation

**Fontäne** *f.* fountain

**foppen** *v.* to tease; to fool

**forciert** *adj.* forced; unnatural

**Förder: -band** *neu.* conveyor belt; **-korb** *m.* elevator; **-ung** *f.* promotion

**förderlich** *adj.* useful; helpful

**fordern** *v.* to ask, to demand

**fördern** *v.* to further, advance

**Forelle** *f.* trout

**Form** *f.* form, shape; figure

**form: -al** *adj.* formal; **-ell** *adj.* according to form; **-en** *v.* to form, to mold

**förmlich** *adj.* formal; real; **—** *adv.* so to speak

**forsch** *adj.* dashing, vigorous

**Forsch: -er** *m.* research worker; **-ung** *f.* research

**forschen** *v.* to investigate

**Förster** *m.* forester; ranger

**fort** *adv.* forth, forward; on(ward); away, gone, off; **in einem** — continually; **-arbeiten** *v.* to continue working; **-dauern** *v.* to continue, to last; **-müssen** *v.* to be obliged to leave; **-schreiten** *v.* to advance; to make progress; **-setzen** *v.* to carry on; **-während** *adj.* continuous

**Fort: -schritt** *m.* progress; **-setzung** *f.* continuation

**Foto** *neu.* (see Photo)

**Fötus** *m.* foetus, fetus

**Fracht** *f.* freight, cargo, load; **-brief** *m.* bill of lading

**Frack** *m.* full dress coat

**frag: -en** *v.* to ask, to question; **-lich** *adj.* questionable

**Frage** *f.* question; inquiry; **in — stellen** to make uncertain; **ohne —** undoubtedly; **-bogen** *m.* questionnaire

**frank** *adj.* frank, open; **-ieren** *v.* (mail) to stamp, to send postpaid; **-o** *adv.* prepaid

**Frankreich** *neu.* France

**Franse** *f.* fringe

**Franz** *m.* Frank

**frappant** *adj.* striking

**frappieren** *v.* to astonish

**Frass** *m.* fodder, feed

**Fratze** *f.* grimace, caricature

**Frau** *f.* woman; wife; Mrs.; **gnädige —** madam; **Unsere liebe —** Our Lady; **-enarzt** *m.* gynecologist; **-enrechtlerin** *f.* suffragette

**Frauenemanzipation** *f.* Women's Liberation

**Fräulein** *neu.* single lady; Miss

**Frechheit** *f.* impudence; cheek

**frei** *adj.* free; independent; **aus -en Stücken** of one's own free will; **ich bin so —!** allow me! **-en** *v.* to court, to woo; **-geben** *v.* to set free; to give a holiday; **-lich** *adv.* certainly, of course; **-mütig** *adj.* candid, frank; **-sinnig** *adj.* enlightened

**Frei: -billet** *neu.* complimentary ticket; **-er** *m.* suitor, wooer; **-exemplar** *neu.* presentation copy; **-heit** *f.* freedom, liberty; **-kuvert** *neu.* stamped envelope; **-lauf** *m.* free wheeling; **-lichtbühne** *f.* open-air theater; **-maurer** *m.* freemason; **-maurerei** *f.* freemasonry; **-stelle** *f.* scholarship

**Freihafen** *m.* custom-free port

**Freitag** *m.* Friday

**fremd** *adj.* strange; foreign

**Fremd:** −e f. foreign country; −e m. stranger; foreigner; guest; −enbuch neu. hotel register

**fressen** v. to eat, to feed (used only of beasts); to devour

**Freude** f. gladness, joy

**Freund** m. friend; −schaft f. friendship

**freundlich** adj. friendly

**Frevel** m. crime, trespass

**frevelhaft** adj. criminal

**Friderika** f. Frederica

**Fried:** −e(n) m. peace; −ensrichter m. Justice of the Peace; −ensvertrag m. peace treaty; −hof m. churchyard, cemetery

**Friedrich** m. Frederick

**fried:** −fertig adj. peaceable; −lich adj. peaceful

**frieren** v. to freeze; to chill

**Fris:** −ur f. hairdo, coiffure; −eur m. hairdresser; −euse f. lady hairdresser

**frisch** adj. fresh; hale

**frisieren** v. (hair) to dress

**Frist** f. set term (oder time)

**frivol** adj. frivolous, flippant

**froh** adj. joyful, happy

**Frohlocken** neu. exult, triumph; −natur f. cheerful disposition

**fröhlich** adj. joyful, happy

**fromm** adj. pious, devout

**Frömm:** −elei f. sanctimoniousness; −igkeit f. godliness, piety

**Frosch** m. frog; firecracker

**Frost** m. frost; chill, cold; −beule f. chilblain; −schutzmittel neu. antifreeze

**Frucht** f. fruit; grain; crop

**fruchtbar** adj. fruitful

**früh** adj. early, in the morning; −er adj. earlier, former, late; −stücken v. to breakfast

**Früh:** −e f. (early) morning; dawn; −konzert neu. matinée; −ling m., −jahr

**neu.** spring; −stück neu. breakfast

**Fuchs** m. fox; chestnut horse; freshman; −eisen neu. fox trap; −schwanz m. foxtail; handsaw

**fuchteln** v. (coll.) to gesticulate

**Fuder** neu. (agr.) wagon load

**füg:** −en v. to join, to fit; sich — to submit; to happen; −sam adj. obedient, docile

**Fühl:** −er m., −horn neu. feeler, antenna; −ung f. touch

**fühlen** v. to feel, to sense; to notice

**Fuhr:** −e f. conveyance; wagon load; −mann m. drayman, driver; −werk neu. vehicle, wagon

**führen** v. to lead; to conduct; to convey; to handle, to manage; das Wort— to be spokesman; im Schilde — to intend, to plan

**Führer** m. leader, guide; conductor; driver, operator; pilot; manual; guidebook; −schaft f. leadership; −schein m. driver's license

**Füll:** −e f. fullness, abundance; −federhalter m. fountain pen

**Füllen** neu. foal, colt, filly

**füllen** v. to fill, to stuff

**fünf** adj. five; −zehn adj. fifteen; −zig adj. fifty

**Fünf** f., **Fünfer** m. five; −ling m. quintuplet; −tel neu. fifth part

**Funk** m. wireless; radio; −e(n) m. spark; bit; −meldung f. radio message; −sendung f. radio broadcasting; −spruch m. radiogram

**für** prep. for; in favor of; for the sake of; − und — forever and ever

**Für:** −sorge f. care; relief; −sorgeerziehung f. child welfare work; −sprache f. recommendation

**Furche** f. furrow; wrinkle

**Furcht** f. fear, fright; dread

**furcht: –bar** adj. frightful; awful; **–los** adj. fearless; **–sam** adj. timid

**fürchten** v. to fear; to dread

**fürchterlich** adj. frightful, awful, terrible

**Fürst** m. prince; sovereign

**fürstlich** adj. princely

**Furt** f. ford

**Fusel** m. bad brandy

**Fuss** m. foot; footing; base; **auf grossem –e leben** to live in grand style; **zu — on foot; –abtreter** m. foot scraper; **–bank** f. footstool; hassock; **–gänger** m. pedestrian; **–gelenk** neu. ankle; **–stapfe** f. footstep; track; **–tritt** m. treadle, kick

**futsch** adj. (coll.) lost, gone

**Futter** neu. feed, fodder, lining, casing

**Futteral** neu. case, covering

**füttern** v. to feed; to line; to stuff, to fur

# G

**Gabe** f. gift, present; talent

**Gabel** f. fork; **–frühstück** neu. lunch(eon)

**gackeln, gackern** v. to cackle

**gaffen** v. to gape, to gaze

**gähnen** v. to yawn

**galant** adj. gallant, courteous

**Galanterie** f. courtesy; **–waren** f. pl. costume jewelry

**Galeere** f. (naut.) galley

**Galgen** m. gallows

**Gall: –e** f. gall, bile; **–enblase** f. gallbladder

**Gallert** neu., gelatine

**gallig** adj. bitter; irascible

**galoppieren** v. to gallop

**galvanisieren** v. to galvanize

**Gamasche** f. gaiter, legging

**Gang** m. walk; errand; corridor; **aus dem — bringen** (or **setzen**) to throw out of gear; **in — bringen** to set in motion

**Gans** f. goose; geese

**dumme —** (coll.) silly girl

**Gänse** f. pl. geese; **–blümchen** neu. daisy

**ganz** adj. all, entire, whole

**Ganze** neu. whole; **im –n** on the whole, generally

**gänzlich** adj. entire, full, total

**gar** adj. done, ready; **— nicht** not at all; **— nichts** nothing at all

**garantieren** v. to guarantee

**Garaus** m. ruin; death

**Garbe** f. sheaf; yarrow

**Garderobe** f. wardrobe

**Gardine** f. curtain

**gären** v. to ferment

**Garn** neu. yarn; twine

**Garnitur** f. trimming; fittings

**garstig** adj. nasty; indecent

**Garten** m. garden; **–bau** m. gardening, horticulture

**Gärtner** m. gardener

**Gärung** f. fermentation

**Gas** neu. gas; **–anzünder** m. gas lighter; **–hahn** m. gas cock; **–leitung** f. gas pipes; **–olin** neu. gasoline

**Gasse** f. narrow street; lane

**Gast** m. guest; visitor; **–mahl** neu. banquet, feast; **–freundschaft** f. hospitality; **–geber** m. host; **–wirtschaft** f. inn, restaurant; **–hof** m. hotel; **–wirt** m. innkeeper

**Gatt: –e** m. husband, consort; **–in** f. wife; **–ung** f. kind

**Gatter** neu. grating, railing

**Gau** m. district, province

**Gauk: –elbild** neu. illusion; **–elei** f. hocus-pocus;

−ler *m.* magician
gaukeln *v.* to flutter about
Gaul *m.* nag; (coll.) horse
Gaumen *m.* palate
Gauner *m.* swindler, gangster
Gaze *f.* gauze, gossamer
Gebäck *neu.* baked goods
Gebärde *f.* mien; gesture
gebären *v.* to give birth (to)
Gebärmutter *f.* womb, uterus
Gebäude *neu.* building
Gebell(e) *neu.* barking; yelping
geben *v.* to give, to present; es gibt there is (*oder* are); etwas — auf to value, to regard; Recht — to agree with; sich Mühe — to take pains
Gebet *neu.* prayer
Gebiet *neu.* area, district
gebieten *v.* to command
gebieterisch *adj.* imperious
Gebilde *neu.* form(ation)
gebildet *adj.* educated
Gebirg: -e *neu.* mountain chain; highland
gebirgig *adj.* mountainous
Gebiss *neu.* (set of) teeth
geblümt *adj.* flowered, flowery
Gebot *neu.* order, command
Gebrauch *m.* use; custom; -sanweisung *f.* directions; primitive -sgegenstand artifact
gebrauchen *v.* to use, to utilize
gebräuchlich *adj.* customary
gebrechlich *adj.* weak, decrepit
Gebrüder *m. pl.* brothers
Gebrüll *neu.* roaring, lowing
Gebühr *f.* duty; fees, tax; due
gebühr: -en *v.* to be due; -end *adj.* fitting; -endermassen *adv.* deservedly
Geburt *f.* birth; origin; -enregelung *f.* birth control; -shilfe *f.* obstet-

rics; -stag *m.* birthday; -sschein *m.*, -surkunde *f.* birth certificate
Gebüsch *neu.* bush(es); thicket
Gedächtnis *neu.* memory
Gedanke *m.* thought; idea
Gedärm *neu.* intestines, entrails
Gedeck *neu.* place setting
gedenken *v.* to remember
Gedicht *neu.* poem
gediegen *adj.* genuine, solid
Gedränge *neu.* crowd, throng
gedrückt *adj.* oppressed
Gedruckte *neu.* printed matter
Geduld *f.* patience
geeignet *adj.* appropriate
Gefahr *f.* danger, peril, risk
gefährlich *adj.* dangerous
Gefährt *neu.* vehicle
Gefährte *m.* associate
Gefallen *neu.* pleasure; favor
gefallen *v.* to please, to suit
Gefallene *m.* fallen person
Gefangen: -e *m.* captive; -nahme *f.*, arrest; -schaft *f.* captivity
Gefängnis *neu.* jail, prison
Gefäss *neu.* vessel, receptacle
gefasst *adj.* calm, composed
Gefecht *neu.* (mil.) action
Geflügel *neu.* poultry; birds
geflügelt *adj.* winged; -e Worte familiar quotations
Geflunker *neu.* fibbing
Gefolge *neu.* retinue, suite
gefrässig *adj.* gluttonous
Gefreiter *m.* (mil.) private first class
gefrieren *v.* to freeze, to congeal
Gefrierpunkt *m.* freezing point
Gefüge *neu.* structure; joints
Gefühl *neu.* emotion; feeling
gefühlvoll *adj.* sensitive

**gegebenenfalls** *adj.* if suitable

**gegen** *prep.* against; towards; in return for; **— bar** for cash; **— Empfang** on receipt; **–sätzlich** *adj.* contrary; **–seitig** *adj.* mutual; **–über** *prep.* and *adv.* opposite to; **–wärtig** *adj.* and *adv.* present

**Gegen: –gewicht** *neu.* counterweight; **–liebe** *f.* mutual affection; **–rede** *f.* reply, objection; **–satz** *m.* contrast; **–spieler** *m.* opponent; **–stand** *m.* subject; theme; **–teil** *neu.* contrary, reserve; **–wart** *f.* presence; present time

**Gegend** *f.* region; district

**Gegner** *m.* adversary; foe

**Gehalt** *m.* contents; capacity; **—** *neu.* salary, pay, wages

**gehaltlos** *adj.* worthless

**gehässig** *adj.* spiteful

**Gehäuse** *neu.* housing; case

**Gehege** *neu.* game preserve

**geheim** *adj.* secret; **–nisvoll** *adj.* mysterious

**Geheim: –nis** *neu.* secret; **–polizei** *f.* secret police; **–polizist** *m.* plain-clothes man

**gehen** *v.* to go, to walk; **das geht nicht!** that won't do! **Wie geht es Ihnen?** How do you do?

**Gehilfe** *m.* helper, assistant

**Gehirn** *neu.* brain; sense; **–schlag** *m.* apoplexy

**Gehöft** *neu.* farm, homestead

**gehorchen** *v.* to obey

**gehör: –en** *v.* to belong to; **–ig** *adj.* appropriate; *adv.* thoroughly

**gehorsam** *adj.* obedient, dutiful

**Geier** *m.* vulture

**Geige** *f.* violin; **–r** *m.* violinist

**Geigerzähler** *m.* geiger counter

**geigen** *v.* to play the violin

**Geiss** *f.* goat; doe; **–blatt** *neu.* woodbine, honeysuckle

**Geissel** *f.* whip, scourge

**geisseln** *v.* to scourge

**Geist** *m.* spirit; intellect, mind; ghost, sprite; **–erglaube** *m.* spirit(ual)ism; **–esarbeit** *f.* brainwork; **–esgegenwart** *f.* presence of mind; **–eszustand** *m.* mental condition; **–liche** *m.* clergyman; minister, priest; **–lichkeit** *f.* clergy

**geist: –erhaft** *adj.* ghostly; **–esabwesend** *adj.* absentminded; **–ig** *adj.* intellectual; **–lich** *adj.* spiritual; ecclesiastical; **–reich** *adj.* spirited, witty

**Geiz** *m.* avarice; **–hals** *m.*, miser

**gekachelt** *adj.* tiled

**Gekicher** *neu.* giggling

**Geklatsche** *neu.* gossip

**Geknister** *neu.* crackling

**gekünstelt** *adj.* artificial

**Gelächter** *neu.* laughter

**Gelage** *neu.* revel, feast

**gelähmt** *adj.* paralized, lame

**Gelände** *neu.* terrain

**Geländer** *neu.* railing

**gelassen** *adj.* calm, composed, collected

**geläufig** *adj.* fluent; familiar

**gelaunt** *adj.* disposed

**gelb** *adj.* yellow; **–e Rübe** carrot

**Gelbsucht** *f.* jaundice

**Geld** *neu.* money; **falsches — counterfeit** money; **kleines —** small change; **–anweisung** *f.* money order; **–schrank** *m.* safe; **–tasche** *f.* purse; **–währung** *f.* currency

**Gelee** *neu.* jelly

**gelegen** *adj.* located, situated; **–tlich** *adj.* occasional

**Gelegenheit** *f.* opportunity

**gelehrig** *adj.* docile, tractable

**Gelehrsamkeit** *f.* scholarship

**gelehrt** *adj.* learned

**Gelehrte** m. scholar, savant

**Geleis(e)** neu. rut; track, rails

**Geleit(e)** neu. accompaniment

**Gelenk** neu. joint; **-entzündung** f. arthritis; **-ring** m. swivel

**Gelichter** neu. riffraff, gang

**Geliebte** m. beloved, lover

**gelind(e)** adj. gentle, soft

**gelingen** v. to succeed

**gellen** v. to shrill, to yell

**geloben** v. to promise, vow

**gelockt** adj. curly

**gelten** v. to have influence

**Geltung** f. value; recognition

**Gelübde** neu. vow

**gelungen** adj. successful; (coll.) funny; good

**Gemach** neu. room; chamber

**Gemahl** m. husband; **-in** f. wife

**Gemälde** neu. painting

**gemäss** prep. in accordance with

**gemein** adj. common, ordinary; vulgar; base, low; **-sam** adj. common; **-schaftlich** adj. mutual

**Gemein:** **-e** m. (mil.) private first class; **-heit** f. baseness; **-platz** m. platitude; **-schaft** f. community; fellowship; **-wesen** neu. commonwealth

**Gemeinde** f. community; parish; **-haus** neu. town hall; **-vorstand** m. local board; **-vorsteher** m. mayor

**Gemetzel** neu. slaughter

**Gemisch** neu. mixture

**Gemse** f. chamois

**Gemunkel** neu. rumors

**Gemurmel** neu. murmur(ing)

**Gemüse** neu. vegetables

**Gemüt** neu. soul; heart

**gemüt:** **-lich** adj. cozy; homelike, informal; snug

**genau** adj. accurate, exact

**geneigt** adj. inclined

**General** m. general; **-direktor** m. general manager; **-probe** f. final rehearsal

**genesen** v. to recover

**Genf** neu. Geneva

**genial** adj. highly gifted

**Genick** neu. nape, neck

**Genie** neu. genius

**geniessen** v. to enjoy, to relish

**Genosse** m. companion

**genug** adj. enough, sufficient

**genügen** v. to suffice, to satisfy

**genügsam** adj. easily pleased

**Genugtuung** f. satisfaction

**Genuss** m. enjoyment

**Geologie** f. geology

**Geometrie** f. geometry

**geophysikalisch** adj. geophysical

**Georg** m. George

**Gepäck** neu. baggage, luggage; **-abfertigung** f. baggage room; **-träger** m. porter

**Geplätscher** neu. splashing

**Geplauder** neu. prattle

**Gepolter** neu. rumble

**Gepräge** neu. impression

**Geprassel** neu. clatter

**gerad:** **-e** adj. direct; erect; straight (forward); upright; **ich bin -e gekommen** I have just come; **-eaus** adv. straight ahead; **-eheraus** adv. bluntly; **-ezu** adv. downright

**Geradheit** f. straightness; straightforwardness

**Geranie** f. geranium

**Gerät** neu. implement, tool; **-ekasten** m. tool box; **-schaften** f. pl. equipment

**Geratewohl** neu. **aufs —** haphazardly, at random

**geräumig** adj. roomy, spacious

**Geräusch** neu. noise, bustle

**geräuschlos** adj. noiseless

**Geräusper** neu. clearing of the throat; coughing

**gerecht** adj. just, righteous

**Gerechtigkeit** f. justice

**Gerechtsame** *f.* prerogative

**Gerede** *neu.* empty talk

**gereichen** *v.* redound to

**Gereiztheit** *f.* irritation

**Gerhard** *m.* Gerard

**Gericht** *neu.* court of justice; dish; **Jüngstes —** (bibl.) Last Judgement; **–sbarkeit** *f.* jurisdiction; **–sverhandlung** *f.* trial; **–svollzieher** *m.* bailiff; sheriff

**gerichtlich** *adj.* judicial; legal

**gering** *adj.* small, light; inferior; **–fügig** *adj.* insignificant

**gerinnen** *v.* to curdle; to clot

**Gerippe** *neu.* skeleton

**gerissen** *adj.* torn; cunning, sly

**gern** *adv.* gladly, with pleasure; **–e haben** to be fond of

**Gerste** *f.* barley

**Geruch** *m.* smell

**Gerücht** *neu.* rumor

**Gerümpel** *neu.* old equipment

**Gerüst** *neu.* scaffold(ing)

**Gerüstkran** *m.* gantry

**gesamt** *adj.* entire, whole; total

**Gesamt: –absatz** *m.* total sale; **–ausgabe** *f.* complete edition; **–ertrag** *m.* entire proceeds; **–heit** *f.* total(ity)

**Gesandte** *m.* envoy

**Gesandtschaft** *f.* embassy

**Gesang** *m.* singing; song; **–buch** *neu.* songbook; hymn book; **–verein** *m.* choral society

**Gesäss** *neu.* buttocks

**Geschäft** *neu.* business; occupation; shop, store; **–sbetrieb** *m.* business management; **–sführer** *m.* business manager; **–smann** *m.* businessman; **–sreisende** *m.* salesman; **–sviertel** *neu.* shopping center; **–szimmer** *neu.* office

**geschäftig** *adj.* active,

busy

**geschehen** *v.* to happen

**gescheit** *adj.* intelligent

**Geschenk** *neu.* gift, present

**Geschicht: –e** *f.* story; narrative; history; affair

**geschichtlich** *adj.* historic(al)

**Geschick** *neu.* destiny, fate

**geschickt** *adj.* skilled

**Geschirr** *neu.* dishes; harness

**Geschlecht** *neu.* sex; genus; gender; family; generation

**Geschmack** *m.* taste; **–sache** *f.* matter of taste

**geschmack: –los** *adj.* insipid; **–voll** *adj.* tasty

**geschmeidig** *adj.* malleable, supple, pliant

**Geschmetter** *neu.* blare

**Geschnatter** *neu.* jabbering

**Geschöpf** *neu.* creature

**Geschoss** *neu.* missile; floor

**Geschrei** *neu.* screaming

**Geschütz** *neu.* cannon, gun

**Geschwader** *neu.* squadron

**Geschwätz** *neu.* idle talk

**geschwind** *adj.* quick, fast

**Geschwind: –igkeit** *f.* speed

**Geschwister** *pl.* brother(s) and sister(s)

**Geschworene** *m.* juryman; **–n** *pl.* jury

**Geschwulst** *f.* swelling; tumor

**Geschwür** *neu.* sore, ulcer

**Gesell: –e** *m.* companion; pal; **–schaft** *f.* society, association; **–schafter** *m.* companion; **–schaftsanzug** *m.* evening dress

**Gesetz** *neu.* law; statute

**gesetz: –gebend** *adj.* legislative; **–lich** *adj.* legal; **–lich geschützt** patented

**Gesicht** *neu.* sight; face; vision; **–sfarbe** *f.* complexion; **–skreis** *m.* horizon; **–spunkt** *m.* point of view; aspect

**Gesims** *neu.* moulding, cornice

**Gesinnung** *f.* moral attitude

tude
**gesittet** *adj.* well-bred
**Gesittung** *f.* good manners
**gespannt** *adj.* stretched; eager, intense, anxious
**Gespenst** *neu.* ghost
**Gespiele** *m.* playmate
**Gespött** *neu.* mockery
**Gespräch** *neu.* conversation
**gesprächig** *adj.* talkative
**Gestade** *neu.* (lit.) shore
**Gestalt** *f.* form, shape
**gestalten** *v.* to fashion, to shape
**Geständnis** *neu.* confession
**Gestank** *m.* stench
**gestatten** *v.* to allow
**Geste** *f.* gesture
**gestehen** *v.* to admit
**Gestein** *neu.* rock; stone
**Gestell** *neu.* rack, stand
**gestern** *adv.* yesterday
**Gestirn** *neu.* star; constellation
**gestirnt** *adj.* starred, starry
**Gestöber** *neu.* snow flurries
**Gestotter** *neu.* stuttering
**Gesträuch** *neu.* shrubbery
**gestreift** *adj.* striped
**gestrig** *adj.* yesterday's
**Gestrüpp** *neu.* shrubbery
**Gestümper** *neu.* botching
**Gesuch** *neu.* application
**gesucht** *adj.* in demand
**gesund** *adj.* healthy, sane; sound; wholesome; **-er Menschenverstand** common sense
**Gesund: -heit** *f.* health; (drinking) toast
**Getös(e)** *neu.* noise
**Getrampel** *neu.* trampling
**Getränk** *m.* beverage
**getrauen** *v.* sich — to dare, to venture
**Getreide** *neu.* grain
**getreu** *adj.* exact, true
**Getriebe** *neu.* machinery
**Getrippel** *neu.* tripping
**getrost** *adj.* confident
**Getto** *neu.* Ghetto
**Getue** *neu.* affected attitude
**Getümmel** *neu.* tumult, bustle
**Gevatter** *m.* godfather
**Gewächs** *neu.* plant; vintage; **-haus** *neu.* greenhouse
**gewachsen** *adj.* grown
**gewagt** *adj.* risky
**gewahren** *v.* to notice
**Gewähr** *f.* guarantee; bail; **-smann** *m.* guarantor
**gewähren** *v.* to grant
**Gewahrsam** *m.*, *neu.* custody
**Gewalt** *f.* might; power; authority; **-herrschaft** *f.* despotism; **-herrscher** *m.* despot, tyrant; **-streich** *m.* bold stroke
**gewaltsam** *adj.* forcible
**Gewand** *neu.* garment, gown
**gewandt** *adj.* agile; skillful
**Gewäsch** *neu.* idle talk,
**Gewässer** *neu. pl.* waters
**Gewebe** *neu.* web; fabric
**geweckt** *adj.* alert, bright
**Gewehr** *neu.* gun, rifle
**Geweih** *neu.* antlers, horns
**gewerb: -etreibend** *adj.* industrial
**Gewerbe** *neu.* craft, trade; **-ausstellung** *f.* industrial exhibition; **-fleiss** *m.* industry; **-kammer** *f.* Board of Trade; **-schule** *f.* polytechnic (*oder* trade) school
**Gewerk** *neu.* craft, guild; **-schaft** *f.* labor (*oder* trade) union
**Gewicht** *neu.* weight
**gewichtig** *adj.* significant
**gewillt** *adj.* willing; disposed
**Gewimmel** *neu.* throng, crowd
**Gewinde** *neu.* (screw) worm
**Gewinn** *m.* profit; prize
**gewinnen** *v.* to gain, to win
**gewiss** *adj.* sure; certain; — *adv.* certainly, indeed; **-enhaft(ig)** *adj.* conscientious; **-enlos** *adj.* unscrupulous; **-ermassen** *adv.* so to speak
**Gewiss: -en** *neu.* consci-

ence; **–ensfreiheit** *f.* religious liberty; **–heit** *f.* certainty
**Gewitter** *neu.* thunderstorm
**gewöhnen** *v.* to accustom
**Gewohnheit** *f.* habit, custom
**gewöhnlich** *adj.* customary
**Gewölbe** *neu.* vault
**Gewühl** *neu.* turmoil; bustle
**gewunden** *adj.* twisted; winding
**Gewürm** *neu.* vermin
**Gewürz** *neu.* spice
**Gezänk** *neu.* quarreling
**geziem:** **–en** *v.* to be fit; **–end** *adj.* becoming
**geziert** *adj.* affected; dandyish
**gezwungen** *adj.* forced
**Gicht** *f.* gout, arthritis
**Giebel** *m.* gable
**gierig** *adj.* greedy
**Giess:** **–bach** *m.* torrent; **–kanne** *f.* sprinkling can
**giessen** *v.* to pour; to spill
**Gift** *neu.* poison, venom
**giftig** *adj.* poisonous; toxic
**Gilde** *f.* guild
**Gipfel** *m.* peak, summit
**gipfeln** *v.* to culminate
**Gips** *m.* plaster of Paris; **–abdruck** *m.* plaster cast
**girieren** *v.* (com.) to clear
**Girlande** *f.* garland, festoon
**Giro** *neu.* endorsement; **–bank** *f.* clearing house
**Gischt** *m.* spray, foam; yeast
**Gitarre** *f.* guitar
**Gitter** *neu.* lattice, trellis; fence
**gittern** *v.* to fence in
**Glanz** *m.* luster; gloss, polish; splendor; glory; **–leder** *neu.* patent leather
**glänzen** *v.* to be bright
**Glas** *neu.* glass; tumbler
**gläsern** *adj.* of glass; glassy
**glasieren** *v.* to glaze; to ice, to frost; to varnish
**glasig** *adj.* glassy
**glatt** *adj.* smooth; slippery
**glätten** *v.* to smooth; to iron

**Glatze** *f.* bald spot
**glaub:** **–en** *v.* to believe, trust; **–würdig** *adj.* reliable; credible; authentic
**Glaube(n)** *m.* belief, faith
**gläubig** *adj.* believing
**Gläubige** *m.* believer; **–r** *m.* creditor
**gleich** *adj.* like, identical; same; — *adv.* at once; **–en** *v.* to equal; to resemble; **–falls** *adv.* and *conj.* likewise, also; **–förmig** *adj.* uniform; **–gültig** *adj.* indifferent; **–mässig** *adj.* uniform; **–sam** *adv.* so to speak; **–wohl** *adv.* and *conj.* nevertheless
**Gleich:** **–e** *f.* equinox, **–e** *neu.* (the) same; **–heit** *f.* equality; **–mut** *m.* equanimity; **–nis** *neu.* parable; **–stand** *m.* (tennis) deuce; **–strom** *m.* direct current; **–ung** *f.* equation
**gleiten** *v.* to glide, to slide
**Gletscher** *m.* glacier
**Glied** *neu.* limb, member; link
**gliedern** *v.* to classify
**glimmen** *v.* to glimmer
**glimpflich** *adj.* indulgent
**glitsch(r)ig** *adj.* slippery
**glitzern** *v.* to glisten
**Globus** *m.* globe
**Glocke** *f.* bell; (glass) shade; clock; **–nschlag** *m.* stroke of the bell (*oder* hour); **–nspiel** *neu.* chimes
**Glöckner** *m.* bell ringer
**Glorie** *f.* glory
**glotzen** *v.* to gape, to stare
**Glück** *neu.* fortune, luck; **–en** *v.* to succeed; **–lich** *adj.* lucky; happy; **–licherweise** *adv.* fortunately
**Glucke** *f.* mother hen
**Glüh:** **–birne** *f.* light bulb
**glühen** *v.* to glow
**Glut** *f.* heat; glowing embers
**Gnade** *f.* mercy, pardon; favor; grace
**gnädig** *adj.* merciful; **–e Frau** dear madam
**Gold** *neu.* gold; **–währung**

f. gold standard
**Golf** neu. golf; **–platz** m. golf course
**gönnen** v. not to begrudge
**Gosse** f. gutter, drain
**Gott** m. God; deity; **–behfohlen!** good-by! **um –es willen!** for goodness sake! **–esacker** m. churchyard; **–esdienst** m. divine service; **–eshaus** neu. church, chapel; **–esleugner** m. atheist; **–essohn** m. Son of God; **–heit** f. divinity, deity
**gott: –esfürchtig** adj. God-fearing; pious; **–los** adj. godless; wicked; **–selig** adj. godly; devout
**Gött: –er** m. pl. gods, deities; **–in** f. goddess
**Gottfried** m. Godfrey, Geoffrey
**göttlich** adj. divine
**Götze** m. idol, false god
**Gouvernante** f. governess
**Gouverneur** m. governor
**Grab** neu. grave, tomb
**graben** v. to dig; to trench
**Grad** m. degree; rate; grade, rank, title, stage; (math.) power
**gradieren** v. to graduate
**Graf** m. count; (England) earl
**Gräfin** f. countess
**Gram** m. grief, sorrow
**grämlich** adj. morose
**Gramm** neu. gram
**Grammatik** f. grammar
**Gran** neu. (weight) grain
**Granate** f. grenade, shell
**Granit** m. granite
**Graphik** f. graphic arts
**Graphit** m. graphite
**Gras** neu. grass
**grasen** v. to graze
**grässlich** adj. horrible
**Gratulant** m. congratulator
**Gratulation** f. congratulation
**gratulieren** v. to congratulate
**grau** adj. gray; ancient
**grau: –enhaft** adj. horrible; **–sam** adj. cruel
**Graupe** f. hulled barley

**Grautier** neu. donkey
**Graveur** m. engraver
**gravieren** v. to engrave; **–d** adj. aggravating
**Gravierung** f. gravure
**Gravitationskraft** f. G-Force
**gravitätisch** adj. grave, solemn; pompous
**Grazie** f. charm, grace
**graziös** adj. graceful
**greifbar** adj. seizable; on hand
**greifen** v. to catch hold of
**Greis** m. old man; **–in** f. old woman
**grell** adj. shrill; glaring
**Grenz: –e** f. border, boundary; limit(ation)
**grenzen** v. to border (on)
**Greuel** m. abomination
**greulich** adj. atrocious
**Griechenland** neu. Greece
**griesgrämig** adj. morose
**Griff** m. grasp; handle
**Griffel** m. slate pencil
**Grille** f. cricket; whim
**grillenhaft** adj. capricious
**Grimasse** f. grimace
**Grimm** m. grimness; anger
**grimmig** adj. furious
**Grind** m. scab, scurf
**grinsen** v. to grin
**grob** adj. rude, coarse
**Grobschmied** m. blacksmith
**Groll** m. rancor; grudge
**grollen** v. to bear a grudge
**gross** adj. great; tall, high; big, large; eminent; **– ziehen** to bring up; **–artig** adj. grand(iose), imposing; **–enteils** adv. to a large extent; **–herzig** adj. generous, noble-minded; **–mütig** adj. generous; **–städtisch** adj. metropolitan; **–zügig** adj. on a large scale
**Gross: –aufnahme** f. (film) close-up; **–betrieb** m. big business; **–eltern** pl. grandparents; **–handel** m. wholesale trade; **–ist** m. wholesale dealer; **–macht** f. first-rate power; **–stadt** f. metropolis

**Grossbritannien** *neu.*
Great Britain
**Grösse** *f.* greatness, size
**grösstenteils** *adv.* chiefly
**Grube** *f.* excavation; pit
**Grübelei** *f.* meditation
**Gruft** *f.* vault; mausoleum
**grün** *adj.* green; immature
**Grund** *m.* ground; foundation; soil; cause; **auf den — gehen** to investigate thoroughly; **auf — von** on the basis of; **–besitz** *m.* real estate; **–lage** *f.* groundwork, foundation; **–riss** *m.* outline; **–satz** *m.* principle; **–stück** *neu.* real estate
**grundlos** groundless
**Gründ: -er** *m.* founder
**gründlich** *adj.* thorough
**grunzen** *v.* to grunt
**gruselig** *adj.* uncanny
**Gruss** *m.* greeting
**grüssen** *v.* to greet
**Grütze** *f.* grits, groats
**gucken** *v.* to look, to peer
**gültig** *adj.* valid; legal; binding
**Gummi** *neu.* gum; — *m.* rubber, eraser; **–absatz** *m.* rubber heel; **–band** *neu.* elastic band; **–reifen** *m.* rubber tire; **–schlauch** *m.* rubber hose; **–schuhe** *m. pl.* galoshes
**Gunst** *f.* favor; partiality
**günstig** *adj.* favorable
**Günstling** *m.* favorite
**gurgeln** *v.* to gargle
**Gurke** *f.* cucumber
**Gurt** *m.* belt; girdle; girth
**Gürtel** *m.* belt; girdle; zone
**Guss** *m.* (act of) pouring; **–eisen** *neu.* cast iron
**gut** *adj.* good; beneficial; kind; — *adv.* well; **es — haben** to be well off; **kurz und —** in short; **schon —!** all right! **–gemeint** *adj.* well-meant
**Gut** *neu.* farm, estate; goods
**Gut: -achten** *neu.* opinion; **–haben** *neu.* credit
**Güte** *f.* kindness; value
**Güter** *pl.* goods; **–gemeinschaft** *f.* joint property;

**–transport** *m.* freight traffic; **–wagen** *m.* truck; **–zug** *m.* freight train
**gütig** *adj.* good, kind
**Gymnasialbildung** *f.* high-school (*oder* junior-college) education
**Gymnasiast** *m.* high-school student; college undergraduate
**Gymnasium** *neu.* high school; university preparatory school
**Gymnastik** *f.* gymnastics

# H

**Haag (Der)** *m.* The Hague
**Haar** *neu.* hair; nap; **aufs — precisely; um ein — nearly, narrowly; um kein — besser** not a bit better; **–frisur** *f.* hairdress, hairdo; **–nadel** *f.* hairpin
**Hab: –gier** *f.*, **–sucht** *f.* greediness, avarice
**haben** *v.* to have, to own; **gern —** to like; **recht** (*or* **unrecht**) — to be right (*oder* wrong); **was hast du?** what's the matter with you?
**habgierig** *adj.* greedy
**Habicht** *m.* hawk
**Hack: –beil** *neu.*, **–messer** *neu.* chopper; hatchet; **–fleisch** *neu.* minced meat
**hacken** *v.* to hoe; to chop
**Hader** *m.* dispute, quarrel
**Hafen** *m.* harbor, port
**Hafer** *m.* oats; **–brei** *m.* porridge; **–grütze** *f.* oatmeal
**Haff** *neu.* haff; shallow sea
**Haft** *f.* arrest; custody
**haftbar** *adj.* liable
**Häftling** *m.* prisoner
**Hag** *m.* (lit.) grove; **–el** *m.* hail; **–elwetter** *neu.* hailstorm
**hageln** *v.* to hail
**hager** *adj.* haggard, gaunt
**Häher** *m.* jay
**Hahn** *m.* cock, rooster
**Hai(fisch)** *m.* shark

**Hain** m. (poet.) grove
**Häkelei** f. crocheting
**Haken** m. hook; — **und öse** hook and eye; **-kreuz** neu. swastika
**halb** adj. half; partial; **-jährlich** adj. semiannual; **-wegs** adv. halfway
**Halb: -insel** f. peninsula; **-kreis** m. semicircle; **-kugel** f. hemisphere; **-messer** m. radium; **-starke** m. beatnik
**Hälfte** f. half
**Halfter** m. halter
**Halle** f. hall; vestibule
**hallen** v. to resound
**Halluzination** f. hallucination
**Halm** m. blade, stalk
**Hals** m. neck, throat; **-abschneider** m. profiteer; cutthroat; **-binde** f. necktie; **-kette** f. necklace; **-weh** neu. sore throat; **-tuch** neu. scarf
**Halt** m. halt, stop; hold; **-estelle** f. stop, station; **-ung** f. bearing; behavior
**haltbar** adj. defensible
**halten** v. to hold; to halt, to stop; to keep
**Halunke** m. scoundrel
**hämisch** adj. malicious
**Hammel** m. wether; **-braten** m. lamb roast
**Hammer** m. hammer
**hämmern** v. to hammer
**Hampelmann** m. puppet; jumping jack
**Hand** f. hand; **auf der — liegen** to be obvious; **aus bester —** from the best source; **einem die — geben** to shake hands; **unter der —** secretly; **vor der —** for the present; **-arbeit** f. handicraft; needlework; **-buch** neu. manual; **-schellen** f. pl. handcuffs; **-geld** neu. earnest money; **-gelenk** neu. wrist; **-koffer** m. handbag, suitcase; **-reichung** f. aid, assistance; **-schlag** m. handshake (as pledge); **-schrift** f.

handwriting; **-schuh** m. glove; **-tuch** neu. towel; **-werk** neu. trade; **-werker** m. craftsman; artisan
**Händ: -edruck** m. handshake; **-ler** m. trader, dealer
**Handel** m. commerce; business; trade; bargain; lawsuit; affair; **-sakademie** f. commercial college; **-samt** neu. Board of Trade, **-skammer** f. Chamber of Commerce; **-sminister** m. secretary of commerce; **-szeichen** neu. trademark
**handel: -n** v. to act, to proceed; to trade; **es -t sich um** the question is; **-süblich** adj. usual in trade
**Handlanger** m. handyman
**Handlung** f. deed, act; undertaking; **-sweise** f. proceeding
**Hanf** m. hemp
**hängen** v. to hang, to suspend
**Hans** m. Jack
**hantieren** v. to handle
**Happen** m. mouthful, morsel
**Harfe** f. harp
**Harke** f. rake
**Harm** m. grief, sorrow
**Harmon: -ie** f. harmony, **-ika** f. accordion
**harmlos** adj. harmless; innocent
**harpunieren** v. to harpoon
**harren** v. (poet.) to wait, hope
**harsch** adj. harsh; hard
**hart** adj. hard; severe; **-e Eier** hardboiled eggs; **-hörig** adj. hard of hearing; **-köpfig** adj. headstrong; **-leibig** adj. constipated; **-näckig** adj. obstinate
**Härte** f. hardness; harshness
**härten** v. to harden, to temper
**Hartgummi** m. hard rubber

**Harz** *neu.* resin; rosin

**haschen** *v.* to catch, to seize

**Hase** *m.* hare; rabbit; **falscher — meat loaf; -nfuss** *m.* hare's foot; coward; **-pfeffer** *m.* rabbit stew

**Haselnuss** *f.* hazelnut

**Haspe** *f.* hasp, hinge

**haspeln** *v.* to reel

**Hass** *m.* hate, hatred

**hässlich** *adj.* ugly; odious

**Hast** *f.* haste, hurry

**hasten** *v.* to hurry

**hastig** *adj.* hasty

**hätscheln** *v.* to caress

**Haube** *f.* cap; bonnet

**Hauch** *m.* breath; breeze

**hauchen** *v.* to breathe, to exhale; to aspirate

**Haue** *f.* hoe, pick

**hauen** *v.* to hew; to chop; to strike; to lash, to whip; to cut (stone); **übers Ohr — to cheat

**häufen** *v.* to heap (up)

**Haufe(n)** *m.* heap; pile

**Haupt** *neu.* head; chief, leader, **-altar** *m.* high altar; **-bahnhof** *m.* central station; **-buch** *neu.* ledger; **-büro** *neu.* central office; **-eingang** *m.* main entrance; **-fach** *neu.* main subject; **-mann** *m.* captain; **-quartier** *neu.* headquarters; **-redakteur** *m.* editor-in-chief; **-sache** *f.* main (*oder* most important) thing; **-stadt** *f.* capital, metropolis; **-strasse** *f.* main road; **-verkehrsstunden** *f. pl.* rush hours

**Häuptling** *m.* chief(tain)

**häuptlings** *adv.* head over heels

**hauptsächlich** *adv.* chiefly

**Haus** *neu.* house; home; **— und Hof** house and home; **von — e aus** originally; **zu — e** at home; **-andacht** *f.* family devotions; **-besitzer** *m.* landlord; **-bewohner** *m.* tenant; **-dame** *f.* housekeeper; **-frau** *f.* house-

wife; **-gesinde** *neu.* domestics; **-halt** *m.* household; **-hälterin** *f.* housekeeper; **-haltung** *f.* housekeeping; **-herr** *m.* host; **-ierer** *m.* peddler; **-mädchen** *neu.* woman servant, maid of all work; **-meister** *m.* janitor; **-rat** *m.* household furniture; **-tier** *neu.* domestic animal; **-verwalter** *m.* steward, **-wirt** *m.* landlord

**haus: -en** *v.* to dwell, to reside; **-halten** *v.* to manage a household; **-hälterisch** *adj.* thrifty; **-ieren** *v.* to peddle

**häuslich** *adj.* domestic

**Haut** *f.* skin; hide; coat; film; **aufgeplatzte — chapped skin; **-ausschlag** *m.* (med.) efflorescence; **-lehre** *f.* dermatology

**häuten** *v.* to skin; to flay

**H-Bombe** *f.* H-Bomb

**Heb: -amme** *f.* midwife; **-el** *m.* lever; **-ung** *f.* removal; improvement

**heben** *v.* to lift, to raise

**Hech: -elei** *f.* hackling; heckling; **-t** *m.* pike

**hecken** *v.* to hatch

**Heer** *neu.* army; multitude, **-esmacht** *f.* (mil.) forces; **-folge** *f.* military duty; **-führer** *m.* army commander; **-strasse** *f.* broad highway; **-zug** *m.* (mil.) expedition

**Hefe** *f.* leaven, yeast; dregs

**Heft** *neu.* haft, hilt; notebook; (magazine) issue; **-klammer** *f.* paper clip; **-pflaster** *neu.* adhesive tape

**heften** *v.* to baste; to pin

**heftig** *adj.* violent, vehement

**Hehl** *neu.* secret; **-er** *m.* receiver of stolen goods

**heidnisch** *adj.* heathenish

**heikel** *adj.* difficult

**heil** *adj.* healthy; healed; whole; **—!** *interj.* hail! good luck! **-en** *v.* to heal, to cure; **-los** *adj.* (coll.) awful; **-sam** *adj.* wholesome

**Heil** *neu.* welfare; salvation; **–and** *m.* Saviour, Redeemer; **–anstalt** *f.* sanatorium; **–mittel** *neu.* drug, remedy; **–sarmee** *f.* Salvation Army

**heilig** *adj.* holy; sacred; **–en** *v.* to hallow, to sanctify

**Heilig–** *e m.* saint; **das –e Abendmahl** the Lord's Supper; **der –e Abend** Christmas Eve; **die –e Schrift** Holy Writ, the (Holy) Scriptures; **–enschein** *m.* halo; **–keit** *f.* sanctity; **Seine –keit** His Holiness (the Pope)

**Heim** *neu.* home; **–at** *f.* native country; **–atvertriebene** *m.* displaced person; **–stätte** *f.* homestead; **–weh** *neu.* homesickness

**heim** *adv.* home(ward); **–atlich** *adj.* native; **–isch** *adj.* native, indigenous; **sich –isch fühlen** to feel at home; **–kehren** *v.* to return home

**heimlich** *adj.* secret; snug

**heimtückisch** *adj.* malicious

**Heinrich** *m.* Henry

**Heinzelmännchen** *neu.* brownie, goblin

**Heirat** *f.* marriage; **–santrag** *m.* marriage proposal; **–schein** *m.* marriage license

**heirat–en** *v.* to marry

**heiser** *adj.* hoarse, husky

**heiss** *adj.* hot; ardent

**heissen** *v.* to call, to name; to be called; to command; **es heisst** it is said

**heiter** *adj.* bright, serene

**Heiz–** *adj.* heating; **–anlage** *f.* heating installation; **–er** *m.* stoker, fireman; **–kissen** *neu.* heating pad; **–körper** *m.* radiator; **–material** *neu.* fuel; **–rohr** *neu.* flue; fire tube; **–sonne** *f.* electric heater; **–ung** *f.* heating (installation)

**heizen** *v.* to heat; to fire

**Hektar** *neu.* hectare (2.41 acres)

**Held** *m.* hero; **–endichtung** *f.* epic poem; **–entum** *neu.* heroism; **–in** *f.* heroine

**helfen** *v.* to help; to aid; **es hilft nichts** it is of no use

**hell** *adj.* bright, shining; fair, light

**Hell–** *e f.*, **igkeit** *f.* brightness; **–er** *m.* farthing; Austrian coin

**Helm** *m.* helmet

**Hemd** *neu.* shirt; chemise; **–särmel** *m.* shirt sleeve

**Hemm–** *nis* *neu.* hindrance; **–schuh** *m.* brake shoe

**hemmen** *v.* to check

**Hengst** *m.* stallion

**Henk–** *el m.* handle (of basket, pot, etc.); **–er** *m.* hangman

**henken** *v.* to hang

**Henne** *f.* hen

**her** *adv.* here, hither, this way, near; ago, since; **hin und —** to and fro; **nicht weit — sein** to be of little importance; **von alters —** of old; **–geben** *v.* to hand over; **sich dazu –geben** to be a party to; **–kömmlich** *adj.* traditional; **–richten** *v.* to prepare; **–sagen** *v.* to recite; **–stellen** *v.* to manufacture

**herab** *adv.* down(ward); **–lassend** *adj.* condescending; **–setzen** *v.* to disparage; **–würdigen** *v.* to degrade

**heran** *adv.* along, on; hither; **–bilden** *v.* to train; to educate; **–wachsen** *v.* to grow up

**herauf** *adv.* up(wards)

**heraus** *adv.* out; from within; **— damit!** out with it! **–geben** *v.* to deliver, to hand out; to publish; **sich –stellen** to turn out to be; **–streichen** *v.* to single out, to praise

**herb** *adj.* tart, harsh, aus-

tere
**herbei** adj. hereto, hither; —! come here! **-schaffen** v. to provide

**Herberge** f. lodging; inn
**Herbst** m. fall, autumn
**herbstlich** adj. autumnal
**Herd** m. hearth, fireplace
**Herde** f. herd, flock; drove
**herein** adv. in (here), into this place; —! come in!
**Hergang** m. course of events
**hergebracht** adj. traditional
**Hering** m. herring
**Herkunft** f. derivation
**Hermelin** neu. ermine
**hernach** adv. afterwards
**hernieder** adv. downward
**heroisch** adj. heroic(al)
**Herr** m. master; owner; gentleman; Sir, Mr. Lord; — **werden** to master, to overcome; **-enabend** m. stag party; **-enartikel** m. gentlemen's apparel; **-enzimmer** neu. study; **-gott** m. Lord God; **-in** f. mistress, lady, **-schaft** f. dominion; **-scher** m. ruler
**herr:** **-lich** adj. magnificent, splendid; **-schen** v. to rule, to reign
**herüber** adv. to this side
**herum** adv. (round) about, near; around; **rings (or rund)** — all around
**herunter** adv. down(ward)
**hervor** adv. forth, forward; out; **-brechen** v. to emerge; **-bringen** v. to bring forth; (typ.) to display; to emphasize; **-ragen** v. to stand out; **-ragend** adj. excellent
**Herz** neu. heart; center; ans — **legen** to enjoin, to urge; etwas auf dem **-en haben** to have something on one's mind; **-dame** f. queen of hearts; **-ensangelegenheit** f. love affair; **-enslust** f. heart's desire; **-gefässbild** neu., **-kurve** f. angiocardiogram; **-klopfen** neu. pal-

pitation of the heart; **-liebste** f. true love; **-schlag** m. apoplexy; **-muskulär** adj. cardiovascular; **-schlag** m. heartbeat; heart attack; **-schrittmacher** m. pacemaker; **-verpflanzung** f. heart transplant

**Herzog** m. duke; **-in** f. duchess; **-tum** neu. duchy
**heterosexuell** adj. heterosexual
**Hetze** f. hunt; mad race
**hetzen** v. to hunt; to chase
**Heu** neu. hay; **-boden** m. hayloft; **-gabel** f. pitchfork; **-schober** m. haystack; **-schrecke** f. grasshopper
**heuch:** **-eln** v. to feign; to pretend; **-lerisch** adj. hypocritical
**Heuch-elei** f. hypocrisy; **-ler** m. hypocrite
**heuen** v. to make hay
**heulen** v. to howl; to cry
**heute** adv. today; nowadays; — **vor acht Tagen** a week ago today! **-abend** adv. tonight; **-früh** adv. this morning
**Hexe** f. witch, sorceress; hag; **-nmeister** m. magician; **-nschuss** m. lumbago; **-rei** f. sorcery
**Hieb** m. blow, stroke; hit
**hier** adv. here; **-auf** adv. hereupon; **-her** adv. this way; **bis -her** so far; **-hin** adv. in this direction; **-zulande** adv. in this country
**hiesig** adj. local
**Hilf:** **-e** f. help; aid; relief; **sgelder** neu. pl. subsidies; **-slehrer** m. substitute teacher; **-smittel** neu. remedy; **-sprediger** m. curate; **-struppen** f. pl. auxiliary troops
**Himbeere** f. raspberry
**Himmel** m. heaven; sky; **-bett** neu. four-poster (bed), **-fahrt** f. (rel.) Ascension; Assumption; **-reich** neu. kingdom of

heaven; **–srichtung** *f.* point of the compass; **–skörper** *m.* celestial body

**himmlisch** *adj.* heavenly

**hin** *adv.* there, thither, toward(s); along, till; forth; (coll.) gone, lost, dead; ruined; **— und her** to and fro; **— und wieder** now and then; **überall —** in all directions; **–fallen** *v.* to fall down; **–fällig** *adj.* frail, weak; to sacrifice; **–fänglich** *adj.* sufficient; **–reichen** *v.* to suffice; **–reissend** *adj.* charming, enchanting; **sich –setzen** to sit down; **–sichtlich** *adj.* with reference to; **–stellen** *v.* to put down; **sich –strecken** to lie down; **–weisen** *v.* to refer (*oder* point) to; **sich –ziehen** to drag on

**hinab** *adv.* down

**hinauf** *adv.* up to; upward(s)

**hinaus** *adv.* out(side); **—!** *interj.* get out!

**hindern** *v.* to hinder, impede

**Hindernis** *neu.* deterrence; hurdle; **–rennen** *neu.* hurdle race

**hindurch** *adv.* through(out)

**hinein** *adv.* in (thither), into; **mitten —** right into the middle; **–fallen** *v.* to fall into

**hinfort** *adv.* henceforth

**hingegen** *adv. and conj.* on the contrary; on the other hand

**hinken** *v.* to limp

**hinten** *adv.* behind

**hinter** *adj.* back; hind(er); posterior; **—** *adv.* back(wards), behind; **—** *prep.* behind, after; **jemand — das Licht führen** (coll.) to cheat someone; **–einander** *adv.* one after the other; **–geh(e)n** *v.* to deceive; **–lassen** *v.* to leave behind; to bequeath; **–legen** *v.* to deposit; **–listig** *adj.* cunning; **–rücks** *adv.* from behind; **–st** *adj.* hindmost, last; **–treiben** *v.* to frustrate; **–wärts** *adv.* backwards, behind

**Hinter: –bliebene** *m.* survivor, mourner; **–halt** *m.* ambush; **–lassenschaft** *f.* inheritance; estate; **–list** *f.* deceit, treachery

**hinüber** *adv.* over (there); to the other side; across

**hinunter** *adv.* down(ward)

**hinweg** *adv.* away off; **—!** *interj.* get away!

**hinzu** *adv.* toward; near; in addition to, supplementing; **–fügen** *v.* to add

**Hippie** *m.* hippie

**Hirn** *neu.* brain

**hirnverbrannt** *adj.* crazy

**Hirsch** *m.* stag; hart; **–geweih** *neu.* antlers; **–leder** *neu.* buckskin

**Hirse** *f.* millet

**Hirt(e)** *m.* herdsman; shepherd; pastor; **–enbrief** *m.* pastoral letter

**hissen** *v.* to hoist, to pull up

**Historiker** *m.* historian

**historisch** *adj.* historic(al)

**Hitze** *f.* heat; fever; ardor

**hitzig** *adj.* hot; heated; angered

**Hobel** *m.* plane; **–bank** *f.* carpenter's bench; **–späne** *m. pl.* shavings

**hobeln** *v.* to plane

**Hoboe** *f.* oboe

**hoch** *adj.* high; tall; noble; sublime; **—** *adv.* highly; very; **Hände —!** hands up! **— leben lassen** to toast; **–achtungsvoll** *adv.* respectfully yours; **–halten** *v.* to esteem highly; **–herzig** *adj.* noble; **–mütig** *adj.* haughty arrogant

**Hoch: –achtung** *f.* high esteem; **–amt** *neu.* (eccl.) high mass; **–bahn** *f.* elevated railroad; **–bau** *m.* skyscraper; **–betrieb** *m.* hustle; **–druck** *m.* relief printing; **–ebene** *f.* plateau; **–haus** *neu.* skyscraper; **–mut** *m.* haughtiness; **–schule** *f.* college; university

**höchst** *adj.* highest; extreme; — *adv.* extremely, very; **–ens** *adv.* at most; **–wahrscheinlich** *adj.* very probably

**Höchst: –geschwindigkeit** *f.* top speed

**Hochzeit** *f.* wedding, marriage

**hocken** *v.* to crouch, to squat

**Höcker** *m.* knoll; hump

**Hof** *m.* yard, courtyard; farm; estate; court; **den — machen** to court

**Höf: –lichkeit** *f.* politeness

**hoff: –en** *v.* to hope, to expect; **–entlich** *adv.* it is to be hoped

**Hoff: –art** *f.* haughtiness; **–nung** *f.* hope

**hoffärtig** *adj.* haughty

**höfisch** *adj.* courtly

**höflich** *adj.* courteous

**Höhe** *f.* height; altitude, **auf der —** up to date; **das ist die —!** that's the limit! **Ehre sei Gott in der —!** glory to God in the highest; **–punkt** *m.* climax

**Höhensonne** *f.* sunlamp

**höher** *adj.* higher

**hohl** *adj.* hollow; concave

**Höhle** *f.* cave(rn); hollow; **–nforscher** *m.* speleologist; spelunker

**Höhlung** *f.* hollow; cavity

**Hohn** *m.* disdain; scorn

**höhnisch** *adj.* disdainful

**Höker** *m.* street vendor

**hold** *adj.* charming, lovely

**holen** *v.* to fetch

**Hölle** *f.* hell

**höllisch** *adj.* diabolical

**holp(e)rig** *adj.* rugged, rough

**Holz** *neu.* wood; timber; forest; **–bekleidung** *f.* wainscoting; **–bildhauer** *m.* woodcarver; **–kohle** *f.* charcoal; **–schnitt** *m.* woodcut

**hölzern** *adj.* wooden; stiff

**honett** *adj.* honorable; decent

**Honig** *m.* honey; **–monat** *m.* honeymoon; **–scheibe** *f.*, **–wabe** *f.* honeycomb

**Hopfen** *m.* (bot.) hop

**Hör: –bild** *neu.* sound picture; **–er** *m.* (tel.) receiver; **–erschaft** *f.* audience; **–folge** *f.* (rad.) program; **–saal** *m.* auditorium; **–weite** *f.* earshot

**hör: –bar** *adj.* audible; **–en** *v.* to hear; to listen; to obey; to attend (lectures); **Berlin –en** (rad.) to get Berlin

**Horcher** *m.* listener

**horchen** *v.* to hearken

**Hormon** *neu.* hormone

**Horn** *neu.* horn; bugle; peak; (ent.) feeler; **–isse** *f.* hornet

**Hörnchen** *neu.* crescent

**horrend** *adj.* horrible

**Horst** *m.* eyrie; bush

**Hort** *m.* (lit.) hoard, treasure; day nursery

**Hortensie** *f.* hydrangea

**Hose** *f.* trousers; shorts; **–nträger** *m. pl.* suspenders

**Hospiz** *neu.* hospice

**Hubschrauber** *m.* helicopter; **–landeplatz** *m.* heliport; **–nahverkehr** *m.* helibus

**hüben** *adv.* on this side

**hübsch** *adj.* pretty

**Huf** *m.* hoof; **–eisen** *neu.* horseshoe; **–nagel** *m.* horseshoe nail

**Hüfte** *f.* hip, haunch

**hüftlahm** *adj.* hip-shot

**Hügel** *m.* hill; knoll

**hügelig** *adj.* hill-shaped; hilly

**Huhn** *neu.* hen, chicken

**Hühner** *pl.* poultry; **–auge** *neu.* (toe) corn; **–pastete** *f.* chicken pie

**Huld** *f.* grace, favor; **–igung** *f.* homage

**Hülle** *f.* cover(ing), envelope

**hüllen** *v.* to cover, to wrap

**Hülse** *f.* shell; pod; hull

61

**human** *adj.* humane; **–is-tisch** *adj.* humanistic
**Hummel** *f.* bumble bee
**Hummer** *m.* lobster
**Humor** *m.* humor
**humpeln** *v.* to hobble, to limp
**Humpen** *m.* bumper, goblet
**Hund** *m.* dog, hound; **auf den — kommen** to go to the dogs; **da liegt der Hund begraben** there's the rub; **–earbeit** *f.* drudgery; **–ehütte** *f.* kennel; **–ermarke** *f.* dog tag
**hundert** *adj.* hundred; **–fach** *adj.*, **–fältig** *adj.* hundredfold
**Hundert** *neu.*, hundred; **–stel** *neu.* hundredth part
**Hündin** *f.* bitch
**Hunger** *m.* hunger; famine
**hungern** *v.* to be hungry
**hungrig** *adj.* hungry
**Hupe** *f.* (auto.) horn, siren
**hüpfen** *v.* to hop, to skip
**Hürde** *f.* hurdle, pen; stand
**Hure** *f.* prostitute; whore; **–rei** *f.* fornication
**hurtig** *adj.* brisk, nimble, agile
**huschen** *v.* to scurry, to whisk
**hüsteln** *v.* to cough slightly
**husten** *v.* to cough
**Husten** *m.* cough
**Hut** *m.* hat, round cover; **— f.** guard, protection; **auf der — sein** to be on one's guard; **in Gottes —** in God's keeping; **–krempe** *f.* hat brim; **–schachtel** *f.* hatbox
**hüten** *v.* to guard, to protect; **sich — to** be on guard, to avoid
**Hüter** *m.* watchman
**Hütte** *f.* hut, cabin; chalet
**Hyäne** *f.* hyena
**Hymne** *f.* hymn; anthem
**Hyperbel** *f.* hyperbole
**Hypnotiseur** *m.* hypnotist

**Hypo: chonder** *m.* hypochondriac; **–thek** *f.* mortgage; **–these** *f.* hypothesis
**Hysterie** *f.* hysteria

# I

**ich** *pron.* I; **— selbst** I myself
**Ich** *neu.* self; ego; **–sucht** *f.* egotism
**ideal** *adj.* ideal
**Idee** *f.* idea; notion, concept
**ideell** *adj.* ideal; imaginary
**identifizieren** *v.* to identify
**identisch** *adj.* identical
**Identitätsnachweis** *m.* certificate of identity
**idiotisch** *adj.* idiotic(al)
**Igel** *m.* hedgehog
**Ignorant** *m.* ignoramus
**ignorieren** *v.* to ignore
**ihm** *pron.* to him, to it
**ihn** *pron.* him, it; **–en** to them
**ihr** *pron.* and *adj.* to her; hers, its; — *pl.* you; theirs; **–er** *pron.* (of) her (*oder* them, their); **–erseits** *adv.* in her (*oder* their) turn; **–esgleichen** *adj.* of her (*oder* their) kind; **–ethalben** *adv.*, **–etwegen** *adv.*, **–etwillen** *adv.* on her (*oder* their) account
**illoyal** *adj.* disloyal
**illusorisch** *adj.* illusory
**illustrieren** *v.* to illustrate
**Iltis** *m.* polecat, ferret
**imaginär** *adj.* imaginary
**Imbiss** *m.* snack
**Imker** *m.* beekeeper
**immatrikulieren** *v.* to matriculate
**immer** *adv.* always; **auf — forever;** **— mehr** more and more
**Immobilien** *pl.* real estate
**impfen** *v.* to inoculate
**imponieren** *v.* to impress
**Import** *m.* importation
**imposant** *adj.* imposing
**improvisieren** *v.* to im-

provise; to extemporize
**imstande** *adv.* capable (of)
**in** *prep.* in, at; to, into
**Inbegriff** *m.* quintessence
**Inbrunst** *f.* fervor, ardor
**inbrünstig** *adj.* ardent
**indem** *adv.* while; since
**indes(sen)** *adv.* meanwhile; but; nevertheless
**Industrie** *f.* industry; **-eller** *m.* industrialist
**ineinander** *adv.* into each other
**infizieren** *v.* to infect
**infolge** *prep.* because of; **-dessen** *adv.* consequently
**informieren** *v.* to inform
**Ingenieur** *m.* engineer
**Ingwer** *m.* ginger
**Inhaber** *m.* owner, proprietor
**Inhalt** *m.* content(s), capacity
**Inkarnat** *neu.* flesh color
**Inkonsequenz** *f.* inconsistency
**inn**: **-ehaben** *v.* to possess; **-ehalten** *v.* to pause; to comply with; **-en** *adv.* inside; **-er** *adj.* inner; **-erhalb** *adv.* and *prep.* inside, **-erst** *adj.* inmost; **-ewerden** *v.* to perceive; **-ig** *adj.* heartfelt
**Inn**: **-ere** *neu.* interior; heart, soul; **Minister des -eren** Secretary of the Interior; **-ung** *f.* guild
**Insasse** *m.* inmate; occupant
**insbesondere** *adv.* above all
**Inschrift** *f.* inscription
**Insel** *f.* island
**Inserat** *neu.* advertisement
**Inserent** *m.* advertiser
**inserieren** *v.* to advertise
**insgemein** *adv.* in general
**insofern** *conj.* as far as
**insonderheit** *adv.* particularly
**inspirieren** *v.* to inspire
**inspizieren** *v.* to inspect
**instandhalten** *v.* to keep up

**inständig** *adj.* imploring
**Instanz** *f.* instance; legal step; **letzte —** last resort
**instruieren** *v.* to instruct
**Insulaner** *m.* islander
**inszenieren** *v.* to stage
**integrieren** *v.* integrate
**intelligent** *adj.* intelligent
**Intelligenz** *f.* intelligence
**Intendant** *m.* manager
**Intensität** *f.* intensity
**inter**: **-essant** *adj.* interesting; **sich -essieren für** to take interest in; **-viewen** *v.* to interview
**Inter**: **-esse** *neu.* interest, advantage; **-essengemeinschaft** *f.* community of interest; pool, trust; **-essent** *m.* interested party; **-nat** *neu.* boarding school
**intim** *adj.* intimate; private
**Invalide** *m.* invalid
**Inventar** *neu.* stock
**inwendig** *adj.* inside, interior
**inwiefern, inwieweit** *adv.* how far, to what extent
**inzwischen** *adv.* meanwhile
**Ionosphäre** *f.* ionosphere
**irden** *adj.* earthen, of clay
**irdisch** *adj.* earthly
**irgend** *adv.* any, some; perhaps; ever; **-wie** *adv.* somehow; **-wo** *adv.* somewhere
**Ironie** *f.* irony
**irr**: **-e** *adj.* astray; confused, insane; **-eführen** *v.* to mislead; **-ig** *adj.* erroneous
**Irr**: **-e** *m.* insane person; **-enanstalt** *f.* mental hospital; **-garten** *m.* labyrinth; **-glaube** *m.*, **-lehre** *f.* heresy; **-licht** *neu.* will-o'-the-wisp; **-tum** *m.* error
**Isle** *f.* Alice, Elsie
**Isol**: **-ator** *m.* insulator; **-ierflasche** *f.* vacuum bottle
**isolieren** *v.* to isolate; insulate
**Isotope** *f.* Isotope

# J

**ja** *adv.* yes; aye
**Jacht** *f.* yacht
**Jacke** *f.* jacket; jerkin
**Jagd** *f.* hunt(ing); **–flieger** *m.* (avi.) fighter pilot; **–flugzeug** *neu.* fighter plane; **–horn** *neu.* bugle; **–schein** *m.* hunting license
**jagen** *v.* to hunt; to chase
**Jäger** *m.* hunter, ranger
**Jahr** *neu.* year; **–esbericht** *m.* annual report; **–esrente** *f.* annuity; **–estag** *m.* anniversary; **–eszeit** *f.* season; **–hundert** *neu.* century; **–markt** *m.* annual fair
**Jähzorn** *m.* irascibility
**Jakob** *m.* James, Jacob
**Jalousie** *f.* Venetian blind
**Jamaikapfeffer** *m.* allspice
**jambisch** *adj.* iambic
**Jammer** *m.* distress, misery
**jammer–n** *v.* to lament; **er –t mich** I pity him; **–voll** *adj.* deplorable
**jämmerlich** *adj.* miserable
**Janhagel** *m.* mob, rabble
**Jasmin** *m.* jasmine
**Jaspis** *m.* jasper
**jäten** *v.* to weed
**Jauche** *f.* liquid manure
**jauchzen** *v.* to exult, to jubilate
**Jazzkapelle** *f.* jazz band
**je** *adv.* each (time); at any time, ever; **— nachdem** depending on circumstances; **–denfalls** *adv.* at any rate; **–der** *pron.* each, every; **–dermann** *pron.* everybody; **–desmal** *adv.* each (oder every) time; **–doch** *adv.* however; **–mals** *adv.* at any time, ever; **–mand** *pron.* somebody; **irgend –mand** anyone; **–ner** *pron.* that (one); the former
**Jenseits** *neu.* the world beyond

**Jesaias** *m.* Isaiah
**jetzig** *adj.* present; existing
**jetzt** *adv.* now, at present
**Joch** *m.* yoke
**jochen** *v.* to yoke
**Jockei** *m.* jockey
**Jod** *neu.* iodine
**jodeln** *v.* to yodel
**Johann** *m.* John
**Johannis–beere** *f.* currant; **–käfer** *m.* June bug; **–tag** *m.* St. John's day; midsummer solstice
**johlen** *v.* to howl, to yowl
**Jolle** *f.* yawl; jolly boat
**Jot** *neu.* letter j; **–a** *neu.* iota, jot, whit
**Jub–el** *m.* jubilation; **–iläum** *neu.* jubilee, anniversary
**jubeln** *v.* to jubilate, to exult
**jucken** *v.* to itch; to feel itchy
**Jude** *m.* Jew; **–nhetze** *f.*, **–nverfolgung** *f.* persecution of Jews
**Jugend** *f.* youth; **–freund** *m.* friend of one's youth; **–gericht** *neu.* juvenile court; **–herberge** *f.* youth hostel; **–liebe** *f.* first love
**jugendlich** *adj.* youthful
**jung** *adj.* young, youthful
**Jung–e** *m.* boy; lad; apprentice; **–fer** *f.* girl, virgin; maid; **alte –fer** spinster; **–frau** *f.* virgin; **–geselle** *m.* bachelor
**Jüng–er** *m.* disciple; **–erschaft** *f.* discipleship; **–ling** *m.* youth; **der –ste Tag** doomsday; **das –ste Gericht** the last judgment
**jüngst** *adj.* youngest, latest; most recent
**juristisch** *adj.* juridical, legal
**Justiz** *f.* administration of the law; **–beamte** *m.* officer of the law; **–minister** *m.* minister of justice; Attorney General
**Jux** *m.* frolic; practical joke

# K

**Kabale** f. cabal, intrigue
**kabeln** v. to cable
**Kabine** f. cabin; **-tt** neu. cabinet; closet
**Kachel** f. tile; **-ofen** m. Dutch tile stove
**Käfer** m. beetle, chafer
**Kaffee** m. coffee; **-klatsch** m., **-kränzchen** neu. ladies' gossip party; **-maschine** f. percolator
**Käfig** m. cage
**kahl** adj. bare, bald;
**Kahn** m. boat, skiff; barge
**Kai** m. quay, wharf
**Kaiser** m. emperor; **-in** f. empress; **-reich** neu. empire
**kaiserlich** adj. imperial
**Kaiserschnitt** m. (med.) Caesarian section
**Kajüte** f. (naut.) cabin
**Kakao** m. cocoa bean; cocoa
**Kakerlak** m. cockroach
**Kalb** neu. calf; fawn; **-fleisch** neu. veal; **-sbraten** m. roast veal
**Kalender** m. calendar, almanac
**Kali(um)** neu. (caustic) potash
**Kalk** m. lime; calcium
**kalken** v. to plaster; to whitewash
**Kalkül** m. calculation
**Kalkulator** m. computer
**kalkulieren** v. to calculate
**Kalorie** f. calorie
**kalt** adj. cold; unemotional; **-blütig** adj. cold-blooded; composed
**Kälte** f. cold(ness); indifference
**Kalzium** neu. calcium
**Kambüse** f. caboose
**Kamee** f. cameo
**Kamel** neu. camel
**Kamerad** m. comrade; **-schaft** f. comradeship
**Kamin** m. chimney; fireplace; **-sims** m. mantlepiece
**Kamm** m. comb; crest
**Kammer** f. chamber;

board; **-diener** m. valet
**Kampf** m. combat; fight, battle; **-richter** m. umpire; **-spiel** neu. tournament
**kämpfen** v. to fight; to battle
**Kampfer** m. camphor
**Kämpfer** m. fighter; warrior
**Kanal** m. canal; channel
**Kanapee** neu. sofa; settee
**Kanarienvogel** m. canary
**Kandelaber** m. candelabrum
**Kandis(zucker)** m. sugar candy
**Kaninchen** neu. rabbit
**Kanne** f. can; pot; jug
**Kanon** m. canon; regulation; **-e** f. cannon; gun
**Kant: -e** f. edge; margin, brim; border; selvage
**Kanu** neu. canoe
**Kanz: -el** f. pulpit; **-rede** f. sermon; **-lei** f. (government) office; **-ler** m. chancellor
**Kap** neu. (geog.) cape
**Kapaun** m. capon
**Kapazität** f. capacity
**Kapelle** f. small church; chapel; band
**Kapellmeister** m. bandmaster
**kapieren** v. to understand
**kapital** adj. capital, excellent
**Kapitän** m. captain; skipper
**Kapitel** neu. chapter; (monks) assembly; members (of rel. order) church
**kapitulieren** v. to capitulate
**Kaplan** m. chaplain
**Kappe** f. cap; hood; cowl(ing)
**Kapriole** f. capriole; caper
**Kapsel** f. housing, capsule
**kaputt** adj. broken
**Kapuz: -e** f. hood, cowl; **-iner** m. Capuchin monk
**Karaffe** f. carafe, decanter
**Karat** m. carat; **-gewicht** neu. troy weight
**Karawane** f. caravan

65

**Karbid** *neu.* carbide
**Kardinal** *m.* cardinal
**Karfreitag** *m.* Good Friday
**Karfunkel** *m.* carbuncle
**karg** *adj.* paltry; stingy
**kariert** *adj.* checkered
**Karikatur** *f.* caricature; cartoon
**karikieren** *v.* to caricature
**Karl** *m.* Charles, Carl
**karmesin** *adj.* crimson
**Karnickel** *neu.* rabbit
**Karosse** *f.* state coach; **-rie** *f.* (auto.) chassis, body
**Karpfen** *m.* carp
**Karre** *f.*, **Karren** *m.* cart, (wheel)barrow
**karren** *v.* to cart
**Karriere** *f.* career; full gallop
**Karte** *f.* card; chart, map; ticket; bill of fare; menu; **-i** *f.* card index
**Kartell** *neu.* cartel; trust
**Kartoffel** *f.* potato; **-brei** *m.* mashed potatoes; **-puffer** *m.* potato pancake; **-stäbchen** *neu. pl.* shoestring potatoes
**Kartographie** *f.* cartography
**Kartothek** *f.* card index
**Kartusche** *f.* cartridge
**Karussel** *neu.* merry-go-round
**Karwoche** *f.* Holy Week
**Käse** *m.* cheese
**Kaserne** *f.* (mil.) barracks
**Kaspar** *m.* Jasper
**Kaspische(s) Meer** *neu.* Caspian Sea
**Kass: -e** *f.* cashbox; cash money; pay office; **-enführer** *m.* cashier; **-enschrank** *m.* safe; **-ierer** *m.* cashier; teller
**kassieren** *v.* to take in money
**Kastanie** *f.* chestnut
**Kate** *f.* cottage, hut
**Kater** *m.* tomcat; (coll.) hangover
**Katheder** *neu.* desk
**Kathol: -ik** *m.* Catholic;

**-izismus** *m.* Catholicism
**katholisch** *adj.* Catholic
**Kattun** *m.* calico; cotton print
**Katze** *f.* cat
**kauen** *v.* to chew
**Kauf** *m.* purchase; **-brief** *m.* bill-of-sale; **-haus** *neu.* department store; **-laden** *m.* shop, store; **-mann** *m.* shopkeeper
**kaufen** *v.* to buy
**Käufer** *m.* buyer, purchaser
**käuflich** *adj.* venal
**kaum** *adv.* barely, hardly
**Kaution** *f.* security; (law) bail
**Kautschuk** *m.* and *neu.* rubber
**Kavalier** *m.* gentleman
**keck** *adj.* bold, forward
**Kegel** *m.* cone; bowling pin, tenpin; **-bahn** *f.* bowling alley
**Kehle** *f.* throat; gullet
**Kehr: -besen** *m.* broom; **-bürste** *f.* whisk broom; **-icht** *m.* sweeping; rubbish; **-reim** *m.* refrain
**kehren** *v.* to sweep; to turn
**Keil** *m.* wedge; (mech.) key; (typ.) quoin; **-erei** *f.* scuffle; **-schrift** *f.* cuneiform writing
**Keim** *m.* sprout, bud; germ
**keimen** *v.* to germinate
**kein** *adj.* no (one), none; **-er** *adj.* nobody; **-esfalls** *adv.* in no case; certainly not; **-eswegs** *adv.* by no means, not at all; **-mal** *adv.* not once
**Keks** *m.* cookie
**Kelch** *m.* goblet; chalice
**Kell: -e** *f.* ladle; trowel; **-er** *m.* cellar; **-ergeschoss** *neu.* basement; **-erladen** *m.* basement shop; **-ner** *m.* waiter; **-nerin** *f.* waitress
**kenn: -en** *v.* to know, to be acquainted (with); **-tlich** *adj.* distinguishable; **-zeichnen** *v.* to characterize

**Kenn: -buchstabe** m. key letter; **-er** m. connoisseur, expert; **-tnis** f. knowledge; **-wort** neu. device, motto, password; **-zeichen** neu. characteristic

**Kerbe** f. notch

**Kerker** m. (lit.) jail

**Kerl** m. fellow; chap

**Kern** m. core, nucleus; kernel; (fig.) quintessence; **-säuer** f. nucleic acid; **-spaltung** f. nuclear fission; **-spruch** m. proverb

**Kerze** f. candle; taper

**Kessel** m. kettle; tank; boiler; **-flicker** m. tinker; **-wagen** m. tank truck

**Kette** f. chain; bracelet; row, series; **-nhandel** m. chain store

**Ketzer** m. heretic; **-ei** f. heresy

**ketzerisch** adj. heretical

**keuchen** v. to pant, to puff

**Keuchhusten** m. whooping cough

**Keule** f. club; Indian club

**keusch** adj. chaste, pure

**kichern** v. to snicker; to giggle

**Kiefer** m. jawbone; mandible; — f. pine

**Kiel** m. quill; keel

**Kieme** f. gill

**Kies** m. gravel; pyrite; **-el** m. pebble; flint; silica

**Kind** neu. child; offspring; **-heit** f. childhood, infancy; **-taufe** f. christening (of child)

**Kinder** pl. children; **-frau** f., **-mädchen** neu. nurse; governess; **-gärtnerin** f. kindergarten teacher; **-stube** f. nursery; **-wagen** m. baby carriage

**Kinn** neu. chin; **-lade** f. jaw

**Kino** neu. motion-picture theater

**Kippe** f. edge; tilt; seesaw

**kippen** v. to seesaw; to tip

**Kirch: -e** f. church; **-hof** m. churchyard; cemetery;

**-sprengel** m. diocese; **-turm** m. steeple, spire

**Kirchen: -älteste** m. church elder; **-busse** f. church penance; **-diener** m. sexton, sacristan; **-gesang** m. congregational song (oder singing); **-geschichte** f. ecclesiastical history; **-jahr** neu. ecclesiastical year; **-lehre** f. church doctrine; **musik** f. sacred music

**kirchlich** adj. ecclesiastic(al)

**Kirmes** f. annual parish fair

**Kirsch: -e** f. cherry; **-wasser** neu. cherry cordial

**Kissen** neu. cushion; pillow

**Kiste** f. box, chest, case

**Kitsch** m. trash; trumpery

**Kitt** m. cement; putty; lute; **der ganze** — the whole kit and caboodle

**Kittel** m. smock; frock

**kitten** v. to cement; to glue

**kitzeln** v. to tickle, to titillate

**Kladde** f. rough draft

**klaffen** v. to gape, to yawn

**klagen** v. to complain; to lament

**Klage** f. complaint; lawsuit

**Kläger** m. plaintiff

**Klamm: -er** f. clasp; clamp; paper clip

**Klang** m. sound, tone

**klangvoll** adj. sonorous

**Klapp: -bett** neu. folding bed; **-e** f. flap; lid; valve; **-messer** neu. jackknife

**Klapper** f. rattle; clapper

**klapsen** v. to slap

**klar** adj. clear; bright

**klären** v. to purify; to clear

**Klasse** f. class; rank

**klassifizieren** v. to classify

**Klassifizierung** f. taxonomy

**Klassik** f. classical period

**klassisch** adj. classic(al)

**Klatsch** m. gossip; **-base** f., **-maul** neu. gossiper

**Klaue** f. claw; fang, talon

**Klaus:** –e f. hermitage; cell; –ner m. hermit

**Klausel** f. clause, proviso

**Klavi:** –atur f. (mus.) keyboard; –er neu. piano

**Klebe:** –bild neu. collage; –pflaster neu. adhesive tape; –stoff m. adhesive, glue

**kleben** v. to glue, to paste

**kleb(e)rig** adj. sticky

**Klecks** m. blot(ch)

**Klee** m. clover, trefoil

**Kleeblattkreuzung** (auto.) f. clover leaf

**Kleid** neu. garment, dress; –er pl. clothing; –erablage f. cloak room; –erbügel m. coat hanger; –erschrank m. closet, wardrobe; –ung f. clothing; –ungsstück neu. garment

**kleiden** v. to dress

**Kleie** f. bran

**klein** adj. little; young; ein — bisschen (or wenig) a little bit; –es Geld change; small coins; von — auf from childhood

**Klein:** –asien neu. Asia Minor; –betrieb m. small business; –handel m. retail business; –igkeit f. trifle; –kinderbewahranstalt f. day nursery

**Kleister** m. paste

**klemmen** v. to pinch, to squeeze; to jam

**Klempner** m. tinsmith

**Kleriker** m. clergyman

**Klerus** m. clergy

**Klette** f. bur; burdock

**klettern** v. to climb; to ascend

**Klima** neu. climate; –anlage f. air conditioning

**klimatisch** adj. climatic

**klimmen** v. to climb

**klimpern** v. (mus.) to strum

**Klinge** f. blade; (poet.) sword; –nspender m. blade dispenser

**Klingel** f. small bell

**klingeln** v. to ring (bell)

**klingen** v. to sound; to tinkle

**Klinik** f. clinical hospital

**Klinke** f. latch; door handle

**klinken** v. to operate (latch)

**Klipp:** –e f. cliff, crag; reef

**klirren** v. to clink, to clash

**Klischee** neu. cliché

**Kloake** f. cesspool, sewer

**Kloben** m. split cordwood

**klobig** adj. weighty; clumsy

**klopfen** v. to knock, to rap

**Klopfer** m. beater, knocker

**Klops** m. meat ball

**Klosett** neu. toilet

**Kloss** m. clod; lump; dumpling

**Kloster** neu. cloister; monastery

**klösterlich** adj. monastic

**Klotz** m. block; clog

**Klub** m. club

**Kluft** f. abyss, chasm

**klug** adj. intelligent; clever

**Klügelei** f. sophistry

**klügeln** v. to affect wisdom

**klüglich** adv. judiciously

**Klumpen** m. clump, lump

**Klumpfuss** m. clubfoot

**klumpig** adj. lumpy, clotted

**knabbern** v. to gnaw, to nibble

**Knabe** m. boy, lad; –nalter neu. boyhood

**Knäckebrot** neu. coarse rye bread

**Knall** m. bang

**knallen** v. to detonate; to bang

**knapp** adj. tight, narrow

**Knapp:** –e m. page; miner; –schaft f. miners' union

**knattern** v. to rattle; to crackle

**Knäuel** m. and neu. (yarn) ball

**Knauf** m. knob; pommel

**Knauser** m. niggard, miser; –ei f. stinginess

**knausern** v. to be stingy

**knautschen** v. to crumple

**knautschig** adj. crumpled

**Knebel** m. gag; short stick

**Knecht** m. farmhand; serv-

ant; — **Ruprecht** Santa Claus; **-schaft** f. slavery
**knechten** v. to enslave
**kneifen** v. to pinch
**Kneifer** m. pince-nez; coward
**Kneifzange** f. tweezers
**Kneipe** f. (coll.) tavern, inn
**kneipen** v. to pinch
**kneten** v. to knead
**Knick** m. flaw, crack; bend
**knick: -en** v. to break; **-(e)rig** adj. stingy; **-sen** v. to curtsy
**Knie** neu. knee, bend; **-band** neu. garter; **-geige** f. bass viol; **-rohr** neu. elbow pipe; **-scheibe** f. knee cap
**knie: -fällig** adv. on bended knees
**Kniff** m. pinch; crease, fold
**knipsen** v. to clip; to snap
**Knirps** m. little fellow
**knirschen** v. to gnash
**knistern** v. to crackle
**knittern** v. to crumple
**knobeln** v. to play dice
**Knoblauch** m. garlic
**Knöchel** m. knuckle; ankle
**Knochen** m. bone
**knöchern** adj. of bone, bony
**knochig** adj. with strong bones
**Knödel** m. dumpling
**Knolle** f., **Knollen** m. bulb
**Knopf** m. button; stud; knob
**knöpfen** v. to button
**Knorpel** m. cartilage; gristle
**knorrig** adj. gnarled, knobby
**Knospe** f. bud
**knospen** v. to bud, to sprout
**Knoten** m. knot; (fig.) ganglion
**knoten** v. to knot
**knotig** adj. knobby; lumpy
**knüllen** v. to crumble
**knüpfen** v. to tie, to knot
**Knüppel** m. club, cudgel

**knurren** v. to growl, to snarl
**knurrig** adj. growling
**knusp(e)rig** adj. crisp
**knuspern** v. to crunch
**Knute** f. knout
**Knüttel** m. club, cudgel; **-vers** m. doggerel
**Kobold** m. sprite; goblin
**Koch** m. cook; **-er** m. cooker; **-geschirr** neu. pots and pans; **-herd** m. kitchen range; **-kiste** f. insulated box (for keeping foods hot); **-löffel** m. ladle
**kochen** v. to cook; to boil
**Köcher** m. quiver
**Köchin** f. cook
**Kode** m. code, cipher
**ködern** v. to bait, to decoy
**Koffer** m. bag, box, suitcase, trunk
**Kohl** m. cabbage
**Kohle** f. coal; charcoal, (elec.) carbon; **-narbeiter** m. coal miner; **-neimer** m. coal scuttle; **-nstoff** m. carbon
**Köhler** m. charcoal burner
**Koka** f. coca; **-in** neu. cocaine
**kokett** adj. coquettish
**Kokon** m. cocoon
**Kokos: -baum** m. coconut tree; **-nuss** f. coconut
**Koks** m. coke; (sl.) cocaine
**Kolben** m. club, mace; (rifle) butt; piston; plunger
**Kolibri** m. hummingbird
**Kolik** f. colic; gripes
**Kollage** f. collage
**Kolleg** neu. (university) course; **-e** m. colleague; **-ialität** f. fellowship; **-ium** neu. faculty
**Kollekt: -e** f. collect(ion)
**kollern** v. to roll
**Köln** neu. Cologne
**Koloni: -alwaren** f. pl. groceries; **-e** f. colony; **-st** m. settler
**Koloss** m. colossus
**kolportieren** v. to sell from house to house
**Komik** f. funniness; **-er** m. comedian

**komisch** *adj.* comical, funny

**kommen** *v.* to come; to approach; **an die Reihe —** to have one's turn; **auf etwas —** to remember; **lassen** to send for; **zu kurz —** to lose out; **zu sich —** to recover

**Kommis** *m.* clerk, salesman; **-sariat** *neu.* police department; **-sion** *f.* commission

**Kommode** *f.* chest (of drawers)

**Kommun: -e** *f.* community; (coll.) Communist Party; **-ikant** *m.* (rel.) communicant; **-ion** *f.* (rel.) Holy Communion

**kommun: -al** *adj.* communal; **-istisch** *adj.* communistic

**Komödi: -ant** *m.* comedian; **-e** *f.* comedy

**komplizieren** *v.* to complicate

**kompliziert** *adj.* complicated; **-er Bruch** compound fracture

**Komplott** *neu.* plot, conspiracy

**Kompott** *neu.* compote; stewed fruit

**Kompresse** *f.* (med.) compress

**Kompromiss** *m.* compromise

**Kondensator** *m.* condenser

**kondensieren** *v.* to condense

**Konditor** *m.* confectioner; **-ei** *f.* confectionery

**Konfekt** *neu.* confectionery; **-ion** *f.* ready-made clothing; **-ionär** *m.* outfitter

**Konfirmand** *m.* (rel.) person being confirmed; **-enunterricht** *m.* confirmation classes

**konfirmieren** *v.* to confirm

**konfiszieren** *v.* to confiscate

**Konfitüre** *f.* confectionery

**konfus** *adj.* confused

**König** *m.* king; **-in** *f.*

queen; **-reich** *neu.* kingdom; realm

**königlich** *adj.* royal

**Konkurrent** *m.* competitor

**Konkurrenz** *f.* competition

**konkurrieren** *v.* to compete

**Konkurs** *m.* bankruptcy

**können** *v.* to be able; to know; to be possible; **es kann sein** it may be; **sie — nichts dafür** it wasn't their fault

**Konrad** *m.* Conrad

**konsequent** *adj.* consistent

**Konsequenz** *f.* consistency

**Konserv: -e** *f.* preserve; canned food; **-enbüchse** *f.* tin can

**konservieren** *v.* to preserve

**Konsistorium** *neu.* (rel.) consistory

**Konsorte** *m.* accomplice

**Konsortium** *neu.* syndicate

**Konspiration** *f.* conspiracy

**konstruieren** *v.* to construct

**konsularisch** *adj.* consular

**konsultieren** *v.* to counsel

**Konsum** *m.* consumption; **-ent** *m.* consumer; **-verein** *m.* co-operative society

**Konto** *neu.* account

**Kontraalt** *m.* contralto

**Kontroll: -e** *f.* control; **-uhr** *f.* time clock

**kontrollieren** *v.* to control

**Konversationslexikon** *neu.* encyclopedia

**Konvertit** *m.* convert

**Konzentrationslager** *neu.* concentration camp

**Konzept** *neu.* first copy, draft

**konzessionieren** *v.* to license

**Konzil** *neu.* (eccl.) council

**konzipieren** *v.* to draft

**Köper** *m.* twill

**Kopf** *m.* head; knob, button; top; brains; **auf seinen — bestehen** to be

stubborn; **im — behalten**
to remember; **nicht auf
den — gefallen sein to**
be no fool; **vor den —
stossen** to offend; **–hän-
gerei** f. dejection; **–hörer**
m. headphone; **–kissen**
neu. pillow; **–nicken** neu.
nod; **–putz** m. coiffure;
**–rechnen** neu. mental
arithmetic; **–salat** m. head
lettuce; **–schmerz** m.,
**–weh** neu. headache;
**–steuer** f. poll tax
**köpfen** v. to behead; to
lop
**Kopie** f. copy, duplicate
**kopieren** v. to copy
**koppeln** v. to couple, to
link
**Korb** m. basket, hamper;
**Hahn im — sein to** be
cock of the walk
**Kordel** f. cord, string,
twine
**Kork** m. cork; stopper;
**–enzieher** m. corkscrew
**Korn** neu. grain; cereal,
(Germany) rye; **–börse** f.
grain exchange
**Körper** m. body; bulk;
substance; **–bau** m. body
structure; **–schaft** m. corporation
**körperlich** adj. bodily;
material; physical; so-
matic
**korpulent** adj. obese,
corpulent
**Korrekt:** **–or** m. proofreader; **–ur** f. correction;
**–urabzug** m. printer's
proof; galley proof
**Korrespondenz** f. corre-
spondence;
**korrespondieren** v. to correspond
**korrigieren** v. to correct
**kosen** v. to caress, to hug
**Kosmetik** f. cosmetics
**Kosmologie** f. cosmology
**Kosmonaut** m. cosmonaut
**Kost** f. food; board, diet;
**–gänger** m. boarder;
**–geld** neu. board allowance; **–probe** f. sample,
relish
**kost:** **–bar** adj. precious;

costly; **–en** v. to cost; to
taste; **–enfrei** adj. with
free board; **–spielig** adj.
expensive
**köstlich** adj. fine, delicious
**Kostüm** neu. costume;
dress
**Kot** m. dirt, filth; mud;
**–flügel** m. fender
**Kotelett** neu. cutlet, chop
**kotig** adj. dirty, muddy
**Krabbe** f. crab, shrimp
**krabbeln** v. to grovel, to
crawl
**Kraft** f. strength, power,
force; **–droschke** f. taxi;
**–rad** neu. motorcycle;
**–stoff** m. fuel; **–wagen**
m. motor car; **–werk** neu.,
**–anlage** f. power plant
**kraft** prep. by virtue of
**kräftig** adj. strong, vigorous
**Kragen** m. collar; neck
**Krähe** f. crow, rook
**krähen** v. to crow
**Kralle** f. claw, talon
**Kram** m. odds and ends
**Krämer** m. small shop-
keeper
**Krampf** m. cramp, spasm;
fit; **–ader** f. varicose vein
**Kran** m. (mech.) crane;
hoist
**Kranich** m. (orn.) crane
**krank** adj. ill; sick; suffering; **–en** v. to be ailing;
**–heitshalber** adv. owing
to illness
**Krank:** **–e** m. sick person;
**–heit** f. illness
**kränk:** **–en** v. to offend;
**–lich** adj. sickly
**Kranken:** **–haus** neu.
hospital; **–bericht** m. doctor's report; **–kasse** f. sick
benefit fund; **–kost** f.
diet; **–pflege** f. nursing;
**–schwester** f., **–wärterin**
f. nurse; **–tragbahre** f.
stretcher; **–wagen** m.
ambulance
**Kränkung** f. offense
**Kranz** m. garland, wreath
**Krapfen** m. doughnut,
fritter
**krass** adj. crass; coarse
**kratzbürstig** adj. cross

**Krätze** f. scabies
**kratzen** v. to scratch
**kraulen** v. to scratch gently; crawl (swim)
**kraus** adj. curly, frizzled
**Krause** f. frill, ruff
**kräuseln** v. to curl, to frizzle
**Kraut** neu. herb, plant; cabbage
**Kräuter** neu. pl. herbs
**Krawatte** f. cravat, necktie
**Kreatur** f. creature; favorite
**Krebs** m. crayfish; cancer; **–erreger** m. carcinogen
**Kredenz** f. sideboard
**Kreditausweis** m. credit card
**kreditfähig** adj. (com.) solvent
**kreditieren** v. to credit
**Kreide** f. chalk, crayon
**Kreis** m. circle; orbit; district; **–el** m. top (toy); **–lauf** m. circulation; **–säge** f. circular saw; **–umfang** m. circumference
**kreischen** v. to scream
**Krempe** f. (hat) brim
**Krempel** m. rubbish
**Kremserweiss** neu. white lead
**krepieren** v. (coll.) to die
**Krepp** m. crêpe, crape
**Kresse** f. cress; nasturtium
**Krethi und Plethi** m. riffraff
**Kreuz** neu. cross; crucifix; loins; backbone; **ans — heften** (or **schlagen**) to crucify; **das — schlagen** to make the sign of the cross; **–er** m. copper coin; **–schmerz** m. lumbago; **–ung** f. intersection; **–worträtsel** neu. crossword puzzle; **–zug** m. crusade
**kreuz: — und quer** crisscross; **–en** v. to cross; **–igen** v. to crucify
**kriechen** v. to crawl, to creep
**Krieg** m. war, feud; **–führen** to wage war;

**–sausrüstung** f. armaments; **–sentschädigung** f. war indemnity; **–serklärung** f. declaration of war; **–smacht** f. military forces; **–srecht** neu. martial law; **–sschiff** neu. battleship; **–sschuld** f. war guilt
**Kriminal: –beamte** m. detective; **–roman** m. detective story
**Kringel** m. small ring, bow
**Krippe** f. crib, manger; crèche; **–nspiel** neu. nativity play
**Krise, Krisis** f. crisis
**Kritik** f. criticism; evaluation
**kritisch** adj. critical, judicious
**kritisieren** v. to criticize
**kritzeln** v. to scribble
**Kron: –e** f. crown; **–leuchter** m. chandelier; **–zeuge** m. state's evidence
**krönen** v. to crown
**Kropf** m. (orn.) crop, craw
**Kröte** f. toad; (coll.) coin
**Krücke** f. crutch
**Krug** m. jug, pitcher; inn
**Krume** f. crumb; topsoil
**krumm** adj. crooked, bent
**krümmen** v. to bend, to curve
**Krupp** m. croup, diphtheria
**Krüppel** m. cripple
**Kruste** f. crust; scab
**Kruzifix** neu. crucifix
**Kübel** m. bucket; tub; vat
**Küche** f. kitchen; **–nzettel** m. bill of fare
**Kuchen** m. cake
**Kugel** f. ball, sphere; bullet; **–lager** neu. ball bearing; **–schreiber** m. ballpoint pen
**Kuh** f. cow; **blinde —** blindman's buff; **–hirt** m. cowboy, cowherd
**kühl** adj. cool, chilly; fresh; **–en** v. to cool
**Kühl: –haus** n. coldstorage plant; **–apparat** m. refrigerator; **–e** f. cool-

ness; **-er** *m.* cooler; radiator; **-raum** *m.* cold storage room; **-ung** *f.* refrigeration

**kühn** *adj.* bold, daring

**Kulisse** *f.* (theat.) wing

**Kult** *m.* cult; **-ur** *f.* culture; civilization; **-uraustausch** *m.* cultural exchange; **-urfilm** *m.* educational film, documentary; **-urrevolution** *f.* cultural revolution

**Kummer** *m.* grief; worry

**kümmer: -lich** *adj.* miserable; **sich -n um** to care for

**Kümmernis** *f.* grief; affliction

**kund** *adj.* known; **-ig** *adj.* experienced

**Kund: -e** *m.* customer; — *f.* information; **-ige** *m.* expert; **-schaft** *f.* customers

**künftig** *adj.* future; later

**Kunst** *f.* art; ingenuity, skill; **das ist keine** — it's easy; **-akademie** *f.* academy of arts; **-erzeugnis** *neu.* artifact (*oder* artefact); **-flug** *m.* (avi.) stunt flight; **-handwerker** *m.* artisan, craftsman; **-leder** *neu.* plastic; **-liebhaber** *m.* amateur; **-stoff** *m.* plastics; **-stück** *neu.* trick

**Künst: -ler** *m.* artist; **-lerwerkstatt** *f.* artist's studio

**Kupfer** *neu.* copper

**kupfern** *adj.* of copper

**Kuppel** *f.* cupola, dome

**Kupp(e)lung** *f.* coupling, clutch

**Kur** *f.* cure; **-ator** *m.* trustee; **-atorium** *neu.* board of trustees; **-ort** *m.* health resort; **-pfalz** *f.* Palatinate; **-pfuscher** *m.* quack

**Kür: -bis** *m.* pumpkin; **-bisflasche** *f.* calabash; **-schner** *m.* furrier

**Kurbel** *f.* crank; **-kasten** *m.* (coll.) movie camera; **-welle** *f.* crankshaft

**kurieren** *v.* to cure

**kurios** *adj.* odd, strange

**Kurs** *m.* course; currency; rate of exchange

**kursieren** *v.* to circulate

**Kursus** *m.* course (of lectures)

**kurz** *adj.* short; brief; in **-em** soon, shortly; — **angebunden** brusque; — **und gut** in a word; **über** — **oder lang** sooner or later; **vor -em** recently; **-schliessen** *v.* to handcuff; **-sichtig** *adj.* nearsighted, shortsighted; **-um** *adv.* in short

**Kurz: -geschichte** *f.* short story; **-schluss** *m.* (elec.) short circuit; **-schrift** *f.* shorthand; **-waren** *f. pl.* notions; haberdashery; **-weil** *f.* amusement, pastime; **-wellensender** *m.* short wave transmitter

**kürzen** *v.* to shorten

**kürzlich** *adv.* lately

**Kusine** *f.* cousin

**Kuss** *m.* kiss

**küssen** *v.* to kiss

**kussfest** *adj.* kissproof

**Küste** *f.* coast, shore

**Kustos** *m.* custodian

**Kutsch: -e** *f.* coach, carriage; **-er** *m.* coachman

**Kutte** *f.* monk's robe, cowl

**Kuvert** *neu.* envelope

## L

**Lab** *neu.* rennet

**Lab: -sal** *neu.*, **-ung** *f.* refreshment; **-etrunk** *m.* refreshing drink

**laben** *v.* to refresh; **sich** — to enjoy

**Laborant** *m.* laboratory assistant

**Laboratorium** *neu.* laboratory

**lachen** *v.* to laugh

**lächeln** *v.* to smile

**Lachs** *m.* salmon

**Lack** *m.* lac; **-firnis** *m.* lacquer, varnish; **-leder** *neu.* patent leather

**lackieren** *v.* to lacquer

73

**Lade** f. box, chest, drawer
**Laden** m. shop, store; shutter; **–besitzer** m. shopkeeper; **–dieb** m. shoplifter; **–kasse** f. till; **–preis** m. retail price; **–tisch** m. counter
**laden** v. to load; to freight
**Ladung** f. load, freight
**Lage** f. position, situation, condition, state; layer
**Lager** neu. bed; lodging; camp; stock; supply; store; **auf —** in stock; **–aufnahme** f. stock inventory; **–vorrat** m. stock
**lagern** v. to lie down; to rest
**Lagune** f. lagoon
**lahm** adj. lame, paralyzed
**Lähmung** f. paralysis; palsy
**Laib** m. (bread) loaf
**Laie** m. layman; amateur; **–nbruder** m. lay brother
**Lakai** m. lackey, flunkey
**Lake** f. brine, pickle
**Laken** neu. (bed) sheet
**Lakritze** f. licorice
**lallen** v. to mumble, to stammer
**Lamm** neu. lamb
**Lämm: –chen** neu. lambkin
**Lamp: –e** f. lamp; **–enschirm** m. lamp shade
**Land** neu. land; country, state; continent; **–arbeiter** m. farm hand; **–bau** m. agriculture; **–gut** neu. country estate; **–karte** f. map; **–partie** f. outing; **–post** f. rural mail delivery; **–schaft** f. landscape; **–smann** m. fellow countryman; **–strasse** f. highway; **–streicher** m. tramp, vagabond; **–wirtschaft** f. agriculture, farming
**land: –en** v. to land
**ländlich** adj. rural, rustic
**lang** adj. long; tall; lengthy; **auf die Bank schieben** to put off; **die Zeit wird mir —** time hangs heavy on my hands; **–en** v. (coll.) to suffice;

**–her** adv. long ago; **–sam** adj. slow; **–weilen** v. to bore, to weary; **–weilig** adj. tedious
**Langeweile** f. boredom
**läng: –lich** adj. longish; **–s** adv. along; **–st** adv. for a long time; **–stens** adv. at most
**Läng: –e** f. length; duration; longitude; **–engrad** m. meridian; **–enmass** neu. linear measure
**Lanze** f. lance, spear
**Lappalie** f. trifle, bagatelle
**lappen** v. to lap, to sip
**Lappen** m. rag, tatter
**läppern** v. to lap, to sip
**lappig** adj. patched; ragged
**läppisch** adj. silly
**Lärm** m. noise; din, racket
**lärmen** v. to clamor
**Larve** f. mask; larva, grub
**Lasche** f. flap, latchet
**Laser** m. laser; **Laser-Fusion** f. laser fusion
**lasieren** v. to coat; to ice; to lacquer; to enamel
**lass** adj. limp, weak; lazy
**lassen** v. to let, to allow; to cause; to abandon; **holen —** to send for; **sagen —** to send word; **zufrieden —** to let alone
**Last** f. load; burden; freight; **zu –en des Käufers** paid for by the purchaser; **–enaufzug** m. freight elevator; **–(kraft)wagen** m. motor truck; **–träger** m. porter
**lästig** adj. troublesome
**Laster** neu. vice; bad habit
**Läster: –er** m. blasphemer; **–ung** f. blasphemy
**lasterhaft** adj. dissolute
**Lasur** f. lacquer, varnish
**Latein** neu. Latin
**Laterne** f. lantern
**Latte** f. lath; batten
**Lattich** m. lettuce
**Latz** m. bib; flap
**lau** adj. lukewarm, tepid
**Laub** neu. foliage, leaves; **–e** f. arbor
**lauern** v. to ambush; to

lurk; — **auf** to watch for

**Lauf** *m.* run, race; career; **das ist der — der Welt** that's how it goes; that's life; **-bursche** *m.,* **-junge** *m.* errand boy; **-pass** *m.* dismissal, sack; **-rädchen** *neu.* caster; **-stall** *m.* play pen

**laufen** *v.* to run; to flow, to leak; **-d** *adj.* running; **auf dem —den sein** to be up to date; **-de Nummern** consecutive numbers; **-de Rechnung** open account

**Läufer** *m.* runner; messenger

**läufig** *adj.* current

**Lauge** *f.* lye, leach

**Laune** *f.* mood; caprice; **bei guter — sein** to be in good humor

**Laus** *f.* louse; **-bub(e)** *m.* young rascal; rogue

**lauschen** *v.* to hearken, to listen, to eavesdrop

**lausig** *adj.* lousy

**laut** *adj.* loud; noisy; **— werden** to become known (*oder* public); — *prep.* in accordance with; **-en** *v.* to sound, to run; to read, to say; **-los** *adj.* silent

**Laut** *m.* sound, tone; **-e** *f.* lute; **-schrift** *f.* phonetic writing; **-sprecher** *m.* loud-speaker

**läuten** *v.* to ring; to toll

**lauter** *adj.* pure, unalloyed; true, sincere; nothing but

**läutern** *v.* to purify; to refine

**Läutewerk** *neu.* alarm bell

**Lawine** *f.* avalanche

**lax** *adj.* lax, loose; licentious

**Lazarett** *neu.* (mil.) hospital

**Leb: -emann** *m.* playboy; **-ewesen** *neu.* living being; **-kuchen** *m.* gingerbread

**Leben** *neu.* life; existence; activity, animation; reality; **am — bleiben** to

survive; **am — sein** to be alive; **das — schenken** to give birth (to); **mit Leib und —** with body and soul; **ums — kommen** to perish; **-salter** *neu.* age, period of life; **-sart** *f.* manners, good breeding; **-saufgabe** *f.* lifework; **-sbild** *neu.* biography; **-sfrage** *f.* vital question; **-sgefährte** *m.* life companion; spouse; **-shaltung** *f.* standard of living; **-srente** *f.* life annuity; **-sunterhalt** *m.* livelihood, subsistence; **-sversicherung** *f.* life insurance; **-swandel** *m.* course of life

**leben** *v.* to live; to be alive; to dwell, to reside; to stay; **in den Tag hinein —** to lead a careless life; **-d** *adj.* living, alive; **-des Bild** tableau; **-dig** *adj.* alive, living

**Leber** *f.* liver, **-tran** *m.* cod-liver oil; **-wurst** *f.* liver sausage

**lebhaft** *adj.* lively, vivacious

**leblos** *adj.* lifeless; dull, rigid

**lechzen** *v.* to thirst for

**Leck** *neu.* leak, leakage

**leck: -en** *v.* to leak; to lick

**Lecker: -bissen** *m.* dainty morsel, tidbit; **-ei** *f.* delicacy, sweetmeat; **-maul** *neu.* sweet tooth

**Leder** *neu.* leather

**ledern** *adj.* leathery; tough

**ledig** *adj.* unmarried; free; **-lich** *adj.* only

**leer** *adj.* empty; void; vacant; **-en** *v.* to empty, to clear

**Lefze** *f.* lip

**legal** *adj.* legal; **-isieren** *v.* to legalize

**Legalität** *f.* legality

**Legat** *m.* legate; — *neu.* legacy; **-ion** *f.* legation

**legen** *v.* to lay; to put, to place; **sich —** to cease; **etwas nahe —** to sug-

gest
**Legende** *f.* legend
**Legierung** *f.* alloy
**Legion** *f.* legion; **–är** *m.* legionary
**Legislative** *f.* legislative power
**legitim** *adj.* legitimate; **–ieren** *v.* to legalize; to legitimize; **sich —** *v.* to identify oneself
**Lehm** *m.* clay, loam; **–mauer** *f.*, **–wand** *f.* mud wall
**lehmig** *adj.* clayey, loamy
**Lehn:** **–e** *f.* chair back; rest, support; **–sessel** *m.*, **–stuhl** *m.* armchair, easy chair
**lehnen** *v.* to lean (against), to rest (upon) to bend (over)
**Lehr:** **–amt** *neu.* teacher's position; **–anstalt** *f.* educational establishment; **–auftrag** *m.* professorship; **–buch** *neu.* textbook; **–ling** *m.* apprentice; **–e** *f.* precept; doctrine; apprenticeship; **–er** *m.* teacher; **–erbildungsanstalt** *f.* teacher's college; **–fach** *neu.* branch of instruction; **–film** *m.* educational film; **–gang** *m.* course of studies; **–geld** *neu.* tuition; **–jahre** *neu. pl.* (years of) apprenticeship; **–plan** *m.* curriculum; **–saal** *m.* classroom; **–schriften** *f. pl.* didactic writings; **–spruch** *m.* maxim; **–stand** *m.* educational profession; **–stoff** *m.* subject matter of instruction; **–stuhl** *m.* academic chair
**lehren** *v.* to teach, to inform
**lehrreich** *adj.* instructive
**Leib** *m.* body; abdomen, belly; **bei –e nicht** on no account; **gesegneten –es** (poet.) pregnant; **–arzt** *m.* court physician; **–chen** *neu.* bodice; **–wache** *f.* bodyguard
**leib:** **–haftig** *adj.* em-

bodied; real; **–lich** *adj.* bodily
**Leich:** **–e** *f.* corpse; funeral; **–enbegängnis** *neu.* funeral; **–enbeschauer** *m.* coroner; **–enbestatter** *m.* undertaker; **–enzug** *m.* funeral procession; **–nam** *m.* dead body
**leicht** *adj.* light; easy; mild; **— entzündlich** highly inflammable; **–fertig** *adj.* careless; **–gläubig** *adj.* credulous; **–sinnig** *adj.* frivolous
**Leid** *neu.* grief, sorrow; harm; **–en** *neu.* pain, torture; disease; **–enschaft** *f.* passion, emotion; **–tragende** *m.* mourner
**leid** *adj.* sorrowful; painful; **es tut mir —** I am sorry; **–en** *v.* to suffer; **–enschaftlich** *adj.* passionate; **–er** *adv.* unfortunately; **–er!** *interj.* alas!
**Leih:** **–bibliothek** *f.* rental library
**leihen** *v.* to lend; to loan
**Leim** *m.* glue, size; birdlime; **auf den — geh(e)n** to be taken in
**leimen** *v.* to glue
**Lein** *m.* flax (plant); **–e** *f.* line, cord, rope; leash, rein; **–en** *neu.* linen; **–wand** *f.* linen (cloth); canvas
**leinen** *adj.* linen
**leise** *adj.* low, soft, faint
**Leist:** **–e** *f.* border, ledge, margin; **–en** *m.* shoemaker's last; **–ung** *f.* performance; **–ungsfähigkeit** *f.* productivity
**leisten** *v.* to do, to perform; **es sich — können** to be able to afford; **sich etwas —** to treat oneself to
**Leit:** **–artikel** *m.* leading article; **–er** *m.* leader; guide, conductor; manager; **–er** *f.* ladder; **–ersprosse** *f.* ladder rung; **–faden** *m.* manual; **–gedanke** *m.* keynote; **–schiene** *f.* switch; **–ung**

*f.* leading, guidance, management; pipe line; (phy. and elec.) conduction, circuit

**leiten** *v.* to lead, to guide; to direct, to control, to manage; to conduct

**Leitungsnetz** *neu.* pipeline

**Lek: —tion** *f.* lesson; lecture; **—tor** *m.* proofreader **—türe** *f.* reading matter

**Lende** *f.* loin, hip

**lenk: —bar** *adj.* dirigible; **—en** *v.* to drive, to steer; to guide; to lead; to manage; to rule

**Lenker** *m.* driver; guide

**Lenkstange** *f.* handle bar; connecting rod

**Lenz** *m.* (poet.) spring

**Lepra** *f.* leprosy; **—kranke** *m.* leper

**Lerche** *f.* lark

**lernbegierig** *adj.* studious

**lernen** *v.* to learn; to study

**Les: —art** *f.* version; **—ebuch** *neu.* reader; **—er** *m.* reader; **—erkreis** *m.*, **—erschaft** *f.* circulation

**les: —bar** *adj.* legible; **—en** *v.* to read

**Lesbierin** *f.* lesbian

**Lettland** *neu.* Latvia

**letzt** *adj.* last, final; **der —ere** the latter; **—e ölung** (rel.) extreme unction

**Letzte** *neu.* (the) last

**Leu** *m.* (poet.) lion

**Leucht: —e** *f.* (coll.) light; lantern; **—er** *m.* candlestick; chandelier; **—käfer** *m.* firefly; **—kraft** *f.* (phot.) saturation; **—turm** *m.* lighthouse

**leuchten** *v.* to shine, to glow

**leugnen** *v.* to deny

**Leukämie** *f.* leukemia

**Leukoplast** *neu.* Band-Aid

**Leukozyte** *f.* leucocyte

**Leute** *pl.* people, persons

**Lexikon** *neu.* dictionary

**Licht** *neu.* light; brightness; **einem ein — aufstecken** to open someone's eyes; **ins falsche — setzen** to misrepresent; **mir geht ein — auf** I see the point; **—bild** *neu.*

photograph; **—druck** *m.* photogravure; **—körper** *m.* luminary; **—mess(e)** *f.* Candlemas; **—reklame** *f.* illuminated advertising; **—spielhaus** *neu.* motion-picture theatre; **—stärke** *f.* candle power; **—ung** *f.* clearing

**Lid** *neu.* eyelid

**lieb** *adj.* dear, beloved; sweet; **—en** *v.* to love, to like, to be fond of; **—enswürdig** *adj.* pleasing

**Lieb: —chen** *neu.*, **—ste** *m.* and *f.* beloved, darling, sweetheart; **—e** *f.* love

**Lied** *neu.* song; melody, tune

**liederlich** *adj.* careless, slovenly; disorderly; dissolute

**Liefer: —ant** *m.* seller, supplier; **—ung** *f.* delivery; **—wagen** *m.* truck

**liefern** *v.* to deliver; to furnish

**liegen** *v.* to lie, to be situated; **es liegt an ihm** it is up to him; **wem liegt daran?** who cares about it? **zutage — to be obvious**

**Lift** *m.* elevator; **—boy** *m.* elevator operator

**Liga** *f.* league; association, club

**Likör** *m.* liqueur, cordial

**lind** *adj.* gentle, mild, soft; **—ern** *v.* to soften

**Lind: —e** *f.* linden, basswood

**Lineal** *neu.* ruler

**Linie** *f.* line, stroke; route; descent; **in erster —** first of all, above all; **—npapier** *neu.* ruled paper

**linieren** *v.* to draw lines

**link** *adj.* left; left-handed; **—s** *adv.* on (*oder* to) the left; **—s um!** turn left!

**Linke** *f.* (the) left

**Linnen** *neu.* linen

**Linse** *f.* lentil; lens

**Lippe** *f.* lip; **—nstift** *m.* lipstick

**List** *f.* cunning, craft; ruse;

—e f. list, register

**listig** adj. cunning, crafty

**Liter** m. and neu. liter; 1.0567 liquid quarts, 0.9081 dry quart

**literarisch** adj. literary; **—er Diebstahl** plagiarism

**Literat** m. man of letters; writer; **—ur** f. literature

**Liturgie** f. liturgy

**liturgisch** adj. liturgic(al)

**Livree** f. livery

**Lizenz** f. license, permit

**Lob** neu. praise; **—rede** f. eulogy

**lob—** —en v. to praise

**löblich** adj. laudable

**Loch** neu. hole; hollow

**lochen** v. to perforate

**löch(e)rig** adj. porous

**Lock—** —e f. lock, curl

**lock—** —en v. to curl, to wave; to allure, to entice; **—ig** curly

**Lock—** —mittel neu. bait, lure; **—ruf** m. bird call; **—speise** f. bait; **—vogel** m. decoy bird

**locker** adj. loose; slack; lax, dissolute; **—n** v. to loosen, to slacken

**lodern** v. to blaze, to flare

**Löffel** m. spoon, ladle

**löffeln** v. to ladle (out); spoon

**Loge** f. lodge; box

**logieren** v. to lodge, to stay

**Logik** f. logic

**logisch** adj. logical

**Lohe** f. blaze, flare

**lohen** v. to blaze, to flare

**Lohn** m. wages; compensation; **—arbeiter** m. laborer, workman; **—satz** m. wage scale; **—tüte** f. pay envelope

**lohnen** v. to compensate

**Löhnung** f. pay, wages

**Lokal** neu. locality; place; **—behörde** f. local authority; **—nachrichten** f. pl. local news; **—verkehr** m. local traffic

**Lokomo—** —bile f. traction engine; **—tive** f. locomotive

**Lorbeer** m. laurel, bay

**Los** neu. lot; chance, fate; (lottery) ticket; (ground) parcel; **das grosse — ziehen** to win first prize

**los** adj. loose; free; slack; released; **— werden** to get rid of; **mit ihm ist nicht viel —** he is no bargain; **was ist —?** what's the matter? **—arbeiten** v. to extricate; **— e** adj. loose, slack; **—en** v. to raffle, to draw lots; **—kaufen** v. to ransom, to redeem; **—lösen** v. to detach; **—machen** v. to undo; to set free; **—sprechen** v. to absolve

**lös—** **—bar** adj. soluble; **—en** v. to loosen; to relax; to free; to (dis)solve; to buy (tickets)

**Lösch—** **—blatt** neu. blotting paper; **—eimer** m. fire bucket; **—gerät** neu. firefighting apparatus

**löschbar** adj. extinguishable

**löschen** v. to extinguish

**Lösegeld** neu. ransom

**Losung** f. password; watchword

**Lot** neu. lead, plummet; **—se** m. pilot

**Löt—** **—er** m. solderer; **—kolben** m. soldering iron

**löten** v. to solder

**Lothringen** neu. Lorraine

**lotterig** adj. disorderly

**Löw—** **—e** m. lion; **—enmaul** neu. snapdragon; **—enzahn** m. dandelion; **—in** f. lioness

**Lücke** f. gap, hole, void

**lückenhaft** adj. gapped; defective, incomplete

**lückenlos** adj. uninterrupted

**Luft** f. air, atmosphere; breeze, draft; **jemand an die — setzen** to throw a person out; **sich — machen** to give vent (to one's feelings); **—angriff** m. air raid; **—aufklärung** f. air reconnaissance;

**–bild** *neu.* aerial photograph; **–brücke** *f.* airlift; **–druckbremse** *f.* air brake; **–fahrt** *f.* aviation; **–fahrzeug** *neu.* aircraft; **–hafen** *m.* airport; **–heizung** *f.* hot-air heating; **–klappe** *f.* air valve; **–linie** *f.* air line; **–post** *f.* air mail; **–raum** *m.* air space, atmosphere; **–reifen** *m.* pneumatic tire; **–schiesslehre** *f.* aeroballistics; **–schiffahrt** *f.* aeronautics; **–schlauch** *m.* inner tube; **–schutz** *m.* air defense; **–schutzkeller** *m.* air-raid shelter; **–streitkraft** *f.* air force; **–stützpunkt** *m.* air base; **–verteidigung** *f.* air defense; **–waffe** *f.* air force; **–zug** *m.* air current, draft

**Lüftchen** *neu.* breeze
**lüften** *v.* to ventilate
**Lüg: –e** *f.* lie, falsehood; **–endetektor** *m.* polygraph; lie detector; **–ner** *m.* liar
**lügen** *v.* to lie
**Luke** *f.* dormer window
**lullen** *v.* to lull, **in den Schlaf —** to sing to sleep
**Lümmel** *m.* hoodlum, lout
**Lump** *m.* bum; **–en** *m.* rag; **–ensammler** *m.* ragpicker; **–erei** *f.* shabby trick
**lumpig** *adj.* ragged; shabby
**Lunge** *f.* lung; **–nschwindsucht** *f.* pulmonary tuberculosis
**lungern** *v.* to loaf, to loiter
**Lupe** *f.* magnifying glass
**Lust** *f.* pleasure; desire; **— haben zu** to like to do; **mit — und Liebe** with heart and soul; **–barkeit** *f.* merriment; **–spiel** *neu.* comedy
**lustig** *adj.* joyous, merry
**lüstern** *adj.* lustful
**lutschen** *v.* (coll.) to suck
**Lüttich** *neu.* Liège
**luxuriös** *adj.* luxurious
**Lyrik** *f.* lyric(al) poetry; **–er** *m.* lyric poet
**Lyzeum** *neu.* lyceum; (Germany) high school

and junior college for girls

# M

**Maat** *m.* (naut.) mate
**machen** *v.* to make, to do; to cause; to arrange; **das macht nichts** that doesn't matter; **er macht sich jetzt** he is getting on now; **Freude —** to give pleasure; **Holz —** to split wood
**Macht** *f.* might, force, power; authority; army; **–haber** *m.* ruler, dictator; **–vollkommenheit** *f.* absolute power
**mächtig** *adj.* mighty
**machtlos** *adj.* powerless
**Mädchen** *neu.* girl; maid
**mädchenhaft** *adj.* girlish
**Made** *f.* maggot; grub
**Magazin** *neu.* storehouse, depot; magazine
**Magd** *f.* housemaid
**Magen** *m.* stomach; maw
**mager** *adj.* lean, meager
**Magnat** *m.* magnate; grandee
**Magnet** *m.* magnet; **–ofongerät** *neu.* magnetic tape recorder
**Magnolie** *f.* magnolia
**Mahagoni** *neu.* mahogany
**mähen** *v.* to mow, to reap
**Mahl** *neu.* meal; **–zeit** *f.* meal
**mahlen** *v.* to mill, to grind
**Mahnung** *f.* warning
**Mähne** *f.* mane
**mahnen** *v.* to admonish, to dun
**Mähre** *f.* mare; plug, hack
**Mai** *m.* May; **–baum** *m.* maypole; **–feier** *f.* May Day; **–glöckchen** *neu.* lily of the valley
**Maid** *f.* (poet.) maid(en)
**Mailand** *neu.* Milan
**Mainz** *neu.* Mayence
**Mais** *m.* maize; Indian corn
**Maisch** *m.* mash
**maischen** *v.* to mash

79

**Majestät** *f.* majesty
**majestätisch** *adj.* majestic (al)
**majorenn** *adj.* of age; major
**Makel** *m.* blemish, defect
**mäkeln** *v.* to find fault
**Makkaroni** *f.* macaroni
**Makler** *m.* broker
**Mäkler** *m.* faultfinder
**Makrele** *f.* mackerel
**Makrokosmos** *m.* macrocosm
**Makulatur** *f.* ruined copy
**Mal** *neu.* mole, spot; sign;
   **mit einem —** suddenly
**mal** *adv.* multiplied by; once
**mal:** **-en** *v.* to paint;
   **-erisch** *adj.* picturesque
**Maler** *m.* painter; artist;
   **-ei** *f.* (art of) painting
**Malheur** *neu.* misfortune
**Malz** *neu.* malt
**Mamsell** *f.* girl, miss, housekeeper
**man** *pron.* one, somebody;
   we, you; they, people
**manch** *pron.* and *adj.*
   many a (one); **-e** *pron.*
   some, several; **-erlei** *adj.*
   of several kinds, various;
   **-mal** *adv.* sometimes
**Mandel** *f.* almond; tonsil;
   **-entzündung** *f.* tonsillitis
**Mangan** *neu.* manganese
**Mangel** *f.* mangle; **—** *m.*
   defect, want; lack
**mangel:** **-haft** *adj.* imperfect; **-n** *v.* to lack
**Manier** *f.* manner
**Manifest** *neu.* manifesto
**maniküren** *v.* to manicure
**Manko** *neu.* deficiency
**Mann** *m.* man; male; husband; **an den — bringen**
   (coll.) to sell; **ein — ein
   Wort** a man's word is his
   bond; **-schaft** *f.* personnel; (naut.) crew; (sports)
   team; **-(e)szucht** *f.* (mil.)
   discipline
**manövrieren** *v.* to maneuver
**Manschette** *f.* cuff;
   **-nknopf** *m.* shirt stud,
   cuff button
**Mantel** *m.* mantle; cloak,

overcoat; (mech.) jacket, casing
**Manu: -al** *neu.* manual;
   notebook; (mus.) keyboard; **-faktur** *f.* manufacture; **-skript** *neu.*
   manuscript
**Mappe** *f.* portfolio; briefcase
**Mär, Märe** *f.* tale; tidings;
   **-chen** *neu.* fairy (*oder*
   folk) tale
**märchenhaft** *adj.* fabulous
**Marder** *m.* marten
**Marine** *f.* marine, navy;
   **-flieger** *m.* naval airman; **-flugzeug** *neu.* seaplane; **-station** *f.* naval
   base; **-wesen** *neu.* naval
   affairs
**Mark** *neu.* marrow, pulp;
   core; **—** *f.* boundary;
   **—** *f.* 24 cents
**Marke** *f.* mark, sign;
   stamp, trademark; token
**Markise** *f.* awning, blind
**Markt** *m.* market; trade;
   fair; country
**markten** *v.* to bargain
**Marmor** *m.* marble
**Marodeur** *m.* marauder
**Marotte** *f.* whim; fad
**Marsch** *m.* march
**marschieren** *v.* to march
**Marter** *f.* torment, torture
**martern** *v.* to torment
**Märtyrer** *m.* martyr
**März** *m.* March
**Masche** *f.* mesh; stitch
**Maschine** *f.* machine, engine; typewriter; motorcycle, bicycle; **-narbeiter**
   *m.* machinist; **-nbauer**
   *m.* mechanical engineer;
   **-nführer** *m.* engineer;
   **-nschreiberin** *f.* typist;
   **-nschrift** *f.* typewriting;
   **-nwesen** *neu.* engineering
**Masern** *pl.* measles
**maskieren** *v.* to mask
**Mass** *neu.* measure; proportion; degree; **nach —**
   **angefertigt** tailor-made;
   **-gabe** *f.* proportion; **-regeln** *f. pl.* measures;
   **-stab** *m.* scale; standard

**mass:** **–enhaft** *adj.* in masses; **–gebend** *adj.* authoritative; **–iv** *adj.* massive; **–los** *adj.* boundless

**Masse** *f.* mass, bulk; substance; **–nabsatz** *m.* wholesale trade; **–nmord** *m.* general massacre; **–nversammlung** *f.* mass meeting

**massieren** *v.* to massage

**mässig** *adj.* moderate, temperate; **–en** *v.* to moderate

**Mässigung** *f.* moderation, restraint, control

**Mast** *f.* (food) mast; **–(baum)** *m.* mast; pole

**mästen** *v.* to fatten

**Materie** *f.* matter; substance

**materiell** *adj.* material; real

**Matratze** *f.* mattress

**Mätresse** *f.* (kept) mistress

**Matrikel** *f.* matriculation

**Matrize** *f.* matrix; mold

**Matrone** *f.* matron

**Matrose** *m.* sailor

**matt** *adj.* exhausted, feeble

**Matt** *neu.* (chess) checkmate

**Matte** *f.* (mountain) meadow

**Maturität** *f.* maturity

**Matz** *m.* little fellow

**Matze** *f.,* **–n** *m.* unleavened bread, Passover

**Mauer** *f.* wall; **–kelle** *f.* trowel; **–stein** *m.* brick

**mauern** *v.* to build masonry

**Maul** *neu.* (zool.) mouth; **halt's —!** shut up! **–esel** *m.,* **–tier** *neu.* mule; **–korb** *m.* muzzle

**maul:** **–en** *v.* to sulk, to mope

**Maulbeere** *f.* mulberry

**Maulwurf** *m.* mole

**Maure** *m.* Moor

**Maurer** *m.* mason, bricklayer

**Maus** *f.* mouse

**maus:** **–en** *v.* to catch mice

**Maxime** *f.* maxim

**Mechan:** **–ik** *f.* mechanics; **–iker** *m.* mechanic

**Mechanisierung** *f.* automation

**Medaillon** *neu.* medallion, locket

**meditieren** *v.* to meditate

**Medizin** *f.* medicine; **–er** *m.* medical student

**medizinisch** *adj.* medical

**Meer** *neu.* ocean, sea; **–busen** *m.* bay, gulf, sound; **–eskunde** *f.* oceanography

**Mehl** *neu.* flour, meal; dust; **–kloss** *m.* dumpling

**mehr** *adv.* more; **immer** — more and more; **–en** *v.* to augment; **–ere** *adj. pl.* several

**Mehr:** **–heit** *f.* majority; **–zahl** *f.* plural(ity)

**meiden** *v.* to avoid

**Meile** *f.* mile

**mein** *pron.* and *adj.* my, mine; **–etwegen** *adv.* so far as I am concerned; **um —etwillen** on my account

**Meineid** *m.* perjury

**meinen** *v.* to mean; to think

**Meinung** *f.* opinion, meaning

**Meise** *f.* titmouse

**Meissel** *m.* chisel

**meisseln** *v.* to chisel, to carve

**meist** *adj.* most

**Meister** *m.* master; champion; **–schaft** *f.* championship

**meisterhaft** *adj.* excellent

**Melancholie** *f.* melancholy

**melancholisch** *adj.* melancholy

**Melasse** *f.* molasses

**Meld:** **–eamt** *neu.* registration office; **–ung** *f.* report; announcement

**melden** *v.* to inform

**melken** *v.* to milk

**Melodie** *f.* melody

**Melone** *f.* melon

**Memoiren** *f. pl.* memoirs

**memorieren** *v.* to memorize

**Menge** *f.* quantity; heap

**mengen** *v.* to mix, to

mingle
**Mensch** m. human being; person; (bibl.) man; **kein —** nobody; **–enfreund** m. philanthropist; **–engeschlecht** neu. human race; **–enliebe** f. philanthropy; charity; **–enraub** m. kidnapping; **–enrechte** neu. pl. human rights; **–ensohn** m. Christ; **–heit** f. mankind; **–werdung** f. incarnation
**mensch: –enfreundlich** adj. philanthropic; **–lich** adj. human, humane; **–würdig** adj. strange; **–würdigerweise** adv. strange to say
**Merle** f. blackbird
**Mesner** m (Roman Catholic) sacristan, sexton
**Mess: –amt** neu. celebration of the Mass; **–buch** neu. missal; **–e** f. trade fair; Mass; (mil.) mess
**messen** v. to measure
**Messer** neu. knife
**Messing** neu. brass
**Metall** neu. metal; **edle –e** precious metals; **–waren** f. pl. hardware
**Meter** m. and neu. meter (1.0936 yards)
**Methode** f. method
**Methodik** f. theory of method
**methodisch** adj. methodic(al)
**metrisch** adj. metrical
**Mette** f. matins
**Mettwurst** f. German Bologna sausage
**Metz: –elei** f. massacre; **–ger** m. butcher; **–gerei** f. butcher's shop
**Meuchelmord** m. assassination
**Meute** f. pack of hounds
**Meuterei** f. mutiny
**mich** pron. me
**Mieder** neu. bodice, corselette
**Miene** f. expression; mien
**Miet: –e** f. rent, hire; lease; **–er** m. renter;

**–shaus** neu. apartment house; **–skaserne** f. tenement house; **–sleute** pl. tenants; **–svertrag** m. lease; **–swohnung** f. apartment; **–zins** m. rental
**mieten** v. to rent; to hire
**Miez(e)** f. pussycat; pussy
**Migräne** f. migraine
**Mikro: –be** f. microbe; **–fon** neu. microphone; **–skop** neu. microscope
**Mikrofilm** m. microfilm
**Milch** f. milk; **–brei** m. porridge; **–händler** m. dairyman; **–kur** f. milk diet; **–strasse** f. Milky Way; **–wirtschaft** f. dairy farm(ing)
**Mild: –e** f. gentleness
**mild(e)** adj. mild; gentle, soft; **–ern** v. to mitigate; **–tätig** adj. charitable
**Milieu** neu. environment
**Militär** neu. (the) military; **–arzt** m. army surgeon, **–ismus** m. militarism
**Miliz** f. militia
**Mill: –iarde** f. milliard; billion (in U.S.); **–ion** f. million
**minder** adj. less(er); inferior; **–jährig** adj. under age; **–n** v. to diminish; **–wertig** adj. inferior
**Minder: –heit** f. minority; **–wertigkeitsgefühl** neu. inferiority complex; **–zahl** f. minority
**mindest** adj. least, slightest; **zum –en** at least
**Mindest: –betrag** m. minimum amount; **–gehalt** m. minimum wages
**Miniatur** f., **Miniaturgemälde** neu. miniature
**minimal** adj. minimum
**Minister** m. minister; **–präsident** m. Prime Minister
**minorenn** adj. under age, minor
**Minorität** f. minority
**Minus** neu. deficit; loss; **–zeichen** neu. subtraction sign

**Minute** *f.* minute; **–nzeiger** *m.* minute hand
**mir** *pron.* (to) me, (to) myself
**Mirabelle** *f.* yellow plum
**Mirakel** *neu.* miracle
**Misch: –ehe** *f.* mixed marriage; **–ung** *f.* mixing
**mischen** *v.* to mix; to mingle
**miss: –achten** *v.* to disregard; **–billigen** *v.* to disapprove; **–brauchen** *v.* to abuse; **–fallen** *v.* to displease; **–glücken** *v.* to fail; **–gönnen** *v.* to envy; **–lingen** *v.* to fail; **–trauisch** *adj.* distrustful; **–verständlich** *adj.* misleading
**Miss: –achtung** *f.* disdain; **–brauch** *m.* abuse; **–erfolg** *m.* failure; **–etat** *f.* crime; **–etäter** *m.* evildoer; **–fallen** *neu.* dislike; **–griff** *m.* mistake; **–gunst** *f.* envy; **–handlung** *f.* maltreatment; **–trauen** *neu.* suspicion; **–verständnis** *neu.* misunderstanding
**Mission** *f.* mission; **–ar** *m.* missionary
**Mist** *m.* dung, manure; **–haufen** *m.* dunghill
**misten** *v.* to manure
**mit** *prep.* and *adv.* with; also, likewise; at, by; too; **— Absicht** intentionally; **— dabei sein** to be one of the party; **— der Zeit** in time; **–einander** *adv.* together, jointly; **–leidig** *adj.* compassionate; **–machen** *v.* to take part in; **–teilen** *v.* to communicate; **–unter** *adv.* sometimes
**Mit: –arbeiter** *m.* co-worker; **–bürger** *m.* fellow citizen; **–gefühl** *neu.* sympathy; **–glied** *neu.* member; **–leid** *neu.* pity; **–schüler** *m.* schoolmate
**Mitfahrerzentrale** *f.* carpool
**Mittag** *m.* midday, noon; south; **zu — essen** to

**–essen** *neu.* dinner
**mittags** *adv.* at midday, at noon
**Mitte** *f.* middle, center, midst
**Mittel** *neu.* means; **–alter** *neu.* Middle Ages; **–mächte** *f. pl.* Central Powers; **–punkt** *m.* center; **–schule** *f.* secondary school
**Mittelmeer** *neu.* Mediterranean Sea
**mittel: –alterlich** *adj.* medieval; **–bar** *adj.* indirect; mediate; **–los** *adj.* destitute; **–mässig** *adj.* average; **–s** *prep.* by means of
**Mitternacht** *f.* midnight, north
**mitternächtlich** *adj.* taking place at midnight
**mitternachts** *adv.* at midnight
**Mittler** *m.* mediator
**Mittwoch** *m.* Wednesday
**Möbel** *neu.* piece of furniture; **–schoner** *m.* slipcover; **spediteur** *m.* furniture mover; **–tischler** *m.* cabinetmaker
**Mobil: –iar** *neu.* furniture
**möblieren** *v.* to furnish
**Mode** *f.* mode, fashion, vogue; **–journal** *neu.* ladies' (*oder* fashion) magazine; **–schau** *f.* fashion show
**modellieren** *v.* to model; to mold
**Moder** *m.* mold, mud, decay
**moder: –ig** *adj.* moldy, musty; **–n** *adj.* modern, fashionable
**modifizieren** *v.* to modify
**modisch** *adj.* fashionable
**mogeln** *v.* to cheat
**mögen** *v.* to like, to want; to let; **das mag sein** that may be so; **lieber —** to like better
**möglich** *adj.* possible, feasible; **alles —e** all kinds of things; **–enfalls** *adv.*, possibly
**Möglichkeit** *f.* possibility
**Mohn** *m.* poppy; **–same(n)**

*m.* poppyseed

**Mohr** *m.* Moor; Negro

**Möhre, Mohrrübe** *f.* carrot

**Mole** *f.* mole, jetty, pier; **–kül** *neu.* molecule

**Molke** *f.* whey; **–rei** *f.* dairy

**mollig** *adj.* cozy, snug; soft

**Moment** *m.* moment; instant; **–aufnahme** *f.* snapshot

**momentan** *adj.* momentary

**Monat** *m.* month; **–sgehalt** *neu.* monthly pay; **–sschrift** *f.* monthly magazine

**monatelang** *adj.* for months

**monatlich** *adj.* monthly

**Mönch** *m.* monk, friar; **–skloster** *neu.* monastery; **–skutte** *f.* cowl

**Mond** *m.* moon; satellite; **–finsternis** *f.* lunar eclipse; **–sichel** *f.* moon's crescent

**mondhell** *adj.* moonlit

**monoton** *adj.* monotonous

**Monstranz** *f.* monstrance

**Montag** *m.* Monday

**Montage** *f.* mounting, fitting

**Monteur** *m.* fitter, mounter; mechanic

**Moor** *neu.* fen, marsh, swamp

**Moos** *neu.* moss

**moosig** *adj.* mossy

**Mop** *m.* (dust) mop

**moralisch** *adj.* moral

**Morast** *m.* morass, marsh

**Mord** *m.* murder

**mord:** **–en** *v.* to murder, to kill; **–gierig** *adj.* bloodthirsty

**Mörder** *m.* murderer

**mörderisch** *adj.* murderous

**morg:** **–ens** *adv.* in the morning; **–enländisch** *adj.* oriental

**Morgen** *m.* morning, daybreak; (the) morrow; acre; **–andacht** *f.* morning devotions

**Morphium** *neu.* morphine

**morsch** *adj.* rotten; decayed

**Mörser** *m.* mortar; **–keule** *f.* pestle

**Mörtel** *m.* mortar; **–trog** *m.* hod

**Moschus** *m.* musk

**Moskito** *m.* mosquito

**Most** *m.* must; fruit juice; **–rich** *m.* mustard

**Motiv** *neu.* motive; theme

**motivieren** *v.* to motivate

**Motor** *m.* motor; **–hotel** *neu.* motel; **–rad** *neu.* motorcycle; **–schaden** *m.* engine trouble

**motorisieren** *v.* to motorize

**Motte** *f.* moth; **–npulver** *neu.* insecticide

**moussieren** *v.* to effervesce, to sparkle; to fizz

**Möwe** *f.* gull, sea mew

**Mucke** *f.* whim, caprice

**Mücke** *f.* gnat, midge

**mucken** *v.* to grumble

**müde** *adj.* tired, weary

**muffig** *adj.* moldy; sulky

**Müh:** **–e** *f.* trouble; toil; effort; **–sal** *f.* hardship

**müh:** **–elos** *adj.* easy; **–en** *v.* to labor, to toil; **–evoll** *adj.* difficult; **–sam** *adj.* wearisome; **–selig** *adj.* wretched

**Mühle** *f.* mill

**Mulatte** *m.* mulatto

**Mulde** *f.* tray; trough

**Müll** *neu.* garbage, dust, rubbish, sweepings

**Müller** *m.* miller

**multiplizieren** *v.* to multiply

**Mumie** *f.* mummy

**mummeln** *v.* to mumble

**Mumpitz** *m.* nonsense, bosh

**München** *neu.* Munich

**Mund** *m.* mouth; **kein Blatt vor den — nehmen** to speak freely; **–art** *f.* dialect; **–vorrat** *m.* victuals; **–wasser** *neu.* mouthwash, gargle

**mund:** **–artlich** *adj.* dialectal; **–en** *v.* to please

**münd:** **–en** *v.* to flow (*oder* run) into; **–lich** *adj.* oral

**mündig** *adj.* of age
**Mündung** *f.* mouth, estuary
**Munition** *f.* ammunition
**munkeln** *v.* to mutter, to whisper; (coll.) to plot
**Münster** *neu.* chapel, cathedral
**munter** *adj.* brisk, lively, gay
**Münz: –e** *f.* coin, money, change, medal; **–fernsprecher** *m.* telephone booth
**mürbe** *adj.* tender, mellow
**Mürbekuchen** *m.* shortcake
**murmeln** *v.* to murmur
**Murmeltier** *neu.* marmot
**murren** *v.* to growl; to grumble
**mürrisch** *adj.* sullen, morose
**Mus** *neu.* jam, stewed fruit
**Muschel** *f.* shell(fish); conch
**Muse** *f.* muse; **–um** *neu.* museum
**musi: –kalisch** *adj.* musical; **–zieren** *v.* to perform music
**Musik** *f.* music, band; **–alienhandlung** *f.* music shop; **–ant** *m.*, **–er** *m.*, **–us** *m.* musician; **–direktor** *m* bandmaster; conductor; **–dose** *f.* music box; **–schule** *f.* conservatory
**Musk: –at** *m.* nutmeg; **–ateller** *m.* muscatel wine
**Muskel** *m.* muscle
**muskulös** *adj.* muscular; sinewy
**Musse** *f.* leisure
**müssen** *v.* to have to, to be obliged (*oder* compelled) to
**müssig** *adj.* idle, unemployed
**Müssiggänger** *m.* idler, loafer
**Muster** *neu.* design, model, pattern; sample; **–knabe** *m.* model boy; prig; **–schutz** *m.* trademark
**muster: –gültig** *adj.* ideal, model, exemplary; **–haft**

*adj.* and *adv.* perfectly
**mustern** *v.* to examine, to inspect, to review
**Mut** *m.* courage, boldness; valor, spirit; **— machen** to encourage; **–massung** *f.* surmise
**mut: –ig** *adj.* fearless, brave; **–los** *adj.* discouraged; **–massen** *v.* to presume; **–masslich** *adj.* presumable; **–willig** *adj.* playful, wanton
**Mutter** *f.* mother; (mech.) nut
**mütterlich** *adj.* maternal; **–erseits** *adv.* from (*oder* on) the mother's side
**mutterseelenallein** *adv.* all (*oder* quite) alone
**Mutung** *f.* claim
**Mütze** *f.* cap; **–nschirm** *m.* visor (of cap)
**myst: –eriös** *adj.* mysterious
**Myst: –erium** *neu.* mystery
**Myth: –e** *f.* myth; **–ologie** *f.* mythology

## N

**na** *interj.* now! well! **— nu?** what next?; **— und?** well, and afterward?
**Nabe** *f.* (mech.) nave, hub
**Nabel** *m.* navel; **–schnur** *f.*, **–strang** *m.* umbilical cord
**nach** *prep.* after(wards); behind; past; according to; to(wards); **einer — dem anderen** one by one; **— der Reihe** in turn; **— Deutschem Gelde** in German money; **—** *adv.* after, behind; **mir —!** follow me! **— und —** little by little
**nachahmen** *v.* to imitate
**Nachbar** *m.* neighbor; **–dorf** *neu.* neighboring village; **–schaft** *f.* neighborhood; **–sleute** *pl.* neighbors; **–volk** *neu.* neighboring nation

**nachbestellen** v. to repeat

**nachbeten** v. to pray after (coll.) to parrot; to echo

**Nachbeter** m. blind adherent

**nachbilden** v. to copy, to imitate; to mold from

**nachbleiben** v. to be left over; to survive

**nachdatieren** v. to postdate

**nachdem** conj. after, when; **je** — according to

**nachdenken** v. to meditate (on)

**nachdenklich** adj. thoughtful

**nachdringen** v. to press after

**Nachdruck** m. stress, emphasis; reprint(ing); — **verboten** copyright reserved

**nachdrucken** v. to reprint; **unerlaubt** — to pirate

**nachdrücklich** adj. energetic

**nachdrucksvoll** adv. impressive

**Nacheiferer** m. emulator, rival

**nacheinander** adv. by turns

**Nachen** m. skiff, fishing boat

**Nachfahr(e)** m. descendant

**nachfahren** v. to drive after

**nachfliegen** v. to fly after

**nachfolgen** v. to succeed; **-d** adj. subsequent

**nachforschen** v. to investigate

**Nachfrage** f. inquiry; demand

**nachfragen** v. to inquire after

**nachgeben** v. to give way

**Nachgebühr** f. excess postage

**nachgeh(e)n** v. to follow, to pursue; to trace

**nachgemacht** adj. imitated

**nachgiebig** adj. compliant

**nachgraben** v. to dig after

**Nachhall** m. echo, resonance

**nachhaltig** adj. enduring

**nachhause** adv. homewards; — **gehen** to go home

**nachheizen** v. to put on coal

**nachhelfen** v. to help; to lend a hand; to prompt

**nachher** adv. after that; afterwards; later; **-ig** adj. later

**Nachhilfe** f. aid, assistance

**nachholen** v. to recover

**nachjagen** v. to hunt (oder chase) after, to pursue

**Nachklang** m. reverberation

**Nachkomme** m. descendant; **-nschaft** f. posterity

**nachkommen** v. to come after, to follow; to fulfill

**Nachkriegszeit** f. postwar period

**Nachlass** m. legacy, heritage; **-enschaft** f. estate, inheritance; **-gericht** neu. probate court; **-steuer** f. inheritance tax; **-verwalter** m. executor

**nachlassen** v. to leave behind; to relax; to yield; to diminish; to cease

**nachlässig** adj. negligent

**nachlaufen** v. to run after

**nachlesen** v. to look up again, to reread

**nachmachen** v. to imitate

**nachmal; -en** v. to copy; **-ig** adj. subsequent

**nachmittags** adv. in the afternoon

**Nachnahme** f. cash on delivery

**Nachname** m. surname

**nachplappern** v. to parrot

**Nachporto** neu. excess postage

**nachprüfen** v. to verify

**nachrechnen** v. to count again

**Nachricht** f. news; information; **-endienst** m.

news service; **–ensatellit** *m.* communications satellite

**nachrufen** *v.* to call after

**Nachruhm** *m.* posthumous fame

**nachschicken** *v.* to forward

**nachschiessen** *v.* **Gelder** — to make an additional payment

**Nachschlag** *m.* **–erwerk** *neu.* reference book

**nachschlagen** *v.* to consult (book); to look up (word)

**Nachschlüssel** *m.* master key

**Nachschrift** *f.* postscript

**nachschüren** *v.* to poke

**Nachschuss** *m.* new (oder additional) payment

**nachsehen** *v.* to look after; to examine; to check, to look up; to see (whether)

**nachsenden** *v.* to send after; **Bitte** — please forward

**nachsetzen** *v.* to pursue

**Nachsicht** *f.* indulgence

**nachsichtig** *adj.* forbearing

**nachsinnen** *v.* to meditate

**nachsitzen** *v.* to be kept in

**Nachsommer** *m.* Indian summer

**Nachspeise** *f.* sweets, dessert

**nachspüren** *v.* to track, to trace out; to investigate

**nächst** *adj.* next, nearest; shortest; closest; **mit –er Post** by return mail; — *prep.* next to, after

**Nächste** *m.* (the) next; fellow man, neighbor; **–nliebe** *f.* charity

**Nachstellung** *f.* pursuit

**nachstreben** *v.* to strive after

**nachsuchen** *v.* to search for

**nachsynchronisieren** *v.* (rad.) to dub

**Nacht** *f.* night; **–essen** *neu.* supper; **–gleiche** *f.* equinox; **–hemd** *neu.,* **–kleid** *neu.* nightshirt, nightdress;

**–igall** *f.* nightingale; **–lokal** *neu.* nightclub; **(mit Schallplattenmusik)** discotheque; **–musik** *f.* serenade; **–schicht** *f.* night shift

**nacht: –s** *adv.* at (oder by) night; **–wandlerisch** *adj.* somnambulistic

**nächt: –elang** *adj.* for nights; **–lich** *adj.* nightly

**Nachteil** *m.* disadvantage

**nachteilig** *adj.* detrimental

**Nachtisch** *m.* dessert

**Nachtrag** *m.* postscript

**nachtragen** *v.* to carry after; to bear a grudge

**nachträglich** *adj.* additional

**Nachwelt** *f.* posterity

**Nachwirkung** *f.* aftereffect

**Nachwort** *neu.* epilogue

**nachzahlen** *v.* to pay extra

**nachzählen** *v.* to recount; to count one's change

**nachzeichnen** *v.* to copy

**Nachzügler** *m.* straggler

**Nacken** *m.* (nape of) neck

**nackend, nackt** *adj.* naked, nude; bare; plain

**Nadel** *f.* needle; pin; **–arbeit** *f.* needlework; **–baum** *m.,* **–holz** *neu.* conifer; **–kissen** *neu.* pincushion; **–öhr** *neu.* eye of a needle; **–stich** *m.* stitch

**Nagel** *m.* nail; peg; stud; spike; tack; **an den — hängen** to give up; **–pflege** *f.* manicure

**nageln** *v.* to nail, to spike

**nagelneu** *adj.* brand-new

**nagen** *v.* to gnaw, to nibble

**nah** *adj.,* **–e** *adj.* near, close; **–eliegen** *v.* to be obvious; **–en** *v.* to approach; **–ezu** *adv.* almost

**Nahaufnahme** *f.* close-up

**Nähe** *f.* nearness

**Näh: –erei** *f.* needlework, sewing; **–korb** *m.* sewing basket; **–maschine** *f.* sewing machine; **–nadel** *f.* sewing needle; **–zeug** *neu.* sewing implements

**nähen** v. to sew, to stitch

**näher** adj. nearer, closer

**nähren** v. to feed; to nourish

**nahrhaft** adj. nourishing

**Nahrung** f. food, nourishment

**Naht** f. seam; (med.) suture

**Name** m. name; reputation; **wie ist doch Ihr —?** may I ask your name? **–nsaufruf** m. roll call; **–nszug** m. signature

**nämlich** adj. same, very; **—** adv. namely

**Napf** m. bowl, basin; **–kuchen** m. poundcake

**Narbe** f. scar, cicatrice

**Narkose** f. anaesthesia

**Narr** m. fool, buffoon

**närrisch** adj. foolish

**Nasch: –erei** f. dainties, sweets

**Nase** f. nose; snout

**naseweis** adj. saucy, pert

**nasführen** v. to fool, to trick

**Nashorn** neu. rhinoceros

**nass** adj. wet, damp

**nässen** v. to moisten, to wet

**Nation** f. nation; **–alökonomie** f. political economy; **–ialität** f. nationality

**Natter** f. viper, adder

**Natur** f. nature; constitution; **–forscher** m. investigator of nature; **–geschichte** f. natural history; **–kunde** f. natural science; **–wissenschaften** f. pl. natural sciences

**naturalisieren** v. to naturalize

**natürlich** adj. natural; innate; **–es Kind** illegitimate child; **–erweise** adv. of course, certainly, naturally

**Nautik** f. nautical science

**nautisch** adj. nautical

**n. Chr.** abbr. **nach Christus** A.D., after Christ

**Nebel** m. fog, haze, mist

**neblig** adj. foggy

**neben** adv. and prep. beside, near, close to; alongside; besides, in addition to; **–an** adv. next door; **–bei** adv. by the way; **–sächlich** adj. unimportant

**Neben: –anschluss** m. (elec.) shunt; (tel.) extension; **–arbeit** f. extra work; **–beruf** m. sideline; **–beschäftigung** f. avocation; **–buhler** m. rival; **–fluss** m. tributary; **–gebäude** neu. annex; **–mann** m. next man; **–produkt** neu. by-product; **–sache** f. side issue; **–tisch** m. sidetable

**nebst** prep. besides

**necken** v. to tease

**Neffe** m. nepnew

**Neger** m. Negro

**nehmen** v. to take; to receive; **es genau —** to be pedantic; **etwas zu sich —** to eat something

**Neid** m. envy; jealousy

**neidisch** adj. envious, jealous

**Neig: –e** f. slope; **–ung** f. inclination

**neigen** v. to bend, to bow

**nein** adv. no

**Nelke** f. carnation, pink; clove

**nennen** v. to name, to call, to mention

**Nerv** m. nerve; **–enentzündung** f. neuritis; **–enheilanstalt** f. mental hospital; **–enknoten** m. ganglion; **–enkrankheit** f. neurosis; **–osität** f. nervousness

**Nerz** m. mink

**Nessel** f. nettle; **–tuch** neu. unbleached muslin

**Nest** neu. nest; aerie, eyrie

**nett** adj. nice, pretty, kind

**netto** adj. net

**Nettogehalt** neu. take-home pay

**Netz** neu. net(work), trap

**neu** adj. new, fresh; recent, modern; **aufs –e, von –em** anew, again; **die –e Mode** latest fashion; **–ere**

**Sprachen** modern languages; **–erdings** *adv.* recently; **–gierig** *adj.* inquisitive; **–lich** *adv.* recently

**Neu:** **–auflage** *f.* new edition; **–druck** *m.* reprint; **–(e)rung** *f.* innovation; **–gier(de)** *f.* curiosity; **–igkeit** *f.* news; **–ling** *m.* beginner, novice; **–nik** *m.* beatnik; **–vermählten** *m. pl.* newlyweds; **–zeit** modern times

**neun** *adj.* nine; **–fach** *adj.* ninefold; **–te** *adj.* ninth; **–zehn** *adj.* nineteen; **–zig** *adj.* ninety

**neutral** *adj.* neutral

**Neuyork** *neu.* New York

**nicht** *adv.* not; **gar —** not at all; **ich auch —** nor I, neither; **— einmal** not even; **— wahr?** isn't it? **–ig** *adj.* null, vain

**Nichte** *f.* niece

**nichts** *pron.* nothing; **gar —** nothing at all; **–destoweniger** *adv.* nevertheless; **–nutzig** *adj.* naughty; **–würdig** *adj.* worthless

**Nichts** *neu.* nonentity, trifle; **–nutz** *m.* good-for-nothing

**nicken** *v.* to nod; to nap

**nie** *adv.* never, at no time

**nieder** *adj.* low, base, mean; **–deutsch** *adj.* low (*oder* North) German; **–gedrückt** *adj.* depressed; **sich –lassen** to settle down

**Nieder:** **–lage** *f.* depot; defeat; **–schlag** *m.* sediment; rain; **–tracht** *f.* baseness, infamy; villainy; **–ung** *f.* lowland

**Niederlande** *pl.* Netherlands

**Niednagel** *m.* hangnail

**niedrig** *adj.* low, humble, inferior; base, mean

**niemals** *adv.* never, at no time

**niemand** *pron.* no one, nobody

**Niere** *f.* kidney; **–nent-**

**zündung** *f.* nephritis

**niesen** *v.* to sneeze

**nieten** *v.* to rivet

**Nilpferd** *neu.* hippopotamus

**nimmer** *adv.* never

**Nimmersatt** *m.* glutton

**Nippel** *m.* nipple

**nippen** *v.* to sip

**Nippesachen** *f. pl.* knickknacks, gewgaws

**nirgend(s)** *adv.* nowhere

**Nische** *f.* niche

**Nisse** *f.* nit

**nisten** *v.* to (build a) nest

**Nitrat** *neu.* nitrate

**Niveau** *neu.* level, standard

**nivellieren** *v.* to level

**Nix** *m.* nix, water elf; **–e** *f.* nymph, mermaid

**nobel** *adj.* noble, generous

**noch** *adv.* still, yet; besides; **— dazu** in addition; **— einmal** once more; **— etwas** something more; **— immer** still; **— nichts** nothing yet; **–mal(s)** *adv.* again, once more

**Nomade** *m.* nomad

**Nonne** *f.* nun; **–nkloster** *neu.* nunnery, convent

**Nord** *m.* north; (poet.) north wind; **–en** *m.* (the) North; **–licht** *neu.* northern lights; **–pol** *m.* North Pole; **–polfahrt** *f.* Arctic expedition

**nordwärts** *adv.* northward(s)

**Nörgelei** *f.* nagging

**nörgeln** *v.* to nag, grumble

**Norm** *f.* norm, standard; rule

**Norwegen** *neu.* Norway

**Not** *f.* want, need, necessity; distress; emergency; **–bremse** *f.* emergency brake; **–fall** *m.* emergency; **–landung** *f.* (avi.) forced landing; **–lüge** *f.* white lie; **–pfennig** *m.* savings; **–tür** *f.* fire escape; **–wehr** *f.* self-defense

**not:** **–dürftig** *adj.* needy; **–gedrungen** *adj.* compulsory; **–wendig–** *adj.*

necessary

**Nota:** **–r** m. notary; **–riat** neu. notary's office

**Note** f. note; annotation

**notieren** v. to note

**Notierung** f. notation

**nötig** adj. necessary; **—** **haben** to need; **–en** v. to compel, to urge

**Notiz** f. notice, note

**Notturno** neu. nocturne

**Novelle** f. short story

**Novität** f. novelty

**Novize** m. and f. novice

**nüchtern** adj. sober, dry

**Nudel** f. noodle; **–holz** neu. rolling pin

**Null** f. zero, nought

**null** adj. nil; **— und nichtig** null and void

**numerieren** v. to number

**Nummer** f. number; copy, issue; size; **–nscheibe** (tel.) dial; **–nschild** neu. license plate

**nun** adv. now, then

**nur** adv. only, solely; just

**Nürnberg** neu. Nuremberg

**Nuss** f. nut; (mech.) tumbler

**Nüstern** f. pl. nostrils

**Nut(e)** f. groove, rabbet

**nutz** adj. useful; **–bar** adj. useful; **–bringend** adj. profitable; **–los** adj. useless

**Nutz:** **–anwendung** f. practical application; **–barmachung** f. utilization; **–en** m. use, profit

**nützen** v. to be of use

**nützlich** adj. useful, of use

**Nymphe** f. nymph

# O

**Oase** f. oasis

**ob** conj. whether, if; **na —!** rather! I should say so! **–gleich** conj. although

**Ob:** **–acht** f. care; **–dach** neu. shelter; **–hut** f. guardianship, care; **–liegenheit** f. duty

**Obduktion** f. autopsy

**O-Beine** neu. pl. bowlegs

**oben** adv. above, aloft, on top, overhead, upstairs; on the surface; **nach —** upwards; **–drein** adv. over and above

**ober** adj. upper, higher, superior; **–halb** adv. and prep. above; **–st** adj. topmost, highest

**Ober** m. waiter; **–befehlshaber** m. commander-in-chief; **–e** m. (eccl.) Father Superior; **–fläche** f. surface; **–geschoss** neu. upper story; **–gewalt** f. supreme authority; **–haupt** neu. chief; **–haus** neu. upper house, Senate; House of Lords; **–hemd** neu. shirt; **–herrschaft** f. supremacy; **–in** f. (eccl.) Mother Superior; **–kellner** m. headwaiter; **–landesgericht** neu. Supreme Court; **–lehrer** m. headmaster; **–licht** neu. skylight; **–st** m. colonel; **–staatsanwalt** m. attorney general; **–stufe** f. upper grade

**Objekt** neu. object; **–iv** neu. lens; **–ivität** f. objectivity

**Obrigkeit** f. government

**Obst** neu. fruit(s)

**Ochse** m. ox, bullock; **–nbraten** m. roast beef

**ochsen** v. (coll.) to cram

**Ocker** m. ochre

**öde** adj. bare, bleak, deserted

**Öde** f. desert; solitude

**oder** conj. or; or else; **— aber** or instead

**Ofen** m. furnace, stove, oven; **–rohr** neu. stovepipe

**offen** adj. open, frank; public; **–bar** adj. obvious

**offensiv** adj. offensive

**öffentlich** adj. public

**Offerte** f. offer, proposal

**Offizier** m. officer

**öffnen** v. to open, to uncork

**Öffnung** f. opening, hole

**öfter** adj. more frequent

**oft(mals)** adv. frequently

**ohne** *prep.* without, but for, except; **nicht** — not so bad; **–hin** *adv.* anyhow; besides

**Ohnmacht** *f.* unconsciousness

**ohnmächtig** *adj.* unconscious

**Ohr** *neu.* ear; **er hat es dick hinter den –en** he is a sly fellow; **jemand übers — hauen** (coll.) to cheat someone

**Öhr** *neu.* (needle) eye

**Ökologie** *f.* ecology

**ökologisch** *adj.* ecological

**Ökonom** *m.* farmer, steward; **–ie** *f.* economy

**ökonomisch** *adj.* economic(al)

**Okt: –ett** *neu.* octet; **–ober** *m.* October

**Okular** *neu.* eyepiece

**okulieren** *v.* to inoculate; to graft

**ökumenisch** *adj.* (eccl.) ecumenical

**Öl** *neu.* oil; **–berg** *m.* (bibl.) Mount of Olives; **–bild** *neu.* oil painting; **–ung** *f.* oiling, lubrication; anointment; **letzte –ung** extreme unction

**ölen** *v.* to oil, to lubricate

**ölig** *adj.* oily; unctuous

**Omnibus** *m.* omnibus, bus

**ondulieren** *v.* to wave

**Onkel** *m.* uncle

**Oper** *f.* opera; opera house; **–ette** *f.* operetta; **–nglas** *neu.* opera glasses; **–ntext** *m.* libretto

**operieren** *v.* to operate on

**Opfer** *neu.* sacrifice; victim; **–gabe** *f.* offering

**opfer: –n** *v.* to sacrifice

**optisch** *adj.* optic(al)

**Orakel** *neu.* oracle

**Oratorium** *neu.* oratory

**orchestrieren** *v.* to orchestrate

**Orden** *m.* order, medal; **–sbruder** *m.* member of an order; monk; **–skleid** *neu.* monastic garb; **–sschwester** *f.* nun; **–szeichen** *neu.* badge

**ordentlich** *adj.* orderly;

decent; — *adv.* downright

**ordnen** *v.* to put in order, to arrange; to regulate

**Ordner** *m.* organizer, monitor

**Ordnung** *f.* regulation; order; tidiness; class

**Ordonnanz** *f.* (mil.) orderly; order

**Organ** *neu.* organ

**organisch** *adj.* organic

**Orgel** *f.* organ; **–pfeife** *f.* organ pipe

**orgeln** *v.* to play an organ

**orientalisch** *adj.* oriental

**orientieren** *v.* to orient(ate)

**Original** *neu.* original; **–handschrift** *f.* autograph; **–ität** *f.* originality

**originell** *adj.* original, peculiar

**Orkan** *m.* hurricane, typhoon

**Ornat** *m.* official robes

**Ort** *m.* place, spot, locality; **–schaft** *f.* village, place; **–sgespräch** *neu.* (tel.) local call

**Orthodontie** *f.* orthodontics

**Orthopädie** *f.* orthopedics

**örtlich** *adj.* local

**Öse** *f.* loop, eye ring; eyelet

**Ost** *m.* east; **–en** *m.* east

**Oster: –fest** *neu.*, **–n** *neu.* Easter; Passover; **–hase** *m.* Easter bunny; **–lamm** *neu.* Paschal lamb

**Österreich** *neu.* Austria

**Ostsee** *f.* Baltic Sea

**östlich** *adj.* eastern, Oriental

**Otter** *m.* otter; — *f.* adder

**Ouvertüre** *f.* overture

**oxidieren** *v.* to oxidize

**Ozean** *m.* ocean; **–flieger** *m.* transocean airman

## P

**p.A.** *abbr.* per Adresse c/o, care of

**Paar** *neu.* pair, couple; brace

**paar** *adj.* some, few; even; **–en** *v.* to pair; to mate;

**ein –mal** several times

**Pacht** f. lease, rent; **–kontrakt** m. lease; **–zins** m. rent

**pachten** v. to lease, to rent

**Pächter** m. leaseholder

**Pack** m. package, bundle, pile; **–esel** m. pack mule; **–wagen** m. baggage car

**Päckchen** neu. small parcel

**packen** v. to pack; to grasp

**Page** m. page; **–nkopf** m. bobbed hair

**paginieren** v. to paginate

**Paket** neu. parcel, package; **–ausgabe** f. parcel delivery; **–post** f. parcel post

**Palast** m. palace

**Paletot** m. (man's) overcoat

**Palme** f. (bot.) palm

**Pampelmuse** f. grapefruit

**Paneel** neu. panel; wainscot

**Panier** neu. banner, standard

**Panne** f. breakdown

**Pantoffel** m. slipper

**Panzer** m. armor; coat of mail; (mil.) tank; **–abwehr** f. antitank defense; **–auto** neu. armored car; **–jäger** m. pl. antitank troops; **–platte** f. armor plate; **–wagen** m. tank

**Papagei** m. parrot

**Papier** neu. paper; (com.) securities, bonds; **–e** pl. identification papers; **–abfälle** m. pl. wastepaper; **–bogen** m. sheet of paper; **–handlung** f. stationery store

**Papp** m. **–band** m. pasteboard binding; **–e** f. cardboard, pasteboard

**Pappel** f. poplar

**Papst** m. pope; **–tum** neu. papacy; pontificate

**päpstlich** adj. papal

**paradieren** v. to parade

**Paradies** neu. paradise

**Parfüm** neu. perfume; **–erie** f. perfumery

**pari** adv. at par

**Parkett** neu. parquet; inlaid floor; (theat.) orchestra seats

**Parlament** neu. parliament; (U.S.A.) Congress

**Parodie** f. parody

**parodieren** v. to parody

**Parole** f. password; watchword

**Partei** f. party, faction; side

**partei: –isch** adj. partial

**Parterre** neu. ground floor

**Partie** f. excursion, outing; game; (sport) match, set

**Pass** m. pass(age); passport; **–agier** m. passenger; **blinder –agier** stowaway; **–agierflugzeug** neu. air liner; **–ant** m. passer-by; **–ierschein** m. pass, permit

**Passion** f. passion

**passen** v. to fit, to suit; **— auf** to lie in wait for

**passlich** adj. convenient, suitable, fit

**Past: –e** f., **–a** f. paste

**Pastell** neu. pastel; **–farben** f. pl. pastel colors

**Pastete** f. pie; pastry

**pasteurisieren** v. to pasteurize

**Pastille** f. lozenge

**Pastor** m. pastor, minister, clergyman; **–at** neu. pastorate

**Pate** m. godfather, sponsor; **–nkind** neu. godchild

**Patent** neu. patent; **–amt** neu. patent office

**Pater** m. (eccl.) Father; priest

**Pathologe** m. pathologist

**Patient** m. patient

**Patin** f. godmother

**Patriarch** m. patriarch

**patriotisch** adj. patriotic

**Patron** m. patron; protector

**Patrone** f. cartridge

**Patsch** m. smack, slap; **–e** f. dilemma, mess

**Pauke** f. kettledrum

**pauken** v. to beat (kettledrum); (coll.) to cram

**pausbäckig** adj. chubby-faced

**Pauschalgebühr** f. flat rate

**Pazifismus** m. pacifism

**Pech** neu. pitch; bad luck

**pedantisch** adj. pedantic

**Pedell** m. beadle; janitor

**Pein** f. pain, agony, torment

**peinigen** v. to torment

**peinlich** adj. painful

**Peitsche** f. whip, lash, scourge

**peitschen** v. to whip, to flog

**pellen** v. to peel, to skin

**Pellkartoffeln** f. pl. potatoes in their jackets

**Pelz** m. pelt, skin, hide; fur; **–händler** m. furrier; **–jäger** m. fur trapper; **–verbrämung** f. fur trimming; **–ware** f. furs

**Pendel** m. and neu. pendulum

**Pension** f. pension; boardinghouse; **–at** neu. boarding school

**Pensum** neu. curriculum; task; requirement

**per** prep. by; **— Adresse** in care of; **— Nachnahme** COD

**Pergament** neu. parchment

**Periode** f. period

**Perl:** **–e** f. pearl, bead; bubble; **–enkette** f. pearl necklace

**Perpendikel** m. and neu. pendulum, perpendicular

**Perron** m. (rail.) platform

**Person** f. person (age); **in —** personally; **–al** neu. employees; **–alien** f. pl. personal data; **–enwagen** m. passenger car

**persönlich** adj. personal

**Persönlichkeit** f. personality)

**Perspektiv** neu. small telescope; **–e** f. perspective

**Perücke** f. wig

**Petersilie** f. parsley

**Petschaft** neu. seal, signet

**Pfad** m. path; **–finder** m. pioneer; boy scout

**Pfaffe** m. (coll.) cleric; **–ntum** neu. clericalism

**Pfahl** m. stake, pole, post, pile

**Pfalz** f. Palatinate

**Pfand** neu. pledge, security; **–brief** m. mortgage; **–haus** neu. pawnshop; **–leiher** m. pawnbroker; **–schein** m. pawn ticket

**pfänden** v. to seize (as security)

**Pfanne** f. pan; (anat.) socket

**Pfarr:** **–gemeinde** f. parish; **–e(i)** f. pastorate; **–er** m. parson, pastor, minister; **–haus** neu. parsonage

**Pfau** m. peacock

**Pfeffer** m. pepper; **–streuer** m. peppershaker; **–kuchen** m. gingerbread; **–ling** m. mushroom

**Pfeife** f. whistle, pipe; fife

**pfeifen** v. to whistle, to pipe

**Pfeil** m. arrow, dart

**Pfeiler** m. pillar, post

**Pfennig** m. pfennig, penny

**Pferd** neu. horse; **zu –e** on horseback; **–ekraft** f. horsepower; **–erennen** neu. horse race

**Pfirsich** m. peach

**Pflanz:** **–e** f. plant; **–energährungslehre** f. agrobiology; **–enkunde** f. botany; **–schule** f. nursery; **–ung** f. plantation

**pflanz:** **–en** v. to plant

**Pflaster** neu. plaster; pavement

**Pflaume** f. plum; **getrocknete –e** prune

**Pfleg:** **–e** f. care, nursing; rearing; cultivation; **–eeltern** f. foster parents; **–ekind** neu. foster child

**pflegen** v. to care for, to nurse; to cultivate; to be in the habit

**Pflicht** f. duty, obligation; **–beitrag** m. quota; **–gefühl** m. sense of duty

**Pflock** m. peg, pin, plug

**pflücken** v. to gather, to pick, to pluck

**Pflug** m. plow; **–schar** f. plowshare

**pflügen** v. to plow, to till

**Pförtner** m. doorkeeper, janitor, porter

**Pfosten** m. post; stake

**Pfote** f. paw

**Pfropf(en)** m. stopper, plug, cork; **–enzieher** m. corkscrew

**Pfuhl** m. pool, puddle

**pfui!** interj. phooey! phew! shame on you!

**Pfund** neu. pound

**pfuschen** v. to botch, to bungle

**Pfütze** f. puddle, quagmire

**Phant: –asie** f. imagination; **–ast** m. visionary

**phant: –asieren** v. to daydream; to improvise

**Phil: –anthrop** m. philanthropist; **–anthropie** f. philanthropy; **–osoph** m. philosopher; **–osophie** f. philosophy

**Phlegma** neu. equanimity

**Phosphor** m. phosphorus

**Photo: –graph** m. photographer; **–graphie** f. photograph(y)

**Physik** f. physics; **–er** m. physicist

**physikalisch** adj. physical

**physisch** adj. physical

**Picke** f. pickaxe

**picken** v. to pick, to peck

**piepen** v. to chirp, to cheep

**Pietät** f. piety, reverence

**Pike** f. pike

**Pikkolo** m. boy waiter

**Pilger** m. pilgrim

**Pilz** m. mushroom, fungus

**Pinne** f. peg, tack; pivot

**Pinsel** m. (paint)brush

**pinseln** v. to paint; to daub

**Pinzette** f. tweezers

**Pirat** m. pirate

**Pirol** m. (orn.) oriole

**Pirsch** f. deer stalking

**Pistole** f. pistol

**pittoresk** adj. picturesque

**placken** v. to torment

**Plackerei** f. drudgery

**plädieren** v. to plead

**Plage** f. plague, affliction

**plagen** v. to plague, to annoy

**Plagiat** neu. plagiarism

**Plakat** neu. poster

**Plan** m. plan, design, project

**plan: –en** v. to plan; **–los** adj. without a plan; **–mässig** adj. systematic

**Planierungsraupenfahrzeug** neu. bulldozer

**Plantage** f. plantation

**Planwirtschaft** f. economic planning

**plappern** v. to babble

**Plastik** f. plastic art; sculpture

**plastisch** adj. plastic

**plätschern** v. to splash

**platt** adj. flat, even; insipid; **–deutsch** adj. Low German; **–erdings** adv. absolutely

**Platt: –e** f. plate; slab; (mus.) disk, record; **–enteller** m. turntable

**Plätt: –brett** neu. ironing board; **–eisen** neu. flat iron

**plätten** v. to iron, to press

**Platz** m. place; locality; site; seat; **— nehmen** to sit down; **–regen** m. downpour

**Plätzchen** neu. small place

**platzen** v. to burst, to crack

**plaudern** v. to chat, to talk

**Pleite** f. (coll.) bankruptcy

**Pleuelstange** f. connecting rod

**Plombe** f. dental filling

**plombieren** v. to fill (tooth)

**plötzlich** adj. sudden, unexpected

**plump** adj. heavy, clumsy

**Plunder** m. rubbish, trash

**plündern** v. to plunder

**Plüsch** m. plush

**Pneu(matik)** m. pneumatic tire

**Pöbel** m. mob, rabble

**pöbelhaft** adj. vulgar, low

**pochen** v. to knock, to rap

**Pochspiel** neu. poker

**Pocke** f. pock; **–n** pl. smallpox; **–nimpfung** f. vaccination
**pockennarbig** adj. pockmarked
**Poesie** f. poetry
**Pokal** m. goblet; cup
**Pökel:** **–fleisch** neu. salted meat; **–rindfleisch** neu. corned beef
**Pol** m. pole; (elec.) terminal; **–arstern** m. pole star; **–arzone** f. frigid zone
**Polarkran** m. gantry
**polieren** v. to polish
**Politik** f. politics; policy
**Poliz:** **–ei** f. police; **–eiwache** f. police station; **–eibeamte** m. police officer; **–eibehörde** f. police authorities; **–ist** m. policeman
**Polster** neu. cushion; bolster; **–möbel** neu. pl. upholstered furniture
**poltern** v. to be noisy
**Polytechnikum** neu. technical college
**pomadig** adj. (coll.) phlegmatic
**Pommern** neu. Pomerania
**Popularität** f. popularity
**porös** adj. porous
**Portier** m. doorkeeper; porter
**Porto** neu. postage
**portofrei** adj. postpaid
**porträtieren** v. to portray
**Porzellan** neu. porcelain
**Posaune** f. trombone
**posaunen** v. to trumpet
**Pose** f. pose, attitude; quill
**Positur** f. posture
**Posse** f. drollery; farce; **–n** m. prank, trick
**possenhaft** adj. farcical
**possierlich** adj. droll, funny
**Post** f. mail; post (office); news; **–amt** neu. post office; **–anweisung** f. money order; **–bote** m. mailman; **–kasten** m. mail box; **–stempel** m. postmark
**post:** **–lagernd** adj. general delivery; **–wendend**

adj. by return mail
**Potenz** f. power; potency
**Prä:** **–sident** m. president; chairman; **–sidium** neu. presidency; **–zedenzfall** m. precedent; **–zision** f. precision
**Pracht** f. magnificence
**prächtig, prachtvoll** adj. magnificent, gorgeous
**Prag** neu. Prague
**prägen** v. to coin, to shape
**Prahl:** **–er** m., **–hans** m. boaster; **–erei** f. vainglory
**prahlen** v. to boast, to brag; to show off
**praktisch** adj. practical
**Praktik** f. practice
**prallen** v. to rebound
**prangen** v. to make a show
**Pranke** f. claw, paw
**Praxis** f. practice; usage; (med.) patients
**predigen** v. to preach
**Prediger** m. preacher, clergyman
**Predigt** f. sermon; lecture
**Preis** m. price; prize; praise; **um keinen —** not for all the world; **–ausschreiben** neu. competition; **–richter** m. arbiter, judge; **–zuschlag** m. markup
**preis:** **–en** v. to praise; **–geben** to surrender; **–wert** adj. cheap
**Preis(s)elbeere** f. cranberry
**prellen** v. to toss; to cheat
**Press:** **–e** f. press; journalism; **–erundschreiben** neu. newsletter; **–kohle** f. briquette; **–luft** f. compressed air
**pressen** v. to press; to urge
**Preussen** neu. Prussia
**Priester** m. priest; **–schaft** f., **–tum** neu. priesthood; **–herrschaft** f. hierarchy; **–weihe** f. ordination of a priest
**priesterlich** adj. priestly
**Prima** f. highest class (of

a junior college); **-ner**
*m.* student of the highest
class (of a junior col-
lege); **-s** *m.* primate; **-t**
*neu.* primacy

**primär** *adj.* primary

**Primel** *f.* primrose

**Prinz** *m.* prince; **-essin** *f.*
princess; **-gemahl** *m.*
prince consort

**Prinzip** *neu.* principle;
**-al** *m.* principal, head

**prinzlich** *adj.* princely

**Pritsche** *f.* wooden sword;
bunk

**Privatdozent** *m.* university
lecturer

**Privileg(ium)** *neu.* privilege

**Probe** *f.* trial, test, proof;
sample; **auf — on** trial;
**-abzug** *m.* (typ.) proof
sheet; **-zeit** *f.* probation

**Probier: -er** *m.* assayer,
tester; **-glas** *neu.* test
tube; **-stein** *m.* touchstone

**prob(ier)en** *v.* to test, to
try

**Produzent** *m.* producer

**produzieren** *v.* to produce

**Profess: -ion** *f.* profession; trade; **-or** *m.* professor; **-ur** *f.* professorship

**Profit** *m.* profit; **-macher**
*m.* profiteer

**profitieren** *v.* to profit

**Programm** *neu.* program

**programmieren** *v.* to program

**Projekt** *neu.* project; **-il**
*neu.* projectile

**proklamieren** *v.* to proclaim

**proletarisch** *adj.* prole-
tarian

**Prolog** *m.* prologue

**Promotion** *f.* graduation

**promovieren** *v.* to graduate

**prophetisch** *adj.* prophet-
ic(al)

**prophezeien** *v.* to prophesy

**Propst** *m.* provost; prior

**Prosa** *f.* prose

**prosaisch** *adj.* prosaic

**prosit! prost!** *interj.*
cheers! here's to your
health! **— Neujahr!**
happy New Year!

**protestieren** *v.* to protest

**Protokoll** *neu.* protocol;
record; minutes

**Protoplasma** *neu.* protoplasm

**protzen** *v.* to put on airs

**protzig** *adj.* snobbish

**Proviant** *m.* provisions

**provisionsweise** *adv.* on
commission

**provisorisch** *adj.* provisional, temporary

**Prozess** *m.* process; lawsuit; **-ion** *f.* procession

**prüde** *adj.* prudish

**Prüf: -stein** *m.* touchstone; **-ung** *f.* examination

**prüfen** *v.* to examine

**Prügel** *m.* cudgel, stick;
**— pl.** thrashing; **-ei** *f.*
fight

**prügeln** *v.* to thrash

**Prunk** *m.* splendor, pomp

**prunk: -en** *v.* to show off

**psychedelisch** *adj.* psychedelic

**Pubertät** *f.* puberty

**Publi: -kum** *neu.* public

**publizieren** *v.* to publish

**Pudel** *m.* poodle

**Puder** *m.* powder; **-quaste**
*f.* powder puff

**pudern** *v.* to powder

**Puff** *m.* push; bang, pop;
**-er** *m.* potato pancake;
**-spiel** *neu.* backgammon

**puffen** *v.* to puff, to jolt

**Puls** *m.* pulse; **-ader** *f.*
artery; **-schlag** *m.* pulse
beat

**puls(ier)en** *v.* to pulsate

**Pult** *neu.* desk, lectern

**Pulver** *neu.* powder, gunpowder; **er hat das —
nicht erfunden** (coll.)
he isn't very bright

**pulverig** *adj.* powdery

**Pumpe** *f.* pump

**pumpen** *v.* to pump

**Punkt** *m.* point; dot;
place; moment; item;
**-um** *neu.* period, end

**pünktlich** *adj.* punctual,

QUITT

prompt
**Punsch** m. (beverage) punch
**Pupille** f. (eye) pupil
**Puppe** f. doll, puppet; pupa; **-nspiel** neu., **-ntheater** neu. puppet show
**pur** adj. pure, sheer
**Puritaner** m. Puritan
**Püree** neu. puree, mash
**Purpur** m. purple
**Purzelbaum** m. somersault
**purzeln** v. to tumble
**Pustel** f. pustule
**pusten** v. too puff; to pant
**Pute** f. turkey hen; **-r** m. turkey cock
**Putsch** m. putsch, riot
**Putz** m. trimmings; ornaments; attire, finery; **-er** m. clean(s)er; **-frau** f. charwoman; **-geschäft** neu. milliner's shop
**putzen** v. to clean; to polish; to shine; (horse) to groom; (nose) to blow; **sich —** to dress up
**putzig** adj. funny, queer, droll
**Pyjama** m. and neu. pajama
**Pyramide** f. pyramid

**Q**

**Quack:** **-salber** m. quack; **-salberei** f. malpractice; quackery
**Quader** m. square stone
**Quadrat** neu. square; **-wurzel** f. (math.) square root
**quadratisch** adj. square
**quadrieren** v. to square
**quaken** v. to quack, to croak
**quäken** v. to squeak
**Qual** f. pain; torment; agony; **-ität** f. quality
**qual:** **-ifizieren** v. to qualify
**Quäl:** **-er** m., **-geist** m. bore; **-erei** f. tormenting, pestering
**quälen** v. to torment, to

torture
**Qualle** f. jellyfish
**Qualm** m. smoke; fumes
**qualm:** **-en** v. to smoke; **-ig** adj. smoky
**qualvoll** adj. painful
**Quant:** **-entheorie** f. quantum theory; **-ität** f. quantity
**Quappe** f. tadpole, eelpout
**Quarantäne** f. quarantine
**Quark** m. curd; cottage cheese; nonsense, trifle
**Quart** neu. quart; (typ.) quarto; **-a** f. (secondary school) third grade; **-al** neu. quarter (of year); **-aner** m. (secondary school) pupil of the third grade; **-ett** neu. quartet
**Quartier** neu. quarters
**quasar, quasi-stellär** adj. quasar
**Quast** m. knot, tuft; **-e** f. tassel; brush
**Quatsch** m. nonsense, rubbish
**Quecksilber** neu. mercury
**Quell** m. (poet.) spring, well; **-e** f. source, spring
**quellen** v. to gush; to swell; to spring (from)
**quer** adj. cross, transverse; queer; **-feldein** adv. crosscountry; **-köpfig** adj. stubborn; **-über** adv. across
**Quer:** **-balken** m. crossbeam; **-e** f. diagonal direction; **-kopf** m. queer fellow; **-strasse** f. cross street
**Quetsch:** **-e** f. crush; **-kartoffeln** pl. mashed potatoes; **-ung** f. contusion; bruise
**quetschen** v. to crush, to squeeze; to contuse
**quietschen** v. to squeak
**Quint:** **-a** f. (secondary school) second year; **-aner** m. second-year student; **-essenz** f. quintessence; **-ett** neu. quintet
**Quirl** m. whisk
**quirlen** v. to twirl, to beat
**quitt** adj. even, free, rid; quits; **-ieren** v. to ac-

97

knowledge receipt
**Quitte** f. quince
**Quittung** f. receipt
**Quote** f. quota, share
**quotieren** v. to quote

# R

**Rabatt** m. discount; rebatte
**Rabbi(ner)** m. rabbi
**Rabe** m. raven
**Rach:** -e f. revenge; –**gier** f., –**sucht** f. vindictiveness
**Rachen** m. throat; jaws
**rächen** v. to avenge
**Rächer** m. avenger; vindicator
**Racker** m. rogue, rascal
**Rad** neu. wheel; bicycle; –**achse** f. axletree; –**bremse** f. hub brake; –**fahrer** m. cyclist; –**ler** m. cyclist; –**reifen** m. tire; –**speiche** f. spoke; –**zahn** m. cog
**Radau** m. noise, row
**radebrechen** v. to speak badly
**Rädelsführer** m. ringleader
**Radiergummi** m. rubber eraser
**radieren** v. to etch
**Radieschen** neu. radish
**Radio** neu. radio; –**apparat** m. radio set; –**röhre** f. radio tube
**radioaktiv** adj. radioactive
**raffen** v. to snatch
**ragen** v. to tower, to project
**Rahel** f. Rachel
**Rahm** m. cream; soot
**Rahmen** m. frame; –**ensucher** m. view finder
**Rain** m. (agr.) balk, ridge, edge
**Rakete** f. rocket
**Raketengeschoss (ferngelenkt)** neu. ballistic missile
**rammen** v. to ram; to butt
**Rampe** f. ramp; platform; –**nlicht** neu. footlights
**Rand** m. rim; brim; edge

**Rang** m. rank; order; position; –**ordnung** f. order of precedence
**Range** f. scamp, tomboy
**Rangier:** –**bahnhof** m. (rail.) switchyard; –**gleis** neu. (rail.) siding
**rank** adj. slender, slim
**Ranke** f. tendril; shoot; branch
**Ränke** m. pl. intrigues, machinations, tricks
**Ranzen** m., **Ränzel** neu. knapsack; schoolbag
**ranzig** adj. rancid
**Rappe** m. black horse
**rappeln** v. to rattle
**rar** adj. rare, scarce
**Rarität** f. rarity, scarcity; curiosity
**rasch** adj. quick, swift, hasty
**rascheln** v. to rustle
**Rasen** m. grass, lawn; turf
**rasen** v. to rage; to speed; –**d** adj. raging, raving; rapid
**Rasier:** –**apparat** m., –**messer** neu. razor; –**klinge** f. razor blade; –**pinsel** m. shaving brush; –**seife** f. shaving soap
**rasieren** v. to shave
**Raspel** f. rasp; grating iron
**raspeln** v. to rasp; to grate
**Rasse** f. race; breed; –**nhygiene** f. eugenics
**rasseln** v. to rattle
**Rassismus** m. racism
**Rassist** m. racist
**Rast** f. rest; repose; –**losigkeit** f. restlessness; –**tag** m. day of rest
**rasten** v. to rest; to halt
**Rat** m. advice; counsellor; council board; **mit — und Tat** by word and deed; –**haus** neu. city hall; –**schlag** m. advice, counsel; –**skeller** m. tavern in the basement of a city hall
**rat:** –**en** v. to advise; to counsel; to guess; –**los** adj. helpless; –**sam** adj. advisable

**Rätsel** *neu.* riddle, puzzle
**rätselhaft** *adj.* puzzling
**Ratte** *f.* rat; **–nfänger** *m.* ratcatcher
**rattern** *v.* to rattle
**Raub** *m.* robbery; prey; **–tier** *neu.* beast of prey; **–zug** *m.* raid
**rauben** *v.* to rob
**Räuber** *m.* robber; brigand; **–ei** *f.* robbery
**Rauch** *m.* smoke; **–er** *m.* smoker; **–erabteil** *neu.* smoking compartment
**rauchen** *v.* to smoke
**Raufbold** *m.* bully; rowdy
**raufen** *v.* **sich —** to scuffle
**rauh** *adj.* rough; hoarse
**Raum** *m.* room; space; place; **luftleerer —** vacuum; **–inhalt** *m.* volume; capacity; **–kunst** *f.* (art of) interior decoration; **–meter** *m.* cubic meter; **–schiff** *neu.* spaceship; **–sonde** *f.* space probe; **–station** *f.* space station, space platform; **–transporter, –gleiter** *m.* space shuttle
**Räum:** **–lichkeit** *f.* locality; **–ung** *f.* removal; **–ungsausverkauf** *m.* clearance sale
**räumen** *v.* to clear away
**Raupe** *f.* caterpillar; **–nschlepper** *m.* caterpillar tractor
**Rausch** *m.* drunkenness
**rauschen** *v.* to rush
**Rauschgift** *neu.* drug, narcotic, hallucinogen; **–süchtiger** *m.* drug addict
**räuspern** *v.* **sich —** to clear one's throat, to hem
**Reagenz:** **–glas** *neu.* test tube; **–papier** *neu.* test (*oder* litmus) paper
**reagieren** *v.* to react
**Real:** **–gymnasium** *neu.*, **–schule** *f.* secondary school
**Rebe** *f.* grape, vine; tendril
**Rebell** *m.* rebel; **–ion** *f.* rebellion, mutiny
**Rebhuhn** *neu.* partridge
**Rechen** *m.* rake; rack
**Rechen:** **–aufgabe** *f.*,

**–exempel** *neu.* arithmetic problem; **–kunst** *f.* arithmetic; **–schaft** *f.* account; **–schieber** *m.* slide rule; **–tafel** *f.* slate
**rechnen** *v.* to count, to calculate, to reckon
**Rechner** *m.* calculator; computer; **Analog-Rechner** *m.* analog computer; **Digital-Rechner** *m.* digital computer
**Rechnung** *f.* calculation; account, bill; **auf — setzen** to charge; **–sführer** *m.* bookkeeper; **–sprüfer** *m.* auditor
**recht** *adj.* right, correct; just; lawful, legitimate; real; genuine; **es ist mir —** I don't mind; **— haben** to be right; **–fertigen** *v.* to justify; to vindicate; **–s** *adv.* at (*oder* on) the right; **–schaffen** *adj.* honest, righteous; **–sum!** (*mil.*) right face!
**Recht** *neu.* right; privilege; claim; justice, law; **–e** *f.* right hand; **–eck** *neu.* rectangle; **–gläubige** *m.* orthodox person; **–sanwalt** *m.* lawyer, attorney; **–sbeistand** *m.* legal adviser; **–schreibung** *f.* orthography; **–shandel** *m.* lawsuit, legal action; **–swissenschaft** *f.* jurisprudence
**Recke** *m.* hero, warrior
**Red:** **–e** *f.* speech; talk; conversation; address; **–ekunst** *f.* rhetoric; **–ensart** *f.* phrase, saying; **–ner** *m.* orator, speaker
**red:** **–ebegabt** *adj.*, **–egewandt** *adj.* eloquent; **–en** *v.* to speak, to talk
**Redak:** **–teur** *m.* editor, **–tion** *f.* editorial dept.; **–tionsschluss** *m.* deadline
**reduzieren** *v.* to reduce
**reell** *adj.* fair, honest; solid
**Refer:** **–at** *neu.* lecture; **–ent** *m.* reporter; **–enz** *f.* reference
**referieren** *v.* to report

**reflektieren** v. to reflect
**Reform** f. reform; **–ation** f. reformation; **–ator** m. reformer; **–ierte** m. member of the Reformed Church
**reformieren** v. to reform
**Regal** neu. (book)shelf; stand
**Regel** f. rule, regulation
**Regen** m. rain; **–bogen** m. rainbow; **–mantel** m. raincoat; **–schirm** m. umbrella
**regen** v. to stir, to move
**Regent** m. regent; **–schaft** f. regency
**Regie** f. administration; stage management
**regieren** v. to govern, to rule
**Regierung** f. government
**Regiment** neu. regiment
**Regionalprogramm** neu. (TV) closed circuit
**registrieren** v. to register
**Regler** m. regulator
**regnen** v. to rain
**regnerisch** adj. rainy
**regsam** adj. active, agile
**regulieren** v. to regulate
**Regung** f. motion; emotion
**regungslos** adj. motionless
**Reh** neu. roe, deer
**Reib:** **–e** f., **–eisen** neu. grater; **–ung** f. friction
**reiben** v. to rub, to grate
**reich** adj. rich, wealthy
**Reich** neu. empire, realm, kingdom; **–sautobahn** f. German express highway
**Reich:** **–e** m. rich person; **–tum** m. riches, wealth
**reichen** v. to reach, to extend; to hand, to pass
**reif** adj. ripe; mature; mellow; **–en** v. to ripen, to mature
**Reif** m. ring; circle; **–en** m. ring; hoop; tire; **–enpanne** f. flat tire
**Reihe** f. row, series; line, sequence; **–nfolge** f. succession
**reihen** v. to range, to rank
**rein** adj. pure, unalloyed;

clean, genuine; net; — adv. entirely; **–igen** v. to clean; **–lich** adj. clean, neat; **–rassig** adj. purebred
**Reis** m. rice
**Reise** f. journey; trip; travel; **–büro** neu. tourist agency; **–führer** m. guide book; **–gepäck** neu. baggage; **–scheck** m. traveler's check
**reisen** v. to travel, to journey
**Reiss:** **–brett** neu. drawing board; **–er** m. bestseller; **–nagel** m. thumbtack; **–verschluss** m. zipper; **–zeug** neu. drawing instruments
**reissen** v. to tear, to drag
**Reit:** **–er** m. horseman; rider; **–erei** f. cavalry
**reiten** v. to ride
**Reiz** m. attraction, charm
**reiz:** **–bar** adj. irritable; **–en** v. to excite; to charm; **–voll** adj. attractive
**Rekapitulationstheorie** f. biogenesis
**Reklamation** f. complaint
**Reklame** f. advertisement
**rekognoszieren** v. to reconnoiter
**rekonstruieren** v. to reconstruct
**Rektor** m. rector; headmaster
**Relais** neu. relay
**Relegation** f. expulsion
**relegieren** v. to expel
**religiös** adj. religious; pious
**Reliquie** f. relic; **–nschrein** m. reliquary
**Remise** f. coach house
**Rempelei** f. jostling; rumpus
**Renn:** **–bahn** f. racecourse; **–en** neu. race; **–er** m. race horse; **–mannschaft** f. race crew; **–tier** neu. reindeer
**rennen** v. to run, to rush
**renovieren** v. to renovate
**Rent:** **–amt** neu. revenue office; **–e** f. income; pension; **–ier** m., **–ner** m.

pensioner

**rentabel** *adj.* profitable

**Reparat: –ion** *f.* reparation; **–ur** *f.* repair(ing); **–urwerkstätte** *f.* repair shop

**reparieren** *v.* to repair

**Repetiergewehr** *neu.* repeating rifle; repeater

**Repräsentant** *m.* representative

**reproduzieren** *v.* to reproduce

**Reptil** *neu.* reptile

**reservieren** *v.* to reserve

**resignieren** *v.* to resign

**resolut** *adj.* resolute

**Resonanz** *f.* resonance; **–boden** *m.* sounding board

**respekt: –los** *adj.* irreverent; **–voll** *adj.* respectful

**Rest** *m.* rest; remainder; **irdische –e** mortal remains; **–betrag** *m.* remainder

**restaurieren** *v.* to restore

**Retirade** *f.* retreat; rest room

**retirieren** *v.* to retreat

**retour** *adv.* back

**Rett: –er** *m.* rescuer; Redeemer; **–ungsgürtel** *m.*, **–ungsring** *m.* life belt

**retten** *v.* to save, to rescue

**Rettich** *m.* radish

**rettungslos** *adj.* past help

**reu: –en** *v.* **es –t mich** I am sorry for it; **–mütig** *adj.* repentant; **–los** *adj.* impenitent

**Reue** *f.* repentance; regret

**revidieren** *v.* to revise; to audit

**Revol: –ution** *f.* revolution; **–utionär** *m.* revolutionist

**Revue** *f.* review; (theat.) revue

**Rezept** *neu.* prescription; recipe

**rezitieren** *v.* to recite

**Rhabarber** *m.* rhubarb

**Rhein** *m.* Rhine

**Rhesusfaktor** *m.* (med.) RH-factor

**Rhinozeros** *neu.* rhinoceros

**Rhythmus** *m.* rhythm

**Richt: –blei** *neu.* plummet; **–er** *m.* judge; **–erspruch** *m.* sentence; **–linie** *f.* guiding principle; **–scheit** *m.* and *neu.* level, ruler; **–schnur** *f.* plumb line; guiding principle; **–ung** *f.* direction; course

**richt: –en** *v.* to set straight; to adjust; (watch) to set; to judge; **–ig** *adj.* right, correct

**riechen** *v.* to smell, to scent; **den Braten** (or **Lunte**) — to smell a rat

**Riege** *f.* (gym.) squad; team

**Riegel** *m.* bolt, bar; rack

**Riemen** *m.* strap, thong; **–antrieb** *m.* belt drive; **–scheibe** *f.* pulley

**Ries** *neu.* ream (1000 sheets of paper)

**Riese** *m.* giant; ogre

**rieseln** *v.* to drizzle, to ripple

**riesengross, riesig** *adj.* gigantic

**Riff** *neu.* reef

**Rigorosum** *neu.* (doctor's degree) examination

**Rille** *f.* small groove

**Rind** *neu.* ox, cow; **–erbraten** *m.* roast beef; **–erhirt** *m.* cowboy; **–fleisch** *neu.* beef

**Rinde** *f.* bark; crust; rind

**Ring** *m.* ring; circle

**Ring: –kämpfer** *m.* wrestler; **–kampf** *m.* wrestling match

**ringeln** *v.* to coil, to curl

**ringen** *v.* to struggle

**Rinne** *f.* groove, gutter

**Ripp: –e** *f.* rib; **–enfellentzündung** *f.* pleurisy

**Risiko** *neu.* risk

**riskant** *adj.* risky

**riskieren** *v.* to risk

**Riss** *m.* tear, scratch; sketch

**Ritt** *m.* ride

**Ritter** *m.* knight, cavalier; **arme —** fritters; **–gut** *neu.* estate, manor; **–orden** *m.* order of knighthood

**ritterlich** *adj.* chivalrous

**rittlings** *adv.* astride
**Ritus** *m.* rite
**Ritz** *m.*, **Ritze** *f.* cleft, fissure; crack
**ritzen** *v.* to cut, to scratch
**Rivale** *m.* rival
**Rizinusöl** *neu.* castor oil
**Robbe** *f.* (zool.) seal
**Robe** *f.* robe, gown
**Roboter** *m.* robot
**robust** *adj.* robust, sturdy
**röcheln** *v.* (throat) to rattle
**rochieren** *v.* (chess) to castle
**Rock** *m.* coat; skirt
**Rocken** *m.* distaff
**Rockmusik** *f.*, **Rock'n'roll** *neu.* rock'n'roll
**Rodel** *f.* toboggan; **-bahn** *f.* toboggan run
**rodeln** *v.* to toboggan
**roden** *v.* to clear land
**Roggen** *m.* rye
**roh** *adj.* raw; crude
**Roh:** **-einnahmen** *f. pl.* gross receipts; **-eisen** *neu.* pig iron; **-material** *neu.*, **-stoff** *m.* raw material; **-metall** *neu.* crude metal
**Rohr** *neu.* cane; reed; pipe, tube; **-geflecht** *neu.* wicker work; **-leger** *m.* pipe fitter; **-leitung** *f.* pipeline; **-stock** *m.* bamboo
**Röhre** *f.* tube, pipe
**Roll:** **-e** *f.* roll; roller; pulley; spool; **-er** (avi.) roller; **-feld** *neu.* (avi.) runway; **-mops** *m.* rolled pickled herring; **-schiene** *f.* rail; **-schuhe** *m. pl.* roller skates; **-stuhl** *m.* wheel chair; **-treppe** *f.* escalator
**rollen** *v.* to roll; to mangle
**Roman** *m.* novel; romance; **-literatur** *f.* fiction; **-schriftsteller** *m.* novelist
**romantisch** *adj.* romantic
**röntgen** *v.* to X ray
**Röntgen:** **-aufnahme** *f.* X-ray photograph; **-strahlen** *m. pl.* X rays
**Ros:** **-e** *f.* rose; **-enkohl** *m.* Brussel sprouts; **-en-**

**kranz** *m.* wreath of roses; rosary; **-enstock** *m.* rose bush
**rosig** *adj.* rose, rosy, roseate
**Rosine** *f.* raisin; currant
**Ross** *neu.* horse, steed
**rost:** **-en** *v.* to rust; **-frei** *adj.* (steel) stainless
**Röstbrot** *neu.* toast
**rösten** *v.* to roast, to toast
**rot** *adj.* red, ruddy; **— werden** *v.* to blush; **-bäckig** *adj.* red-cheeked; **-blond** *adj.* auburn
**Rot** *neu.* red; **-haut** *f.* redskin; Indian; **-käppchen** *neu.* Red Riding Hood; **-kehlchen** *neu.* robin
**Röte** *f.* redness; blush
**Rotte** *f.* band, gang; troop
**Rüb:** **-e** *f.* turnip; beet; **gelbe -e** carrot
**Rubin** *m.* ruby
**Ruck** *m.* jerk, jolt; start; **-sack** *m.* shoulder bag
**Rück:** **-blick** *m.* retrospect; **-fahrkarte** *f.* round-trip ticket; **-fall** *m.* relapse; **-gabe** *f.* restitution; **-gang** *m.* retrogression; recession; decline; **-grat** *neu.* backbone; **-halt** *m.* support; **-kehr** *f.* return; **-porto** *neu.* return postage; **-prall** *m.* rebound; **-schritt** *m.* regression; **-sendung** *f.* sending back; (ad.) feedback; **-sicht** *f.* consideration; **-sprache** *f.* consultation; **-stand** *m.* arrears; **-stossmotor** *m.* jet propulsion; **-tritt** *m.* retirement; resignation; **-wirkung** *f.* retroaction; reaction; **-zug** *m.* retreat
**rück:** **-haltlos** *adj.* unreserved; **-schrittlich** *adj.* reactionary; **-sichtsvoll** *adj.* considerate; **-ständig** *adj.* in arrears
**Rücken** *m.* back; rear
**rücken** *v.* to move; to push
**Rückfeuerungsrakete** *f.* (avi.) retro-rocket
**Ruder** *neu.* rudder, oar; **-er** *m.* rower

**rudern** v. to row
**Rüdiger** m. Roger
**Ruf** m. cry; call; fame
**rufen** v. to cry, to shout; to call; **— lassen** to send for
**ruh: —elos** adj. restless; **—en** v. to rest; to sleep; to be buried; **—endes Kapital** dead capital; **—ig** adj. quiet, still; calm
**Ruhe** f. rest, quiet, silence; **in — lassen** to let alone
**Ruhm** m. glory; fame
**rühmen** v. to praise
**rühmlich** adj. honorable
**Ruhr** f. dysentery
**Rühr: —ei** neu. scrambled eggs; **—ung** f. feeling, emotion
**rühr: —en** v. to move, to stir; to touch; to beat (drum); to affect; **—end** adj. affecting, touching; **—ig** adj. active, busy; **—selig** adj. sentimental
**Ruin** m. ruin; destruction; decay; **—e** f. ruins, debris
**ruinieren** v. to ruin, to destroy
**Rummel** m. bustle; hubbub
**rumoren** v. to slam-bang; to rummage; to rumor
**Rumpelkammer** f. lumber room; closet for junk
**Rumpf** m. trunk; body
**rümpfen** v. **die Nase —** to turn up one's nose
**rund** adj. round, circular, plump; **—en** v. to round; (baseball) to make a run; **—heraus sagen** to speak frankly; **—herum** adv. all around; **—lich** adj. rounded, plump; **—weg** adv. bluntly, flatly
**Rund: —bau** m. circular building; **—blick** m. panorama; **—bogen** m. Roman arch; **—e** f. circle; (sports) lap; round; (coll.) party; **—frage** f. questionnaire; **—funk** m. radio, broadcasting; **—funkansager** m. radio announcer; **—funkgerät** neu. radio set; **—funkhörer** m. radio

listener; **—funksender** m. radio transmitter; **—funksendung** f. broadcasting; **—funkstation** f. radio station; **—reise** f. round trip
**Runzel** f. wrinkle; pucker
**runzeln** v. to wrinkle; **die Stirn —** to frown
**runzlig** adj. wrinkled, puckered
**Rüpel** m. lout; rowdy, ruffian; **—ei** f. rudeness
**rupfen** v. to pluck, to pull up
**ruppig** adj. unkempt; unmannered; shabby
**Russ** m. soot
**Russe** m. Russian
**Rüssel** m. (zool.) trunk, snout
**russ(art)ig** adj. sooty
**Russland** neu. Russia
**rüsten** v. to prepare; to arm
**rüstig** adj. robust; active
**Rute** f. rod, switch, twig
**Rutsch** m. glide, slide; **—bahn** f. slide, chute
**rutschen** v. to glide, to slide
**rütteln** v. to shake; to jolt

## S

**Saal** m. hall, large room
**Saat** f. seed, young crop
**Säbel** m. sabre, sword
**sabotieren** v. to sabotage
**Sach: —e** f. thing; matter; subject; **—en** pl. goods, clothes; **zur —e!** come to the point! **—kundige** m. expert; **—kenntnis** f. expert knowledge; **—lage** f. state of affairs; **—verhalt** m. facts of a case; **—verständige** m. specialist; **—verwalter** m. attorney
**sachlich** adv. to the point
**sachsen** neu. Saxony
**sacht(e)** adj. soft, gentle
**Sack** m. sack, bag; **—erlot!—erment!** interj. Darn it! **—garn** neu. twine
**säen** v. to sow
**Säer, Sämann** m. sower
**Saft** m. sap, juice; fluid

**saftig** *adj.* juicy; spicy

**Sage** *f.* legend; myth; saga

**Säge** *f.* saw; **–blatt** *neu.* saw blade; **–bock** *m.* sawhorse; **–mehl** *neu.*, **–späne** *m. pl.* sawdust; **–mühle** *f.* sawmill

**sagen** *v.* to say, to tell; to signify; **das hat nichts zu** — that does not matter; — **lassen** to send word; **–haft** *adj.* legendary

**sägen** *v.* to saw; (coll.) to snore

**Sahne** *f.* cream

**Saison** *f.* season; **–ausverkauf** *m.* clearance sale

**Saite** *f.* (mus.) string, cord

**Sakko** *m.* lounge jacket

**Salb:** **–e** *f.* salve, ointment; **–ung** *f.* anointment, unction

**salben** *v.* to anoint, to salve

**saldieren** *v.* to balance, to settle

**Saldo** *m.* (com.) balance; — **ziehen** to strike a balance

**Salm** *m.* salmon

**Salmiak** *m.* sal ammoniac

**Salon** *m.* drawing room; **–wagen** *m.* Pullman car

**salutieren** *v.* to salute

**Salve** *f.* volley; salvo

**Salz** *neu.* salt; (coll.) wit; **–fass** *neu.* salt shaker; **–gurke** *f.* pickled cucumber; **–sole** *f.* salt water

**Same(n)** *m.* seed; sperm

**Samm: –elbüchse** *f.* collecting box; **–elplatz** *m.* meeting place; **–elstelle** *f.* central depot; **–lung** *f.* collection

**sammeln** *v.* to gather, to collect; to accumulate; to rally

**Samstag** *m.* (dial.) Saturday

**samt** *prep.* and *adv.* together with; — **und sonders** each and all

**Sam(me)t** *m.* velvet

**sämtlich** *adj.* all (together)

**Sand** *m.* sand, grit

**Sandale** *f.* sandal

**sandig** *adj.* sandy, gritty

**sanft** *adj.* soft, smooth; gentle, mild; **–mütig** *adj.* gentle, mild

**Sanftmut** *m.* gentleness

**Sang** *m.* song, singing;

**Sänger** *m.* singer; poet

**Sanität: –er** *m.* ambulance man; **–sbehörde** *f.* Board of Health; **–soffizier** *m.* medical officer; **–swache** *f.* first-aid station; **–swagen** *m.* motor ambulance

**Sankt** *adj.* saint

**sanktionieren** *v.* to sanction

**Sardelle** *f.* sardelle; anchovy

**Sarg** *m.* coffin

**Sarkasmus** *m.* sarcasm

**sarkastisch** *adj.* sarcastic

**satanisch** *adj.* satanic

**Satellit** *m.* satellite

**Satire** *f.* satire

**satirisch** *adj.* satiric(al)

**satt** *adj.* satisfied; satiated

**Sattel** *m.* saddle

**satteln** *v.* to saddle

**sättigen** *v.* to satiate, to satisfy

**Sättigung** *f.* (chem.) saturation; **–spunkt** *m.* saturation point

**Satz** *m.* sentence; thesis

**Sau** *f.* sow

**sauber** *adj.* clean, neat

**säubern** *v.* to clean

**Sauce** *f.* sauce; gravy

**sauer** *adj.* sour, acid

**Sauer: –stoff** *m.* oxygen; **–stoffmangel (im Blut)** *m.* anoxemia; **–teig** *m.* sourdough

**säuern** *v.* to acidify

**saufen** *v.* to drink; to booze

**Säufer** *m.* drunkard

**Säug: –etier** *neu.* mammal; **–ling** *m.* infant; **–lingsfürsorge** *f.* infant welfare; **–lingsheim** *neu.* nursery

**saugen** *v.* to suck(le)

**säugen** *v.* to suckle, to nurse

**Säule** *f.* column, pillar

**Saum** *m.* seam, hem

**säumen** *v.* to hem; to

delay

**Säure** f. sourness; acid

**Saus** m. in — und Braus **leben** to live riotously

**säuseln** v. to rustle, to buzz

**sausen** v. to rush, to dash

**Schabe** f. cockroach

**schaben** v. to scrape, to grate

**schäbig** adj. shabby; stingy

**Schablone** f. model; stencil

**Schach** neu. chess; in, — **halten** to keep in check; **–brett** neu. chessboard; **–zug** m. (chess) move

**Schacher** m. bargaining

**Schächer** m. (bibl.) thief

**schachern** v. to bargain

**schachmatt** adj. check-mated

**Schacht** m. shaft, pit

**Schachtel** f. box

**Schächter** m. (kosher) butcher

**schad: –e** adj. regrettable; **es ist –e** it's a pity; **wie –e!** what a pity! too bad! **–en** to damage, to harm; **das –et nichts** never mind; **–enfroh** rejoicing over another's misfortune; **–haft** adj. damaged; **–los** adj. undamaged

**Schad: –en** m. damage, harm; defect; loss; **–en leiden** to come to grief; **–enersatz** m. compensation

**Schädel** m. skull

**schädigen** v. to damage

**schädlich** adj. injurious

**Schaf** neu. sheep; **–fleisch** neu. mutton; **–herde** f. flock of sheep; **–hirt(e)** m. shepherd; **–hürde** f. sheepfold; **–schur** f. sheep shearing; **–skopf** m. sheepshead; blockhead

**Schäf: –chen** neu. lamb (kin); **–er** m. shepherd

**schaffen** v. to create, to produce; to work; to convey; to succeed

**Schaffner** m. conductor; **–in** f. housekeeper

**Schaft** m. shaft; (boots)

leg

**schäkern** v. to joke, to flirt

**Schal** m. shawl, scarf; **–e** f. shell; peel, skin

**schälen** v. to peel, to pare

**Schalk** m. rogue, wag; jester; **–heit** f. roguery

**Schall** m. sound; noise; **–boden** m. soundboard; **–platte** f. record; **–trichter** m. megaphone; **–welle** f. sound wave

**Schallmauer** f. sound barrier

**Schalt: –anlage** f. switch panel; **–er** m. switch; ticket window, counter; **–jahr** neu. leap year; **–schlüssel** m. ignition key; **–tafel** f. switchboard; **–ung** f. gearshift

**Scham** f. shame; bashfulness, modesty

**scham: –haft** adj. bashful; **–los** adj. shameless

**schämen** v. sich — to be ashamed (of)

**Schand: –e** f. shame; disgrace; **–fleck** m. blemish, stain; **–tat** f. crime

**Schänd: –lichkeit** f. infamy, baseness; **–ung** f. desecration

**schändlich** adj. infamous

**Schank** m. **–tisch** m. bar; **–wirtschaft** f. tavern

**Schanze** f. entrenchment

**Schar** f. troop; flock; crowd

**scharen** v. sich — to assemble

**scharf** adj. sharp, cutting; **–sichtig** adj. penetrating; **–sinnig** adj. sagacious

**Scharf: –blick** m. penetrating glance; **–richter** m. executioner; **–sinn** m. sagacity

**Schärfe** f. sharpness

**schärfen** v. to sharpen, point

**Scharlach** m. scarlet; **–fieber** neu. scarlet fever

**scharlachrot** adj. scarlet

**Scharnier** neu. hinge, joint

**scharren** v. to scrape, to scratch; (horse) to paw

**Scharte** f. dent, notch;

crack

**schattig** *adj.* shady, shaded

**Schatten** *m.* shade, shadow

**Schatulle** *f.* cash box

**Schatz** *m.* treasure, riches; sweetheart; **–anweisung** *f.* treasury note; **–meister** *m.* treasurer

**schätzen** *v.* to estimate

**Schätzung** *f.* estimate

**Schau** *f.* show, view; display; **–bühne** *f.* stage; **–fenster** *neu.* show window; **–fensterreklame** *f.* window display; **–haus** *neu.* morgue; **–spiel** *neu.* play; drama; **–spieler** *m.* actor, player; **–spielerin** *f.* actress; **–spielkunst** *f.* dramatic art; **–stellung** *f.* exhibition

**schauder: –haft** *adj.* horrible; shocking; awful

**schauer: –lich** *adj.*, **–rig** *adj.* awful, horrible; ghastly

**Schaufel** *f.* shovel, scoop

**schaufeln** *v.* to shovel

**Schaukel** *f.* swing; **–pferd** *neu.* rocking horse; **–stuhl** *m.* rocking chair

**schaukeln** *v.* to swing, to rock

**Schaum** *m.* foam, spume

**schäumen** *v.* to foam, to froth

**Scheck** *m.* (bank) check; **–buch** *neu.* checkbook

**scheel** *adj.* envious; askew

**Scheffel** *m.* bushel

**Scheibe** *f.* disk; slice; (ast.) orb; honeycomb; (window) pane; **–nwischer** *m.* windshield wiper

**Scheide** *f.* sheath, scabbard; **–wand** *f.* partition

**scheiden** *v.* to separate

**Scheidung** *f.* separation; divorce

**Schein** *m.* shine, light; appearance; certificate; receipt; banknote; **–grund** *m.* pretense; **–werfer** *m.* searchlight

**schein: –bar** *adj.* seeming; **–en** *v.* to shine, to seem

**Scheitel** *m.* (hair) parting

**scheiteln** *v.* to part (hair)

**scheitern** *v.* to run aground

**Schelle** *f.* (small) bell

**Schellfisch** *m.* haddock

**Schelm** *m.* rogue; knave

**schelten** *v.* to scold

**Schema** *neu.* scheme

**Schemel** *m.* footstool, hassock

**Schenke** *f.* bar, inn, tavern

**Schenkel** *m.* thigh; shank

**schenken** *v.* to pour out; to donate, to grant

**Scherbe** *f.* potsherd

**Schere** *f.* scissors; shears

**scheren** *v.* to shear, to clip

**Schererei** *f.* vexation; bother

**Scherge** *m.* executioner

**Scherz** *m.* jest, joke

**scherzen** *v.* to make merry

**Scheu** *f.* shyness; awe

**Scheuche** *f.* scarecrow; bugbear

**scheuen** *v. sich* — to be afraid (of), to hesitate

**Scheuer** *f.* barn, shed

**scheuern** *v.* to scour, to scrub

**Scheune** *f.* barn, shed

**scheusslich** *adj.* atrocious

**Schicht** *f.* layer, stratum; shift; (wood) pile

**schichten** *v.* to pile up

**Schicksal** *neu.* destiny

**schick** *adj.* chic, stylish; smart; **–en** *v.* to send; **–lich** *adj.* proper

**schieben** *v.* to push, to shove

**schief** *adj.* slanting; crooked

**Schiefer** *m.* slate; **–bruch** *m.* slate quarry; **–tafel** *f.* (school) slate

**schielen** *v.* to squint

**Schiene** *f.* rail

**schier** *adj.* pure, sheer

**Schiessscheibe** *f.* practice target

**schiessen** *v.* to shoot

**Schiff** *neu.* ship, boat; (mech.) shuttle; **–(f)ahrt** *f.* navigation; **–bruch** *m.* shipwreck; **–er** *m.* skipper; **–sjunge** *m.* cabin boy; **–srumpf** m. hull

**schiff:** **–bar** adj. navigable; **–en** v. to navigate

**Schild** m. shield, buckler; **—** m. signboard; **–drüse** f. thyroid gland; **–kröte** f. tortoise, turtle; **–wache** f. sentry

**schildern** v. to describe

**Schilderung** f. description

**Schimmel** m. mildew; mold; white horse

**schimmelig** adj. moldy, musty

**Schimmer** m. glimmer, gleam

**schimmern** v. to glitter

**Schimpf** m. affront, insult; **–name** m. abusive name

**schimpfen** v. to abuse, to scold

**schimpflich** adj. disgraceful

**Schind:** **–er** m. flayer; hangman; **–erei** f. drudgery; **–luder** neu. carrion

**Schindel** f. shingle

**schinden** v. to flay, to skin

**Schinken** m. ham

**Schippe** f. spade, shovel

**schippen** v. to shovel

**Schirm** m. umbrella; screen; shelter, protection

**schirmen** v. to protect

**Schirokko** m. sirocco

**schirren** v. to harness

**schlabbern** v. to slobber

**Schlacht** f. battle, fight; **–feld** neu. battlefield; **–haus** neu., **–hof** m. slaughterhouse; **–opfer** neu. sacrifice; **–ruf** m. battle cry

**schlachten** v. to slaughter

**Schlächter** m. butcher; **–ei** f. butcher shop

**Schlacke** f. slag; cinder, dross

**Schlackwurst** f. German sausage

**Schlaf** m. sleep; **fester —** sound (oder deep) sleep; **–anzug** m. pajamas; **–lied** neu. lullaby; **–losigkeit** f. sleeplessness; **–mittel** neu. sleeping pill; **–rock** m. dressing gown; **–saal** m. dormitory; **–zim-**

**mer** neu. bedroom; **–wagen** m. Pullman

**schlafen** v. to sleep; **— gehen** to go to bed

**schläfern** v. to feel sleepy

**schläf(e)rig** adj. sleepy

**Schlag** m. blow, stroke; slap; punch; coach door; (clock) striking; (heart) beat; apoplexy; **elektrischer —** electric shock; **–anfall** m. apoplectic stroke; **–ball** m. bat and ball; **–baum** m. turnpike; **–er** m. song hit; **–fertigkeit** f. quickness at repartee; **–instrument** neu. percussion instrument; **–sahne** f. whipped cream

**schlag:** **en** v. to strike, to beat, to hit; to knock, to kick; to cut (wood); **Alarm –en** to sound alarm; **ans Kreuz –en** to crucify

**Schläger** m. bat, racket, golf club; **–ei** f. brawl, scuffle

**Schlamm** m. mud, ooze, slime

**schlammig** adj. muddy, slimy

**schlampig** adj. slovenly

**Schlange** f. snake, serpent; **— stehen** to stand in line

**schlank** adj. slender, slim

**schlapp** adj. flabby, limp

**Schlappe** f. defeat, failure

**schlau** adj. sly; artful, crafty

**Schlauch** m. hose; tube

**schlecht** adj. bad, wicked; inferior, poor, ill; **mir ist — I** feel ill; **–erdings** adv. absolutely; **–hin** adv., **–weg** adv. plainly, simply

**Schleckermaul** neu. sweet tooth

**Schlegel** m. drumstick

**schleichen** v. to slink, to sneak

**Schleier** m. veil, haze

**schleierhaft** adj. hazy

**Schleif:** **–bahn** f. slide; **–e** f. bow, tie; **–stein** m. grindstone

**schleifen** v. to grind; to

drag

**Schleim** *m.* slime; phlegm

**Schlemmer** *m.* glutton

**schlendern** *v.* to loiter

**Schlendrian** *m.* beaten track

**schleppen** *v.* to drag, to trail

**Schlesien** *neu.* Silesia

**Schleuder** *f.* sling, catapult; **–er** *m.* slinger **–preis** *m.* cut price

**schleudern** *v.* to hurl, to fling

**schleunig** *adj.* speedy; **–st** *adv.* in all haste

**schlicht** *adj.* plain, simple; **–en** *v.* to smooth

**Schlichter** *m.* mediator

**Schlichtungsausschuss** *m.* arbitration committee

**Schliesse:** **–e** *f.* clasp, hasp; **–er** *m.* doorkeeper; **–fach** *neu.* lock box

**schliessen** *v.* to close, to shut; to lock; to conclude; **Frieden —** to make peace; **in sich —** to include

**schliesslich** *adv.* finally

**Schliff** *m.* polish

**schlimm** *adj.* bad, ill, serious

**Schlinge** *f.* sling, loop

**Schlingel** *m.* rascal

**Schlips** *m.* (neck)tie; cravat

**Schlitt:** **–en** *m.* sled, sleigh; **–uh** *m.* skate; **–schuh laufen** to skate

**Schlitz** *m.* slit, slash, slot

**schlitzen** *v.* to slit, to slash

**Schloss** *neu.* (pad)lock; clasp; castle; **–er** *m.* locksmith

**Schlot** *m.* chimney, flue

**Schlucht** *f.* gorge, ravine

**schluchzen** *v.* to sob

**schlucken** *v.* to swallow

**Schlummer** *m.* slumber; **–lied** *neu.* lullaby

**Schlund** *m.* gullet, throat

**schlüpfen** *v.* to slip, glide

**Schlüpfer** *m. pl.* pants, slacks

**schlüpfrig** *adj.* slippery

**schlürfen** *v.* to sip; to shuffle

**Schluss** *m.* closing; end; **–ergebnis** *m.* final result; **–folgerung** *f.* conclusion; **–licht** *neu.* taillight; **–verkauf** *m.* clearance sale

**Schlüssel** *m.* key; code

**schlüssig** *adj.* determined

**Schmach** *f.* disgrace

**schmachten** *v.* to languish

**schmächtig** *adj.* slender

**schmachvoll** *adj.* disgraceful

**schmackhaft** *adj.* appetizing

**Schmäh:** **–rede** *f.* diatribe; **–schrift** *f.* libelous writing

**schmäh:** **–en** to abuse; **–lich** *adj.* disgraceful

**schmal** *adj.* narrow

**Schmal:** **–film** *m.* 8-millimeter film

**schmälern** *v.* to belittle

**Schmalz** *neu.* lard

**schmalzig** *adj.* fatty, greasy

**Schmarre** *f.* scar, gash

**schmatzen** *v.* to smack, to buss

**Schmaus** *m.* feast, banquet

**schmausen** *v.* to feast

**schmecken** *v.* to taste

**schmeicheln** *v.* to flatter

**Schmeichelei** *f.* flattery

**schmeissen** *v.* to fling

**Schmelz** *m.* enamel; glaze; **–ofen** *m.* smelting furnace; **–tiegel** *m.* crucible

**schmelzen** *v.* to melt, to fuse

**Schmerz** *m.* ache, pain; grief; **–enslager** *neu.* bed of suffering

**schmerzen** *v.* to pain, to ache

**Schmetterling** *m.* butterfly

**schmettern** *v.* to smash, to dash; to blare

**Schmied** *m.* smith; **–e** *f.* smithy, forge

**schmiegen** *v.* to bend

**schmiegsam** *adj.* flexible

**Schmier:** **–e** *f.* grease; **–mittel** *neu.* lubricant; **–öl** *neu.* lubricating oil

**schmieren** *v.* to smear, to grease; (butter) to spread;

to scrawl

**schmierig** *adj.* greasy; dirty

**Schminkdose** *f.* make-up set

**Schminke** *f.* rouge; make-up

**schminken** *v.* to paint the face

**Schmirgel** *m.* emery; **-papier** *neu.* emery (*oder* sand) paper

**schmollen** *v.* to pout

**Schmorbraten** *v.* stewed meat

**schmoren** *v.* to stew

**Schmuck** *m.* decoration; finery; jewelry; **-kasten** *m.* jewel box; **-sachen** *f. pl.* jewels

**schmuck** *adj.* neat, trim

**schmücken** *v.* to adorn

**schmuggeln** *v.* to smuggle

**schmunzeln** *v.* to smirk, to grin

**Schmutz** *m.* dirt, filth, mud; **-blech** *neu.* mudguard

**schmutzig** *adj.* dirty, filthy

**Schnabel** *m.* beak, bill

**schnacken** *v.* (dial.) to talk

**Schnalle** *f.* buckle, clasp

**schnallen** *v.* to buckle

**schnalzen** *v.* to click (tongue)

**schnappen** *v.* to snap, to snatch

**Schnaps** *m.* strong liquor

**schnarchen** *v.* to snore

**schnarren** *v.* to rattle, to jar

**schnattern** *v.* to cackle

**schnauben** *v.* to snort; **vor Wut** — to fret and fume

**Schnauzbart** *m.* mustache

**Schnauze** *f.* snout, muzzle

**Schnecke** *f.* snail, slug

**Schnee** *m.* snow; beaten egg whites; **-fall** *m.* snowfall; **-flocke** *f.* snowflake; **-gestöber** *neu.,* **-treiben** *neu.,* **-wehe** *f.* snowdrift; **-glöckchen** *neu.* snowdrop; **-kette** *f.* skid chain; **-schuh** *m.* ski; **-wittchen** *neu.* Snow White

**Schneide** *f.* edge, blade

**schneiden** *v.* to cut, to carve; **Gesichter —** to make faces; **-d** *adj.* cutting; sarcastic

**Schneider** *m.* tailor; cutter

**schneidern** *v.* to do tailoring

**schneidig** *adj.* sharp; smart

**schneien** *v.* to snow

**schnell** *adj.* fast, rapid

**Schnelligkeit** *f.* rapidity

**Schnellzug** *m.* express train

**schnipp(s)en** *v.* to snap

**Schnitt** *m.* cut(ting), section; pattern; **-bohnen** *f. pl.* string beans; **-e** *f.* slice, cut; **-er** *m.* reaper; **-muster** *neu.* dress pattern; **-waren** *f. pl.* dry goods

**Schnitz:** **-er** *m.* carver; blunder; **-erei** *f.* wood carving

**Schnitzel** *m.* chip; shavings; **Wiener -el** breaded veal cutlet

**schnitze(l)n** *v.* to cut, carve

**schnöd(e)** *adj.* vile, base

**Schnorchel (U-Boot)** *m.* snorkel

**Schnörkel** *m.* scroll; flourish

**schnüffeln** *v.* to sniff; to snoop

**Schnupf:** **-en** *m.* cold, catarrh; **-tuch** *neu.* (coll.) handkerchief

**Schnuppe** *f.* shooting star; **das ist mir —** (coll.) that's all the same to me

**schnuppern** *v.* to snuffle

**Schnur** *f.* cord, string, line, lace

**Schnür:** **-band** *neu.* lace; **-chen** *neu.* thin string; **wie am -chen** like clockwork; **-riemen** *m.* strap; **-senkel** *m.* shoelace

**schnüren** *v.* to lace; to tie up

**schnurstracks** *adv.* directly

**Schnurr:** **-e** *f.* funny tale, jest

**Schnurrbart** *m.* mustache

**Schober** *m.* barn, shed,

stack
**Schock** *neu.* threescore; heap, shock; — *m.* shock
**Schöffe** *m.* juror, juryman
**Scholastik** *f.* scholasticism
**schon** *adv.* already
**schön** *adj.* beautiful; lovely; **das wäre noch schöner!** certainly not! **-en Dank** many thanks
**Schon:** **-ung** *f.* careful treatment; forebearance
**Schön:** **-heit** *f.* beauty; **-heitsmittel** *neu.* cosmetic; **-heitssalon** *m.* beauty shop; **-schreibekunst** *f.* calligraphy
**Schopf** *m.* forelock; (orn.) tuft
**Schöpf:** **-brunnen** *m.* draw well; **-eimer** *m.* bucket; **-er** *m.* creator; **-ung** *f.* creation
**schöpfen** *v.* to scoop, to draw
**schöpferisch** *adj.* creative
**Schoppen** *m.* half a pint
**Schornstein** *m.* chimney
**Schoss** *m.* shoot, sprig; lap; **-hund** *m.* lap dog
**schräg(e)** *adj.* slanting; **-über** *adv.* across
**Schramme** *f.* scratch, scar
**Schrank** *m.* cupboard, wardrobe
**Schranke** *f.* barrier; gate
**schränken** *v.* to cross
**schrappen** *v.* to scrape
**Schrat** *m.* faun, satyr
**Schraube** *f.* screw; propeller; **-nschlüssel** *m.* wrench, spanner; **-nzieher** *m.* screwdriver
**schrauben** *v.* to screw, to turn
**Schraubstock** *m.* vise
**schreck:** **-en** *v.* to frighten; **-lich** *adj.* dreadful
**Schrei** *m.* cry, shout, scream
**Schreib:** **-maschine** *f.* typewriter; **-waren** *f. pl.* stationery; **-zeug** *neu.* pen and ink set
**schreiben** *v.* to write
**schreien** *v.* to shout, to scream, to yell
**Schrein** *m.* shrine; **-er** *m.*

carpenter, joiner, cabinet-maker
**schreiten** *v.* to stride, to stalk
**Schrift** *f.* (hand)writing; (rel.) Scriptures; **-führer** *m.* secretary; **-leitung** *f.* editors; **-setzer** *m.* typesetter; **-steller** *m.* author, writer; **-stück** *neu.* document
**schriftlich** *adj.* in writing
**Schritt** *m.* step, pace, stride
**schroff** *adj.* steep; harsh
**Schrot** *m.* and *neu.* small shot; **-flinte** *f.* shotgun
**Schrott** *m.* scrap metal
**schrubben** *v.* to scrub
**schrumpfen** *v.* to shrink
**Schub:** **-fach** *neu.,* **-lade** *f.* drawer; **-karren** *m.* wheelbarrow
**schüchtern** *adj.* bashful, timid
**Schuft** *m.* scoundrel, rascal
**Schuh** *m.* shoe; boot; **-wichse** *f.* shoe polish; **-putzer** *m.* shoeblack
**Schul:** **-arbeit** *f.* homework; **-behörde** *f.* Board of Education; **-bildung** *f.* educational background; **-diener** *m.* janitor; **-e** *f.* school; **höhere** **-e** secondary school; **-ferien** *pl.* school vacation; **-kamerad** *m.* schoolfellow; **-geld** *neu.* tuition; **-heft** *neu.* exercise book; **-kollegium** *neu.* teaching staff; **-lehrer** *m.* schoolteacher; **-rat** *m.* school board; **-wesen** *neu.* educational system; **-zeugnis** *neu.* school report(card)
**schulen** *v.* to school
**Schuld** *f.* guilt, fault, debt; **-brief** *m.* promissory note; **-buch** *neu.* ledger; **-igkeit** *f.* duty; **-ner** *m.* debtor; **-schein** *m.* promissory note
**schuld:** **-en** *v.* to owe; **-ig** *adj.* guilty; owing
**Schüler** *m.* pupil, student
**schülerhaft** *adj.* school-

boylike
**Schulter** f. shoulder
**Schund** m. rubbish, junk
**Schuppe** f. scale, dandruff
**Schuppen** m. shed, garage
**Schüreisen** neu. poker
**schüren** v. to poke
**Schurke** m. scoundrel, rascal
**schurkisch** adj. knavish
**Schurz** m. apron, loincloth
**Schürze** f. apron
**Schuss** m. shot; **-bahn** f. trajectory; **-feld** neu. firing zone; **-weite** f. firing range
**Schüssel** f. dish, basin, bowl
**Schuster** m. shoemaker
**schustern** v. to cobble
**Schutt** m. garbage, rubble
**schütteln** v. to shake
**schütten** v. to pour
**Schutz** m. protection; **-befohlene** m. ward, protégé; **-blech** neu. mudguard; **-bündnis** neu. defensive alliance; **-frist** f. term of copyright; **-insel** f. safety island; **-mann** m. policeman; **-marke** f. trademark; **-zoll** m. protective tariff
**Schütze** m. rifleman; **-nfest** neu. shooting match; **-ngraben** m. (mil.) trench; **-nkönig** m. champion shot
**schützen** v. to protect, to defend
**Schwabe** m. Swabian; **-nstreich** m. tomfoolery
**schwach** adj. weak; scanty; **-sinnig** adj. feeble-minded
**Schwachheit** f. weakness
**Schwäche** f. weakness
**Schwadron** f. squadron
**Schwager** m. brother-in-law
**Schwägerin** f. sister-in-law
**Schwalbe** f. swallow
**Schwall** m. swell, flood
**Schwamm** m. sponge; fungus
**Schwan** m. swan
**Schwang** m. vogue; **im -e sein** to be in fashion

**schwanger** adj. pregnant
**Schwangerschaft** f. pregnancy
**schwank** adj., **-en** v. to waver; **-end** adj. wavering
**Schwank** m. funny story; **-ung** f. fluctuation
**Schwanz** m. tail, end
**schwänzeln** v. to wag (tail)
**schwänzen** v. to play truant
**Schwäre** f. abscess, ulcer, boil
**Schwarm** m. swarm, flock
**schwärmen** v. to swarm, rove
**schwärmerisch** adj. fanatical
**schwarz** adj. black; dirty
**Schwarz:** **-brot** neu. rye bread; **-e** m. Negro; devil; **-künstler** m. magician; **-seher** m. pessimist
**schwärzen** v. to blacken, to ink
**schwatzen** v. to gossip
**Schwätzer** m. babbler, prattler
**schwatzhaft** adj. loquacious
**schweben** v. to hover
**Schweden** neu. Sweden
**Schwefel** m. sulphur; **-hölzchen** neu. match
**Schweif** m. tail, train
**schweifen** v. to rove, roam
**Schweig:** **-egeld** neu. hush money; **-en** neu. silence
**schweigen** v. to be silent
**schweigsam** adj. taciturn
**Schwein** neu. hog, pig, swine
**Schweiss** m. sweat; **-arbeit** f. welding
**die Schweiz** f. Switzerland
**schwelgen** v. to feast, to revel
**Schwelger** m. epicure; **-ei** f. revelry
**Schwelle** f. sill; threshold
**schwellen** v. to swell, to rise
**Schwemme** f. watering place
**schwemmen** v. to float
**schwenken** v. to swing

111

**schwer** adj. heavy; hard, difficult; serious; **–lich** adv. hardly; **–mütig** adj. melancholy; **–verständlich** adj. abstruse; **–wiegend** adj. grave, serious

**Schwer: –e** f. heaviness; **–industrie** f. heavy industry; **–kraft** f. force of gravity; **–mut** m. melancholy; **–punkt** m. center of gravity

**Schwerelosigkeit** f. weightlessness

**Schwert** neu. sword

**Schwester** f. sister; nurse; nun; **–nschaft** f. sisterhood; sorority

**schwierig** adj. difficult

**schwimmen** v. to swim, to float

**Schwind: –el** m. dizziness; swindle; fraud; **–ler** m. swindler; **–sucht** f. tuberculosis

**schwind: –en** v. to vanish; **–süchtig** adj. consumptive

**schwindel: –ig** adj. dizzy; **–n** v. to swindle, to cheat

**schwingen** v. to swing

**schwirren** v. to whir, whiz

**schwitzen** v. to sweat; to toil

**schwören** v. to swear

**schwül** adj. sultry, close

**Schwüle** f. sultriness

**Schwulst** m. bombast

**schwülstig** adj. bombastic

**Schwund** m. dwindling

**Schwung: –kraft** f. centrifugal force; **–rad** neu. flywheel

**schwunghaft** adj. lively, brisk

**Schwur** m. oath; **–gericht** neu. (law) jury

**Sechs** f. six; **–eck** neu. hexagon; **–tel** neu. sixth part

**sechs** adj. six; **–eckig** adj. hexagonal; **–fältig** adj. sixfold; **–te** adj. sixth

**sechzehn** adj. sixteen; **–tel** neu. sixteenth part

**sechzig** adj. sixty; **–ste** adj. sixtieth

**See** m. lake; **—** f. sea; **–dienst** m. naval service;

**–flugzeug** neu. seaplane; **–herrschaft** f. naval supremacy; **–hund** m. (zool.) seal; **–leute** pl. seamen; **–mann** m. seaman, sailor; **–möwe** f. seamew, gull; **–räuber** m. pirate; **–warte** f. naval observatory; **–weg** m. sea route

**see: –fahrend** adj. seafaring; **–fest** adj., **–tüchtig** adj. seaworthy

**Seele** f. soul; mind; heart; **–ngrösse** f. magnanimity

**seelen: –froh** adj. very glad; **–voll** adj. soulful

**seelisch** adj. psychic, mental

**Seelsorge** f. ministerial work; **–r** m. pastor

**Segel** neu. sail, canvas; **–boot** neu. sailboat; **–schiff** neu. sailing ship

**Segen** m. benediction, blessing; **–swunsch** m. good wishes

**segensreich** adj. blessed; lucky

**segnen** v. to bless

**Seh: –en** neu. sight; **–enswürdigkeiten** f. pl. objects of interest; **–er** m. seer, prophet; **–feld** neu. field of vision; **–rohr** neu. periscope

**sehen** v. to see, to look; to notice; **—** lassen to show; **–swürdig** adj. worth seeing

**Sehn: –e** f. sinew, tendon

**sehn: –en** v. sich **–en** to long (oder yearn) for

**Sehnsucht** f. longing

**sehr** adv. very, much, greatly

**seicht** adj. shallow, flat

**seiden** adj. silk(en)

**Seide** f. silk; **–nbau** m. silkworm culture; **–npapier** neu. tissue paper; **–nraupe** f. silkworm

**Seidel** neu. beer glass; pint

**Seife** f. soap

**seifig** adj. soapy

**Seil** neu. rope; line; cable; **–tänzer** m. ropewalker

**Seim** *m.* mucilage
**sein** *v.* to be, to exist; — *pron.* and *adj.* his, its, one's; of him; **–erseits** *adv.* on his part; **–erzeit** *adv.* in his (*oder* its) time; **–ethalben** *adv.*, **–etwegen** *adv.*, for his sake; **–ig** *pron*, his, its

**Sein** *neu.* being, existence
**seit** *prep.* and *conj.* since; — **damals** since then; days; — **kurzem** lately, of late; — **dem** *adv.* and *conj.* since then; **–ens** *prep.* on the part (*oder* side) of; **–wärts** *adv.* toward the side

**Seite** *f.* side; flank, wing; **von –n** on the part of
**Sekretär** *m.* secretary; desk
**Sekt: –e** *f.* sect; **–ierer** *m.* sectary; **–ion** *f.* section
**Sekund: –a** *f.* second highest class of college; **–aner** *m.* student of the second highest class of college; **–e** *f.* second; **–enzeiger** *m.* (watch) second hand
**sekundär** *adj.* secondary
**selb: –ander** *adv.* by twos; **–dritt** *adv.* by threes; **–er** *pron.* er **–er** he himself; **–ig** *adj.* same; **ständig** *adj.* independent
**selbst** *pron.* self, in person, myself, himself; herself, itself, themselves; — *adv.* even; **–bewusst** *adj.* self-confident; **–gefällig** *adj.* self-satisfied; **–gerecht** *adj.* self-righteous; **–redend** *adj.* self-evident; **–süchtig** *adj.* selfish; **–verständlich** *adj.* self-evident
**Selbst** *neu.* the (the) ego; **–achtung** *f.* self-respect; **–anlasser** *m.* self-starter; **–anschluss** *m.* dial telephone; **–beherrschung** *f.* self-control; **–bewusstsein** *neu.* self-confidence; **–biographie** *f.* autobiography; **–erkenntnis** *f.* knowledge of oneself; **–gefühl** *neu.* self-reliance; **–gespräch** *neu.* mono-

logue; **–losigkeit** *f.* unselfishness; **–mord** *m.* suicide; **–sucht** *f.* selfishness; **–verblendung** *f.* infatuation; **–verleugnung** *f.* self-denial; **–vertrauen** *neu.* self-confidence
**selig** *adj.* blessed, happy
**Selig: –e** *m.* the departed; **–preisung** *f.* (bibl.) beatitude
**Sellerie** *m.* and *f.* celery
**selten** *adj.* rare, scarce; — *adv.* seldom, rarely
**seltsam** *adj.* strange, odd
**Seminar** *neu.* seminary; **–ist** *m.* theological student
**Semmel** *f.* bun, roll
**Send: –bote** *m.* messenger; **–schreiben** *neu.* open letter; **–er** *m.* transmitter; **–eraum** *m.* (rad.) studio; **–estation** *f.*, radio station; **–ung** *f.* shipment; broadcast
**senden** *v.* to send, to forward, to transmit, to broadcast
**Senf** *m.* mustard
**sengen** *v.* to singe, to scorch
**Senk: –blei** *neu.*, **–lot** *neu.* plummet; **–fuss** *m.* flat foot; **–fusseinlage** *f.* arch support; **–ung** *f.* lowering
**Senkel** *m.* shoelace
**senken** *v.* to sink, to lower
**senkrecht** *adj.* vertical
**Senn** *m.* Alpine cowherd; **–erei** *f.* Alpine dairy; **–erin** *f.* Alpine dairymaid; **–hütte** *f.* chalet
**Sense** *f.* scythe
**Sentenz** *f.* aphorism, maxim
**Separatvertrag** *m.* special agreement
**Serie** *f.* series; issue, set
**Service** *neu.* set of china
**servieren** *v.* wait (at table)
**Serviette** *f.* table napkin
**Sessel** *m.* armchair
**Setz: –er** *m.* (typ.) compositor; **–maschine** *f.* typesetting machine
**Setzei** *neu.* fried egg

113

**setzen** v. to set, to place, to put; to plant; (typ.) to set, to compose; to erect (monument); to stake, to wager; **sich —** to sit down

**Seuche** f. epidemic, pestilence

**seufzen** v. to sigh

**Seufzer** m. sigh, groan

**sezieren** v. to dissect

**sich** pron. himself, herself, itself, themselves; oneself; one another; each other; **an —** in itself

**sicher** adj. safe, secure; steady; **-lich** adv. surely, certainly; **-n** v. to secure

**Sicher: -heit** f. safety; **-heitsnadel** f. safety pin; **-heitsventil** neu. safety valve; **-stellung** f. guarantee; **-ung** f. protection; (elec.) fuse

**Sicht** f. sight, view

**sicht: -bar** adj. visible; **-en** v. to sight; to sort, to sift

**sickern** v. to trickle, to ooze

**sie** pron. she; her; they; them

**Sie** pron. you

**Sieb** neu. sieve; colander

**Sieb: -en** f. seven; **-engestirn** neu. Pleiades; **-entel** neu. seventh part; **-zehn** f. seventeen; **-zig** f. seventy; **-ziger** m. septuagenarian

**sieb: -en** adj. seven; **-enfältig** adj. sevenfold; **-ente** adj. seventh; **-tens** adv. in the seventh place; **-zehn** adj. seventeen

**sieben** v. to sift

**Sied: -ler** m. settler; **-lung** f. settlement, colony

**Siede: -grad** m., **-punkt** m. boiling point

**sieden** v. to boil, to seethe

**Sieg** m. victory; **-er** m. victor, winner

**sieg: -en** v. to be victorious; **-reich** adj. victorious

**Siegel** neu. seal; **-lack** m. sealing wax

**siegeln** v. to (affix a) seal

**signalisieren** v. to signal

**Silbe** f. syllable

**Silber** neu. silver; silverware; **-geschirr** neu. silver plate; **-pappel** f. white poplar; **-währung** f. silver standard; **-zeug** neu. silverware

**Silversterabend** m. New Year's Eve

**Sims** neu. ledge; sill; cornice

**Sinfonie** f. symphony

**Sing: -spiel** neu. musical comedy; **-weise** f. tune, melody

**singen** v. to sing; to carol

**sinken** v. to sink; to decline; **den Mut — lassen** to lose heart; **in Ohnmacht —** to faint away

**Sinn** m. sense; intellect; opinion; meaning; **von -en sein** to be out of one's mind; **-bild** neu. symbol, emblem; **-enwelt** f. material world; **-esänderung** change of mind; **-esart** f. character; **-estäuschung** f. hallucination; illusion; deception

**sinn: -bildlich** adj. symbolic; **-en** v. to think; to reflect; **auf etwas -en** to plan; **-fällig** adj. obvious; **-ig** adj. ingenious; **-lich** adj. sensual; **-los** adj. senseless; **-voll** adj. significant

**Sintflut** f. deluge

**sistieren** v. to inhibit, to stop

**sitt: -enlos** adj. immoral; **-ig** adj. well-bred; **-lich** adj. moral; **-sam** adj. modest, decent

**Sitt: -e** f. custom, habit, usage; **-en** pl. morals, manners; **-engesetz** neu. moral code

**Sittich** m. parakeet

**Sitz** m. seat, place; domicile; **-fleisch** neu. perseverance; **-streik** m. sit-down strike; sit-in; **-ung** f. session

**sitzen** v. to sit; (birds) to perch; to fit; **— lassen** to abandon

**Skalpell** neu. scalpel
**Skelett** neu. skeleton
**Skeptiker** m. skeptic
**Ski** m. ski; **-läufer** m. skier
**skilaufen** v. to ski
**Skizze** f. sketch
**skizzenhaft** adj. sketchy
**skizzieren** v. to sketch
**Sklave** m. slave
**sklavisch** adj. slavish, servile
**Skonto** m. and neu. discount
**Skrupel** m. scruple
**skrupulös** adj. scrupulous
**Smaragd** m. emerald
**so** adj. so, thus; such! approximately; anyhow; as; — conj. if, therefore, then; — oft whenever; um — besser so much the better; **-bald** adv. as soon as; **-fort** adv. at once; **-gar** adv. even; **-gleich** adv. directly, promptly; **-lange** adv. as long as; **-mit** adv. consequently; **-wieso** adv. anyhow; **-zusagen** adv. so to speak

**Socke** f. sock; **-nhalter** m. garter
**Sockel** m. base, pedestal
**Sohle** f. sole; bottom
**Sohn** m. son; **der verlorene** — (bibl.) the Prodigal Son
**Sojabohne** f. soybean
**solch** pron. and adj. such
**Sold** m. pay, wages
**Soldat** m. soldier
**Solidarität** f. solidarity
**Solist** m., **Solistin** f. soloist
**Soll** neu. debit; **-bestand** m. calculated assets
**sollen** v. to be obliged, to have to; to be supposed to
**Söller** m. balcony, garret
**Sommer** m. summer; **-frische** f. summer resort; **-frischler** m. summer vacationer; **-sprosse** f. freckle
**sonder** prep. without; **-bar** adj. strange; **-barerweise** adv. strange to say; **-gleichen** adj. unique; **-lich**

adj. particular; **-n** conj. but
**sondern** v. to separate
**sondieren** v. to probe; sound
**Sonett** neu. sonnet
**sonn:** **-en** v. to sun; to bask; **-(en)verbrannt** adj. sunburnt; **-ig** adj. sunny; **-täglich** adv. every Sunday
**Sonn:** **-abend** m. Saturday; **-e** f. sun; **-enaufgang** m. sunrise; **-enfinsternis** f. solar eclipse; **-enstich** m. sunstroke; **-enuhr** f. sundial; **-enuntergang** m. sunset; **-enwende** f. solstice; **-tag** m. Sunday
**sonst** adv. otherwise; else; usually; formerly; — else; **-nirgends** nowhere else; **wenn es — nichts ist** if that's all; **-ig** adj. other, former; **-wie** adv. in some other way; **-wo** adv. elsewhere; **-woher** adv. from somewhere else; **-wohin** adv. to another place
**Sorg:** **-e** f. concern, care; worry, trouble; **-falt** f. carefulness
**sorg:** **-en** v. **sich -en** to be anxious, to worry; to trouble oneself (about); **-en für** to care for; to see to; **-fältig** adj. careful; **-los** adj. careless; **-sam** adj. cautious
**Sort:** **-e** f. sort, kind
**sortieren** v. to (as)sort; to sift
**Sosse** f. sauce, gravy
**Souper** neu. supper
**soupieren** v. to sup, to have supper
**Souterrain** neu. basement
**Souverän** m. sovereign; **-ität** f. sovereignty
**Späh:** **-er** m. spy, scout
**spähen** v. to spy, to scout
**Spalier** neu. trellis; — **stehen** to form a lane
**Spalt** m., **Spalte** f. crack, gap; slit, slot; **-e** f. (typ.) column; **-ung** f. splitting, fission

**spalt:** -en v. to cleave, to split

**Span** m. chip, splinter

**Spange** f. buckle; clasp

**Spann** m. instep

**Spann:** -e f. span; interval; -feder f. spring; -kraft f. tension; -ung f. tension; strain; (elec.) voltage; -ungsmesser m. voltmeter

**spannen** v. to stretch; (bow) to bend; to hitch

**Spar:** -einlage f. savings deposit; -flamme f. pilot light; -kasse f. savings bank

**sparen** v. to spare, to save

**Spargel** m. asparagus

**spärlich** adj. scanty, frugal

**sparsam** adj. economical

**Spass** m. joke, jest; fun; zum — for fun; -verderber m. spoil-sport

**spassen** v. to jest, to joke

**spät** adj. late; -er adj. later; -er adv. afterwards; -estens adv. at the latest

**Spatel** m. spatula

**Spaten** m. spade

**Spatz** m. sparrow

**spazieren** v. to walk, to stroll; -fahren v. to go for a drive

**Spazier:** -fahrt f. drive; -gang m. walk

**Specht** m. woodpecker

**Speck** m. bacon; fat; lard

**spedieren** v. to dispatch

**Spedit:** -eur m. forwarding agent; -ion f. forwarding department; -ionsgeschäft neu. forwarding agency

**Speer** m. spear, lance

**Speiche** f. spoke

**Speichel** m. spittle; slaver

**Speicher** m. warehouse; loft

**speichern** v. to store

**speien** v. to spit, to vomit

**Speise** f. food; meal, dish; -eis neu. ice-cream; -karte f., zettel m. bill of fare; -naufzug m. dumb-waiter; -wagen m. (rail.) diner

**speisen** v. to eat, to dine

**Spektakel** m. and neu. noise

**Spekulant** m. speculator

**spekulieren** v. to speculate

**Spelunke** f. den; low tavern; (col.) dive

**Spelz** m., **Spelt** m. (bot.) spelt

**spenden** v. to give; to deal out

**spendieren** v. to spend

**Spengler** m. plumber; tin-smith

**Sperr:** -e f. blockade; embargo; -holz neu. plywood; -ung f. blockade

**sperren** v. to close, to lock

**Spesen** f. pl. charges, expenses

**Spezerei** f. spice

**spezifisches Gewicht** (phy.) specific gravity

**Sphäre** f. sphere, range

**spicken** v. to lard

**Spiegel** m. mirror; -bild neu. reflected image; -ei neu. fried egg; -fernrohr neu. reflecting telescope

**Spiel** neu. play(ing), game, sport; gamble; -dose f. musical box; -er m. player, gambler; -erei f. play, sport; trifle; -film m. feature movie; -leiter m. stage manager; -sachen f. pl., -waren f. pl., -zeug neu. toys; -schule f. kindergarten

**spiel:** -en v. to play, to gamble; to act

**Spiess** m. spear, lance; spit; -er m. stag, young buck

**Spinat** m. spinach

**Spind** neu. wardrobe, locker

**Spinn:** -e f. spider; -er m. spinner; silkworm; -gewebe neu. cobweb; -maschine f. spinning jenny; -rocken m. distaff

**spinnen** v. to spin

**Spion** m. spy, scout

**spionieren** v. to spy

**Spiral:** -e f. spiral, coil; -bohrer m. twist drill, auger; -feder f. spiral spring

**Spirit:** —uosen *f. pl.* alcoholic liquors; —us *m.* alcohol; —usbrennerei *f.* distillery

**Spital** *neu.* hospital

**Spitz** *m.* Pomeranian dog; —bube *m.* thief, rascal; —e *f.* point; peak, top; (tongue) tip; **an der —e stehen** to act as leader; **enbesatz** *m.* lace trimming; —name *m.* nickname

**spitz** *adj.* pointed, acute; sharp; —en to point; to sharpen; —findig *adj.* subtle; hairsplitting

**spleissen** *v.* to split, to splice

**Splitter** *m.* splinter, chip; mote

**splitter:** —ig *adj.* splintery; —n *v.* to splinter

**Sporen** *m.* spur; incentive

**spornen** *v.* to spur; to stimulate

**Sport** *m.* sport; —funk *m.* (rad.) sports news; —ler *m.* sportsman

**Spott** *m.* mockery, derision; —preis *m.* low price; —name *m.* nickname

**spott:** —billig *adj.* dirt-cheap; —en *v.* to mock, to ridicule

**spöttisch** *adj.* mocking, ironical

**Sprach:** —e *f.* speech; language; —fehler *m.* speech defect; —forscher *m.* linguist, philologist; —führer *m.* phrase book; —gebrauch *m.* usage (of a language); —lehrer *m.* language teacher; —verwirrung *f.* confusion of tongues

**sprach:** —los *adj.* speechless

**Sprech:** —er *m.* speaker, spokesman; lecturer; (rad.) announcer; —film *m.* talking motion picture; —stunde *f.* consulting hour

**sprechen** *v.* to speak

**spreiten** *v.* to spread, to extend

**Sprenger** *m.* sprinkler, spray

**Sprengel** *m.* parish, diocese

**sprengen** *v.* to blow up, to burst open; to force; to sprinkle

**sprenkeln** *v.* to speckle, spot

**Spreu** *f.* chaff

**Sprichwort** *neu.* proverb

**sprichwörtlich** *adj.* proverbial

**spriessen** *v.* to sprout

**Spring:** —brunnen *m.* fountain; —er *m.* jumper; (chess) knight

**springen** *v.* to jump, to leap

**Sprit** *m.* spirit, alcohol

**Spritze** *f.* fire engine

**spritzen** *v.* to squirt; to sprinkle

**spröde** *adj.* brittle; prudish

**Spross** *m.* shoot, sprout

**Sprosse** *f.* rung, round, step; sprout, freckle

**sprossen** *v.* to sprout, to shoot

**Sprössling** *m.* shoot, sprout

**Spruch** *m.* aphorism, saying

**sprudeln** *v.* to bubble

**sprühen** *v.* to drizzle; to sparkle, to flash

**Sprung** *m.* leap, bound, jump; crack; split; —brett *neu.* springboard

**sprunghaft** *adj.* unsteady

**Spucke** *f.* (coll.) spittle, saliva

**spucken** *v.* to spit

**spuken** *v.* to haunt

**spukhaft** *adj.* haunted

**Spul:** —e *f.* spool; coil

**Spül:** —eimer *m.* slop pail; —stein *m.* sink

**spulen** *v.* to reel, to wind

**spülen** *v.* to rinse, to flush

**Spund** *m.* bung, plug, stopper

**Spur** *f.* trace, scent, footprint

**Spür:** —hund *m.* bloodhound

**spüren** *v.* to feel, to no-

117

tice; — **nach** to search for

**spurlos** *adj.* trackless

**sputen** *v.* sich — to hurry

**Sputnik** *m.* sputnik

**Staat** *m.* state; government; pomp, finery; **in vollem** — in full dress; **–enbund** *m.* confederation; **–sangehörige** *m.* citizen; **–sanwalt** *m.* public prosecutor; **–sdienst** *m.* civil service; **–spapiere** *neu. pl.* government bonds; **–sschuld** *f.* national debt; **–swissenschaft** *f.* political science

**staat:** **–lich** *adj.* public, political; **–srechtlich** *adj.* constitutional

**Stab** *m.* staff, stick; rod, bar; baton; **–(hoch)-sprung** *m.* pole jump; **–squartier** *neu.* headquarters

**Stachel** *m.* sting; stimulus; **–beere** *f.* gooseberry

**Stadion** *neu.* stadium

**Stadium** *neu.* phase, stage

**Stadt** *f.* city, town; **–bezirk** *m.,* **–teil** *m.,* **–viertel** *neu.* city district, ward; **–gemeinde** *f.* municipality; **–rat** *m.* alderman; city council

**Staffel** *f.* rung, step

**staffieren** *v.* to garnish, dress

**Stahl** *m.* steel; **–feder** *f.* steel spring; steel pen; **–stich** *m.* steel engraving; **–waren** *f. pl.* hardware

**stählern** *adj.* made of steel

**Staket** *neu.* palisade, fence

**Stall** *m.* stable, stall; **–knecht** *m.* groom; **–meister** *m.* riding master; **–ung** *f.* stables

**Stamm** *m.* stem, trunk, stalk; family, tribe; stock; **–baum** *m.* pedigree; **–vater** *m.* ancestor

**stammeln** *v.* to stammer

**stammen** *v.* to descend

**stämmig** *v.* sturdy, strong

**stammverwandt** *adj.* cognate

**stampfen** *v.* to stamp

**Stampfer** *m.* stamper; pestle

**Stampfkartoffeln** *f. pl.* mashed potatoes

**Stand** *m.* stand(ing); position; condition; profession; class; **–bild** *neu.* statue; **–esamt** *neu.* registrar's office; **–esperson** *f.* person of rank; **–licht** *neu.* parking lights; **–punkt** *m.* point of view; **–uhr** *f.* grandfather clock

**Ständchen** *neu.* serenade

**Ständer** *m.* stand, post, pillar

**ständig** *adj.* permanent

**Stange** *f.* pole, rod, perch, bar, stake; **bei der — bleiben** to persevere; **von der —** ready-made

**Stänker** *m.* stinker; **–erei** *f.* brawl, quarrel, slander

**Stanniol** *neu.* tinfoil

**Stanze** *f.* punch, stamp, die

**Stapel** *m.* pile, heap; depot; dump; **vom — lassen** to launch

**stapeln** *v.* to pile up

**stapfen** *v.* to plod, to stamp

**Star** *m.* starling; (med.) cataract; (movie) star

**stark** *adj.* strong, sturdy; stout; **–e Erkältung** severe cold; **–e Seite** (fig.) strong point

**Stärke** *f.* strength, force; intensity; starch; **–mehl** *neu.* cornstarch; **–zucker** *m.* glucose

**stärken** *v.* to strengthen

**Starkstrom** *m.* (elec.) high tension; **–leitung** *f.* power line

**starr** *adj.* stiff, rigid; staring; **–köpfig** *adj.,* **–sinnig** *adj.* obstinate

**Starr:** **–heit** *f.* stiffness; **–krampf** *m.* tetanus

**starten** *v.* to start; (avi.) to take off

**startklar** *adj.* (avi.) ready for the take-off

**Startzählung** *f.* countdown

**stationieren** v. to station

**statisch** adj. static

**Statist** m. (film, theat.) extra; **-ik** f. statistics; **-iker** m. statistician

**Stativ** neu. stand; tripod

**statt** prep. and conj. instead of; **— meiner** in my place; **-finden**, **-haben** v. to take place

**Stätte** f. place, room

**statuieren** v. to establish

**Statur** f. stature; height

**Statut** neu. statute, regulations

**Staub** m. dust; powder; pollen; **sich aus dem -e machen** to escape; **-kamm** m. fine tooth comb; **-sauger** m. vacuum cleaner; **-wedel** m. feather duster; **-zucker** m. powdered sugar

**stäuben** v. to dust

**staubig** adj. dusty, powdery

**staunen** v. to be astonished

**Stech:** **-er** m. engraver

**stechen** v. to prick; to sting; to pierce; to stab

**Steck:** **-brief** m. warrant of arrest; **-dose** f. (elec.) wall plug; **-en** m. stick, staff; **-enpferd** neu. fad, hobby; **-er** m. (elec.) plug; **-kontakt** m. (elec.) plug; **-nadel** f. pin; **-schlüssel** m. box wrench

**stecken** v. to stick; to be stuck

**Stefan** m. Stephen

**Steg** m. path; footbridge; **-reif** m. extempore

**Steh:** **-lampe** f. floor lamp; **-leiter** f. stepladder

**stehen** v. to stand; to stop; to suit; **es steht bei dir** its up to you; **geschrieben — to** be written; **Modell — to** model; **-bleiben** to stop; **-d** adj. standing; **allein —** isolated; **-des Kapital** fixed capital; **— lassen** to let alone

**stehlen** v. to steal, to rob

**steif** adj. stiff, rigid; **halt die Ohren —!** be brave!

**Steife** f. stiffness; formality

**Steig** m. path; **-bügel** m. stirrup; **-er** m. climber; **-flug** m. (avi.) ascent

**steigen** v. to climb; to ascend

**steigern** v. (auction) to bid

**steil** adj. steep, precipitous

**Stein** m. stone; rock; kernel; gem; (checkers) piece; **einen — im Brett haben** to be in favor with someone; **-bruch** m. quarry; **-damm** m. paved road; **-druck** m. lithography; **-gut** neu. crockery; **-hauer** m., **-metz** m., stone mason; **-kohle** f. (pit)coal; **-pflaster** neu. stone pavement; **-salz** neu. rock salt; **-wurf** m. stone's throw; **-zeit** f. Stone Age

**Stell:** **-e** f. place, spot, stand, position, situation; (book) passage; **an — von** instead of; **auf der -e** immediately; **offene -e** vacancy; **zur — e sein** to be present; **-ung** f. position; attitude; **-ungsgesuch** neu. application; **-vertreter** m. representative; substitute

**stell:** **-en** v. to put, to place; to set; to regulate; to furnish; **einen Antrag -en** to propose; **einen Bürgen -en** to find bail; **gut gestellt sein** to be well off; **in Frage -en** to question; **in Zweifel -en** to doubt; **sich feindlich -en** to oppose; **sich -en** to pretend; **-vertretend** adj. vicarious

**stelzen** v. to walk on stilts

**Stemmeisen** neu. chisel

**stemmen** v. to prop, to support

**Stempel** m. stamp; die; postmark; brand

**Stengel** m. stalk, stem

**Stenographie** f. shorthand

**Steppdecke** f. quilt

**steppen** v. to quilt

**Sterbe: —hemd** neu. shroud; **—kasse** f. burial fund; **—sakramente** neu. pl. last sacraments

**sterben** v. to die; **im — liegen** to be dying

**sterblich** adj. mortal

**stereophonisch** adj. stereophonic

**Stern** m. star; **—enbanner** neu. Star-Spangled Banner; **—kundle** f. astronomy

**stets** adv. always; constantly

**Steuer** neu. helm, rudder; **—knüppel** m. (avi.) control stick; **—mann** m. helmsman; **—rad** neu. steering wheel; **—ruder** neu. rudder, helm; **—ung** f. steering (gear)

**Steuer** f. tax; **—amt** neu. revenue office; **—anschlag** m. assessment; **—beamte** m. revenue officer; **—erklärung** f. income tax return; **—satz** m. tax rate

**Steuerknüppel** m. (avi.) control stick; **automatischer** m. — autopilot

**steuern** v. to steer

**Stewardess** f. stewardess

**Stich** m. sting, stitch, puncture; stab; engraving; (cards) trick; **im — lassen** to forsake, to desert; **—ler** m. taunter; **—probe** f. sample taken at random; **—wahl** f. final ballot; **—wort** neu. catchword; cue; **—wunde** f. stab

**Stick: —erei** f. embroidery; **—husten** m. hooping cough; **—luft** f. stuffy air; **—stoff** m. nitrogen

**stickig** adj. stuffy, close

**sticken** v. to embroider

**Stief: —bruder** m. stepbrother; **—eltern** pl. stepparents; **—mütterchen** neu. pansy

**Stiefel** m. boot; **—anzieher** m. shoehorn; **—putzer** m. bootblack; **—wichse** f. shoe polish

**Stiege** f. staircase, stairs

**Stiel** m. handle, stick; stem

**stieren** v. to stare

**Stier** m. bull; **—kampf** m. bullfight

**Stift** m. peg, pin; pencil, crayon; **—** neu. convent; **—er** m. founder; donor; **—sherr** m. canon

**stiften** v. to found; to donate

**Stil** m. style; manner, usage

**still** adj. still; silent, quiet; calm; **—e Messe** Low Mass; **—e Woche** Holy Week; **—bleiben** v. to keep quiet; **—en** v. to calm; **—schweigen** v. to be silent; **—schweigend** adj. silent; **—stehen** v. to stand still

**der Stille Ozean** m. Pacific Ocean

**Stimm: —abgabe** f. voting, vote; **—e** f. voice; vote; **—enmehrheit** f. majority of votes; **—er** m. tuner; **—gabel** f. tuning fork; **—recht** neu. suffrage; **—ung** f. pitch; frame of mind; **—zettel** m. ballot

**stimm: —en** v. to tune; to vote; to be correct, to correspond (to)

**stink: —en** v. to stink; **—faul** adj. very lazy

**Stipendiat** m. holder of a scholarship

**Stipendium** neu. scholarship

**stippen** v. to dip, to steep

**Stirn** f. forehead

**stöbern** v. to rummage

**stochern** v. to poke, to stir

**Stock** m. stick, staff, cane; rod; stem; floor; (bee) hive; (printing) block; **—rose** f. hollyhock; **—werk** neu. floor, story

**stock: —blind** adj. stoneblind; **—dumm** adj. utterly stupid; **—en** v. to stop; to pause, to hesitate; **—finster** adj. pitch-dark

**Stoff** m. stuff, material; **-wechsel** m. metabolism

**stöhnen** v. to groan, to moan

**Stoiker** m. stoic

**stoisch** adj. stoic(al)

**Stolle** f., -n m. loaf-shaped Christmas cake

**stolpern** v. to stumble, to trip

**stolz** adj. proud; haughty

**Stolz** m. pride, arrogance

**Stopf:** **-nadel** f. darning needle

**stopfen** v. to stuff, cram; to plug, stop up; to darn

**Stoppel** f. stubble

**stoppeln** v. to glean; to patch

**stopp(e)lig** adj. stubbly

**Stör** m. sturgeon

**Störung** f. disturbance

**Storch** m. stork

**stören** v. to disturb; to trouble

**störrig** adj. headstrong

**Stoss** m. push, thrust; blow; punch; kick; jolt; impact; pile; **-dämpfer** m. shock absorber; **-stange** f. bumper; **-truppen** f. pl. shock troops; **-verkehr** m. rush-hour traffic

**Stössel** m. pestle

**stossen** v. to push, to bump; to kick; to punch, to knock, to strike; **sich an etwas** — to be shocked by something; **zu jemand** — to join someone

**stottern** v. to stutter

**Straf:** **-anstalt** f. penitentiary; **-e** f. punishment; fine; **eine -e absitzen** to serve time (in prison); **-erlass** m. (law) pardon; **-losigkeit** f. impunity; **-porto** neu. postage fine; **-rechtswissenschaft** f. penology; **-richter** m. criminal judge

**strafen** v. to punish

**straff** adj. tight, taut; **-en** v. to tighten

**sträflich** adj. punishable

**Sträfling** m. convict, prisoner

**Strahl** m. beam, ray; jet; **-enlehre** f. radiology; **-ung** f. radiation

**strahlen** v. to beam

**stramm** adj. stretched, tight

**strampeln** v. to struggle

**Strand** m. beach, strand; **-bad** neu. seaside resort; **-wächter** m. coast guardsman

**stranden** v. to strand

**Strang** m. rope, cord, trace

**Strapaze** f. exertion, strain

**Strass** m. paste gem

**Strasse** f. street; highway, road; **-nbahn** f. streetcar; **-ndamm** m. roadway; **-nhändler** m. street vendor

**Stratosphäre** f. stratosphere; **-nflugzeug** neu. stratocruiser

**Strauch** m. shrub, brush

**straucheln** v. to stumble

**Strauss** m. ostrich; struggle; bouquet

**streb:** **-en** v. to strive; **-sam** adj. industrious

**Strecke** f. stretch; extent

**Streich** m. stroke, blow; prank; **-holz** neu. match; **-riemen** m. razor strop

**streicheln** v. to caress

**streichen** v. to stroke; to paint; to spread (butter); to strike (match); to cancel; **frisch gestrichen!** wet paint!

**Streif:** **-en** m. stripe, band; streak; **-zug** m. expedition

**Streik** m. strike; **-brecher** m. strikebreaker; **-posten** m. picket

**streiken** v. to (be on) strike

**Streit** m. quarrel, fight; dispute; **-er** m. combatant, fighter; **-frage** f. matter in dispute; **-igkeit** f. difference; **-kräfte** f. pl. (mil.) forces; **-punkt** m. point of controversy

**streit:** **-en** v. to quarrel

**streng** adj. severe, harsh; strict; sharp; **-genommen** adv. strictly speaking;

**-gläubig** *adj.* orthodox
**Strenge** *f.* severity; strictness, sharpness
**strenggeheim** *adj.* (mil.) top-secret
**Streu** *f.* litter; bed of straw; **-zucker** *m.* powdered sugar
**streuen** *v.* to strew, to scatter
**Strich** *m.* dash, stroke, line; district; **-regen** *m.* local shower
**Strick** *m.* cord, rope; **-arbeit** *f.*, **-erei** *f.* knitting; **-nadel** *f.* knitting needle
**stricken** *v.* to knit
**Strieme** *f.* stripe, weal
**strittig** *adj.* debatable
**Stroh** *neu.* straw, thatch; **-witwe** *f.* grass widow
**Strolch** *m.* loafer, tramp
**Strom** *m.* stream; current; **-erzeuger** *m.* dynamo; **-kreis** *m.* (elec.) circuit; **-spannung** *f.* voltage; **-unterbrecher** *m.* (elec.) circuit breaker
**strömen** *v.* to stream, to flow
**Strömung** *f.* current, flow, drift
**Strophe** *f.* stanza, verse
**Strudel** *m.* whirlpool, eddy
**Strumpf** *m.* stocking, hose; **-band** *neu.* garter; **-halter** *m.* suspender; **-waren** *f. pl.* hosiery
**struppig** *adj.* bristle, shaggy
**Stube** *f.* room, apartment; **gute —** living room, parlor
**Stück** *neu.* piece, bit; **aus freien -en** of one's own accord; **in vielen -en** in many respects; **-enzucker** *m.* lump sugar; **-werk** *neu.* imperfect work
**Student** *m.* student; **-enschaft** *f.* student body
**Studi:** **-e** *f.* study, sketch, essay; **-osus** *m.* (coll.) student; **-um** *neu.* study
**Stufe** *f.* step, stair, rung; degree; **-nfolge** *f.* gradation; **-nleiter** *f.* scale
**Stuhl** *m.* chair; seat; pew
**Stulle** *f.* (coll.) slice of

bread and butter
**stumm** *adj.* dumb, mute
**Stummel** *m.* stump, end; butt
**Stumpen** *m.* stump
**Stümper** *m.* blunderer
**stumpf** *adj.* blunt; dull
**Stumpf** *m.* stump
**Stunde** *f.* hour; lesson, period; **-nbuch** *neu.* prayer book; **-nplan** *m.* schedule
**stündlich** *adj.* hourly
**Stundung:** **-sfrist** *f.* grace (for payment due)
**Sturm** *m.* storm; tempest; assault; **-glocke** *f.* alarm bell; **-wind** *m.* hurricane
**stürmen** *v.* to (take by) storm
**Stürmer** *m.* stormer, assaulter
**stürmisch** *adj.* stormy
**Sturz** *m.* fall, tumble; plunge, crash; **-flug** *m.* nose dive; **-kampfflieger** *m.* dive bomber
**stürzen** *v.* to fall, to tumble; to (over)throw
**Stute** *f.* mare
**Stütz:** **-e** *f.* prop, stay, support; **-mauer** *f.* retaining wall; **-pfeiler** *m.* pillar, support
**Stutz:** **-bart** *m.* trimmed beard; **-er** *m.* dandy, fop; **-flügel** *m.* baby grand piano
**stutz:** **-en** *v.* to curtail, to trim; to hesitate; **-ig** *adj.* perplexed
**sub:** **-altern** *adj.* subordinate; **-skribieren** *v.* to subscribe; **-trahieren** *v.* to subtract; **-ventionieren** *v.* to subsidize
**Sub:** **-jekt** *neu.* subject; fellow; **-skribent** *m.* subscriber; **-stanz** *f.* substance, matter; **-vention** *f.* subsidy
**Suche** *f.* search, quest; **-r** *m.* seeker; spotlight
**suchen** *v.* to search, to look for
**Sucht** *f.* mania, passion, rage
**Süd:** **-elei** *f.* dirty (oder

slovenly) work; **–ler** *m.* scribbler; quack

**Süd, Süden** *m.* south

**südlich** *adj.* southern

**suggerieren** *v.* to suggest

**Sühn: –e** *f.*, **–ung** *f.* atonement; reconciliation; **–opfer** *neu.* expiatory sacrifice

**sühnen** *v.* to expiate

**Sülze** *f.* jelly; meat jelly

**summarisch** *adj.* summary

**Summe** *f.* sum, total

**summen** *v.* to buzz, to hum

**summieren** *v.* to add up

**Sumpf** *m.* swamp, bog, marsh; **–fieber** *neu.* malaria

**sumpfig** *adj.* boggy, swampy

**Sünd: –e** *f.* sin, trespass; **–enfall** *m.* (bibl.) fall of man; **–entilgung** *f.* propitiation; **–envergebung** *f.* absolution; **–er** *m.* sinner; **–flut** *f.* the Deluge

**sünd: –ig** *adj.*, **–haft** *adj.* sinful; **–igen** *v.* to sin

**Suppe** *f.* soup, broth; **–nlöffel** *m.* tablespoon; **–nschüssel** *f.* soup tureen; **–nwürfel** *m.* soup cube

**surren** *v.* to hum, to whir

**Surrogat** *neu.* substitute

**süss** *adj.* sweet; lovely

**Süss: –holz** *neu.* licorice; **–igkeiten** *pl.* sweets; **–wasser** *neu.* fresh water

**Symmetrie** *f.* symmetry

**sympathisch** *adj.* congenial

**synthetisch** *adj.* synthetic(al)

**Syringe** *f.* lilac

**Szen: –e** *f.* stage, scene; **in –e setzen** (theat.) to stage

**Szepter** *neu.* scepter

## T

**Tabak** *m.* tobacco; **–sbeutel** *m.* tobacco pouch; **–sdose** *f.* snuff box

**tabellarisch** *adj.* tabulated

**Tabelle** *f.* table; index

**Tablett** *neu.* tray, salver; **–e** *f.* lozenge

**Tachometer** *m.* speedometer

**Tadel** *m.* reprimand, blame

**tadel: –los** *adj.* faultless; **–n** *v.* to blame

**Tafel** *f.* table, tablet; blackboard, slate; **–aufsatz** *m.* centerpiece; **–geschirr** *neu.* dinner service; **–runde** *f.* guests; **–tuch** *neu.* tablecloth

**Tag** *m.* day; daylight; lifetime; **vor Jahr und –** a long time ago; **–eblatt** *neu.* daily newspaper; **–schicht** *f.* day shift; **–ung** *f.* session

**tagelang** *adj.* for days

**täglich** *adj.* daily; every day

**Taille** *f.* waist, bodice

**Takt** *m.* tact; (mus.) measure; **–stock** *m.* (mus.) baton

**taktlos** *adj.* tactless

**Tal** *neu.* valley; dale, glen

**Talar** *m.* judge's gown, robe

**Talg** *m.* tallow; suet; **–licht** *neu.*, **–kerze** *f.* tallow candle

**Talk** *m.* talc(um)

**Tändelei** *f.* dallying; flirtation

**tändeln** *v.* to dally, to trifle

**Tang** *m.* seaweed

**Tank** *m.* tank; **–stelle** *f.* filling station

**tanken** *v.* (auto.) to fill up

**Tann: –e** *f.* fir; **–enzapfen** *m.* fir cone

**Tante** *f.* aunt

**Tanz** *m.* dance; **–boden** *m.*, **–saal** *m.* dance hall

**Tänzer** *m.*, **Tänzerin** *f.* dancer

**Tapet** *neu.* carpet; **–e** *f.* wallpaper

**tapezieren** *v.* to wallpaper

**Tapezierer** *m.* paper hanger

**tapfer** *adj.* brave, fearless

**tappen** *v.* to grope; fumble

**täppisch, tapsig** *adj.* awk-

123

ward

**Tasche** f. pocket; bag; purse; **–nfeuerzeug** neu. pocket lighter; **–nlampe** f. flashlight; **–ntuch** neu. handkerchief

**Tasse** f. cup (and saucer)

**Tast: –atur** f. keyboard; **–e** f. (piano, typewriter) key

**tasten** v. to touch, to feel

**Tat** f. deed, act, action; **in der —** indeed; **–kraft** f. energy; **–sache** f. fact

**tatsächlich** adv. in fact

**Tät: –er** m. perpetrator; **–lichkeit** f. (law) assault and battery

**tätig** adj. active, busy

**Tatze** f. paw; claw

**Tau** neu. cable, rope

**taub** adj. deaf; **–stumm** adj. deaf-mute

**Taub: –e** f. pigeon, dove; **–enschlag** m. dovecot; **–stumme** m. deaf mute

**tauchen** v. to plunge; to dive

**tauen** v. to thaw; to melt

**Tauf: –stein** m. baptismal font; **–e** f. baptism; **–pate** m. godfather; **–schein** m. certificate of baptism

**taufen** v. to baptize

**taugen** v. to be fit; to be of use

**Taugenichts** m. good-for-nothing

**tauglich** adj. fit, good; able

**Taumel** m. giddiness, ecstasy

**taumeln** v. to reel, to stagger

**Tausch** m. exchange, barter

**tauschen** v. to exchange

**täuschen** v. to deceive, to trick; **sich —** to be mistaken; **–d** adj. delusive

**tausend** adj. thousand

**Tausend** neu. thousand; **–künstler** m. jack-of-all-trades; **–stel** neu. a thousandth

**Taxe** f. taxicab

**taxieren** v. to evaluate

**Technik** f. technics; tech-nique; **–er** m. engineer; **–um** neu. technical school

**technisch** adj. technical

**Tee** m. tea; **–kanne** f. teapot; **–kessel** m. teakettle; **–löffel** m. teaspoon

**Teer** m. tar; **–farben** f. pl. aniline dyes

**Teich** m. pond

**Teig** m. dough, paste

**Teil** m. part; portion; share; **edle —** vital parts; **zum —** partly; **–haber** m. part-ner; **–nahme** f. participa-tion; **–nehmer** m. par-ticipant; **–ung** f. partition; **–zahlung** f. part-payment

**teil: –bar** adj. divisible; **–en** v. to divide; to share; **sich –en** to share in; to branch off; **–nehmen** v. to participate; **–s** adv. partly; **–weise** adv. partly

**Teint** m. complexion

**Tele: –fon** neu. telephone; **–fonanruf** m. telephone call; **–fonzelle** f. tele-phone booth

**tele: –fonieren** v. to tele-phone; **–grafieren** v. to telegraph

**Teller** m. plate

**Temperenzler** m. teeto-taler

**Tendenz** f. tendency

**Teppich** m. carpet, rug

**Termin** m. term, time; fixed day; **–zahlung** f. time payments

**Terpentin** m. turpentine

**Terrine** f. tureen

**Tertia** f. fourth class of an undergraduate college

**Testament** neu. testament, will; **–svollstrecker** m. executor

**teuer** adj. costly, expensive; dear; beloved

**Teuerung** f. high cost of living; **–szuschlag** m. cost-of-living supplement

**Teufel** m. devil; demon; fiend; **–ei** f. deviltry

**teuflisch** adj. diabolic(al)

**Text** m. text; libretto; **–band** neu. teleprompter; **–ilien** f. pl. textiles

**Theke** f. (restaurant)

counter

**Thema** *neu.* topic, subject

**Theo**- **-loge** *m.* theologian; **-logie** *f.* theology; **-rie** *f.* theory

**theologisch** *adj.* theologic(al)

**Thermodynamik** *f.* thermodynamics

**These** *f.* thesis

**Thunfisch** *m.* tuna fish

**ticken** *v.* to tick

**tief** *adj.* deep; low

**Tiefenboot** *neu.* bathyscaphe

**Tiefkühlung** *f.* deep freezing

**Tiegel** *m.* saucepan, crucible

**Tier** *neu.* animal; beast; **ein grosses —** (coll.) a big shot; **-arzt** *m.* veterinarian; **-garten** *m.* zoological garden; **-kunde** *f.* zoology; **-reich** *neu.* animal kingdom

**Tiger** *m.* tiger; **-in** *f.* tigress

**tilgen** *v.* to extinguish; to blot out; to annul

**Tingeltangel** *neu.* low-class revue theater

**Tinte** *f.* ink; **-nfass** *neu.* inkwell

**tippen** *v.* to tap; to type

**Tippfräulein** *neu.*, **Tipse** *f.* (coll.) female typist

**Tisch** *m.* table; board; meal; **vor** — before a meal; **zu — bitten** (or **laden**) to invite to dinner; **-decke** *f.*, **-tuch** *neu.* tablecloth; **-gebet** *neu.* grace at meals; **-lade** *f.* table drawer; **-ler** *m.* carpenter; **-rede** *f.* after-dinner speech; toast; **-tennis** *neu.* ping-pong

**Titel** *m.* title; head(ing); claim

**toben** *v.* to rage, to rave

**Tobsucht** *f.* raving madness

**Tochter** *f.* daughter

**Töchterschule** *f.* girls' school; **Höhere —** girls' college

**Tod** *m.* death; decease; des

— **es sein** to be doomed; **-esfall** *m.* (case of) death; casualty; **-esstrafe** *f.* capital punishment; **-estag** *m.* anniversary of someone's death

**tödlich** *adj.* deadly; fatal

**Toilette** *f.* dress; dressing table; toilet; — **machen** to dress

**toll** *adj.* mad, raving

**Tolpatsch**, **Tölpel** *m.* awkward person

**Tomate** *f.* tomato

**Ton** *m.* clay; tone, note; tint; fashion; **-bandgerät** *neu.* tape recorder; **-film** *m.* sound film; **-gefäss** *neu.* earthern vessel; **-künstler** *m.* musician; **-leiter** *f.* (mus.) scale; **-waren** *f. pl.* pottery

**tönen** *v.* to (re)sound; to ring

**Tonne** *f.* tun, butt; barrel; (naut.) ton (1,000 kilograms, 2,205 pounds)

**Tonfanatiker** *m.* audiophile

**Topf** *m.* pot, crock, jar

**Töpfer** *m.* potter; **-waren** *f. pl.* pottery

**topp!** *interj.* agreed! all right!

**Tor** *neu.* gate(way); **-hüter** *m.* gatekeeper, porter; **-schütze** *m.* (sports) scorer; **-stoss** *m.* goal kick

**Tor** *m.* fool; **-heit** *f.* folly, silliness

**Torf** *m.* peat

**töricht** *adj.* foolish, stupid

**Tornister** *m.* schoolbag

**Torte** *f.* fancy cake; tart

**tosen** *v.* to rage, to roar

**tot** *adj.* dead; **-enblass** *adj.* deathly pale

**Tot**- **-e** *m.* dead person; **-enacker** *m.* cemetery; **-engräber** *m.* gravedigger; **-engruft** *f.* vault; **-enkopf** *m.* skull; **-enschau** *f.* coroner's inquest; **-schlag** *m.* manslaughter

**töten** *v.* to kill, to slay

**Tour** *f.* journey; trip; round; **-enrad** *neu.* road-

# TRABANT

ster; **–enwagen** m. station wagon; **–enzähler** m. speed indicator

**Trabant** m. satellite

**traben** v. to trot

**Tracht** f. dress, costume

**trachten** v. — **nach** to desire

**trächtig** adj. pregnant

**Träg: –er** m. carrier, porter; **–heit** f. slowness

**träge** adj. lazy, indolent

**tragisch** adj. tragic(al)

**Tragik** f. tragic art; calamity

**Tragödie** f. tragedy

**Train** m. (mil.) train; **–er** m. trainer; **–ing** neu. training; coaching

**trainieren** v. to train, to coach

**Traktat** m. and neu. tract

**traktieren** v. to treat

**tranchieren** v. to carve

**Träne** f. tear

**Trank** m. drink, draught

**Tränke** f. watering place

**tränken** v. to give to drink

**Trans: –formator** m. (elec.) transformer; **–missionswelle** f. connecting shaft

**transsexuell** adj. transsexual

**Tratte** f. (com.) draft

**Trau: –ring** m. wedding ring; **–ung** f. marriage ceremony; **–zeuge** m. witness to a wedding

**Traube** f. bunch of grapes; **–nlese** f. vintage

**trauen** v. to trust

**Trauer** f. grief, sorrow; mourning; **–fall** m. death; **–flor** m. crape; **–spiel** neu. tragedy; **–weide** f. weeping willow

**trauern** v. to mourn

**Traufe** f. gutter, eaves

**traulich** adj. intimate

**Traum** m. dream, fancy

**träumen** v. to dream

**traumhaft** adj. dreamlike

**traurig** adj. sad, sorrowful

**Trecker** m. tractor

**treff: –en** v. to hit, to strike; to meet, to concern;

**–end** adj. striking; **–lich** adj. excellent, exquisite; **–sicher** adj. accurate

**Treib: –eis** neu. drift ice; **–er** m. driver; **–riemen** m. drivebelt; **–sand** m. quicksand; **–stoff** m. fuel

**treiben** v. to drive, to propel; to drift

**trennbar** adj. separable

**trennen** v. to separate

**Trennung** f. separation

**Treppe** f. staircase, stairs

**Tresor** m. treasury; safe

**Tresse** f. lace; (mil.) stripe

**treten** v. to tread, to step; **zutage —** to come to light

**treu** adj. faithful, true; loyal; **–brüchig** adj. perfidious; **–los** adj. faithless

**Treu** f. auf **– und Glauben** in good faith; **–bruch** m. perfidy; **–e** f. faithfulness; **–händer** m. trustee; **–handgesellschaft** f. trust company

**Tribüne** f. platform; gallery

**Trichter** m. funnel; crater

**Trick** m. trick, dodge

**Trieb** m. shoot, sprout; impetus; instinct; **–feder** f. main spring **–rad** neu. driving wheel; **–stange** f. connecting rod; **–werk** neu. gear

**Trier** m. Treves

**triebhaft** adj. instinctive

**triftig** adj. cogent

**trillern** v. to trill; to warble

**Trink: –er** m. drinker; drunkard; **–gelage** neu. drinking bout; **–geld** neu. tip, gratuity; **–spruch** m. toast

**trinken** v. to drink; to imbibe

**trippeln** v. to trip

**Tripper** m. gonorrhea

**Tritt** m. pace, step; kick; **–brett** neu. running board; **–leiter** f. stepladder

**triumphieren** v. to triumph

**trocken** adj. dry; boring

**Trocken: –batterie** f. dry

cell battery; **–boden** m.
drying loft; **–milch** f.
powdered milk; **–rasierer**
m. electric razor (oder
shaver)

**trocknen** v. to dry, to
drain

**Tröd: –el** m. secondhand
goods; junk; **–elladen** m.
secondhand store; **–ler** m.
secondhand dealer

**Troddel** f. tassel

**Trog** m. trough

**Trommel** f. drum; **–fell**
neu. drumhead; **–schlegel**
m. drumstick

**Trommler** m. drummer

**Tropen** pl. tropics

**Tropf** m. simpleton; **armer
— poor wretch; –en** m.
drop

**tropf: –en** v. to drop, to
drip; **–enweise** adv. by
drops

**tröpfeln** v. to drop, to drip

**Trophäe** f. trophy

**Tross** m. baggage; followers

**Trost** m. comfort

**trost: –reich** adj. comforting; **–los** adj. disconsolate

**trösten** v. to console

**Tröster** m. consoler

**Trott** m. trot; **–oir** neu.
sidewalk

**trotten** v. to trot

**Trotz** m. obstinacy, defiance; **–kopf** m. stubborn
(oder bullheaded) person

**trotz** prep. in spite of;
**–dem** adv. and conj. nevertheless; **–en** v. to defy;
**–ig** adj. defiant

**Troja** neu. Troy

**trüb** adj. muddy, turbid;
dull, sad; dreary; **–en** v.
to dull, to darken; to
sadden; **–selig** adj. sad;
**–sinnig** adj. melancholy

**Trübsal** f. affliction

**Trubel** m. turmoil, confusion

**Trug** m. deception, fraud;
**–schluss** m. false conclusion

**trügen** v. to deceive

**trügerisch** adj. deceitful

**Truhe** f. chest, trunk

**Trümmer** pl. ruins, debris

**Trumpf** m. trump card

**Trunk** m. draught, drink-
(ing); **–enbold** m. drunkard

**trunken** adj. drunk, tipsy

**Trupp** m. troop, band,
gang; **–e** f. troupe, company; **–en** pl. forces

**Truthahn** m. turkey

**Trutz** m. defiance, resistance

**die Tschechoslowakei** f.
Czechoslovakia

**Tuch** neu. cloth; scarf,
shawl; **–waren** f. pl.
clothing

**tüchtig** adj. qualified, capable

**Tücke** f. malice, trick,
spite

**tückisch** adj. malicious

**Tüftelei** f. hairsplitting

**Tugend** f. virtue

**tugend: –haft** adj., virtuous

**Tulpe** f. tulip

**Tummelplatz** m. playground

**tun** v. to do, to execute; to
act; to work; to put

**Tünche** f. whitewash

**tünchen** v. to whitewash

**Tunke** f. sauce, gravy

**tunken** v. to dip, to dunk

**tupfen** v. to touch lightly

**Tür** f. door; **–angel** f.
door hinge; **–flügel** m.
door wing; **–griff** m. door
handle; **–hüter** m. porter,
janitor; **–klinke** f. door
latch; **–schwelle** f. threshold

**Turbine** f. turbine; **–nanlage** f. turbine plant

**die Türkei** f. Turkey

**Türkis** m. turquoise

**Turm** m. tower, steeple;
turret; **–fahne** f. vane;
**–spitze** f. spire; **–uhr** f.
church clock

**türmen** v. to pile up

**Turn: –erei** f. gymnastics;
**–halle** f. gym(nasium)

**Turnier** neu. tournament

**Turteltaube** f. turtledove

**Tusche** f. India ink;

-farbe *f.* water color

**tuscheln** *v.* to whisper

**Tüte** *f.* paper bag

**Typ** *m.*, -us *m.*, -e *f.* type; -hus *m.* typhoid fever

**Tyrann** *m.* tyrant; -ei *f.* tyranny

# U

**übel** *adj.* bad, evil; ill, sick; — (auf)nehmen to take amiss; wohl oder — willing or not

**Übel** *neu.* evil; ailment; -stand *m.* inconvenience; -tat *f.* misdeed; -täter *m.* evildoer

**üben** *v.* to exercise, to practice

**über** *prep.* above, over; beyond; across; (up)on; concerning; heute — acht Tage a week from today; — kurz oder lang sooner or later; -s Jahr next year

**überall** *adv.* everywhere

**Überbein** *neu.* ganglion

**Überbleibsel** *neu.* rest; remainder

**Überblick** *m.* survey, view

**Überbrettl** *neu.* special kind of cabaret

**überbringen** *v.* to deliver

**überdies** *adv.* besides

**Überdruck:** *m.* compression; -kammer *f.* compression chamber; -kombination *f.* spacesuit

**überdrüssig** *adj.* tired of

**übereilen** *v.* to precipitate

**Übereinkommen** *neu.* agreement

**überfahren** *v.* run over

**Überfahrt** *v.* passage, crossing

**Überfall** *m.* sudden attack

**überfallen** *v.* to raid

**überfällig** *adj.* overdue

**überflügeln** *v.* to surpass

**Überfluss** *m.* abundance

**überflüssig** *adj.* superfluous

**überfluten** *v.* to overflow

**überführen** *v.* to convict

**Überführung** *f.* conveying, transfer; conviction; (chem.) conversion, transformation; overpass

**Übergabe** *f.* delivery; surrender

**Übergang** *m.* crossing; transition

**übergeben** *v.* to deliver

**Übergewicht** *neu.* overweight

**überhandnehmen** *v.* to increase

**überhäufen** *v.* to overwhelm

**überhaupt** *adv.* in general

**überhitzen** *v.* to overheat

**überholen** *v.* to outstrip

**überirdisch** *adj.* supernatural

**überkippen** *v.* to tip over

**Überkleid** *neu.* upper garment

**überkochen** *v.* to boil over

**überkommen** *v.* to receive

**überladen** *v.* to overload

**Überlandzentrale** *f.* long-distance power station

**überlassen** *v.* to leave; to cede

**überlaufen** *v.* to run over

**Überläufer** *m.* deserter

**überleben** *v.* to outlive

**überlegen** *v.* to lay over; to consider; er ist ihm — he excels him

**Überlegenheit** *f.* superiority

**Überlegung** *f.* reflection

**überlesen** *v.* to reread; to skim; to peruse

**überliefern** *v.* to deliver

**Überlieferung** *f.* tradition

**überlisten** *v.* to outwit, to dupe

**übermachen** *v.* to bequeath

**Übermacht** *f.* superior power; predominance

**übermässig** *adj.* excessive

**übermodern** *adj.* ultramodern

**übermorgen** *adv.* the day after tomorrow

**übermütig** *adj.* insolent

**übernachten** *v.* to stay over night

**übernatürlich** *adj.* supernatural

**übernehmen** v. to take over

**überraschen** v. to surprise

**überreden** v. to persuade

**überreichen** v. to hand over

**überreizen** v. to overexcite

**Überrest** m. remainder, rest

**Überrock** m. overcoat, topcoat

**Überschallgeschwindigkeit** f. ultrasonic speed

**überschätzen** v. to overrate

**überschauen** v. to survey

**Überschlag** m. estimate

**überschlagen** v. to estimate; to skip

**überschreiten** v. to cross over

**Überschrift** f. superscription; heading, title

**Überschuh** m. overshoe, galosh

**Überschuss** m. surplus, excess

**überschwemmen** v. to flood

**überschwenglich** adj. exuberant

**übersehen** v. to overlook

**übersenden** v. to send

**übersetzen** v. to translate

**Übersetzung** f. translation

**übersichtlich** adj. clear, lucid

**übersiedeln** v. to move; to emigrate

**überstehen** v. to survive

**Überstunde** f., -n pl. overtime

**übertragbar** adj. transferable

**übertreffen** v. to excel

**übertreiben** v. to exaggerate

**übertreten** v. to go (oder step) over; to trespass

**übertrieben** adj. exaggerated

**Übertritt** m. (rel.) conversion

**übervorteilen** v. to defraud

**überwachen** v. to supervise

**überwältigen** v. to overcome

**Überweisungsscheck** m. transfer check

**überwiegen** v. to predominate

**überwinden** v. to overcome

**Überwurf** m. wrap, shawl

**überzeugen** v. to convince

**Überzeugung** f. conviction

**Überzieher** m. overcoat, topcoat

**Überzug** m. cover, coat(ing)

**üblich** adj. usual, customary

**übrig** adj. left over; **die -en** the others; **im -en** for the rest; **-ens** adv. by the way

**Ufer** neu. bank, beach, shore; coast

**Uhr** f. clock, watch; hour, time; **wieviel — ist's?** what's the time?

**Ulk** m. fun; prank, joke

**Ulme** f. elm

**Ultra-Hochfrequenz** f. ultrahigh frequency

**um** prep. about, around; at; **rechts —!** right face! — **drei Uhr** at three o'clock; **-s Leben kommen** to die; **— so besser!** so much the better! — **sein** to be over; **— conj. — zu** in order to

**umändern** v. to alter

**umarbeiten** v. to recast

**umarmen** v. to embrace, to hug

**Umbau** m. reconstruction

**umblicken** v. to look around

**umbringen** v. to kill

**umdrehen** v. to turn over

**umfahren** v. to run over

**umfallen** v. to fall down

**Umfang** m. circumference

**umfangreich** adj. extensive

**umfassen** v. to embrace

**Umformer** m. transformer

**Umfrage** f. inquiry, poll

**Umfriedung** f. enclosure

**Umgang** m. social intercourse; **–sformen** *f. pl.* manners; **–ssprache** *f.* colloquial language

**umgeben** *v.* to surround

**Umgebung** *f.* surroundings

**Umgegend** *f.* neighborhood

**umgeh(e)n** *v.* to go around; **–d** *adj.* mit **–der Post** by return mail

**umgekehrt** *adv.* on the contrary, vice versa

**umhaben** *v.* to have around one (*oder* on)

**umhalsen** *v.* to embrace, to hug

**Umhang** *m.* cape, shawl, wrap

**Umhängetasche** *f.* shoulder bag

**umhauen** *v.* to cut down, to fell

**umher** *adv.* around; about

**umhüllen** *v.* to wrap; to cover

**Umkehr** *f.* turning back

**umkehren** *v.* to turn back

**umkippen** *v.* to overturn

**umkleiden** *v.* to change one's dress

**Umkleideraum** *m.* dressing room

**umkommen** *v.* to die

**Umkreis** *m.* circumference

**umkreisen** *v.* to encircle

**Umlauf** *m.* circulation

**umlegen** *v.* to put on

**umliegend** *adj.* surrounding

**umnebeln** *v.* to wrap in fog

**umpflanzen** *v.* to transplant

**umpflügen** *v.* to plow up

**Umrechnungskurs** *m.* rate of exchange

**umreissen** *v.* to pull down

**umringen** *v.* to encircle

**Umriss** *m.* outline, sketch

**umrühren** *v.* to stir

**Umsatz** *m.* sales, turnover

**Umschalter** *m.* switch; (typewriter) shift key

**umschauen** *v.* sich — to look around

**Umschlag** *m.* cover, wrapper; envelope; change,

turn; **–papier** *neu.* wrapping paper

**umschliessen** *v.* to enclose

**Umschreibung** *f.* paraphrase

**umschütten** *v.* to spill

**Umschweif** *m.* digression

**umschwenken** *v.* to wheel around

**umsehen** *v.* sich — to look back (*oder* around)

**umsonst** *adv.* gratis; in vain

**umspringen** *v.* to jump around

**Umstand** *m.* circumstance, fact; **–skleid** *neu.* maternity dress

**Umstände** *m. pl.* particulars; ceremonies, fuss

**umständlich** *adj.* involved

**umsteigen** *v.* to change (trains), to transfer

**umstossen** *v.* to knock down; to annul

**umstritten** *adj.* controversial, disputed

**Umsturz** *m.* revolution

**Umstürzler** *m.* revolutionist

**umtauschen** *v.* to exchange

**Umwälzung** *f.* radical change

**umwechseln** *v.* to exchange; to change

**Umweg** *m.* detour

**Umwelt** *f.* environment; **–schutz** *m.* environmental protection

**umwerfen** *v.* to overturn

**umzäunen** *v.* to fence in

**umziehen** *v.* to change (clothes); to move (to)

**umzingeln** *v.* to encircle

**Umzug** *m.* moving

**unab: –änderlich** *adj.* unalterable; **–hängig** *adj.* independent; **–lässig** *adj.* incessant; **–sehbar** *adj.* immeasurable; **–sichtlich** *adj.* unintentional; **–wendbar** *adj.* inevitable

**Unabhängigkeit** *f.* independence; **–serklärung** *f.* Declaration of Independence

**unähnlich** *adj.* unlike, dis-

similar
**Unannehmlichkeit** f. inconvenience, annoyance
**Unart** f. bad behavior
**unartig** adj. naughty
**unaufhörlich** adj. incessant
**unaus:** –**bleiblich** adj. inevitable; –**gesetzt** adj. incessant; –**sprechlich** adj. inexpressible
**unbarmherzig** adj. pitiless
**unbeachtet** adj. unnoticed
**unbebaut** adj. uncultivated
**unbedeutend** adj. insignificant
**unbedingt** adj. unconditional
**unbeeinflusst** adj. unbiased
**unbefleckt** adj. spotless
**unbefriedigt** adj. unsatisfied; disappointed
**unbefugt** adj. unauthorized
**unbegreiflich** adj. incomprehensible, inconceivable
**unbegründet** adj. unfounded
**Unbehagen** neu. uneasiness
**unbehaglich** adj. uneasy
**unbeholfen** adj. awkward
**unbekannt** adj. unknown
**unbekümmert** adj. carefree
**unbemerkt** adj. unnoticed
**unbemittelt** adj. poor
**unberechtigt** adj. unauthorized; unjustified
**unberufen** adj. unauthorized
**unbeschreiblich** adj. indescribable
**unbesetzt** adj. unoccupied
**unbesiegbar** adj. invincible
**unbesonnen** adj. thoughtless; rash
**unbesorgt** adj. unconcerned; **sei** —! don't worry!
**unbeständig** adj. unstable
**unbestimmt** adj. uncertain
**unbeteiligt** adj. not concerned
**unbewaffnet** adj. unarmed

**unbeweglich** adj. immovable; –**es Gut** real estate
**unbewohnt** adj. uninhabited; vacant
**unbewusst** adj. unconscious
**unbezahlbar** adj. priceless
**unbezahlt** adj. unpaid
**unbillig** adj. unfair, unjust
**unbrauchbar** adj. useless
**und** conj. and; **na** —? well?
**Undank** m., **Undankbarkeit** f. ingratitude
**undenkbar** adj. unthinkable
**undurchsichtig** adj. opaque
**uneben** adj. uneven; rough
**unecht** adj. not genuine, false; artificial
**unehelich** adj. illegitimate
**unehrlich** adj. dishonest
**unein:** –**ig** adj. disagreeing; –**s sein** to disagree
**unempfindlich** adj. insensible (to)
**unendlich** adj. infinite, endless
**unent:** –**behrlich** adj. indispensable; –**geltlich** adj. gratuitous, free; –**schieden** adj. undecided; –**schlossen** adj. irresolute; –**schuldbar** adj. inexcusable
**uner:** –**fahren** adj. inexperienced; –**freulich** adj. unpleasant; –**hört** adj. unheard (of) –**klärlich** adj. inexplicable; –**laubt** adj. prohibited; –**messlich** adj. immeasurable; –**müdlich** adj. untiring; –**träglich** adj. intolerable; –**wartet** adj. unexpected
**unfähig** adj. incapable; unable
**Unfall** m. accident; –**station** f. first-aid station; –**versicherung** f. accident insurance
**unfehlbar** adj. infallible
**unfern** adv. not far off; — prep. not far from
**unfertig** adj. unfinished
**Unflat** m. dirt, filth
**unflätig** adj. dirty, filthy

**unförmig** *adj.* deformed
**unfrankiert** *adj.* not pre-paid
**unfreiwillig** *adj.* involuntary
**Unfriede** *m.* discord, dissension
**unfruchtbar** *adj.* unfruitful
**Unfug** *m.* mischief, nuisance; misbehavior
**ungeachtet** *prep.* notwithstanding; *conj.* although
**ungeahnt** *adj.* unexpected
**ungebeten** *adj.* uninvited
**ungebräuchlich** *adj.* unusual
**Ungeduld** *f.* impatience
**ungefähr** *adj.* approximate; — *adv.* about; **von** — by chance; **-lich** *adj.* harmless
**ungehalten** *adj.* indignant
**ungeheissen** *adj.* unbidden
**Ungeheuer** *neu.* monster; **-lichkeit** *f.* atrocity
**ungeheuer** *adj.* enormous
**ungehörig** *adj.* improper
**Ungehorsam** *m.* disobedience
**ungeläufig** *adj.* unfamiliar
**ungelegen** *adj.* inconvenient
**ungelernt** *adj.* unskilled, untaught
**ungelöscht** *adj.* unquenched; unslaked (lime)
**Ungemach** *neu.* misfortune
**ungemein** *adj.* uncommon
**ungemütlich** *adj.* uncomfortable; unpleasant
**ungenannt** *adj.* anonymous
**ungenau** *adj.* inaccurate
**ungenügend** *adj.* insufficient
**ungerade** *adj.* not straight
**ungerecht** *adj.* unjust, unfair
**ungern** *adv.* unwillingly
**ungeschehen** *adj.* undone
**Ungeschick** *neu.* misfortune
**ungeschickt** *adj.* unskillful
**ungeschliffen** *adj.* unpolished
**ungesehen** *adj.* unseen

**ungesetzlich** *adj.* illegal
**ungestört** *adj.* undisturbed
**ungestraft** *adj.* unpunished
**ungeteilt** *adj.* undivided
**Ungetüm** *neu.* monster
**ungewiss** *adj.* uncertain
**Ungewissheit** *f.* uncertainty
**Ungewitter** *neu.* thunderstorm
**ungewöhnlich** *adj.* uncommon
**ungewohnt** *adj.* unaccustomed
**Ungeziefer** *neu.* vermin
**ungeziemend** *adj.* unseemly
**ungezogen** *adj.* naughty
**Unglaube** *m.* disbelief, unbelief
**ungläubig** *adj.* unbelieving
**unglaublich** *adj.* incredible
**ungleich** *adj.* unequal; uneven; odd; unlike, different; **-artig** *adj.* dissimilar; **-förmig** *adj.* unequal; **-mässig** *adj.* disproportionate
**Unglück** *neu.* misfortune; accident; calamity; **-sfall** *m.* accident; casualty
**unglücklich** *adj.* unhappy
**Ungnade** *f.* disgrace
**ungnädig** *adj.* ungracious
**ungültig** *adj.* invalid
**Ungunst** *f.* disfavor
**ungünstig** *adj.* unfavorable
**ungut** *adj.* **nichts für —!** no harm meant!
**unhaltbar** *adj.* untenable
**Unheil** *neu.* evil, harm; disaster, calamity
**unheilbar** *adj.* incurable
**unheimlich** *adj.* sinister
**unhöflich** *adj.* impolite
**Unisex** *m.* unisex
**Unke** *f.* toad; (coll.) croaker
**Unkenntnis** *f.* ignorance
**unklug** *adj.* imprudent, unwise
**Unkosten** *pl.* costs, charges
**Unkraut** *neu.* weed(s)
**unkundig** *adj.* ignorant
**unlängst** *adv.* not long

ago
**unlauter** *adj.* impure
**unleugbar** *adj.* undeniable
**unliniert** *adj.* unruled
**unlogisch** *adj.* illogical
**Unlust** *f.* dislike; aversion
**unmässig** *adj.* immoderate
**Unmenge** *f.* vast quantity
**Unmensch** *m.* monster, brute
**unmenschlich** *adj.* inhuman
**unmittelbar** *adj.* immediate
**unmobliert** *adj.* unfurnished
**unmodern** *adj.* unfashionable
**unmöglich** *adj.* impossible
**unmoralisch** *adj.* immoral
**unmündig** *adj.* minor
**Unmut** *m.* displeasure
**unnachsichtig** *adj.* unrelenting, pitiless
**unnatürlich** *adj.* unnatural
**unnötig** *adj.* unnecessary
**unnütz** *adj.* useless; naughty
**Unordnung** *f.* disorder
**unparteiisch** *adj.* impartial
**Unparteiische** *m.* umpire
**unpassend** *adj.* unfit
**unpraktisch** *adj.* impracticable; unskillful
**Unrat** *m.* dirt, refuse
**Unrecht** *neu.* injustice; wrong; error; **im — sein, — haben** to be mistaken (*oder* wrong)
**unrecht** *adj.* wrong; unfair, unjust; **-mässig** *adj.* unlawful
**unregelmässig** *adj.* irregular
**unreif** *adj.* unripe; immature
**unrein** *adj.* unclean, impure
**unrettbar** *adj.* past help; **-verloren** irretrievably lost
**Unruh** *f.* uneasiness
**unruhig** *adj.* restless, unquiet; **-e Zeiten** troubled times
**uns** *pron.* (to) us; our-

selves; **unter —** between ourselves; **-er** *pron.* our; **-(e)rige** *adj.* ours; **-ereiner** *pron.*, **-ereins** *pron.* such as we; **-ertwegen** *adv.* on our account
**unsachlich** *adj.* not to the point; subjective
**unsagbar, unsäglich** *adj.* inexpressible
**unsauber** *adj.* dirty; filthy
**unschädlich** *adj.* harmless
**unschätzbar** *adj.* invaluable
**unscheinbar** *adj.* unpretentious
**unschicklich** *adj.* improper
**unschlüssig** *adj.* irresolute
**unschön** *adj.* unsightly; unfair
**Unschuld** *f.* innocence
**unschuldig** *adj.* innocent
**unschwer** *adj.* not difficult, easy
**unselbständig** *adj.* dependent (on others)
**unselig** *adj.* unfortunate; fatal
**unsicher** *adj.* unsafe; uncertain
**unsichtbar** *adj.* invisible
**Unsinn** *m.* nonsense, absurdity
**Unsitte** *f.* bad habit; abuse
**unsittlich** *adj.* immoral; indecent
**unstatthaft** *adj.* inadmissible
**unsterblich** *adj.* immortal; **— machen** to immortalize
**Unstern** *m.* unlucky star
**Unstimmigkeit** *f.* discrepancy; inconsistency
**unsträflich** *adj.* irreproachable
**unstreitig** *adj.* incontestable; **—** *adv.* undoubtedly
**unsympathisch** *adj.* unpleasant
**untadelhaft** *adj.* blameless; irreproachable
**Untat** *f.* crime, outrage
**untätig** *adj.* inactive, idle
**untauglich** *adj.* unfit; useless
**unteilbar** *adj.* indivisible
**unten** *adv.* below; downstairs; at the bottom; **nach**

133

— downward; **von oben bis** — from top to bottom; **–an** *adv.* at the lower end

**unter** *prep.* under; below, among(st); by; during; **— der Hand** privately; **— dieser Bedingung** on this condition

**Unterabteilung** *f.* subdivision

**Unterarm** *m.* forearm

**Unterbau** *m.* substructure

**unterbelichten** *v.* (phot.) to underexpose

**Unterbewusstsein** *neu.* (the) subconscious

**unterbieten** *v.* to underbid

**Unterbilanz** *f.* (com.) deficit

**unterbleiben** *v.* to be left undone; to cease

**unterbrechen** *v.* to interrupt; to break (circuit)

**unterbreiten** *v.* jemand — to lay (*oder* submit to) someone

**unterbringen** *v.* to accommodate

**unterdes(sen)** *adv.* meanwhile

**unterdrücken** *v.* to oppress

**Unterdrücker** *m.* oppressor

**untereinander** *adv.* among themselves; mutually

**Unterfangen** *neu.* undertaking

**Unterführung** *f.* underpass

**Untergang** *m.* setting; sinking; decline; ruin, fall

**Untergebene** *m.* subordinate

**unterge(h)en** *v.* to sink; to decline, to perish

**untergeordnet** *adj.* subordinate; **–e Rolle** minor part

**Untergeschoss** *neu.* basement

**Untergestell** *neu.* chassis

**Untergewicht** *neu.* underweight

**untergraben** *v.* to undermine

**Untergrund** *m.* underground; **–bahn** *f.* (rail.)

subway

**unterhalb** *prep.* below, under

**Unterhalt** *m.* maintenance, support; **–ung** *f.* conversation; entertainment

**unterhalt** **–en** *v.* to support, to maintain; to entertain, to amuse; **sich –en** to converse (with)

**unterhandeln** *v.* to negotiate

**Unterhändler** *m.* negotiator, mediator; agent

**Unterhandlung** *f.* negotiation

**Unterhaus** *neu.* Lower House, House of Commons; House of Representatives

**Unterhemd** *neu.* undershirt

**Unterhosen** *f. pl.* underpants, drawers

**unterirdisch** *adj.* underground

**unterjochen** *v.* to subdue

**Unterkleid** *neu.* slip; **–ung** *f.* underwear

**unterkommen** *v.* to find accommodations (*oder* lodging)

**Unterkommen** *neu.* accommodation, lodging

**unterkriegen** *v.* to get the better of

**Unterkunft** *f.* accommodation, lodging, shelter

**Unterlage** *f.* foundation, basis; blotting pad

**Unterlass** *m.* **ohne —** without intermission

**unterlassen** *v.* to neglect, to omit; to fail to do

**unterlegen** *v.* to lay (*oder* put) underneath

**Unterleib** *m.* abdomen; bowels

**unterliegen** *v.* to succumb; to be defeated

**unterminierend** *adj.* undermining; subversive

**unternehmen** *v.* to undertake

**Unternehmer** *m.* contractor

**Unternehmung** *f.* enterprise

**unterordnen** *v.* to sub-

ordinate
**Unterpfand** *neu.* pledge
**Unterricht** *m.* instruction
**unterrichten** *v.* to instruct
**Unterrock** *m.* petticoat
**untersagen** *v.* to forbid
**Untersatz** *m.* stand
**unterschätzen** *v.* to underestimate, to underrate
**unterscheiden** *v.* to distinguish
**unterschieben** *v.* to substitute
**Unterschied** *m.* difference
**unterschieden** *adj.* distinct
**Unterschlupf** *m.* shelter
**unterschreiben** *v.* to sign; to subscribe to
**Unterschrift** *f.* signature
**Unterseeboot** *neu.* submarine
**unterstehen** *v.* sich — dare
**unterstreichen** *v.* to underline
**unterstützen** *v.* to aid
**untersuchen** *v.* to examine; to investigate
**Untersuchung** *f.* investigation; **–shaft** *f.* detention before trial
**Untertan** *m.* subject
**Untertasse** *f.* saucer
**untertauchen** *v.* to submerge
**Unterwäsche** *f.* underwear
**Unterwasserbombe** *f.* depth charge
**unterwegs** *adv.* on the way
**unterweisen** *v.* to instruct
**unterwerfen** *v.* to subjugate; sich — to submit
**Unterzeichn: –er** *m.* signatory; **–ete** *m.* undersigned; **–ung** *f.* signing; ratification
**Unterzeug** *neu.* underwear
**unterziehen** *v.* sich — to submit to (*oder* undergo)
**untief** *adj.* not deep; shallow
**Untier** *neu.* monster
**untilgbar** *adj.* indelible
**untrennbar** *adj.* inseparable
**untreu** *adj.* unfaithful

**Untreue** *f.* unfaithfulness
**untröstlich** *adj.* disconsolate
**untüchtig** *adj.* incapable
**Untugend** *f.* bad habit, vice
**untunlich** *adj.* impracticable, not feasible
**unüber: –legt** *adj.* rash; **–sehbar** *adj.* immense; **–setzbar** *adj.* untranslatable; **–tragbar** *adj.* not transferable; **–troffen** *adj.* unsurpassed; **–windlich** *adj.* invincible
**unum: –gänglich** *adj.* inevitable; **–schränkt** *adj.* unlimited; **–stösslich** *adj.* irrefutable; **–wunden** *adj.* frank
**ununterbrochen** *adj.* uninterrupted; incessant
**unveränderlich** *adj.* unchangeable; invariable; **–es Weltall** steady-state universe
**unverantwortlich** *adj.* irresponsible; inexcusable
**unverbesserlich** *adj.* incorrigible
**unverdaulich** *adj.* indigestible
**unverdient** *adj.* undeserved
**unverdünnt** *adj.* undiluted
**unvereinbar** *adj.* incompatible, irreconcilable
**unverfälscht** *adj.* unadulterated; genuine, pure
**unvergänglich** *adj.* imperishable; immortal
**unvergleichlich** *adj.* incomparable; unique
**unverhofft** *adj.* unexpected
**unverhohlen** *adj.* unconcealed; frank, open
**unverkäuflich** *adj.* unsaleable
**unverkürzt** *adj.* unabridged
**unverletzbar** *adj.* invulnerable
**unverletzt** *adj.* uninjured
**unvermählt** *adj.* unmarried
**unvermeidlich** *adj.* unavoidable
**unvermischt** *adj.* unmixed
**Unvermögen** *neu.* inca-

pacity

**unvermögend** *adj.* incapable

**unvermutet** *adj.* unexpected

**unvernünftig** *adj.* unreasonable

**unverrückt** *adv.* immovably

**unverschämt** *adj.* shameless

**unversehens** *adj.* unawares

**unversichert** *adj.* uninsured

**unversöhnlich** *adj.* irreconcilable; implacable

**unverständig** *adj.* imprudent

**unverständlich** *adj.* unintelligible; incomprehensible

**unversteuerbar** *adj.* untaxable

**unvertilgbar** *adj.* indestructible

**unverweslich** *adj.* incorruptible

**unverwundbar** *adj.* invulnerable

**unverwüstlich** *adj.* indestructible; inexhaustible

**unverzagt** *adj.* undismayed

**unverzeihlich** *adj.* unpardonable, inexcusable

**unvoll:** **–endet** *adj.* unfinished; **–kommen** *adj.* imperfect; **–ständig** *adj.* incomplete

**unvor:** **–bereitet** *adj.* unprepared; extempore; **–denklich** *adj.* immemorial; **–sichtig** *adj.* incautious; **–teilhaft** *adj.* unprofitable

**unwahr** *adj.* untrue, false; **–scheinlich** *adj.* improbable

**unwandelbar** *adj.* immutable

**unweit** *prep.* not far from

**Unwesen** *neu.* disorder

**unwesentlich** *adj.* unessential

**Unwetter** *neu.* bad weather

**unwichtig** *adj.* unimportant

**unwiderstehlich** *adj.* irresistible

**unwill:** **–ig** *adj.* unwilling; **–kürlich** *adj.* involuntary

**unwirklich** *adj.* unreal

**unwirksam** *adj.* ineffectual

**unwissen:** **–d** *adj.* ignorant; **–schaftlich** *adj.* unscientific

**unwohl** *adj.* unwell, indisposed

**Unwohlsein** *neu.* indisposition

**unwürdig** *adj.* unworthy

**Unzahl** *f.* immense number

**unzählig** *adj.* innumerable

**Unze** *f.* ounce

**Unzeit** *f.* wrong time

**unzeitgemäss** *adj.* behind the times, inopportune

**unzerbrechlich** *adj.* unbreakable, infrangible

**unzerstörbar** *adj.* indestructible, imperishable

**unziemlich** *adj.* improper

**unzivilisiert** *adj.* uncivilized

**Unzucht** *f.* unchastity; prostitution

**unzüchtig** *adj.* unchaste

**unzufrieden** *adj.* dissatisfied

**unzweckmässig** *adj.* inexpedient, unsuitable

**unzweideutig** *adj.* unequivocal

**unzweifelhaft** *adj.* indubitable

**üppig** *adj.* luxuriant; exuberant

**uralt** *adj.* old as the hills

**Uran** *neu.* uranium

**Uraufführung** *f.* first performance

**urbar** *adj.* arable; cultivated

**Urbewohner** *m. pl.* aborigines

**Urbild** *neu.* original, prototype

**Urchristentum** *neu.* primitive Christianity; the early Church

**Ureinwohner** *m. pl.* native inhabitants

**Ureltern** *pl.* ancestors

**Urenkel** *m.* great-grandchild

**Urgross:** **–eltern** *pl.*

great-grandparents

**Urheber** *m.* author, originator; **–recht** *neu.* copyright; **–schaft** *f.* authorship

**Urin** *m.* urine

**Urkunde** *f.* document

**urkundlich** *adj.* documentary

**Urlaub** *m.* leave; furlough

**Urmensch** *m.* primitive man

**Urne** *f.* urn; ballot box

**urplötzlich** *adj.* very sudden

**Urquell** *m.* primary source

**Ursache** *f.* cause, reason, motive; **keine —** don't mention it

**ursächlich** *adj.* causal

**Urschrift** *f.* original text

**Ursprache** *f.* primitive (*oder* original) language

**Ursprung** *m.* source; origin

**ursprünglich** *adj.* original

**Urstoff** *m.* primary matter

**Urteil** *neu.* judgment, opinion; **–skraft** *f.* power of judgment

**urteilen** *v.* to express one's opinion; to judge

**Urtext** *m.* original text

**Urtier** *neu.* protozoan

**Urvolk** *neu.* primitive people

**Urwahl** *f.* primary election

**Urwald** *m.* primeval forest

**urwüchsig** *adj.* native; rough

**Urzeit** *f.* primeval period

**Urzeugung** *f.* spontaneous generation

**Usurpator** *m.* usurper

**Utensilien** *f. pl.* utensils

**Utopie** *f.* Utopian scheme

**utopisch** *adj.* utopian

## V

**Vagabund** *m.* vagabond

**Vakanz** *f.* vacancy

**Valet** *neu.* farewell

**Valuta** *f.* value; rate (of exchange); currency

**Vanille** *f.* vanilla

**Vater** *m.* father; **–schaft** *f.* paternity; **–teil** *neu.*

patrimony; **–unser** *neu.* Lord's Prayer

**vater: –ländisch** *adj.* national; **–landsliebend** *adj.* patriotic

**väterlich** *adj.* fatherly

**Vegetarier** *m.* vegetarian

**Veilchen** *neu.* violet

**Veitstanz** *m.* St. Vitus' dance

**Vene** *f.* vein; **–nentzündung** *f.* phlebitis

**venerisch** *adj.* venereal

**Ventil** *neu.* valve

**verab: reden** *v.* to agree upon; **–reichen** *v.* to give; **–scheuen** *v.* to abhor, to detest; **–schieden** *v.* to dismiss; to disband; **sich –schieden** to bid farewell

**verachten** *v.* to despise

**verächtlich** *adj.* contemptuous; contemptible

**veran: –lagt** *adj.* gifted, talented; **–lassen** *v.* to cause; **–stalten** *v.* to arrange

**veränderlich** *adj.* changeable

**verändern** *v.* to alter, to change

**verantwort: –en** *v.* to answer for; **–lich** *adj.* responsible; **–ungslos** *adj.* irresponsible

**Verantwortung** *f.* responsibility

**verauktionieren** *v.* to (sell at) auction

**verausgaben** *v.* to spend

**Verband** *m.* union; (med.) bandage, dressing; **–platz** *m.* first-aid station

**verbannen** *v.* to banish, to exile

**verbarrikadieren** *v.* to barricade, to block

**verbergen** *v.* to conceal

**verbessern** *v.* to correct

**verbeugen** *v.* **sich —** to (make a) bow

**verbieten** *v.* to forbid

**verbinden** *v.* to bind (up); **ich bin Ihnen sehr verbunden** I am very much obliged to you

**Verbindlichkeit** *f.* obligation

**Verbindung** f. combination, union; association, contact; communication; **sich in — setzen** to get into touch

**verblassen** v. to (turn) pale

**verbleichen** v. to (turn) pale

**verblenden** v. to blind; delude

**verblichen** adj. faded; deceased

**verblüffen** v. to bewilder

**verblühen** v. to fade, to wither

**verbluten** v. **sich —** to bleed to death

**verborgen** v. to lend; — adj. concealed, hidden

**verboten** adj. forbidden

**Verbrauch** m. consumption; **-er** m. consumer

**Verbrech: -en** neu. crime; **-er** m. criminal, felon

**verbreiten** v. to spread

**verbrennbar** adj. combustible

**verbrennen** v. to burn

**verbringen** v. to pass (time)

**verbrüdern** v. to fraternize

**verbruhen** v. to scald

**verbummeln** v. to trifle away

**verbunden** adj. united

**verbünden** v. **sich — mit** to ally oneself with

**Verbündete** m. ally, confederate

**verbürgen** v. to guarantee

**verchromen** v. to plate with chromium

**Verdacht** m. suspicion

**verdächtig** adj. suspicious

**Verdächtigung** f. insinuation

**verdamm: -en** v. to condemn; to damn; **-t!** interj. damn it!

**Verdammnis** f. damnation

**Verdammung** f. damnation

**verdanken** v. to owe to

**Verdau: -ung** f. digestion; **-ungsbeschwerden** f. pl., indigestion

**verdauen** v. to digest

**verdecken** v. to conceal

**Verderben** neu. corruption; destruction; ruin

**verderben** v. to spoil; to destroy, to ruin; **-lich** adj. perishable; **-t** adj. corrupted

**verdeutschen** v. to translate into German

**verdienen** v. **-en** v. to earn; to deserve; to merit

**Verdienst** m. earnings; gain

**verdolmetschen** v. to interpret

**verdoppeln** v. to double

**verdorben** adj. spoiled, tainted

**verdorren** v. to dry up

**verdrängen** v. to push aside

**verdrehen** v. to twist

**verdreht** adj. distorted; crazy

**verdriesslich** adj. annoyed, cross, peevish

**verdrossen** adj. sulky, listless

**verdrucken** v. to misprint

**Verdruss** m. annoyance

**verdummen** v. to make (oder become) stupid

**verdunkeln** v. to darken

**Verdunk(e)lung** f. darkening

**verdunsten** v. to evaporate

**verdursten** v. to die of thirst

**verdutzt** adj. dumbfounded

**vereh(e)lichen** v. to marry

**verehren** v. to respect; to adore, to worship

**Verehrer** m. admirer, worshiper, lover

**Verein** m. association, club; **-igung** f. union; combination

**die Vereinigten Staaten** pl. the United States

**verein: -baren** v. to agree upon; **-(ig)en** v. to unite, to combine, to join; **-fachen** v. to simplify; **-heitlichen** v. to unify; to standardize; **-zelt** adj. isolated

**verenden** v. to die, to

perish

**vererben** v. to bequeath, to leave; to transmit
**vererblich** adj. hereditary
**Vererbung** f. hereditary transmission; **-sgesetz** neu. genetic code
**verewigen** v. to perpetuate
**verewigt** adj. deceased; late; immortalized
**verfahren** v. to deal with
**Verfahren** neu. procedure
**verfallen** v. to decay
**verfälschen** v. to falsify
**verfass:** **-en** v. to compose, to write; **-ungsmässig** adj. constitutional; **-ungswidrig** adj. unconstitutional
**Verfass:** **-er** m. author; **-erin** f. authoress
**Verfassung** f. condition; disposition; constitution
**verfaulen** v. to rot; to decay
**verfehlen** v. to miss
**verfehlt** adj. unsuccessful
**verfeinern** v. to refine
**verfertigen** v. to make
**verfilmen** v. to film
**verfinstern** v. to darken
**verflachen** v. to become flat
**verflechten** v. to interlace
**verflossen** adj. past; late
**verfluchen** v. to curse, to damn
**verflucht** adj. accursed; **—!** interj. darn it!
**Verfolg:** **-er** m. pursuer; **-ung** f. pursuit; prosecution
**verfolgen** v. to pursue
**verfügbar** adj. available
**verfügen** v. to decree; **—über** to have control of
**verführen** v. to entice, to tempt
**verführerisch** adj. enticing
**vergangen** adj. past, bygone
**Vergangenheit** f. past
**Vergaser** m. carburetor
**vergeb:** **-en** v. to forgive, to pardon; **-ens** adv. in vain; **-lich** adj. futile
**vergeh(e)n** v. to pass; to

fade; to perish; to elapse
**vergelten** v. to repay
**vergessen** v. to forget
**Vergessenheit** f. oblivion
**vergesslich** adj. forgetful
**vergewaltigen** v. to violate
**vergiessen** v. to shed, to spill
**vergiften** v. to poison
**Vergissmeinnicht** neu. forget-me-not
**Vergleich** m. comparison; agreement
**vergleichen** v. to compare; to collate
**verglimmen** v. to burn out
**verglühen** v. to cease glowing
**Vergnüg:** **-en** neu. pleasure, fun; **-ungsreise** f. pleasure trip
**vergnügt** adj. gay, cheerful
**vergolden** v. to gild
**vergöttern** v. to deify; to adore
**vergraben** v. to bury
**vergrämt** adj. griefstricken
**vergreifen sich — an** to lay hands on; to violate
**vergrössern** v. to enlarge
**Vergrösserung** f. enlargement; **-sapparat** m. enlarging camera; **-sglas** neu. magnifying glass
**Vergünstigung** f. favor
**verhaften** v. to arrest
**Verhaftung** f. arrest
**verhalten sich —** to behave; to be, **es verhält sich so it is this way**
**Verhalten** neu. behavior
**Verhältnis** neu. relation
**verhältnismässig** adj. proportional, relative
**Verhaltungsmassregeln** f. pl. rules of conduct
**verhandeln** v. to negotiate
**Verhandlung** f. negotiation
**Verhängnis** neu. destiny
**verhängnisvoll** adj. disastrous
**verharren** v. to remain
**verhasst** adj. hated, odious
**verhätscheln** v. to pamper,

to spoil
**verheben** *v.* sich — to strain oneself in lifting
**verheeren** *v.* to devastate
**verhehlen** *v.* to conceal
**verheimlichen** *v.* to keep secret
**verheiraten** *v.* to marry; sich — to get married
**verheißen** *v.* to promise
**verherrlichen** *v.* to glorify
**verhetzen** *v.* to stir up
**verhexen** *v.* to bewitch
**verhimmeln** *v.* to praise to the skies
**verhindern** *v.* to prevent
**Verhör** *neu.* trial; examination
**verhören** *v.* to interrogate
**verhüllen** *v.* to cover, to veil
**verhungern** *v.* to starve
**verhüten** *v.* to prevent
**verirren** *v.* sich — to go astray, to err
**Verirrung** *f.* aberration
**verjagen** *v.* to drive away
**verjähren** *v.* to become superannuated, to grow obsolete
**Verkauf** *m.* sale; –spreis *m.* selling price
**verkaufen** *v.* to sell
**Verkäufer** *m.* salesman
**verkäuflich** *adj.* for sale
**Verkehr** *m.* traffic; commerce; –sampel *f.* traffic light; –sandrang *m.* traffic rush; –sstockung *f.* traffic block
**verkehrt** *adj.* incorrect
**verkennen** *v.* to misjudge
**Verkettung** *f.* concatenation
**verkitten** *v.* to putty up
**verklagen** *v.* to accuse; to sue
**Verklagte** *m.* accused
**verklären** *v.* to transfigure
**verkleiden** *v.* to disguise
**verkleinern** *v.* to diminish
**Verkleinerung** *f.* miniaturization
**verknüpfen** *v.* to tie together
**verkochen** *v.* to boil away
**verkommen** *v.* to degenerate

**verkorken** *v.* to cork (up)
**verkörpern** *v.* to embody
**verkriechen** *v.* sich — to hide
**verkrüppelt** *adj.* crippled
**verkühlen** *v.* sich — to catch cold
**verkünd(ig)en** *v.* to announce, to make known
**verkürzen** *v.* to shorten
**verlachen** *v.* to deride
**verladen** *v.* to load, to ship
**Verlag** *m.* publishing house; –sbuchhändler *m.* publisher
**verlangen** *v.* to demand
**Verlangen** *neu.* demand
**verlängern** *v.* to lengthen
**verlassen** *v.* to forsake; — *adj.* forsaken
**Verlaub** *m.* mit — with your permission
**verlaufen** *v.* sich — to lose one's way; — *adj.* stray, lost
**verleben** *v.* to spend, to pass
**verlegen** *v.* to shift, to transfer; to misplace; to publish; — *adj.* embarrassed
**Verlegenheit** *f.* dilemma
**Verleger** *m.* publisher
**verleiten** *v.* to mislead
**verlernen** *v.* to forget
**verlesen** *v.* to read aloud
**verletzen** *v.* to damage; to hurt, to injure; to wound
**verleugnen** *v.* to deny
**verleumden** *v.* to slander
**verleumderisch** *adj.* slanderous
**verlieben** *v.* sich — to fall in love
**verlieren** *v.* to lose; to shed
**Verlob:** –te *m.* fiancé; –te *f.* fiancée; –ung *f.* **Verlöbnis** *neu.* engagement
**verloben** *v.* sich — to become engaged (to)
**verlocken** *v.* to allure, to entice; –d *adj.* tempting
**verlogen** *adj.* mendacious
**verloren** *adj.* lost, forlorn, stray; der –e Sohn; the Prodigal Son; –e Eier

poached eggs; **geh(e)n** to be lost

**verlöschen** v. to extinguish

**verlottern** v. to waste

**Verlust** m. loss, privation

**vermachen** v. to bequeath

**Vermächtnis** neu. bequest

**vermählen** v. to marry

**vermehren** v. to increase

**vermeid:** **–lich** adj. avoidable; **–en** v. to avoid

**vermeinen** v. to suppose

**vermeintlich** adj. supposed

**vermelden** v. to announce

**vermengen** v. to blend, to mix

**Vermerk** m. note, comment

**vermerken** v. to note down

**Vermessenheit** f. boldness

**vermieten** v. to rent, to lease

**Vermieter** m. landlord; lessor

**vermindern** v. to diminish

**vermischen** v. to mix; to blend

**vermissen** v. to miss

**Vermittler** m. mediator; agent; matchmaker

**Vermittlung** f. mediation

**vermodern** v. to decay, to rot

**vermöge** prep. by virtue of; **–n** v. to be able; **–nd** adj. wealthy, rich

**Vermögen** neu. ability, power; property, wealth

**vermuten** v. to presume

**vermutlich** adj. presumable

**vernachlässigen** v. to neglect

**vernähen** v. to sew up

**vernarren** v. **sich — in** to become infatuated with

**vernehmen** v. to hear

**vernehmlich** adj. distinct

**verneigen** v. **sich —** to bow

**verneinen** v. to deny

**vernichten** v. to annihilate

**Vernunft** f. reason; sense; **die gesunde —** common sense

**vernünftig** adj. sensible

**veröden** v. to become desolate; to devastate

**Verödung** f. desolation

**veröffentlichen** v. to publish

**verordnen** v. to order; to decree; to prescribe

**verpachten** v. to lease

**verpacken** v. to pack up

**verpassen** v. to miss, to lose

**verpesten** v. to infect; poison

**verpflanzen** v. to transplant

**verpflegen** v. to board, to feed

**verpflichten** v. to oblige; **zu Dank —** to put under obligation

**Verpflichtung** f. obligation

**verpfuschen** v. to bungle

**verpönt** adj. prohibited, taboo

**verprassen** v. to dissipate

**Verrat** m. treason; betrayal

**verraten** v. to betray

**Verräter** m. betrayer, traitor; **–ei** f. treachery

**verräterisch** adj. treacherous

**verrechnen** v. to reckon up

**Verrechnung** f. reckoning

**verreisen** v. to go on a trip

**verreissen** v. to tear to pieces

**verrenken** v. to sprain

**verrichten** v. to accomplish

**verriegeln** v. to bolt; to bar

**verringern** v. to diminish

**verrosten** v. to rust

**verrucht** adj. infamous, vile

**verrücken** v. to displace

**verrückt** adj. crazy, mad

**Verrückte** m. insane person

**verrufen** v. to condemn, to decry; **—** adj. infamous

**Vers** m. verse; stanza, strophe

**versagen** v. to deny, to refuse

**versalzen** v. to oversalt

**versammeln** v. to assem-

141

ble

**Versammlung** *f.* meeting

**Versand** *m.* dispatch; shipment

**versauen** *v.* (coll.) to waste in drinking

**versäumen** *v.* to miss

**Versäumnis** *neu.* neglect

**verschachern** *v.* to barter away

**verschaffen** *v.* to procure

**verschämt** *adj.* ashamed, bashful

**verschanzen** *v.* to entrench

**verschärfen** *v.* to sharpen

**verscharren** *v.* to bury (without ceremony)

**verscheiden** *v.* to die

**verschenken** *v.* to give away

**verscheuchen** *v.* to scare away

**verschicken** *v.* to send away

**Verschiebebahnhof** *m.* (rail.) switchyard

**verschieben** *v.* to displace

**verschieden** *adj.* different

**verschlafen** *v.* to oversleep

**Verschlag** *m.* wooden partition

**verschlechtern** *v.* to impair

**verschleiern** *v.* to veil

**verschleppen** *v.* to carry off

**Verschleppung** *f.* delay

**verschleudern** *v.* to squander

**verschliessen** *v.* to close

**verschlimmern** *v.* to aggravate

**verschlingen** *v.* to devour

**verschlossen** *adj.* closed

**verschlucken** *v.* to swallow

**Verschluss** *m.* lock, zipper

**verschmachten** *v.* to languish

**verschmähen** *v.* to disdain

**verschmelzen** *v.* to fuse; to blend

**verschmerzen** *v.* to get over (the loss of)

**verschmieren** *v.* to smear

**verschmitzt** *adj.* cunning, sly

**verschmutzt** *adj.* dirty, filthy

**verschnaufen** *v.* **sich —** to recover one's breath

**verschnupft** *adj.* stuffed up with a cold; piqued

**verschnüren** *v.* to tie up

**verschollen** *adj.* lost, missing

**verschonen** *v.* to spare

**verschönern** *v.* to beautify

**verschossen** *adj.* faded; smitten

**verschreiben** *v.* to prescribe

**verschroben** *adj.* odd, queer

**verschulden** *v.* to be guilty

**verschuldet** *adj.* indebted

**verschütten** *v.* to spill

**verschweigen** *v.* keep secret

**verschwenden** *v.* to squander

**verschwenderisch** *adj.* wasteful, prodigal

**verschwiegen** *adj.* reticent

**verschwinden** *v.* to disappear

**verschwommen** *adj.* vague

**verschwören** *v.* **sich — mit** to conspire (*oder* plot) with

**Verschwörer** *m.* conspirator

**versehen** *v.* to equip with; **sich —** to make a mistake; **–tlich** *adv.* inadvertently

**Versehen** *neu.* oversight

**versenden** *v.* to send

**versengen** *v.* to singe

**versenken** *v.* to sink

**Versenkung** *f.* sinking

**versessen** *adj.* **— auf** eager for; bent on

**versetzen** *v.* to displace, to shift; to reply

**versichern** *v.* to assure, to affirm; to insure

**Versicherung** *f.* assurance; insurance

**versiegeln** *v.* to seal (up)

**versilbern** *v.* to silver, plate

**versinken** *v.* to sink

**versinnbildlichen** *v.* to symbolize, to allegorize

**versoffen** *adj.* (coll.)

drunk(en)

**versöhnen** v. to appease

**versorgen** v. to supply; to maintain; to care for

**Versorger** m. breadwinner

**versorgt** adj. provided for

**verspäten**: **sich** — to be (oder come) too late

**Verspätung** f. delay, lateness

**verspeisen** v. to eat up

**versperren** v. to bar, to block

**verspielen** v. to lose (at play)

**verspotten** v. to ridicule

**versprechen** v. to promise

**versprengen** v. to disperse

**verspüren** v. to perceive

**verstaatlichen** v. nationalize, collectivize

**Verstand** m. intelligence; comprehension; **da steht mir der** — **still** I'm at my wit's end

**verständ**: **-ig** adj. intelligent; sensible; **-lich** adj comprehensible

**Verständ**: **-igung** f. agreement; (tel.) reception; **-nis** neu. comprehension

**verstärken** v. to reinforce; to amplify; to increase

**Verstärker** m. amplifier

**verstauben** v. to become dusty

**verstäuben** v. to spray

**Versteck** neu. hiding place

**verstecken** v. to conceal

**versteckt** adj. concealed

**verstehen** v. to understand; **falsch** — to misunderstand; **sich** — **auf** to be skilled at; **sich zu etwas** — to agree to

**versteigern** v. to sell by auction

**verstellbar** adj. adjustable

**verstellen** v. to shift; **sich** — to feign

**verstiegen** adj. eccentric

**verstimmt** adj. out of tune; cross, upset

**verstockt** adj. stubborn

**verstohlen** adj. stealthy

**verstopfen** v. to stop up

**verstorben** adj. deceased, late

**verstört** adj. troubled

**Verstoss** m. offense, fault

**verstossen** v. to cast out

**verstreuen** v. to disperse

**verstümmeln** v. to maim

**verstummen** v. to become silent (oder speechless)

**Versuch** m. experiment; test; attempt; **-er** m. tempter; **-sanstalt** f. research institute; **-skaninchen** neu. guinea pig

**versuchen** v. to try; to test; to tempt

**versündigen** v. **sich** — to sin

**versunken** adj. sunk

**vertagen** v. to adjourn

**vertauschen** v. to exchange

**verteidigen** v. to defend

**Verteidiger** m. defender

**verteilen** v. to distribute

**verteufelt** adj. devilish

**vertiefen** v. to deepen

**Vertieftsein** neu. preoccupation

**Vertiefung** f. cavity, hollow

**vertilgen** v. to exterminate

**vertonen** v. to set to music

**Vertrag** m. agreement; treaty; **-sbruch** m. breach of contract

**verträglich** adj. compatible

**vertrau**: **-en** v. to rely upon, to trust; **-lich** adj. confidential

**Vertrauen** neu. confidence; **im** — between ourselves; **-svotum** neu. vote of confidence

**vertreiben** v. to drive away

**vertreten** v. to substitute for; to represent

**Vertreter** m. proxy, substitute; representative

**Vertretung** f. representation

**vertrocknen** v. to dry up

**vertrödeln** v. to fritter away

**vertrösten** v. to put off

**vertun** v. to squander, to waste

**verübeln** v. to take amiss
**verüben** v. to commit, to do
**verun**: **-glücken** v. to meet with an accident; **-zieren** v. to disfigure
**verursachen** v. to cause
**verurteilen** v. to condemn
**vervielfältigen** v. to multiply; to duplicate
**vervollkommnen** v. to perfect
**vervollständigen** v. to complete
**verwachsen** adj. grown together; deformed
**verwahr**: **-en** v. to guard, to keep; **-losen** v. to neglect
**Verwahrung** f. custody
**verwaist** adj. orphaned
**verwalten** v. to administer
**Verwaltung** f. administration
**verwandeln** v. to transform
**Verwandlung** f. transformation
**Verwandt**: **-e** m. and f. relative; **-schaft** f. relationship
**verwässern** v. to dilute
**verwechseln** v. to (mis)take for; to exchange
**verwegen** adj. bold, daring
**verweichlichen** v. to coddle
**verweigern** v. to deny, refuse
**verweilen** v. to linger
**Verweis** m. rebuke, reproof; reference
**verweisen** v. to rebuke
**verwelken** v. to wither
**verwenden** v. to use, to spend
**verwerfen** v. to reject
**verwerflich** adj. objectionable
**verwerten** v. to utilize
**verwickeln** v. to entangle
**verwirken** v. to forfeit
**verwirklichen** v. to realize
**verwirren** v. to confuse
**verwischen** v. to wipe out

**verwittern** v. to weather
**verwittert** adj. dilapidated
**verwöhnen** v. to pamper
**verworfen** adj. depraved
**verworren** adj. confused
**verwund**: **-bar** adj. vulnerable; **-en** v. to wound; **sich -ern** to be amazed (oder surprised)
**verwünschen** v. to curse
**verwünscht** adj. **—!** interj. damn it! hang it!
**verwüsten** v. to lay waste
**verzagen** v. to lose heart
**verzählen** v. **sich —** to miscount, to miscalculate
**verzärteln** v. to coddle, to pet
**verzaubern** v. to bewitch
**verzäunen** v. to fence in
**verzehren** v. to consume
**verzeichnen** v. to record, to list, to register
**Verzeichnis** neu. list, register
**verzeihen** v. to pardon; **—** Sie! excuse me!
**Verzicht** m. **— leisten** to renounce
**verzichten** v. to waive
**verziehen** v. to remove; to warp
**verzieren** v. to adorn, to trim
**Verzierung** f. adornment
**verzögern** v. to delay
**verzollen** v. to pay duty on
**verzuckern** v. to sweeten
**Verzug** m. delay; **-stage** m. pl. days of grace
**verzweifeln** v. to despair
**Verzweiflung** f. despair
**verzweigen** v. to branch out
**verzwickt** adj. complicated
**Veterinär** m. veterinarian
**Vettel** f. hag, slut, witch
**Vetter** m. male cousin
**Vexier**: **-bild** neu. picture puzzle
**vibrieren** v. to vibrate
**Vieh** neu. cattle; beast; **-hof** m. stockyard; **-zucht** f. cattle breeding
**viel** adj. and adv. much; numerous; often; **noch einmal so —** as much

again; **um –es besser**
better by far; **–e** many;
**–beschäftigt** *adj.* very
busy; **–erlei** *adj.* of many
kinds; **–fach** *adv.* in many
cases, frequently; **–fältig**
*adj.* various; manifold;
**–leicht** *adv.* perhaps
**Viel:** **–eck** *neu.* polygon;
**–götterei** *f.* polytheism;
**–weiberei** *f.* polygamy
**vier** *adj.* four; **unter —
Augen** privately; **zu –en**
by fours; **–blätt(e)rig**
*adj.* four-leafed; **–erlei**
*adj.* of four kinds; **–fach**
*adj.*, **–fältig** *adj.* fourfold,
quadruple; **–füssig** *adj.*
four-footed, quadruped;
**–zehn** *adj.* fourteen;
**–zehnte** *adj.* fourteenth;
**–zig** *adj.* forty; **–zigste**
*adj.* fortieth
**Vier** *f.* four; **–eck** *neu.*
square; **–füss(l)er** *m.*
quadruped; **–ling** *m.*
quadruplet; **–taktmotor**
*m.* four-stroke engine;
**–tel** *neu.* fourth part, district; **–ziger** *m.* person
forty (*oder* more) years
old; **–zigstel** *neu.* fortieth
part
**Vierwaldstättersee** *m.*
Lake of Lucerne
**Vigilie** *f.* (rel.) vigil
**Villenkolonie** *f.* garden
city
**Viol:** **–a** *f.* (mus.) viola;
**–ine** *f.* violin
**Virtuos:** **–e** *m.*, **–in** *f.* vir-
tuoso, artist
**Visier** *neu.* visor; (gun)
sight
**Visitation** *f.* search; in-
spection
**Visite** *f.* visit, call; **–nkarte**
*f.* calling card
**Visum** *neu.* visa
**vivat!** *interj.* long live!
**Vize:** **–admiral** *m.* vice-
admiral; **–könig** *m.* vice-
roy
**Vogel** *m.* bird; **einen —
haben** to be cracked;
**–bauer** *m.* bird cage;
**–kenner** *m.* ornithologist;
**–kunde** *f.* ornithology;

**–perspektive** *f.* bird's eye
view; **–zug** *m.* migration
of birds
**Vogesen** *pl.* Vosges Mountains
**Vokabel** *f.* word
**Volant** *m.* steering wheel
**Volk** *neu.* people; nation;
**der Mann aus dem —**
the man in the street;
**–sabstimmung** *f.* plebis-
cite; **–sausgabe** *f.* popular
edition; **–sbibliothek** *f.*
public library; **–sbildung**
*f.* national education;
**–sdichte** *f.* density of population; **–sgunst** *f.* popularity; **–sküche** *f.* soup
kitchen; **–slied** *neu.* folk
song; **–sschule** *f.* primary
school; **–ssprache** *f.* popular language; **–stracht** *f.*
national costume; **–stum**
*neu.* nationality; **–sver-
sammlung** *f.* public
meeting; **–svertreter** *m.*
representative of the people; **–swirt** *m.* political
economist; **swirtschaft**
*f.* political economics;
**–szählung** *f.* census
**Völker:** **–bund** *m.* League
of Nations; **–wanderung**
*f.* migration of nations
**Völkermord** *m.* genocide
**völkisch** *adj.* national
**volkstümlich** *adj.* popular
**voll** *adj.* full; complete,
entire; **aus –er Brust**
heartily; **den Mund —
nehmen** to brag, to boast;
**in voller Fahrt** at full
speed; **–bringen** to accomplish; **–enden** *v.* to
finish; **–ends** *adv.* com-
pletely; finally; **–er** *adj.*
full of; **–führen** *v.* to
carry out; **–kommen**
*adj.* perfect; **–ständig**
*adj.* complete, entire;
**–wertig** *adj.* of high
quality; **–zählig** *adj.* complete; **–ziehen** *v.* to accomplish
**Voll:** **–bart** *m.* full beard;
**–blut** *neu.* thoroughbred
(horse); **–macht** *f.* au-

145

thority; **–strecker** m. executor; **–versammlung** f. General Assembly

**Völlerei** f. debauchery

**völlig** adj. full, entire, complete; — adv. entirely

**Volontär** m. unsalaried clerk

**Volt** neu. (elec.) volt; **–e** f. (sports) vault; **–messer** m. voltmeter

**von** prep. from; about, by; of; — **Rechts wegen** by right(s)

**vor** prep. before, previous; in front of; — **acht Tagen** a week ago; — **allem** above all; — **sich hin** to oneself

**Vorabend** m. eve before

**voran** adv. before; first

**Voranschlag** m. estimate

**Vorarbeit** f. preliminary (oder preparatory) work

**voraus** adv. ahead of, in front; **im —** in advance; **–gehen** v. to lead the way; **–sagen** v. to predict; **–sehen** v. to foresee; **–setzen** v. to assume; **–sichtlich** adj. presumable

**Voraus: –setzung** f. assumption; **–sicht** f. foresight

**Vorbau** m. front building; projecting structure

**Vorbedacht** m. forethought

**Vorbehalt** m. reservation

**vorbei** adv. along; by, over, past; done, gone; **–geh(e)n** v. to go by; **–lassen** v. to let pass

**Vorbemerkung** f. preliminary remark; preamble

**vorbereiten** v. to prepare

**Vorbeugung** f. prevention; **–smassregel** f. preventive measure; **–smittel** neu. preventive

**Vorbild** neu. model; prototype; **–ung** f. preparatory training

**vorbildlich** adj. exemplary

**vorbringen** v. to bring up

**vorchristlich** adj. pre-Christian

**vordatieren** v. to antedate

**vordem** adv. formerly, of old

**vorder** adj. fore; front; **–hand** adv. for the present

**Vorder: –grund** m. foreground; **–radantrieb** m. front-wheel drive; **–reihe** f. front rank; **–teil** m. and neu. front; forepart

**vordringen** v. to advance

**Vordruck** m. (printed) form

**voreilig** adj. overhasty, rash

**voreingenommen** adj. biased

**Voreltern** pl. ancestors

**vorenthalten** v. to withhold

**Vorfahr** m. ancestor, progenitor

**Vorfall** m. incident, event

**Vorfreude** f. joy of anticipation

**vorführen** v. to demonstrate

**Vorgang** m. event, incident

**Vorgänger** m. predecessor

**vorgeben** v. to pretend

**Vorgebirge** neu. promontory

**Vorgefühl** neu. presentiment

**Vorgeh(e)n** neu. proceedings

**Vorgericht** neu. first course

**Vorgeschichte** f. prehistory; antecedents

**Vorgeschmack** m. foretaste

**Vorgesetzte** m. superior, chief

**vorgestern** adv. the day before yesterday

**vorhaben** v. to intend

**Vorhaben** neu. intention

**Vorhalle** f. vestibule

**vorhalten** v. to reproach

**vorhanden** adj. on hand

**Vorhang** m. curtain

**Vorhängeschloss** neu. padlock

**Vorhemd** neu. shirt front

**vorher** adv. before(hand)

**vorhin** adv. a little while ago

**Vorhut** f. (mil.) vanguard

**vorig** *adj.* former, preceding

**vorjährig** *adj.* of last year

**Vorkämpfer** *m.* champion

**Vorkaufsrecht** *neu.* option

**Vorkehrung** *f.* -en treffen to take precautions

**Vorkenntnisse** *f. pl.* basic knowledge

**vorkommen** *v.* to occur

**Vorkriegszeit** *f.* prewar days

**vorladen** *v.* (law) to summon

**Vorlage** *f.* pattern; (pol.) bill

**vorlassen** *v.* to admit

**vorläufig** *adj.* provisional

**Vorleg:** -ebesteck *neu.* carvers; -er *m.* mat, rug; -eschloss *neu.* padlock

**Vorlese** *f.* early (*oder* preliminary) vintage

**vorlesen** *v.* to read aloud to

**Vorlesung** *f.* lecture, recital

**vorletzt** *adj.* last but one

**Vorliebe** *f.* predilection

**vorliegen** *v.* to be under consideration; -d *adj.* present

**vormachen** *v.* to put on, to show how to do

**vormalig** *adj.* former

**vormals** *adv.* formerly

**Vormann** *m.* foreman

**vormittags** *adv.* in the forenoon

**Vormund** *m.* guardian, trustee; -schaft *f.* guardianship

**vorn** *adv.* in (*oder* on the) front; before; **nach —** forward; **von —herein** from the first

**Vorname** *m.* first (*oder* Christian) name

**vornehm** *adj.* distinguished; noble; **— tun** to put on airs; **sich -en** to intend; **-lich** *adv.* especially; **-st** *adj.* foremost

**Vorort** *m.* suburb; **-sverkehr** *m.* suburban traffic

**Vorposten** *m.* outpost

**Vorrat** *m.* stock, store(s); provisions, supply

**vorrätig** *adj.* in stock, on hand

**Vorrecht** *neu.* privilege

**Vorrede** *f.* preface

**Vorredner** *m.* previous speaker

**Vorrichtung** *f.* device

**vorrücken** *v.* to advance

**Vorsaal** *m.* entrance hall; lobby

**vorsagen** *v.* to tell, to recite

**Vorsatz** *m.* intention, plan

**vorsätzlich** *adj.* intentional

**Vorschein** *m.* **zum —bringen** to bring forward

**vorschiessen** *v.* to advance money

**Vorschlag** *m.* proposal; offer; (pol.) motion

**vorschlagen** *v.* to propose

**Vorschlussrunde** *f.* (sports) semifinal

**vorschneiden** *v.* to carve (at table)

**vorschreiben** *v.* to direct

**Vorschrift** *f.* instruction

**Vorschule** *f.* preparatory school

**Vorschuss** *m.* payment in advance

**Vorsehung** *f.* providence

**vorsetzen** *v.* **sich —** to intend, to purpose

**Vorsicht** *f.* caution; **—!** look out! **-smassregel** *f.* precaution(ary measure)

**vorsichtig** *adj.* cautious

**Vorsilbe** *f.* prefix

**vorsintflutlich** *adj.* antediluvian

**Vorsitz** *m.* chairmanship; **den — führen** to preside

**Vorsorge** *f.* precaution

**Vorspeise** *f.* hors d'oeuvre

**vorspiegeln** *v.* to deceive

**Vorspiel** *neu.* prelude

**vorspielen** *v.* to play before

**vorsprechen** *v.* to call on, to visit

**Vorsprung** *m.* advantage, lead

**Vorstadt** *f.* suburb

**vorstädtisch** *adj.* suburban

**Vorstand** m. board of directors

**Vorstecknadel** f. scarf pin

**Vorsteh:** –er m. chief, head; (church) elder; –erdrüse f. prostate gland; –hund m. pointer, setter

**vorstellen** v. to introduce, to present; **sich etwas —** to conceive, to imagine

**Vorstellung** f. introduction, presentation; notion, idea; –svermögen neu. imagination

**vorstrecken** v. Geld — to advance money

**Vorteil** m. advantage; benefit

**vorteilhaft** adj. advantageous

**Vortrag** m. lecture; delivery; recital

**vortrefflich** adj. excellent

**vortreten** v. to come forward; to project, to protrude

**Vortrupp** m. outpost, vanguard

**vorüber** adv. over, past, by, gone; –gehen v. to pass by (oder over, away)

**Vorurteil** neu. prejudice

**Vorwahl** f. primary election

**Vorwand** m. pretext, pretense

**vorwärts** adv. forward(s); onward; —! interj. go ahead! move on! start! –kommen v. to make headway

**vorweisen** v. to exhibit

**Vorwelt** f. prehistoric world

**vorwerfen** v. jemand etwas — to reproach someone with something

**vorwiegen** v. to predominate; –d adv. mostly

**Vorwissen** neu. previous knowledge

**Vorwitz** m. inquisitiveness

**Vorwort** neu. foreword, preface

**Vorwurf** m. reproach, blame

**Vorzeichen** neu. omen;

sign

**vorzeigen** v. to display

**Vorzeit** f. prehistoric times

**vorzeit:** –en adv. once upon a time, formerly

**vorziehen** v. to prefer

**Vorzimmer** neu. waiting room

**Vorzug** m. preference; priority; –spreis m. special price

**vorzüglich** adj. excellent; — adv. especially

**vorzugsweise** adv. chiefly

**Votum** neu. vote, suffrage

**Vulkan** m. volcano

**vulkanisieren** v. to vulcanize; to retread

**Vulkanisierung** f. retread

# W

**Waag:** –e f. balance, scales; –schale f. scale(s), balance

**waagerecht** adj. horizontal

**wach** adj. awake, brisk, alert; — werden v. to awake; –en v. to be (oder keep) awake

**Wach:** –e f. guard, sentry; police station

**Wacholder** m. juniper; gin

**Wachs** neu. wax; –tuch neu. oilcloth

**wachsen** v. to grow, to increase

**Wachstum** neu. growth; increase

**Wacht** f. guard, watch; –posten m. sentry

**Wachtel** f. quail

**Wächter** m. watchman

**wack:** –(e)lig adj. shaky; –eln v. to shake; to totter

**wacker** adj. brave, upright

**Wade** f. calf (of leg)

**Waffe** f. weapon, arm(s); –ndienst m. military service; –nstillstand m. armistice

**Waffel** f. waffle

**waffnen** v. to arm

**Wag:** –ehals m. daredevil; –estück neu. daring enterprise; –nis neu. risk, hazard

**wagen** v. to venture, to dare

**Wagen** m. carriage, coach; vehicle; car, van, wagon; **–heber** m. jack; **–lenker** m. driver

**Wahl** f. choice; option; election, **–fach** neu. optional subject; **–kreis** m. ward; **–recht** neu. franchise; **–spruch** m. motto; **–stimme** f. vote; **–zettel** m. ballot

**wähl:** **–bar** adj. eligible; **–en** v. to choose; (tel.) to dial

**Wahn** m. delusion; folly; **–sinn** m. insanity

**wahnsinnig** adj. insane

**wahr** adj. true; genuine; real; **nicht —!** isn't it! so **— mir Gott helfe!** so help me God! **–en** v. to watch over; **–haft(ig)** adj. sincere, truthful; **–sagen** v. to tell fortunes; **–scheinlich** adj. probable

**Wahr:** **–heit** f. truth; **–nehmung** f. perception; **–sager** m. fortuneteller, soothsayer; **–zeichen** neu. landmark; token, sign, omen

**währen** v. to continue, to last; **–d** prep. during; **–d** conj. while

**Währung** f. currency; monetary standard

**Waise** f. orphan; **–nhaus** neu. orphanage

**Wal, Walfisch** m. whale

**Wald** m. wood, forest; **–brand** m. forest fire; **–ung** f. wood(land)

**waldig** adj. wooded, woody

**walken** v. to full (cloth)

**Walküre** f. Valkyrie

**Wall** m. embankment

**Wallfahrt** f. pilgrimage

**Wallung** f. effervescence; agitation

**Walnuss** f. walnut

**Walpurgisnacht** f. Witches' Sabbath

**walten** v. to govern, to rule; **das walte Gott!** God grant it!

**Walz:** **–e** f. cylinder;

roll(er); **–er** m. waltz; **–werk** neu. rolling mill

**walzen** v. to waltz

**wälzen** v. to roll

**Wams** neu. jacket; doublet

**Wand** f. wall; partition; side; **spanische —** folding screen; **–bekleidung** f. wainscot(ing); **–karte** f. wall map; **–schirm** m. screen; **–tafel** f. blackboard

**Wandel** m. change; conduct; **Handel und —** trade and traffic; **–halle** f. foyer, lobby; **–stern** m. planet

**wandeln** v. to walk, to change

**Wander:** **–bursche** m. traveling journeyman; **–er** m. wanderer; **–schaft** f. travels; **–ung** f. hike

**wandern** v. to wander, to hike

**Wandlung** f. change

**Wange** f. cheek

**wanken** v. to stagger, totter

**wann** adv. when; **dann und —** now and then; **seit — ist er hier?** how long has he been here?

**Wanne** f. tub; bath

**Wanze** f. bedbug

**Wappen** neu. coat of arms

**wappnen** v. to arm

**Ware** f. ware, article; **–n** pl. goods, merchandize; **–nhaus** neu. department store; **–nprobe** f. sample; **–nzeichen** neu. trademark

**warm** adj. warm, hot

**Warm:** **–wasserheizung** f. hot water (oder central) heating

**Wärm:** **–e** f. warmth; heat; **–emesser** m. thermometer; **–flasche** f. hot-water bottle

**wärmen** v. to warm, to heat

**Warn:** **–er** m. warner; **–ungssignal** neu. danger signal

**warnen** v. to warn

**warten** v. to wait, to stay; **— auf** to wait for

**Wärter** m. attendant, keeper; **–in** f. nurse

**warum** adv. why

**Warze** f. wart; nipple, teat

**was** pron. what; that which, that, which; something; **— auch immer, — nur** what(so)ever; no matter what; **— für (ein)?** what kind (oder sort) of?

**Wasch–anstalt** f. laundry; **–bär** m. raccoon; **–raum** m. washroom

**Waschautomat (öffentlich)** m. laundromat

**Wäsche** f. wash(ing); linen; **–klammer** f. clothespin; **–leine** f. clothesline; **–mangel** f., **–rolle** f. mangle; **–rei** f. laundry; **–rin** f. laundress; **–schrank** m. linen cupboard

**waschen** v. to wash

**Wasser** neu. water; **ins — fallen** (coll.) to come to naught; **sich über — halten** (coll.) to keep one's head above water; **–flugzeug** neu. seaplane; **–graben** m. ditch; **–hahn** m. faucet, tap; **–jungfer** f. dragonfly; **–kraft** f. water power; **–krug** m. pitcher; **–kunst** f. artificial fountain; **–leitung** f. water pipes; **–rinne** f. gutter; **–scheu** f. hydrophobia; **–skilaufen** neu. water-skiing; **–stoff** m. hydrogen; **–sucht** f. dropsy; **–tiefenmessung** f. bathymetry; **–zeichen** neu. watermark

**wässerig** adj. watery; insipid

**wässern** v. to water, irrigate

**waten** v. to wade

**Watt** neu. (elec.) watt

**Watte** f. wadding

**wattieren** v. to pad

**Web–er** m. weaver; **–erschiffchen** neu. shuttle; **–stuhl** m. loom

**weben** v. to weave

**Wechsel** m. change, alteration; turn; exchange; **gezogener —** draft; **offener —** credit letter; **–geld** neu. change, small coin(s); **–getriebe** neu. change gear; **–kurs** m. rate of exchange; **–schaltung** f. change-over switch; **–strom** m. (elec.) alternating current

**wechseln** v. to change, to alternate; to exchange

**Wechsler** m. money changer

**Wecke** f. (dial.) roll

**wecken** v. to wake; to rouse

**Wecker** m. alarm clock

**wedeln** v. to fan; to wag (tail)

**weder** conj. neither

**Weg** m. way, course, path; road; method, means; **am —e** by the roadside; **ein tüchtiges Stück –es** a good distance; **in die –e leiten** to prepare; **kürzester —** short cut; **verbotener —!** no trespassing! **–ebau** m. road making; **–elag(e)rer** m. highwayman; **–(e)geld** neu. (turnpike) toll; **–scheide** f. crossroads, road fork; **–weiser** m. guide(book); signpost

**weg** adv. away; off; gone, lost; **— da!** be off there! **–en** prep. on account of; **von Rechts –en** by right; **–fallen** v. not to take place; to be omitted; **–können** v. to be able to get away; **–lassen** v. to let go; to omit; **–treten** v. to step aside; **–werfend** adj. contemptuous; **–ziehen** v. to move

**weh** adj. aching, painful, sore; **— interj.** woe! alas! ouch! **— tun** to ache, to hurt; **–en** v. to blow, to wave; to drift

**Wehr** f. defense, resistance; **–dienst** m. (mil.) service; **–macht** f. Armed

Forces; **–pflicht** f. compulsory military service

**wehr:** **–en** v. to restrain, to forbid; **–pflichtig** adj. subject to military service

**Weib** neu. female; woman; wife

**weibisch** adj. womanish

**weiblich** adj. feminine

**weich** adj. soft, tender; **–en** v. to give way (oder in); to yield; **–gestimmt** adj. in a gentle mood; **–herzig** adj. tenderhearted; **–lich** adj. flabby; weak

**Weich:** **–e** switch; **–ensteller** m. switchman

**Weichsel** f. Vistula

**weid:** **–en** v. to graze, to pasture

**Weid:** **–e** f. pasture; willow; **–mann** m. hunter, sportsman

**Weife** f. (mech.) reel

**weigern** v. to refuse

**Weih:** **–bischof** m. suffragan bishop; **–e** f. consecration; ordination; inauguration, solemnity; **–nacht** f., **–nachten** pl. Christmas; **–nachtsabend** m. Christmas Eve; **–smann** m. Santa Claus; **–rauch** m. incense; **–wasser** neu. holy water

**weihen** v. to consecrate

**Weiher** m. pond

**weil** conj. because, since; **–and** adv. (poet.) formerly; deceased; **–en** v. to stay; to delay

**Weile** f. while; leisure; **Eile mit —** make haste slowly

**Wein** m. wine; vine; grapes; **–beere** f. grape; **–berg** m. vineyard; **–brand** m. brandy; **–fass** neu. wine cask; **–geist** m. ethyl alcohol; **–karte** f. wine list; **–rebe** f., **–stock** m. grapevine; **–schenke** f. wine tavern; **–traube** f. (bunch of) grape(s); **–zwang** m. obligation to order wine (with meal)

**weinen** v. to weep, to cry

**weis:** **–e** adj. wise; prudent; **–en** v. to show; to direct; **–sagen** v. to prophesy

**Weis:** **–e** m. wise man; **–e** f. way, manner; custom; melody, tune; **auf diese –e** in this way; **–ung** f. order, instruction

**Weis:** **–heit** f. wisdom; **–sager** m. prophet; fortune teller; **–sagung** f. prophecy

**weiss** adj. wnite; clean; hoary; **–er Sonntag** Sunday after Easter; **–en** to whiten; to whitewash; **–e Blutkörperchen** leucocyte

**Weiss:** **–brot** neu. white bread; **–e** f. whiteness; **–e** m. white man; **–fisch** m. whiting; **–waren** f. pl. white (oder linen) goods

**weit** adj. wide, extensive; distant, far

**weiter** adj. wider; farther, further; **bis auf –es** until further notice; **und so —** and so on; **— niemand** no one else; **–befördern** v. to forward; **es –bringen** to make progress; **–geben** v. to pass on (to)

**Weizen** m. wheat

**welch** pron. and adj. what, which, who, that

**welk** adj. withered, faded; **–en** v. to wither, to fade

**Well:** **–e** f. wave

**Welpe** m. whelp, puppy

**welsch** adj. Italian, French

**Welt** f. world; people; **–all** neu. universe; **–alter** neu. age; **–anschauung** f. view of life; **–ausstellung** f. world fair; **–enbummler** m. globe-trotter; **–friede(n)** m. universal peace; **–gericht** neu. Last Judgment; **–handel** m. international trade; **–körper** m. celestial body, sphere; **–kugel** f. globe; **–macht** f. world power; **–meister** m. world champion; **–postverein** m. International Postal Union; **–raum** m. (outer) space

**welt: -bekannt** *adj.,* **-berühmt** *adj.* world-famous; **-erfahren** *adj.,* **-klug** *adj.* worldly-wise; **-lich** *adj.* worldly

**Weltraumfahrer** *m.* astronaut

**Weltraumschiff** *neu.* space capsule

**wenden** *v.* to turn(round); **bitte —!** please turn to (page)!

**wenig** *adj.* little; few; **das -ste** the least; **die -sten** only a few; **ein —** a little; **nichts -er als** anything but; **-er** less; fewer; **zwei Dollar zu —** two dollars short; **-stens** *adv.* at least

**wenn** *conj.* when; if; **— auch** even if; **— doch** if only; **— etwa** if by chance; **— nur** provided that; **-schon** *conj.* (al)though

**wer** *pron.* (he) who; which

**Werb: -enummer** *f.* complimentary copy; **-ung** *f.* courtship; recruiting; advertising

**werben** *v.* to recruit, to enlist; to court, to woo; to advertise

**werden** *v.* to become, to grow; **es muss anders —** there must be a change; **geliebt —** to be loved

**werfen** *v.* to throw

**Werft** *f.* shipyard, wharf

**Werk** *neu.* work; labor; deed; production; factory, workshops; mechanism; **-meister** *m.* foreman; **-statt** *f.,* **-stätte** *f.* workshop; **-zeug** *neu.* tool

**Wermut** *m.* vermouth

**wert** *adj.* worth(y); valuable; dear, esteemed; **-en** *v.* to evaluate; **-geschätzt** *adj.* esteemed; **-los** *adj.* worthless; **-schätzen** *v.* to value; **-voll** *adj.* valuable

**Wert** *m.* worth, value; importance; **-angabe** *f.* declaration of value; **-brief** *m.* registered letter; **-paket** *neu.* registered parcel; **-papiere** *neu. pl.* securities

**wes** *pron.,* **-sen** *pron.* whose; **-halb** *adv.* and *conj.,* **-wegen** *adj.* and *conj.* why, wherefore

**Wesen** *neu.* being; creature; essence; nature; fuss, ado

**wesen: -tlich** *adj.* essential

**West** *m.* west; **-en** *m.* (the) West, Occident; **-mächte** *f. pl.* Western Powers

**Weste** *f.* vest

**Westfalen** *neu.* Westphalia

**westlich** *adj.* west(ern)

**wetten** *v.* to bet, to wager

**Wett: -bewerb** *m.* competition; (sports) event; **-e** *f.* bet, wager; **um die -e laufen** to race; **-kampf** *m.* contest, match; **-rennen** *neu.* race; **-spiel** *neu.* match, tournament

**Wetter** *neu.* weather; storm; **alle —!** good gracious! **-bericht** *m.* weather report; **-dienst** *m.* weather bureau; **-karte** *f.* weather map; **-voraussage** *f.* weather forecast

**wetter: -wendisch** *adj.* fickle

**wetzen** *v.* to sharpen, to hone

**Wichs** *m.* **-bürste** *f.* polishing brush; **-e** *f.* polish

**Wicht** *m.* creature; chit; imp

**wichtig** *adj.* important

**wickeln** *v.* to wind (round); to roll (up); to wrap

**wider** *prep.* against, contrary to; **-fahren** *v.* to happen to; **-hallen** *v.* to echo; **-legen** *v.* to refute; **-sprechen** *v.* to contradict; to oppose; **-steh(e)n** *v.* to resist; **-wärtig** *adj.* disgusting; **-willig** *adj.* reluctant

**Wider: -hall** *m.* echo; **-schein** *m.* reflection; **-spruch** *m.* contradiction; **-wille** *m.* aversion

**widmen** *v.* to dedicate

**wie** *adv.* how; **—** *conj.* as,

like; — **bitte?** beg your pardon? — **dem auch sei be** that as it may be; **-so** *adv.* why; **-wohl** *conj.* although

**wieder** *adv.* again; anew; back, in return; **hin und —** now and then; **immer —** again and again; **-aufbauen** *v.* to reconstruct; **-holen** *v.* to fetch back; to repeat; **-kehren** *v.* to return; **-um** *adv.* again

**Wieder: -abdruck** *m.* reprint; **-aufbau** *m.* restoration; **-auferstehung** *f.* resurrection; **-eintritt** (**in die Erdatmosphäre**) *m.* reentry; **-gabe** *f.* return; recital; **-geburt** *f.* rebirth; **-holung** *f.* repetition; **auf -hören!** (rad.) good night! **-kehr** *f.* return; **auf -sehen!** good-bye! so long!

**Wiege** *f.* cradle; **-nlied** *neu.* lullaby

**wiegen** *v.* to weigh; to rock

**wiehern** *v.* to neigh; **-des Gelächter** horselaugh

**Wien** *neu.* Vienna

**Wiese** *f.* meadow; **-l** *neu.* weasel

**wild** *adj.* wild; fierce, untidy; **-e Ehe** common-law marriage; **-es Fleisch** (med.) proud flesh

**Wild** *neu.* game, deer, venison; **-bret** *neu.* venison; **-dieb** *m.* poacher; **-e** *m.* savage; **-fang** *m.* unruly child; tomboy; **-nis** *f.* wilderness; **-schütz(e)** *m.* poacher

**Will: -e** *m.* will; intention

**will: -fahren** *v.* to comply with; to grant; **-ig** *adj.* willing; **-kommen** *adj.* welcome; **-kürlich** *adj.* arbitrary

**wimmeln** *v.* to swarm with

**wimmern** *v.* to whimper

**Wimper** *f.* eyelash

**Wind** *m.* wind, breeze; **in den — schlagen** to disregard; **-beutel** *m.* cream buff; **-e** *f.* windlass;

**-mühlenflugzeug** *neu.* helicopter; **-pocken** *f.* chicken pox; **-(schutz)scheibe** *f.* windshield; **-zug** *m.* draft

**wind: -en** to wind; **sich -en** to wind, to writhe; **-ig** *adj.* windy; **-schief** *adj.* warped; **-still** *adj.* calm

**Windel** *f.* diaper; **-n** *pl.* swaddling clothes

**Windung** *f.* winding, turn

**Wink** *m.* wink; hint, tip

**Winkel** *m.* angle; corner, nook; **-eisen** *neu.* steel square; **-mass** *neu.* square; **-zug** *m.* trick

**winken** *v.* to wink, to wave

**winklig** *adj.* angular; crooked

**winseln** *v.* to whimper

**Winter** *m.* winter; **-aufenthalt** *m.* winter resort; **-überzieher** *m.* winter overcoat

**Winzer** *m.* vinegrower

**winzig** *adj.* minute; tiny

**Wipfel** *m.* treetop

**wir** *pron.* we; **— alle** all of us

**Wirbel** *m.* whirl(pool); eddy; **-knochen** *m.* vertebra; **-säule** *f.* spine; **-sturm** *m.* cyclone

**wirk: -en** *v.* to work, to effect, to produce; **-lich** *adj.* real, actual

**Wirkung** *f.* effect, result

**Wirt** *m.* host; innkeeper; landlord; **-in** *f.* hostess; innkeeper; landlady; **-schaft** *f.* household; inn; economics; **-schaftsgeld** *neu.* housekeeping money; **-schaftsprüfer** *m.* auditor; **-shaus** *neu.* tavern

**wirt: -schaften** to manage; **-schaftlich** *adj.* economic (al); **-schaftlicher Stillstand** recession

**Wisch** *m.* (paper) scrap; **-er** *m.* wiper

**wischen** *v.* to wipe

**Wismut** *m.* and *neu.* bismuth

**wispern** *v.* to whisper

**wissen** v. to know, to be acquainted with; **–tlich** adj. deliberate

**Wissen** neu. knowledge; learning; **meines –s** as far as I know; **wider besseres —** against one's better judgment; **–schaft** f. science, knowledge; **–schaftler** m. scientist, scholar

**wittern** v. to scent, to perceive

**Witterung** f. weather; scent

**Witwe** f. widow; dowager; **–r** m. widower

**Witz** m. wit(tiness); joke

**wo** adv. where, when; in which; **— nicht** if not, unless; **–bei** adv. where(at); whereby; **–durch** adv. by what (oder which) means; **–fern** adv. if; **–für nicht** unless; **–für** adv. for which; what for; **–gegen** adv. against what (oder which); **–gegen** conj. whereas; **–her** adv. wherefrom; **–hin** adv. whither; where to; **–mit** adv. wherewith; **–ran** adv. whereon; **–rauf** adv. whereupon; **–raus** adv. out of what; **–rin** adv. in what (oder which); wherein; **–rüber** adv. of (oder about) what; **–runter** adv. among which; **–von** adv. whereof; **–zu** adv. what for; why

**Woche** f. week; **–nblatt** neu. weekly paper; **–nschau** f. newsreel

**wöchentlich** adj. weekly

**Wöchnerin** f. woman in childbed

**Woge** f. wave, billow

**wogen** v. to surge, to wave

**wohl** adv. well; probably; **leben Sie —!** good-bye! **— bekomm's!** your health! here's to you! **— oder übel** whether one likes it or not; **–an!** interj. now then! come on! **–bekannt** adj. well-known; **–feil** adj. cheap; **–gefäl-**lig adj. pleasant; **–gemeint** adj. well-meant; **–habend** adj. wealthy; **–überlegt** adj. well-considered; **–unterrichtet** adj. well-informed; **–wollend** adj. benevolent

**Wohl** neu. well-being, welfare; **auf Ihr —!** your health! good luck! **–befinden** neu. well-being; **–fahrt** f. welfare; **–gefallen** neu. pleasure; **–geruch** m. fragrance; **–habenheit** f. wealth; **–sein** neu. well-being; **–stand** m. prosperity; **–tat** f. blessing; **–täter** m. benefactor

**wohn: –en** v. to live, to dwell

**Wohn: –gebäude** neu. dwelling; **–küche** f. room with kitchenette; **–stube** f., **–zimmer** neu. living room; **–ung** f. apartment; flat; **–ungsnot** f. housing shortage; **–wagen** m. trailer

**Wolf** m. wolf; **–seisen** neu. wolf trap; **–ram** neu. tungsten

**Wolke** f. cloud; **–nbruch** m. cloudburst; **–nkratzer** m. skyscraper

**wolkig** adj. clouded, cloudy

**Woll: –decke** f. woolen blanket; **–e** f. wool

**Wollust** f. voluptuousness

**woll: –en** v. to want, to wish; to intend

**wollen** adj. woolen, worsted

**Wonne** f. delight, bliss

**Wort** neu. word; expression, term; saying; promise; **das grosse — führen** to brag; **ins — fallen** to interrupt; **— halten** to keep (one's) word; **–schatz** m. vocabulary; **–spiel** neu. pun; **–wechsel** m. dispute

**wort: –brüchig** adj. faithless; **–karg** adj. taciturn

**Wörterbuch** neu. dictionary

**wörtlich** adj. verbal; literal

**Wrack** neu. wreck

**wringen** v. to wring

**Wruke** f. rutabaga, yellow turnip

**Wuchs** m. growth; stature

**wuchtig** adj. heavy, weighty

**wühlen** v. to dig; to rummage; to stir up

**Wulst** m. and f. swelling

**wulstig** adj. bulging, puffed

**wund** adj. chafed, sore; **–gelaufen** adj. footsore

**Wund:** **–arzt** m. surgeon; **–e** f. wound

**Wunder** neu. miracle; marvel; **–doktor** m. quack; **–land** neu. fairyland; **–täter** m. miracle worker

**wunder:** **–bar** adj. marvelous; **–lich** adj. strange, odd; **–schön** adj. very beautiful; **–voll** adj. wonderful

**Wunsch** m. wish, desire

**Wünschelrute** f. divining rod

**wünschen** v. to wish, to desire; **Glück –** to congratulate; **–swert** adj. desirable

**Würd:** **–e** f. dignity, honor; rank, title; **akademische –** academic degree

**würd:** **–ig** adj. worthy; **–igen** v. to appreciate; to evaluate

**Wurf** m. cast, throw(ing); **–scheibe** f. discus

**Würfel** m. die; cube

**würfel:** **–n** v. to play at dice; to checker

**würgen** v. to choke; to strangle

**Würger** m. strangler; murderer

**Wurm** m. worm; grub

**wurm:** **–en** v. to vex, to annoy; **–ig** adj. wormy, maggoty; **–stichig** adj. worm-eaten

**Wurst** f. sausage; **das ist mir —** (coll.) I don't care

**Württemberg** neu. Wurtemberg

**Würze** f. seasoning, flavor, spice; **in der Kürze liegt die —** brevity is the soul of wit

**Wurzel** f. root

**würzen** v. to season, to spice

**würzig** adj. spicy

**wüst** adj. waste, desolate

**Wüst:** **–e** f. desert; **–ling** m. dissolute person

**Wut** f. fury, rage; frenzy

**wüt:** **–en** v. to rage; **–end** adj. furious

**Wüterich** m. ruthless fellow

# X

**X** neu., **man kann ihm kein — für ein U machen** he is not easily taken in

**x-beinig** adj. knock-kneed

**x-beliebig** adj. any

**x-mal** adv. many times

**X-Strahlen** m. pl. X-rays

**xte** adj. nth; **zum –n Male** for the umpteenth time

**Xylophon** neu. xylophone

# Y

**yankeehaft** adj. Yankee-like

**Ypsilon** neu. the letter Y

**Ysop** m. hyssop

**Yukka** f. yucca

# Z

**Zacke** f. peak, point; (fork) prong; scallop

**zackig** adj. indented, notched; serrated

**zaghaft** adj. faint-hearted

**zäh(e)** adj. tough, tenacious

**Zahl** f. number; figure, cipher; **–er** m. payer; **–stelle** f. cashier's office; **–tag** m. payday; **–ung** f. payment

**zahl:** **–bar** adj. payable; **–en** v. to pay; **–los** adj. innumerable, countless; **–reich** adj. numerous

**Zähl:** **–er** m. counter, meter; **–ung** f. counting; census

**zählen** v. to count; **— auf** to rely upon; **— zu** to belong to

**zahm** adj. tame, domestic

**zähmen** v. to tame

**Zahn** m. tooth; tusk; cog; **-arzt** m. dentist; **-bürste** f. toothbrush; **-ersatz** m. artificial teeth; **-fleisch** neu. (tooth) gum; **-pasta** f. tooth paste; **-rad** neu. cogwheel; **-schmerz** m. toothache; **-stocher** m. toothpick; **-wasser** neu. mouthwash

**Zange** f. pliers; pincers

**Zank** m. quarrel; **-apfel** m. bone of contention

**zank: -en** v. to quarrel

**Zänker** m. quarrelsome person

**Zapf: -en** m. plug, peg, pin; bung, tap

**zapfen** v. to tap

**zappeln** v. to fidget

**zart** adj. tender; delicate

**zärtlich** adj. affectionate

**Zauber** m. magic, spell, charm; **-ei** f. magic, sorcery; **-er** m. magician, conjurer; **-in** f. sorceress, witch

**zaudern** v. to delay

**Zaum** m. bridle

**zäumen** v. to bridle

**Zaun** m. fence; **-könig** m. wren

**Zeder** f. cedar

**Zehe** f. toe; **-nspitze** f. tiptoe

**zehn** adj. ten; **-te** adj. tenth **-tens** adv. in the tenth place

**Zehn** f., **-er** m. ten; **-te** m. tithe; tenth; **-tel** neu. tenth part

**zehren** v. to live on

**Zeichen** neu. sign, signal; mark; brand; indication

**zeichnen** v. to draw, sketch

**Zeige: -finger** m. forefinger, index; **-r** m. (clock) hand

**zeigen** v. to show, to point

**Zeile** f. line; row; **-ngussmaschine** f. linotype

**Zeit** f. time, term; epoch, period, age; season; **auf**

**— on credit; damit hat es —** there is no hurry; **du liebe —!** Good heavens! **zur —** at present; **zu -en** now and then; **-alter** neu. age, generation; **-aufnahme** f. time exposure; **-folge** f. chronological order; **-funk** m. (rad.) topical talk; **-genosse** m. contemporary; **-karte** f. season ticket; **-karteninhaber** m. commuter; **-punkt** m. moment; **-rechnung** f. chronology; **christliche — rechnung** Christian era; **-schrift** f. periodical, magazine; **-zünder** m. time fuse

**zeit: -gemäss** adj. timely; **-ig** adj. early; **-lebens** adv. for (oder during) life; **-lich** adj. temporal; **-weilig** adj. temporary

**Zeitung** f. newspaper; **-sausschnitt** m. press clipping; **-beilage** f. supplement; **-skiosk** m. newsstand; **-swesen** neu. journalism

**Zelle** f. cell

**Zellophan** neu. cellophane

**Zelt** neu. tent

**zementieren** v. to cement

**Zensur** f. censoring, censorship; school marks

**Zent: -ner** m. hundredweight; fifty kilograms; **-nerlast** f. (fig.) heavy burden

**Zentral: -e** f. central office; telephone exchange; **-heizung** f. central heating

**zentrisch** adj. centric(al)

**Zentrum** neu. center

**zerbersten** v. to burst

**zerbrechen** v. to break up

**zerbrechlich** adj. breakable

**zerdrücken** v. to crush

**Zeremonie** f. ceremony

**zeremoniell** adj. ceremonial

**zeremoniös** adj. ceremonious

**Zerfall** m. decay, ruin

**zerfetzen** v. to shred; to

slash
**zerfleischen** v. to lacerate
**zerfurcht** adj. wrinkled
**zergeh(e)n** v. to dissolve
**zergliedern** v. to dismember
**zerhacken** v. to mince
**zerhauen** v. to cut up
**zerkleinern** v. to reduce to bits
**zerknittern** v. to crumble
**zerknirscht** adj. contrite
**zerlegen** v. to divide, to part
**zerlesen** adj. well-thumbed
**zerlumpt** adj. ragged, tattered
**zermahlen** v. to grind up
**zermalmen** v. to crush
**zerplatzen** v. to burst apart
**zerquetschen** v. to crush
**Zerrbild** neu. caricature
**zerreiben** v. to rub away
**zerreissen** v. to tear up
**zerren** v. to drag; to pull
**zerrinnen** v. to melt away
**zerrütten** v. to ruin
**zerschellen** v. to smash
**zerschlagen** v. to batter
**zerschneiden** v. to cut into pieces; to sever
**zerspalten** v. to split
**zersprengen** v. to blast
**zerspringen** v. to burst
**Zerstäuber** m. atomizer; sprayer
**zerstören** v. to destroy
**zerstossen** v. to pound
**zerstreut** adj. scattered; absent-minded
**zerstückeln** v. to dismember
**zerteilen** v. to divide
**zertreten** v. to trample down
**zertrümmern** v. to demolish
**Zervelatwurst** f. (German) Bologna sausage
**Zerwürfnis** neu. quarrel
**Zettel** m. scrap (oder slip) of paper; label; bill; poster; **–kasten** m. filing cabinet
**Zeug** neu. stuff, material; cloth; matter; **dummes — nonsense; –haus** neu. armory

**Zeuge** m. witness
**zeugen** v. to testify, to beget
**Zeugnis** neu. testimony
**Zichorie** f. chicory
**Zicke** f., **Zicklein** neu. kid
**Zickzackbahn** f. switchback
**Ziege** f. (she-)goat; doe; **–nbock** m. he-goat; buck; **–npeter** m. mumps
**Ziegel** m. brick; tile; **–dach** neu. tiled roof; **–stein** m. brick
**Ziehharmonika** f. accordion
**ziehen** v. to pull; to haul; to cultivate; to move; to be drafty; **auf Flaschen — to bottle; nach sich —** to have consequences; **sich —** to warp
**Ziel** neu. aim, object; goal, target; **–scheibe** f. target
**zielen** v. to aim
**ziemen** v. to be seemly
**ziemlich** adv. fairly; tolerably
**Zier** f. **–de** f. decoration, ornament; **–puppe** f. (coll.) clotheshorse
**zieren** v. to adorn; to decorate
**zierlich** adj. graceful; delicate
**Ziffer** f. figure, number; **–blatt** neu. dial, face
**Zigarette** f. cigarette; **–netui** neu. cigarette case
**Zigarre** f. cigar; **–nkiste** f. cigar box; **–nspitze** f. cigar holder
**Zigeuner** m. gipsy
**Zimmer** neu. room; apartment; **–antenne** f. indoor aerial; **–decke** f. ceiling; **–einrichtung** f. furniture
**zimmern** v. to carpenter
**zimperlich** adj. prim, prudish
**Zimt** m. cinnamon
**Zinke** f. prong; tooth
**Zinn** neu. tin; pewter
**Zins** m. rent, tax; **–en** pl. interest; **–fuss** m., **–satz** m. rate of interest
**Zipfel** m. point, tip; **–mütze** f. tasseled cap
**Zirk:** **–el** m. circle; **–ular**

*neu.* circular, pamphlet; **–us** *m.* circus

**zirkulieren** *v.* to circulate
**zirpen** *v.* to chirp
**zischen** *v.* to hiss; to fizzle
**Zisterne** *f.* cistern
**Zitadelle** *f.* citadel
**Zitat** *neu.* citation, quotation
**Zitron:** **–at** *neu.* citron; **–e** *f.* lemon
**zitterig** *adj.* tremulous
**Zivil** *neu.* civilians; **in —** in civilian dress; **–isation** *f.* civilization; **–ist** *m.* civilian
**Zobel** *m.* sable
**zögern** *v.* to hesitate
**Zögling** *m.* pupil; boarder
**Zölibat** *neu.* celibacy
**Zoll** *m.* inch; duty; customs; **–abfertigung** *f.* customs clearance; **–angabe** *f.* customs declaration; **–schein** *m.* clearance paper; **–stock** *m.* yardstick
**Zoo** *m.* zoo; **–logie** *f.* zoology
**Zopf** *m.* pigtail; plait, tress
**Zorn** *m.* anger, rage, wrath
**zornig** *adj.* angry, enraged
**Zote** *f.* obscenity
**zottig** *adj.* matted; shaggy
**zu** *prep.* in, at; by; on; (up) to; as; for; with; **—** *adv.* too; towards; closed; **ab und —** now and then; **— Fuss** on foot; **–m Beispiel** for instance
**Zuber** *m.* tub
**zubereiten** *v.* to prepare
**zubinden** *v.* **die Augen —** to blindfold
**zubleiben** *v.* to remain closed
**zubringen** *v.* **die Zeit —** to pass time
**Zucht** *f.* breed(ing); cultivation; discipline
**zücht:** **–en** *v.* to breed, to grow; **–ig** *adj.* chaste, decent; **–igen** *v.* to chastise
**zuchtlos** *adj.* dissolute
**zucken** *v.* to twitch, to jerk
**Zucker** *m.* sugar; **–bäcker**

*m.* confectioner; **–dose** *f.* sugar bowl; **–guss** *m.* icing; **–krankheit** *f.* diabetes; **–rohr** *neu.* sugar cane; **–rübe** *f.* sugar beet; **–werk** *neu.* confectionery
**Zuckung** *f.* convulsion, twitch
**zudem** *adv.* besides, moreover
**zudiktieren** *v.* to decree
**Zudrang** *m.* rush to, run on
**zudrehen** *v.* to turn off
**zueignen** *v.* to dedicate; **sich —** to appropriate
**zueinander** *adv.* to each other
**zuerkennen** *v.* to award
**zuerst** *adv.* first of all; first
**zuerteilen** *v.* to apportion
**Zufall** *m.* chance, accident
**zufällig** *adj.* accidental
**Zuflucht** *f.* refuge, shelter
**zuflüstern** *v.* to whisper to
**zufolge** *prep.* according to
**zufrieden** *adj.* satisfied; **–stellend** *adj.* satisfactory
**zufrieren** *v.* to freeze up
**zufügen** *v.* to add; **Schaden —** to inflict harm
**Zufuhr** *f.* provisions
**Zug** *m.* (pulling); draft; current; procession; train; (chess) move; (fig.) characteristic; **in einem —** uninterruptedly; **durchgehender —** through train; **–führer** *m.* (rail.) conductor; **–kraft** *f.* tractive power; **–luft** *f.* draft, current of air; **–stück** *neu.* popular play
**Zugabe** *f.* addition, extra; (theat.) encore
**Zugang** *m.* access
**zugänglich** *adj.* accessible
**zugeben** *v.* to add, to admit
**zugegen** *adj.* present
**zugehörig** *adj.* belonging to
**zugeknöpft** *adj.* (fig.) uncommunicative, reserved
**Zügel** *m.* bridle, rein
**zügellos** *adj.* unrestrained
**Zugeständnis** *neu.* admis-

sion
**zugestehen** v. to concede
**zugig** adj. drafty
**zugleich** adv. together
**zugrunde** adv., — **gehen** to perish; — **richten** to destroy
**zugunsten** adv. in favor of
**zugute** adv., — **halten** to allow for; to pardon; — **kommen** to be for the benefit of; **sich etwas —tun** to indulge in something
**zuguterletzt** adv. finally
**zuhalten** v. to keep closed
**Zuhause** neu. home
**zuheilen** v. to heal up
**zuhören** v. to listen to
**Zuhörer** m. listener; **—schaft** f. audience
**zukehren** v. to turn to
**zuklappen** v. to slam, to bang
**zukleben** v. to paste up
**zuklinken** v. to latch
**zukommen** v. to be due to
**Zukunft** f. future
**zukünftig** adj. future
**Zulage** f. increase, addition
**zulande** adv., **bei uns —** in my country
**zulangen** v. to help oneself (at table)
**zulänglich** adj. adequate
**zulassen** v. to allow
**Zulauf** m. crowd, rush
**zulegen** v. to add to, increase
**zuleide** adv. **— tun** to hurt
**zuleiten** v. to conduct to
**zuletzt** adv. finally, ultimately
**zuliebe** adv. for the sake of
**zumachen** v. to close, to shut
**zumal** adv. chiefly, especially
**zumauern** v. to wall up
**zumeist** adv. mostly
**zumessen** v. to mete out
**zumute** adv. in the mood of
**zunächst** adv. first
**zunähen** v. to sew up
**Zunahme** f. increase,

growth
**Zuname** m. surname
**Zünd:** **—er** m. fuse, igniter; **—holz** neu., **—hölzchen** neu. match; **—hütchen** neu. percussion cap; **—kapsel** f. detonator; **—kerze** f. spark plug; **—schnur** f. fuse; **—ung** f. ignition, priming
**zünden** v. to catch fire
**Zunder** m. tinder, punk
**zunehmen** v. to increase
**Zuneigung** f. affection
**Zunft** f. corporation, guild
**Zunge** f. tongue; language
**zunichte** adv. ruined; **—machen** v. to annihilate
**zunicken** v. to nod to
**zunutze** adv. **sich — machen** to profit by
**zupacken** v. to set to work
**zupfen** v. to pick, to pluck
**Zupfgeige** f. (coll.) guitar
**Zurateziehung** f. consultation
**zurechnen** v. to add; to attribute to, to impute
**zurecht** adv. right(ly); in (good) time; v. **sich —finden** to find one's way
**Zurechtweisung** f. reprimand
**zureden** v. to urge on
**zureichend** adj. sufficient
**zurichten** v. to prepare
**zürnen** v. to be angry (with)
**zurück** adv. back(wards); behind; in arrears; late; **—!** interj. stand back! **—bekommen** v. to get back; **—bleiben** v. to stay behind; **—datieren** v. to antedate; **—erinnern** v. to recollect; **—gezogen** adj. retired; **—haltend** adj. reserved; **—kehren** v. to return; **—legen** v. to lay aside; **—nehmen** v. to take back; **—schlagen** v. to strike back; **—schrecken** v. to frighten away; **—sein** to be back(ward); **—setzen** v. to neglect, to slight; **—stehen** v. to be inferior to; **—stossend** adj. repulsive; **—treten** v. to step

back; **–weichen** v. to retreat; **–weisen** v. to reject; **–wirken** v. to react (upon); **–zahlen** v. to repay; **–ziehen** v. to withdraw; **sich –ziehen** v. to retire

**zurufen** v. to call to

**zurüsten** v. to prepare; to equip

**Zusage** f. promise, assent

**zusagen** v. to promise; to agree, to please, to suit

**zusammen** adv. (all) together; in all; **–fahren** v. to collide; to start; **–falten** v. to fold up; **–gehörig** adj. correlated; **–hängen** v. to be connected (with); **–häufen** v. to accumulate; **sich –nehmen** v. to collect oneself; **–rechnen** v. to add up; **–reimen** v. to understand; **sich –reimen** v. to make sense; **–rufen** v. to convoke; **–schrecken** v. to startle; **–stecken** v. to conspire; **–stellen** v. to compile; **–stossen** v. to collide; **–stürzen** v. to collapse; **–wirken** v. to co-operate

**Zusammen: –arbeit** f. cooperation; **–bruch** m. breakdown; **–hang** m. connection; **–kunft** f. assembly; **–setzung** f. combination; **–stoss** m. collision

**Zusatz** m. addition

**Zuschauer** m. spectator; **–raum** m. seats, auditorium

**zuschicken** v. to forward to

**Zuschlag** m. addition; extra charge; surtax; bonus

**zuschlagen** v. to bang, to slam

**zuschmeissen** v. to slam

**zuschnappen** v. to snap at

**zuschneiden** v. to cut up

**Zuschnitt** m. cut; style

**zuschreiben** v. to attribute to

**zuschreiten** v. step up to

**Zuschrift** f. communication

**Zuschuss** m. additional allowance (oder payment)

**zusehen** v. to watch; **–ds** adv. noticeably

**zusetzen** v. to add to

**zusichern** v. to assure of

**Zuspeise** f. side dish

**zusperren** v. to bar, to lock

**zuspielen** v. to pass (ball) to

**Zusprache** f. kindly encouragement; consolation

**Zustand** m. condition, state

**zustande** adv. **–bringen** to bring about; **–kommen** to come about

**zuständig** adj. pertaining to; competent

**zustatten** adv. — **kommen** to be useful to

**zustellen** v. to deliver to

**Zustellungsurkunde** f. writ of summons

**zustimmen** v. to agree to

**zustossen** v. to happen to

**zustürzen** v. to rush upon

**zustutzen** v. to trim, to fit

**zutage** adv. — **bringen**, — **fördern** to bring to light

**Zutat** f. seasoning

**zuteil** adv. — **werden** to fall to one's share; **–en** v. to allot, to assign

**zutragen** v. **sich** — to happen

**Zuträger** m. gossip

**zuträglich** adj. useful

**zutrauen** v. **jemand etwas** — to give one credit for something

**Zutrauen** neu. confidence

**zutreffen** v. to come true

**zutrinken** v. to drink to

**Zutritt** m. access, admission

**Zutun** neu. help, assistance

**zuunterst** adv. at the very bottom

**zuverlässig** adj. dependable

**zuversichtlich** adj. confident

**zuvor** adv. before; first (of all); **–kommend** adj. obliging

**Zuwachs** m. increase, growth

**zuwege** adv. — **bringen**

to bring about
**zuweilen** *adv.* sometimes
**zuweisen** *v.* to allot to
**zuwenden** *v.* to turn
. to(wards)
**zuwerfen** *v.* to slam (door)
**zuwider** *adj.* distasteful;
— *prep.* against, contrary
to
**zuzahlen** *v.* to pay extra
**zuzählen** *v.* to count to
**zuzeiten** *adv.* at times
**zuziehen** *v.* to draw together
**Zuzug** *m.* immigration
**zwacken** *v.* (dial.) to pinch
**Zwang** *m.* compulsion; restraint; **sich — antun** to
restrain oneself; **-sarbeit**
*f.* compulsory labor;
**-slage** *f.* embarrassing
position; **-sversteigerung**
*f.* forced sale; **-swirt-
schaft** *f.* government control
**zwanzig** *adj.* twenty; **-ste**
*adj.* twentieth
**Zwanzig** *f.* twenty; **-stel**
*neu.* twentieth part
**zwar** *adv.* indeed; no
doubt
**Zweck** *m.* purpose, aim
**zweck: -mässig** *adj.* appropriate; **-los** *adj.* useless; **-s** *prep.* for the purpose of; **-widrig** *adj.* in-
appropriate
**Zwecke** *f.* drawing pin,
tack
**zwei** *adj.* two; **zu -en** in
pairs; **-deutig** *adj.* ambiguous; **-erlei** *adj.* of two
kinds; **-fach** *adj.*, **-fältig**
*adj.* twofold; **-händig** *adj.*
for two hands; **-jährig**
*adj.* two years old; biennial; **-jährlich** *adj.* occur-
ring every two years; **-mal**
*adv.* twice; **-motorig** *adj.*
twin-engined; **-reihig**
*adj.* (coat) double-
breasted; **-sprachig** *adj.*
bilingual; **-stimmig** *adj.*
for two voices; **-te** *adj.*
second; **aus -ter Hand**
second-hand; **-tens** *adv.*
secondly
**Zwei** *f.* two; deuce

**Zweifel** *m.* doubt, suspicion; **-sucht** *f.* skepticism
**zweifel: -haft** *adj.* doubt-
ful; **-los** *adj.* doubtless;
**-n** to doubt; to question;
**-sohne** *adv.* without
doubt; **-süchtig** *adj.* skep-
tical
**Zweig** *m.* branch; bough,
twig; line, section; **-bahn**
*f.* (rail.) branch line;
**-geschäft** *neu.* subsidiary
firm; **-stelle** *f.* branch
office
**Zwerchfell** *neu.* (anat.)
diaphragm
**Zwerg** *m.* dwarf, midget
**Zwetsch(g)e** *f.* (dial.)
plum; **gedörrte —** prune
**Zwick: -el** *m.* clock (of
stocking); **-er** *m.* eye
glasses; pince-nez;
**-mühle** *f.* (fig.) dilemma
**Zwie: -gespräch** *neu.* dia-
logue; **-licht** *neu.* twilight; **-spalt** m., **-tracht**
*f.* dissension; **-sprache** *f.*
conversation
**zwie: -fach** *adj.*, **-fältig**
*adj.* double, two-fold
**Zwieback** *m.* zwieback,
biscuit
**Zwiebel** *f.* onion; bulb
**Zwil(li)ch** *m.* ticking
(fabric)
**Zwilling** *m.* twin
**Zwing: -e** *f.* vise, clamp;
**-er** *m.* cage; **-herr** *m.*
despot; **-herrschaft** *f.*
despotism
**zwingen** *v.* to compel, to
force; **-d** *adj.* urgent
**zwinkern** *v.* to blink, to
wink
**zwirbeln** *v.* to twirl, to
whirl
**Zwirn** *m.* thread, twine
**zwischen** *prep.* between,
among(st); **-durch** *adv.*
in between, at times;
**-staatlich** *adj.* international
**Zwischen: -akt** *m.* entr'-
acte; **-fall** *m.* incident;
**-händler** *m.* wholesaler;
agent; jobber; **Flug ohne
-landung** non-stop flight;
**-pause** *f.* break; **-raum**

*m*. interval; **–spiel** *neu*. interlude; **–stecker** *m*. adapter (plug); **–stock** *m*. mezzanine; **–stufe** *f*. intermediate grade; **–träger** *m*. tale-bearer; **–zeit** *f*. interval; **in der –zeit** in the meantime

**Zwist** *m*. discord, quarrel

**zwistig** *adj*. questionable

**zwitschern** *v*. to chirp

**zwölf** *adj*. twelve; **–fach** *adj*., **–fältig** *adj*. twelvefold; **–jährig** *adj*. twelve-year-old; **–te** *adj*. twelfth

**Zwölf** *f*. twelve; **–fingerdarm** *m*. duodenum; **–te** *m*. twelfth; **–tel** *neu*. twelfth part

**Zyklon** *m*. cyclone; **–e** *f*. (weather) low pressure area

**Zyklus** *m*. cycle; course of lectures, etc.)

**Zylinder** *m*. cylinder; lamp chimney; silk (*oder* top) hat; **–presse** *f*. roller **press**

**Zypern** *neu*. Cyprus

**Zypresse** *f*. cypress

**Zyste** *f*. cyst

# ENGLISH—GERMAN

## A

**a** *art.* ein

**aback** *adv.* **taken — be**stürzt, verblüfft

**abandon** *v.* aufgeben; **–ed** *adj.* verworfen, verlassen

**abate** *v.* ermässigen, verringern; nachlassen

**abbot** *n.* Abt

**abbreviate** *v.* abkürzen

**abbreviation** *n.* Abkürzung

**abhor** *v.* verabscheuen

**abide** *v.* bleiben

**ability** *n.* Fähigkeit

**able** *adj.* fähig; **be — to** können

**abnormal** *adj.* regelwidrig

**abolish** *v.* abschaffen

**abominable** *adj.* abscheulich

**aborigine** *n.* Ureinwohner

**about** *prep.* um, herum; über; **what —?** was soll das heissen? — *adv.* etwa; **all —** überall

**about-face** *n.* Kehrtwendung

**above** *prep.* über, mehr als; **— adv.** oben

**abreast** *adv.* nebeneinander

**abridge** *v.* verkürzen

**abroad** *adv.* im Ausland

**abrupt** *adj.* plötzlich; schroff

**abscess** *n.* Geschwür

**absence** *n.* Abwesenheit; Mangel; **leave of —** Urlaub

**absent** *adj.* abwesend, fehlend; **–ee** *n.* Abwesende

**absent-minded** *adj.* geistesabwesend, zerstreut

**absolute** *adj.* unbedingt; absolut; **–ly** *adv.* durchaus

**absorb** *v.* aufsaugen

**absorption** *n.* Vertieftsein

**abstain** *v.* sich enthalten

**abstract** *n.* Auszug; **— v.** abstrahieren; **— adj.** abstrakt; **–ionism** *n.* (art) abstrakte Kunstrichtung

**absurd** *adj.* albern; sinnwidrig

**abundance** *n.* Überfluss

**abundant** *adj.* reich an; überschüssig

**abuse** *n.* Missbrauch; Beschimpfung; **— v.** missbrauchen

**academic** *adj.* akademisch; **— freedom** akademische Freiheit

**academy** *n.* Hochschule

**accelerate** *v.* beschleunigen

**accelerator** *n.* Gaspedal

**accent** *n.* Betonung; Aussprache; **— v., –uate** *v.* betonen

**accept** *v.* annehmen; **–able** *adj.* annehmbar; angenehm; **–ance** *n.* Annahme

**access** n. Zutritt, Zugang; Anfall, **-ible** adj. erreichbar, zugänglich

**accident** n. Unfall; **-al** adj. zufällig

**acclaim** v. zubuhein

**accommodate** v. unterbringen; versorgen

**accommodation** n. Bequemlichkeit; Unterkunft

**accompaniment** n. Begleitung

**accompany** v. begleiten

**accomplice** n. Mitschuldige

**accomplish** v. ausführen; **-ed** adj. ausgebildet; **-ments** n. pl. Können

**accord** n. Übereinstimmung; – v. übereinstimmen; **-ance** n. Übereinstimmung; **-ingly** adv. demgemäß

**account** n. Rechnung; **give an — berichten; on — of** wegen

**accredited** adj. beglaubigt

**acculturation** n. kulturelle Anpassung

**accumulate** v. anhäufen

**accuracy** n. Richtigkeit

**accurate** adj. richtig; genau

**accusation** n. Anklage

**accuse** v. anklagen

**accustom** v. gewöhnen; — **oneself to, become -ed to** sich gewöhnen an; **-ed** adj. gewohnt

**ace** n. (cards) As; (sports) Meister

**ache** n. Schmerz, Weh; – v. weh tun, schmerzen

**achieve** v. vollbringen; **-ment** n. Werk; – pl. Errungenschaften

**aching** adj. schmerzhaft

**acid** n. Säure; — **test** Säureprobe; – adj. sauer

**acknowledge** v. anerkennen; zugestehen

**acknowledgment** n. Anerkennung; Bestätigung

**acquaint** v. bekanntmachen; **be -ed with** bekannt sein mit; **become -ed with** kennenlernen; **-ance** n. Bekanntschaft

**acquire** v. erwerben, erlangen

**acre** n. Acker, Morgen

**across** adv. hinüber, herüber; – prep. über; — **the street** auf der anderen Strassenseite

**acrylic** adj. Akryl-

**act** n. Tat, Handlung; Gesetz; **in the — im Begriff**; — v. wirken, handeln; (theat.) darstellen, spielen; **-ing** n. Spiel(en), Schauspielkunst; **-or** n. Schauspieler; **-ress** n. Schauspielerin

**action** n. Handlung, Wirkung, Tat; **be killed in — fallen**; **bring an — against** verklagen; **take — vorgehen**

**activate** v. ins Leben rufen; (mil.) aufstellen

**actual** adj. tatsächlich

**acute** adj. scharf; **— angle** spitzer Winkel

**ad** n. Annonce, Anzeige

**A.D.** abbr. Anno Domini, im Jahre des Herrn

**add** v. hinzufügen; addieren; **— up** summieren; **-ing** adj. addierend; **-ing machine** Additionsmaschine; **-ition** n. Addition; **-itional** adj. zusätzlich

**address** n. Adresse (fig.) Anrede; (fig.) adressieren; (fig.) anreden; **-ee** n. Empfänger, Adressat

**adequate** adj. hinreichend

**adhere** v. ankleben; anhaften

**adhesive** adj. anhaftend; **— tape** Klebestreifen

**adjacent** adj. anliegend

**adjourn** v. vertagen; **-ment** n. Vertagung

**ad-lib** v. nach Belieben; — v. improvisieren

**administer** v. verwalten

**administration** n. Verwaltung

**admirable** adj. vortrefflich

**admiration** n. Bewunderung

**admire** v. bewundern

**admission** n. Eintritt, Zutritt; (fig.) Bekenntnis

**admit** v. zulassen; **-tance** n. Zutritt; Zulassung

**admonish** v. ermahnen

**adopt** v. annehmen; **-ed** adj. angenommen; **-ion** n. Annahme; Adoption

**adorn** v. schmücken

**adrift** adj. ratlos

**adult** n. Erwachsene

**adultery** n. Ehebruch; **commit** — ehebrechen

**advance** n. Fortschritt; Vorschuss; **in** — im voraus; — v. vorwärtsgehen; befördern; vorausbezahlen

**advantage** n. Vorteil; Gewinn; **-ous** adj. vorteilhaft

**Advent** n. Advent(szeit)

**adventure** n. Abenteuer, Wagestück; — v. wagen, riskieren; **-r** n. Abenteurer

**adventurous** abenteuerlich

**adversary** n. Gegner

**adverse** adj. feindlich

**adversity** n. Not, Unglück

**advertise** v. anzeigen, werben; **-ment** n. Werbung, Anzeige

**advertising** n. Reklame

**advice** n. Rat(schlag)

**advisable** adj. ratsam

**advise** v. (be)raten

**advisory** adj. beratend

**aerial** n. (rad.) Antenne; — **warfare** Luftkrieg

**aerospace** adj. Luft- und Raum(fahrt)-; — **industry** Luft- und Raumfahrtindustrie

**affair** n. Sache; (com.) Geschäft; **foreign** — s auswärtige Angelegenheiten; **love** — Liebeshandel

**affect** v. (be)rühren; **-ation** n. Verstellung; **-ed** adj. affektiert

**affection** n. Liebe

**affidavit** n. schriftliche Eideserklärung

**affiliation** n. Angliederung

**affirm** v. behaupten

**affix** v. anheften

**afflict** v. kränken; **-ed with** heimgesucht von; **-ion** n. Schmerz

**afford** v. erschwingen

**afraid** adj. ängstlich; **be**

— **of** sich fürchten vor

**Afro** adj. Afro

**Afro-American** n. Afro-Amerikaner

**after** prep. nach; — **all** nach alledem; — **that** nachher; — **this** in Zukunft; **day** — **day** Tag für Tag; **day** — **tomorrow** übermorgen; **look** — sich kümmern um; **one** — **the other** hintereinander; — conj. nachdem; — adv. nachher

**aftermath** n. Folgen

**afternoon** n. Nachmittag

**again** adv. wieder

**against** prep. gegen

**age** n. Alter; **of** — mündig; **old** — hohes Alter; **under** — unmündig; — v. altern; **-ed** adj. alt

**agency** n. Agentur

**agent** n. Vertreter, Agent

**aggravate** v. erschweren

**aggression** n. Angriff

**aggressive** adj. angriffslustig

**agitate** v. bewegen

**agitation** n. Unruhe

**ago** adv. **long** — vor langer Zeit; **not long** — vor kurzem

**agony** n. Seelenangst

**agree** v. übereinstimmen; **-able** adj. angenehm; **-ment** m. Übereinkommen, Vereinbarung

**agriculture** n. Landwirtschaft

**agrobiology** n. Pflanzenernährungslehre

**aground** adj. gestrandet

**ahead** adv. vorwärts; **get** — vorwärtskommen

**aid** n. Hilfe; Hilfsmittel; — v. helfen

**ail** v. **what —s you?** was fehlt dir?; **-ing** adj. leidend; **-ment** n. Krankheit

**aileron** n. Quersteuer

**aim** n. Ziel, Zweck, Absicht; — v. zielen; **-less** adj. zwecklos

**air** n. Luft; Miene; Lied; (fig.) **put on -s** sich grosstun; **in the open** — im Freien; — **base** Flughafen; — **blast** Windstoss; — **brake** Luftdruckbremse; –**chamber** Luftkammer; — **corps** Luftwaffe; — **cushion** Luftkissen; — **force** Luftwaffe; — **gun** Luftgewehr; — **lift** Luftbrücke; — **mail** Luftpost; — **raid** Fliegerangriff; — **valve** Luftventil; — v. (aus)lüften

**airborne** adj. in der Luft; (avi.) im Fluge

**air-conditioning** n. Klimaanlage

**aircraft** n. Flugzeug

**airfield** n. Flugplatz

**airline** n. Luftverkehrslinie; –r n. Verkehrsflugzeug

**airmail** adj. per Luftpost

**airplane** n. Flugzeug

**airport** n. Flughafen

**airship** n. Luftschiff

**airtight** adj. luftdicht

**airway** n. Fluglinie

**aisle** n. Gang, Seitenschiff

**alarm** n. Lärm; **fire** — Feueralarm; — adj. — **clock** Wecker; –**ing** adj. beunruhigend

**albumen** n. Albumin

**alcohol** n. Alkohol; **rubbing** — Alkohol zum Einreiben

**alderman** n. Stadtverordnete

**alien** n. Fremde; — adj. fremd, ausländisch

**alight** v. absteigen

**alike** adj. ähnlich, gleich; — adv. ebenso

**alimony** n. Unterhaltsbeitrag

**alive** adj. lebendig

**all** adj. ganz; alle; — **kinds of** allerlei; **by** — **means** gewiss; auf jeden Fall; **with** — **my heart** aus vollem Herzen; — adv. ganz; **above** — vor allem; — **gone** fort hin, alle; — **in** ganz kaputt, hin, (—) **in** — alles in allem; — **of a sudden** mit einem Mal; — **out** ganz dafür; — **over** überall; — **right** schön, gut; **at** — überhaupt; **for** — **I know** so-

viel ich weiss; **not at** — überhaupt nicht, gar nicht; **nothing at** — gar nichts; **once and for** — ein für allemal

**allergy** n. Allergie

**alley** n. Gasse, Durchgang

**alliance** n. Bündnis

**allied** adj. verbündet, alliiert; (fig.) verwandt, verbunden

**allot** v. zuteilen; austeilen

**all-out** adj. bis zum Letzten; mit grösstem Kraftaufwand

**allover** adj. überall

**allow** v. erlauben; — **oneself** sich gönnen; –**ance** n. Taschengeld

**all-round** adj. vielseitig

**alluring** adj. verlockend, reizend

**ally** n. Verbündete

**almighty** adj. allmächtig

**almond** n. Mandel

**almost** adv. fast, beinahe

**alms** n. Almosen

**alone** adj. allein; **let** (oder **leave**) — in Ruhe lassen

**along** adv. entlang; **take** — mitnehmen; — prep. entlang, längs

**aloud** adv. laut, hörbar

**already** adv. bereits, schon

**also** adv. auch, ebenfalls

**alternating** adj. wechselnd; — **current** Wechselstrom

**although** conj. obgleich

**altitude** n. Höhe

**altogether** adv. zusammen

**always** adv. immer, stets

**a.m., A.M.** abbr. vormittags

**amateur** n. Liebhaber

**amazing** adj. erstaunlich

**ambassador** n. Gesandte

**amber** n. Bernstein

**ambiguous** adj. zweideutig

**ambition** n. Ehrgeiz, Streben

**ambulance** n. Krankenwagen

**ambush** n. Hinterhalt

**amend** v. berichtigen; verbessern; –**ment** n. Ergänzung

**amiable** adj. liebenswürdig

**amnesty** n. Begnadigung
**amoebic dysentery** n. Amöbenruhr
**among(st)** prep. unter
**amortize** v. tilgen (Schuld)
**amount** n. Summe, Betrag
**ample** adj. ausreichend
**amplification** n. Erweiterung; Verstärkung
**amplifier** n. Verstärker
**amplitude** n. Weite; Stärke; — (oder frequency) modulation (rad.) Wellenschwingungsweite
**amply** adv. reichlich
**amputate** v. abnehmen
**amuse** v. unterhalten, amüsieren; **-ment** n. Unterhaltung; Vergnügen
**amusing** adj. ergötzlich
**analysis** n. Analyse
**analyze** v. analysieren
**anarchy** n. Anarchie
**anatomical** adj. anatomisch
**ancestor** n. Vorfahr
**ancestral** adj. angestammt
**ancestry** n. Abstammung
**anchor** n. Anker, **lie** (oder ride) at — vor Anker liegen; **weigh** — den Anker lichten
**ancient** adj. (ur)alt
**and** conj. und
**Andrew** m. Andreas
**androsterone** n. Androsteron
**anemic** adj. blutarm
**anesthetic** n. Betäubungsmittel
**angel** n. Engel
**anger** n. Zorn, Wut, Unwille; — v. ärgern
**angiocardiogram** n. Herzgefässbild, -kurve
**angle** n. Winkel, Ecke; **— iron** Angelhaken
**angry** adj. zornig
**anguish** n. Angst, Pein
**angular** adj. winkelig
**animal** n. Tier
**animation** n. Belebung; (film) Trickzeichnung
**animosity** n. Feindseligkeit
**ankle** n. Fussgelenk
**annex** n. Anhang; (arch.)

Anbau; — v. annektieren
**annihilate** v. vernichten
**annihilation** v. Vernichtung
**anniversary** n. Jahresfeier
**annotation** n. Anmerkung
**announce** v. melden, anzeigen; **-ment** n. Anzeige; **-r** n. Ansager
**annoy** v. belästigen; **-ing** adj. ärgerlich
**annual** adj. jährlich
**annuity** n. Jahresrente
**annul** v. aufheben; **-ment** n. Annullierung
**anode** n. Anode
**anodize** v. eloxieren, anodisieren
**anoint** v. salben
**another** adj. noch ein; **one — einander**
**anoxemia** n. Sauerstoffmangel im Blut
**answer** n. Antwort; — v. (be)antworten
**ant** n. Ameise
**antecedent** n. Vorausgehende
**antenna** n. (rad.) Antenne
**antiaircraft** adj. Flugabwehr
**antibiotic** n. Antibiotikum
**antibody** n. Schutzstoff
**anticipation** n. Erwartung
**antidote** n. Gegengift
**antifreeze** n. Frostschutzmittel
**antihistamine** n. Antihistamin
**antimatter** n. Anti-Materie
**anti-missile** n. Abwehrgesschoss
**antiquated** adj. altmodisch
**antique** n. Antike; — **dealer** Antiquitätenhändler
**antiquity** n. Altertum
**antiseptic** adj. antiseptisch
**antisubmarine** adj. U-bootabwehr-
**antitank** adj. Panzerabwehr-
**antitrust** adj. gegen Kartelle gerichtet
**anxiety** n. Angst, Besorgnis
**any** adj. irgendein; — **more** mehr; **not — kein**
**anybody** pron. (irgend)je-

mand.

**anyhow** *adv.* jedenfalls

**anything** *pron.* (irgend)-etwas; — **else** sonst etwas

**anyway** *adv.* trotzdem

**anywhere** *adv.* irgendwo-(hin)

**apart** *adv.* getrennt

**apartment** *n.* Wohnung

**ape** *n.* Affe; — *v.* nachahmen

**apex** *n.* Spitze, Gipfel

**apiary** *n.* Bienenhaus

**apiece** *adv.* je, für das Stück

**apologize** *v.* sich entschuldigen

**apoplexy** *n.* Schlag(anfall)

**apostle** *n.* Apostel

**apparel** *n.* Kleidung; **wearing** — Kleidungsstücke

**apparent** *adj.* offenbar; **-ly** *adv.* scheinbar, anscheinend

**appeal** *n.* dringende Bitte; Reiz; — *v.* ersuchen

**appear** *v.* erscheinen; scheinen; **-ance** *n.* Erscheinen; Aussehen

**append** *v.* beifügen

**appendicitis** *n.* Blinddarmentzündung

**appendix** *n.* Blinddarm

**appetizer** *n.* Vorspeise

**applause** *n.* Beifall

**apple** *n.* Apfel; — *adj.* — **pie** Apfelkuchen

**applesauce** *n.* Apfelmus

**appliance** *n.* Gerät

**applicant** *n.* Bewerber

**application** *n.* Bewerbung; — **blank** Bewerbungsformular

**apply** *v.* anwenden; — **for** sich bewerben um

**appoint** *v.* ernennen; **-ment** *n.* Ernennung; Verabredung

**appraisal** *n.* Taxierung

**appreciable** *adj.* merklich

**appreciate** *v.* würdigen; — **it** für etwas dankbar sein

**appreciation** *n.* Dank; Verständnis

**apprentice** *n.* Lehrling

**approach** *n.* Zugang

**appropriate** *adj.* passend

**appropriation** *n.* Geldbewilligung

**approval** *n.* Beifall; **on —** auf Probe

**approve** *v.* billigen, gutheissen

**apricot** *n.* Aprikose, Marille

**apron** *n.* Schürze, Schurz

**apt** *adj.* fähig; passend

**aptitude** *n.* Fähigkeit

**arbiter** *n.* Schiedsrichter

**arbitrary** *adj.* willkürlich

**arbor** *n.* Laube

**arch** *n.* Bogen; **fallen -es** Senkfüsse; **-er** *n.* Bogenschütze; **-ery** *n.* Bogenheissen

**architect** *n.* Baumeister; **-ure** *n.* Baukunst, Baustil

**area** *n.* Fläche; Gebiet

**argue** *v.* (sich) streiten; behaupten

**argument** *n.* Argument; **-ation** *n.* Beweisführung

**arise** *v.* aufstehen; entstehen

**aristocracy** *n.* Adel

**arithmetic** *n.* Rechenkunst

**ark** *n.* Arche

**arm** *n.* Arm; Seitenlehne; *pl.* Waffen; **be under —** unter Waffen stehen; **in** — in vollem Aufruhr; — *v.* bewaffnen

**armament** *n.* Bewaffnung

**armature** *n.* Rüstung, Waffen

**armchair** *n.* Lehnstuhl

**armistice** *n.* Waffenstillstand

**armor** *n.* Rüstung, Panzer

**armory** *n.* Zeughaus

**army** *n.* Armee, Heer

**around** *prep.* um . . . herum; — *adv.* ringsherum; ungefähr

**arouse** *v.* erwecken

**arrange** *v.* einrichten; **-ment** *n.* Einrichtung, Anordnung; **make -ments** Vorbereitungen treffen

**arrears** *n.* **in —** rückständig

**arrest** *n.* Verhaftung; **under —** verhaftet; — *v.* verhaften

**arrival** *n.* Ankunft

**arrive** v. (an)kommen
**arrow** n. Pfeil
**arsenal** n. Zeughaus
**arsenic** n. Arsen
**arson** n. Brandstiftung
**art** n. Kunst; List; *pl.* **the fine** — die schönen Künste; **-ful** *adj.* listig; **-isan** n. Handwerker, **-ist** n. Künstler; **-istic** *adj.* künstlerisch
**arteriosclerosis** n. Arterienverkalkung
**arthritis** n. Gicht
**article** n. Gegenstand; Ware; (lit.) Aufsatz
**artifact** (*oder* **artefact**) n. Kunsterzeugnis; primitiver Gebrauchsgegenstand
**artificial** *adj.* künstlich
**artillery** n. Artillerie
**as** *conj.* and *adv.* wie; als; da; während; — **far** — bis (zu); — **far** — **I am concerned** was mich betrifft; — **good** — so gut wie; — **if** als ob (*or* wenn); — **soon** — sobald
**ascension** n. Auffahrt; (rel.) Himmelfahrt
**ash** n. Esche; — **tray** Aschbecher; **Ash Wednesday** Aschermittwoch
**ashamed** *adj.* beschämt, **be** — sich schämen
**ashore** *adv.* am (*or* ans) Ufer
**Asian flu** n. asiatische Grippe
**aside** *adv.* beiseite; **put** (*oder* **set**) — beseitelegen
**ask** v. fragen; verlangen; bitten; einladen; — **for** fragen nach
**asleep be** — schlafen; **fall** — einschlafen
**asparagus** n. Spargel
**aspire** v. streben
**aspirin** n. Aspirin
**ass** n. Esel; (fig.) Dummkopf
**assassin** n. Meuchelmörder; **-ate** v. ermorden; **-ation** n. Ermordung
**assault** n. Angriff; — v. angreifen
**assembly** n. Versammlung; — **line** laufendes Band

**assert** v. behaupten, erklären
**assign** v. zuweisen; **-ment** n. Auftrag
**assist** v. helfen; **-ance** n. Hilfe; **-ant** n. Gehilfe
**association** n. Gesellschaft
**assort** v. sortieren; **-ed** *adj.* gemischt; **-ment** n. Auswahl
**assume** v. annehmen
**assurance** n. Versicherung
**assure** v. versichern; **-dly** *adv.* gewiss
**astonish** v. in Erstaunen setzen; **-ing** *adj.* erstaunlich; **-ment** n. Erstaunen
**astronaut** n. Weltraumfahrer; Astronaut
**astrophysics** n. Astrophysik
**asylum** n. Asyl
**at** *prep.* an, bei, zu; — **all** überhaupt; — **all events** auf jeden Fall; — **first** zuerst; — **last** endlich; — **least** wenigstens, — **most** höchstens; — **noon** mittags; — **once** sofort; — **your service** zu Ihren (*or* deinen) Diensten
**atom** n. Atom; — **bomb** (A-bomb) Atom-bombe; **-ic** *adj.* atomisch; **-ic energy** Atomenergie, Atomkraft; **-ic pile** Atomsäule
**atomizer** n. Zerstäuber
**atone** v. büssen, sühnen
**attach** v. befestigen
**attack** n. Angriff; (med.) Anfall; — v. angreifen; (med.) befallen
**attain** v. erreichen; **-ment** *pl.* Kenntnisse, Fertigkeiten
**attempt** n. Versuch; Attentat; — v. versuchen, wagen
**attend** v. besuchen; (med.) behandeln; aufwarten; **-ant** n. Wärter
**attention** n. Aufmerksamkeit; **call** — **to** hinweisen auf; **pay** — **to** beachten; **pay no** — ignorieren
**attentive** *adj.* aufmerksam
**attic** n. Dachstube, Boden

**attitude** *n.* Haltung, Stellung

**attorney** *n.* Anwalt; **Attorney General** Justizminister; **power of —** schriftliche Vollmacht

**attract** *v.* anziehen; **— attention** Aufmerksamkeit erregen

**attribute** *n.* Eigenschaft

**auction** *n.* Versteigerung; **— v.** versteigern; **–eer** *n.* Versteigerer

**audible** *adj.* hörbar

**audience** *n.* Publikum; Zuschauer; Audienz

**audiophile** *n.* Tonfanatiker; Audiophile

**audition** *n.* Vorsingen

**auditorium** *n.* Hörsaal

**auger** *n.* Bohrer

**aunt** *n.* Tante

**aureomycin** *n.* Aureomyzin

**auspicious** *adj.* günstig

**austere** *adj.* streng, ernst

**austerity** *n.* Strenge, Ernst

**author** *n.* Autor, Verfasser

**authoritative** *adj.* bevollmächtigt

**authority** *n.* Autorität; Befugnis

**authorization** *n.* Bevollmächtigung

**autocracy** *n.* Autokratie

**autogiro** *n.* Hubschrauber

**autograph** *n.* Urschrift

**automate** *v.* automatisieren

**automatic** *adj.* selbsttätig, automatisch

**automation** *n.* Mechanisierung; Automation

**autumn** *n.* Herbst

**auxiliary** *n.* Helfer; **— forces** Hilfstruppen

**avenge** *v.* rächen, ahnden; **–r** *n.* Rächer

**avenue** *n.* Strasse, Allee

**average** *n.* Durchschnitt; **on the —** durchschnittlich

**aviation** *n.* Flugwesen

**aviator** *n.* Flieger

**avocation** *n.* Steckenpferd, Zeitvertreib

**avoid** *v.* (ver)meiden; **–able** *adj.* vermeidlich

**await** *v.* erwarten

**awake** *v.* (er)wecken; erwachen

**award** *n.* Preis, Urteil

**aware** *adj.* bewusst

**away** *adv.* (hin)weg, ab, fort; abwesend; **— from** entfernt (*or* abwesend) von; **— from home** von Hause fort

**awe** *n.* Ehrfurcht, Furcht

**awful** *adj.* furchtbar

**awhile** *adv.* eine Weile

**awkward** *adj.* ungeschickt

**awl** *n.* Ahle, Pfriem

**awning** *n.* Markise

**ax(e)** *n.* Axt, Beil

**axiom** *n.* Axiom, Grundsatz; **–atic** *adj.* grundsätzlich, unumstösslich

**axis** *n.* Achse

**axle** *n.* Achse

**aye** *adv.* ja

# B

**babe** *n.* Säugling, kleines Kind

**baby** *n.* Baby; Nesthäkchen; **— buggy** Kinderwagen; **— carriage** Kinderwagen

**bachelor** *n.* Junggeselle

**back** *n.* Rücken; Rückseite; **— door** Hintertür; **— number** alte Nummer; **— payment** rückständige Zahlung; **— seat** Rücksitz; **— stairs** Hintertreppe; **— street** Hintergasse; **— talk** Widerspruch; **— adv.** zurück; **(in) — of** hinter

**backbone** *n.* Rückgrat; (fig.) Willenskraft

**backfield** *n.* Hintermannschaft

**backfire** *n.* Frühzündung

**backgammon** *n.* Puffspiel

**background** *n.* Hintergrund

**backlash** *n.* Gegenstoss, Rückschlag

**backlog** *n.* nicht ausgeführte Bestellungen

**backslide** *v.* abfallen

**backstage** *adv.* (theat.) hinter den Kulissen

**backstop** n. Ballfänger

**backward** adv. rückwärts, zurück; — **and forward** hin und her

**bacon** n. Speck

**bacteria** n. pl. Bakterien

**bad** adj. schlecht, schlimm; arg, böse; **too** — zu schade; **he is -ly off** es geht ihm sehr schlecht; **I want this -ly** ich brauche dies sehr

**badge** n. Abzeichen

**badger** n. Dachs

**baffle** v. verspotten, verwirren

**bag** n. Sack, Tüte, Beutel, Tasche; Koffer; — v. fangen, schiessen

**baggage** n. Gepäck; **excess** — Übergewicht; **car** Gepäckwagen; — **check** Gepäckschein; — **master** Gepäckmeister; — **office** Gepäckaufgabe, Gepäckausgabe

**bagpipe** n. Dudelsack-(pfeife)

**bail** n. Bürgschaft; Kaution; **put up** — Kaution stellen; — **out** v. (avi.) mit dem Fallschirm abspringen

**bailiff** n. Amtmann

**bake** v. backen; braten; **-r** n. Bäcker; **-ry** n. Bäckerei

**balance** n. Waage; (com.) Saldo; **amount of** — Saldobetrag; — **of power** politisches Gleichgewicht; — **of trade** Handelsbilanz; — **sheet** Bilanzbogen

**balcony** n. Balkon

**bald** adj. kahl

**ball** n. Kugel, Ball; — **bearing** Kugellager

**ballistic missile** n. ferngelenktes Raketengeschoss

**ballistics** n. Ballistik, Wurflehre

**ballot** n. Stimmzettel

**ballplayer** n. Ballspieler

**ball-point pen** n. Kugelschreiber

**ballyhoo** n. Marktschreierei

**balm** n. Balsam, Trost; **-y**

*adj.* mild

**balustrade** n. Geländer

**bamboo** n. Bambus

**bamboozle** v. beschwindeln

**ban** n. Bann; — v. bannen, ächten

**band** n. Band; Gürtel; Borte; (mus.) Kapelle; — **leader** Kapellmeister

**bandage** n. Verband, Binde

**bandbox** n. Hutschachtel

**bank** n. Bank; Ufer, Strand; — **account** Bankkonto; — **bill** Bankwechsel; — **note** Banknote; — **savings** — Sparkasse; — v. auf die Bank bringen

**bankrupt** adj. bankrott

**banner** n. Fahne, Flagge

**banquet** n. Bankett

**baptism** n. Taufe

**bar** n. Bar; Stange; Hausbar; Rechtsanwaltschaft

**barbarity** n. Grausamkeit, Roheit

**barbarous** adj. barbarisch, roh

**barbecue** v. auf dem Rost (or am Spiess) braten

**barber** n. Herrenfriseur

**barbiturate** n. Barbitursäure

**bare** adj. nackt; **-ly** adv. kaum; **-foot(ed)** adj. barfuss; **-headed** adj. barhäuptig

**bargain** n. Geschäft; Gelegenheitskauf; — **counter** Ladentisch für herabgesetzte Waren

**barge** n. Barke; Hausboot

**bark** n. (bot.) Rinde; (dog) Bellen; v. bellen

**barley** n. Gerste

**barmaid** n. Kellnerin

**barn** n. Scheune, Scheuer

**barrage** n. Sperrfeuer

**barrel** n. Tonne, Fass

**barren** adj. unfruchtbar

**barricade** n. Sperre; — v. versperren

**barrier** n. Schranke; (rail.) Schlagbaum

**barroom** n. Schenkstube

**bartender** n. Barkellner

**barter** n. Tausch

**base** n. (avi., mil., naut.) Stützpunkt; — **hit** Treffer; — v. basieren, begründen; **be -d on** beruhen auf; **-less** adj. grundlos; **-ment** n. Keller

**bashful** adj. scheu, schüchtern; **-ness** n. Schüchternheit

**basic** adj. grundlegend

**basin** n. Becken

**basis** n. Grundlage, Basis

**basket** n. Korb; — **case** (med.) Arm- und Beinamputierte

**bas-relief** n. Flachrelief

**bass** n. (ichth.) Barsch; (mus.) Bass; — **clef** F-schlüssel; — **drum** Riesenpauke; — **horn** Tuba

**bassoon** n. Fagott

**bat** n. (baseball) Schläger, Schlagholz; (zool.) Fledermaus; **be at** — am Schlagen sein; — v. schlagen, treffen; **-ter** n. (baseball) Schläger; (cooking) Teig

**batch** n. Schub; Menge

**bath** n. Bad; — **towel** Badetuch; **-e** v. baden

**bathhouse** n. Badeanstalt

**bathrobe** n. Bademantel

**bathtub** n. Badewanne

**bathymetry** n. Wassertiefenmessung

**bathyscaphe** n. Tiefenboot

**baton** n. Taktstock, Stab

**battery** n. Batterie; — **cell** Batterieelement; **dry** — Trockenelement

**battle** n. Kampf, Schlacht; — **cry** Schlachtruf; — v. kämpfen, streiten

**battlefield** n. Schlachtfeld

**bawl** n. schreien, brüllen

**bay** n. (arch.) Nische, Erker; (geog.) Meerbusen; — **window** Erkerfenster

**bayonet** n. Bajonett

**bazaar** n. Basar, Verkaufshalle

**be** v. sein, werden; — **in a hurry** es eilig haben; — **off** sich fortmachen; — **right** recht haben; — **well** gesund sein; **-ing** n. Sein, Dasein; **for the**

**time -ing** einstweilen

**beach** n. Strand, Ufer

**beachhead** n. Landungskopf

**beacon** n. Leuchtfeuer; Leuchtturm

**bead** n. Glasperle; **-s** pl. Kette

**beak** n. Schnabel; Tülle

**beam** n. Balken; (opt.) Lichtstrahl; (rad.) Signal; — v. strahlen

**bean** n. Bohne; **kidney** — Feuerbohne; **string** — grüne Bohne

**bear** n. (zool.) Bär; — v. tragen; gebären; aushalten; — **in mind** nicht vergessen; — **witness** Zeugnis ablegen; **-er** n. Träger, Überbringer; **-ing** n. (mech.) Lager

**beard** n. Bart; **-ed** adj. bärtig; **-less** adj. bartlos

**beast** n. Tier, Vieh

**beat** n. Schlag; (mus.) Takt; — v. schlagen, prügeln; — **a path** einen Weg bahnen; — **time** Takt schlagen; — **that -s everything** das übertrifft alles; **egg -er** Schneeschläger; **-ing** n. Schlagen, Prügeln

**beatnik** n. Halbstarker

**beau** n. Liebhaber, Anbeter

**beautiful** adj. schön, prächtig

**beautify** v. verschönern

**beauty** n. Schönheit; — **parlor** Schönheitssalon

**beaver** n. Biber

**because** conj. weil, denn, da; — **of** wegen

**become** v. werden; sich schicken

**becoming** adj. passend

**bed** n. Bett, Lager; (agr.) Beet; (geol.) Lagerung; — **sheet** Bettuch; **get out of** — aufstehen; **go to** — zu Bett gehen; **river** — Flussbett

**bedbug** n. Bettwanze

**bedridden** adj. bettlägerig

**bedspread** n. Bettdecke

**bedstead** n. Bettstelle

**bee** n. Biene

**beech** n. Buche
**beef** n. Rindfleisch; — **tea**
Kraftbrühe; **corned** —
geräuchertes Rindfleisch; —
**roast** — Roastbeef
**beehive** n. Bienenkorb
**beer** n. Bier
**beeswax** n. Bienenwachs
**beet** n. (rote) Rübe
**beetle** n. Käfer; Schabe
**befall** v. befallen; geschehen
**before** adv. vorn; vorher,
vormals; früher; **an hour**
— eine Stunde früher;
— prep. vor; **the day** —
**yesterday** vorgestern;
—conj. ehe, bevor
**beforehand** adv. im voraus
**befriend** v. beistehen
**beg** v. bitten; flehen; **I** —
**your pardon** ich bitte
um Verzeihung; wie bitte?
**beggar** n. Bettler
**begin** v. beginnen, anfangen; -**ning** n. Anfang,
Ursprung; **from** -**ning to**
**end** von A bis Zet
**behalf** n. **in** (oder **on**) —
**of** zugunsten von; im Namen von
**behave** v. sich betragen
**behavior** n. Betragen
**behind** prep. hinter; **be** —
**the eight ball** in der
Patsche sitzen; — adv.
hinten, dahinter
**belated** adj. verspätet
**belfry** n. Glockenturm
**belief** n. Glaube; Meinung
**believe** v. glauben, meinen, vertrauen; — **in**
glauben an; -**r** n. Gläubige, Glaubende
**bell** n. Glocke, Klingel
**bellboy** n. Hotelpage
**bellows** n. Blasebalg, Gebläse
**belly** n. Bauch, Wanst
**belong** v. gehören; -**ings**
n. pl. Eigentum
**beloved** adj. geliebt, teuer
**below** adv. unten; hinunter, herunter
**belt** n. Gürtel, Gurt, Koppel; (mech.) Treibriemen; **transmission** —
Transmissionsriemen

**bench** n. Bank; (mech.)
Werkbank
**bend** n. Biegung — v. beugen, biegen; — **down**, —
**over** sich bücken
**beneath** adv. unten; —
prep. unter
**benediction** n. Segen
**benefactor** n. Wohltäter
**beneficial** adj. nützlich
**beneficiary** n. Erbe
**benefit** n. Vorteil, Wohltat; — v. nützen, begünstigen, fördern
**benevolent** adj. wohlwollend, gütig; — **society**
Wohltätigkeitsverein
**bequeath** v. vermachen
**bequest** n. Vermächtnis
**bereave** v. berauben; -**ed**
adj. leidtragend; -**ment** n.
schmerzlicher Verlust
**berry** n. Beere
**berserk** adj. wütend
**berth** n. Bett, Koje
**beseech** v. bitten, flehen
**beside** prep. neben, bei;
ausser; **that is** — **the**
**question** (oder **point**)
das hat nichts damit zu
tun; -**s** adv. ausserdem;
-**s** prep. ausser, neben
**besiege** v. belagern, bestürmen
**best** adj. beste; — **girl**
Schatz, Geliebte; — **man**
Brautführer; — **seller** Erfolgswerk; — n. Beste;
**at** — bestenfalls; **do**
**one's** — sein Möglichstes
tun; **for the** — zum Besten; **to the** — **of my**
**knowledge** soviel ich
weiss
**bestow** v. erteilen, schenken
**bet** n. Wette, Einsatz; —
v. wetten
**betray** v. verraten; -**al** n.
Verrat
**betroth** v. verloben; **become** -**ed** sich verloben;
-**al** n. Verlobung; -**ed** n.
Verlobte; -**ed** adj. verlobt
**better** adj. besser; — **half**
bessere Hälfte; **be** — **off**
besser dran sein; — **and**
— immer besser; **so much**

**the** — umso (*or* desto)
besser
**between** *prep.* zwischen,
unter
**beverage** n. Getränk
**bevy** n. Rudel, Schar
**bewail** v. beklagen
**beware** v. sich in acht
nehmen; —! *interj.* gib
acht! hüte dich!
**beyond** *prep.* jenseits, über
**bias** n. Vorurteil; **on the**
— schräg; — v. beein-
flussen; **-ed** *adj.* voreingenommen
**Bible** n. Bibel
**Biblical** *adj.* biblisch
**bicker** v. zanken, streiten
**bicycle** n. Fahrrad
**bid** n. Gebot, Angebot; —
v. bieten; (cards) melden
**biennial** *adj.* zweijährig
**bifocals** n. pl. Bifokalglä-
ser
**big** *adj.* gross, dick; —
**talk** Prahlerei; **-ness** n.
Grösse, Dicke; Umfang
**bike** n. Fahrrad
**bilateral** *adj.* zweiseitig
**bilingual** *adj.* zweisprachig
**bill** n. Schnabel; Schein
(com.) Rechnung; (pol.)
Gesetzesvorlage; — **of**
**fare** Speisekarte; — **of**
**lading** Frachtbrief; — **of**
**sale** Kaufvertrag
**billboard** n. Anschlage-
brett
**billion** n. (USA) Mil-
liarde (1.000.000.000);
Billion (1.000.000.000.-
000); **-aire** n. (USA)
Milliardär; Billionär
**bimonthly** *adj.* zweimonat-
lich
**bin** n. Kasten, Behälter
**binary** *adj.* binär, aus 2 Ein-
heiten bestehend; — **digit**,
**bit** n. Büromaschinen-Bit,
Binärziffer
**bind** v. binden, verpflichten;
(med.) verbinden; **-ery** n.
Buchbinderie; **-ing** n.
Einband
**binoculars** n. pl. Fernglas
**biochemical** *adj.* biochemisch
**biodegradable** *adj.* biolo-

gisch abbaubar
**bioecology** n. Bioökologie
**biogenesis** n. Biogenese,
Entwicklungsgeschichte;
biogenetisches Grundgesetz;
Rekapitulationstheorie
**biographer** n. Biograph
**biology** n. Biologie
**biometry** n. Biometrie
**biosphere** n. Biosphäre
**biplane** n. Doppeldecker
**birch** n. Birche
**bird** n. Vogel; — **cage**
Vogelkäfig; — **of prey**
Raubvogel **-eye view** n.
Vogelperspektive
**birth** n. Geburt; Abstammung; — **certificate** Ge-
burtsschein; **give** — gebären
**birthplace** n. Geburtsort
**biscuit** n. Keks, Biskuit
**bisexual** *adj.* bisexuell
**bishop** n. Bischof; (chess)
Läufer
**bison** n. Bison, Büffel
**bit** n. Kleinigkeit; Gebiss;
(mech.) Bohrspitze; **a** —
ein wenig, etwas
**bitch** n. (zool.) Hündin
**bite** n. Biss, Stich; — v.
beissen; stechen
**bitter** *adj.* bitter, herb
**biweekly** *adj.* zweiwöchent-
lich
**blab** v. ausplaudern
**black** *adj.* schwarz; dunkel;
— **list** schwarze Liste;
— **market** Schwarzmarkt;
**Black Muslim** Schwarzer
Muslim
**blackberry** n. Brombeere
**blackboard** n. Wandtafel
**blackmail** n. Erpressung
**blacksmith** n. Schmied
**bladder** n. Harnblase
**blade** n. (bot.) Blatt,
Halm; (mech.) Klinge;
— **of a propeller** Pro-
pellerflügel; **-dispenser**
n. Klingenspender
**blame** n. Tadel, Schuld; —
v. tadeln, schelten; **-less**
*adj.* unschuldig, schuldlos
**bland** *adj.* sanft, mild
**blank** n. Formular; — **car-**
**tridge** Platzpatrone
**blanket** n. Decke

**blasphemous** *adj.* lästerlich

**blast** *n.* Sturm, Windstoss; **— furnace** Hochofen; — *v.* sprengen

**blast-off** *n.* Raketenabschuss

**blaze** *v.* Flamme, Feuer

**bleach** *v.* bleichen; **— ing** *n.* Bleiche

**bleachers** *n. pl.* offene Tribüne

**bleed** *v.* bluten

**blemish** *n.* Makel, Fehler

**blend** *v.* Mischung

**bless** *v.* segnen; beglücken; **–ing** *n.* Segen; Tischgebet

**blind** *adj.* blind; **— alley** Sackgasse; — *v.* blenden; **Venetian —s** Jalousien, Rouleaus; **–ness** *n.* Blindheit

**blink** *n.* blinken, blinzeln; **-er** *n.* Blinkfeuer

**blister** *n.* Blase, Pustel

**blizzard** *n.* Schneesturm

**bloat** *v.* aufblasen, aufblähen

**block** *n.* Block, Klotz; Häuserblock; **— and tackle** Flaschenzug; — *v.* hindern; (ver)sperren; (art) skizzieren

**blockade** *n.* Blockade; **run a —** Blockade brechen; — *v.* blockieren

**blood** *n.* Blut; **— bank** Blutbank; **— poisoning** Blutvergiftung; **— pressure** Blutdruck; **— test** Blutprobe; **— transfusion** Blutübertragung; **— vessel** Ader; **-y** *adj.* blutig

**bloom** *n.* Blüte; Blume; — *v.* blühen

**blot** *n.* Klecks, Fleck; **-ter** *n.* Löscher, Löschpapier

**blotch** *n.* Pustel; Klecks

**blouse** *n.* Bluse

**blow** *n.* Schlag, Streich; (fig.) Unglücksfall; — *v.* blasen, wehen

**blowout** *n.* Reifenpanne, Platzen

**blowtorch** *n.* Lötlampe

**blue** *n.* Blau; **— jay** Blauhäher; — *adj.* blau; (fig.) schwermütig; — *n. pl.* Schwermut; (mus.) Blues

**blueprint** *n.* Blaudruck

**bluff** *n.* Abhang; Bluff; — *adj.* schroff, steil; — *v.* bluffen

**bluing, blueing** *n.* Waschblau

**blunder** *n.* Fehler, Schnitzer

**blunt** *adj.* stumpf, grob

**blur** *n.* Flecken, Klecks; — *v.* verwischen

**blush** *n.* Erröten; — *v.* erröten

**board** *n.* Brett; Tafel; Tisch; Pension; **— and lodging** Kost und Logis; **— of education** Unterrichtsamt; **— of trade** Handelsamt; **school —** Schulbehörde; — *v.* einsteigen, beköstigen; **-er** *n.* Kostgänger

**boarding house** *n.* Pension

**boast** *n.* Prahlerei, Rühmen; — *v.* prahlen

**boat** *n.* Boot, Kahn; Schiff

**bob** *n.* Bubikopf, (mech.) Pendelgewicht; — *v.* stutzen; kurz schneiden

**bobby pin** *n.* Haarspange

**bobby sox** *n.* Söckchen

**bobby soxer** *n.* ausgelassener Backfisch

**body** *n.* Körper, Leib; Leiche; Gesellschaft

**bodyguard** *n.* Leibwache

**bogus** *adj.* unecht

**boil** *n.* (med.) Geschwür; — *v.* kochen; **-er** *n.* Kessel; (mech.) Dampfkessel; **-ing** *adj.* kochend

**bold** *adj.* unverschämt; **-ness** *n.* Unverschämtheit

**boldface** *n.* (typ.) Fettdruck

**boloney** *n.* Jagdwurst; (sl.) Wertlosigkeit

**bomb** *n.* Bombe; **— shelter** Luftschutzkeller; — *v.* bombardieren

**bombproof** *adj.* bombensicher

**bombshell** *n.* Bombe

**bond** *n.* Band; (com.) Obligation; **government —s** Staatspapiere

**bone** *n.* Knochen

**bonfire** *n.* Freudenfeuer

**bonus** n. Vergütigung, Prämie
**booby** n. Tölpel; — **trap** Falle
**book** n. Buch; — **review** Buchbesprechung; — v. buchen; anschreiben
**bookcase** n. Bücherschrank
**bookkeeper** n. Buchführer
**bookshelf** n. Bücherbrett
**bookstand** n. Büchergestell
**bookstore** n. Buchhandlung
**boost** n. Schub; — v. Reklame machen für
**boot** n. Stiefel
**bootblack** n. Schuhputzer
**booth** n. Bude; **telephone** — Telefonzelle
**bootleg** v. Alkohol schmuggeln; **-ger** n. Alkoholschmuggler
**booze** n. Getränk; — v. trinken, saufen
**border** n. Grenze, Rand; — v. — **on** angrenzen
**bore** n. Bohrung; (fig.) langweiliger Mensch; — v. bohren; langweilen
**boring** adj. langweilig
**born** adj. geboren
**borrow** v. leihen, borgen
**bosom** n. Busen, Brust; — adj. — **friend** Busenfreund
**boss** n. Chef, Vorgesetzte; **-y** adj. herrisch
**botany** n. Botanik
**botch** v. pfuschen
**both** pron. and adj. beide, beides; — conj. sowohl
**bother** v. plagen; sich bemühen; — n. Mühe
**bottle** n. Flasche
**bottleneck** n. Verkehrsstockung
**bottom** n. Boden, Grund; (fig.) Ursache; **from top to** — von oben bis unten; — adj. unterst; letzt; **-less** adj. bodenlos; (fig.) unergründlich
**botulism** n. Wurstvergiftung, Botulismus
**bough** n. Zweig, Ast
**boulder** n. Felsblock
**bound** n. Grenze; **out of** **-s** ausserhalb des Erlaubten; **within -s** innerhalb

des Erlaubten; adj. gebunden; — **for** auf der Reise nach; **it is** — **to es muss**; **-ary** n. Grenze; **-less** adj. grenzenlos
**bouquet** n. Blumenstrauss
**bow** n. (fashion) Schleife; — v. sich verbeugen, neigen
**bowels** n. pl. Eingeweide
**bowl** n. Schale, Schüssel; — v. (sports) kegeln; **-er** n. Kegler; **-ing** n. Kegeln; **-ing alley** Kegelbahn; **-ing pin** Kegel
**box** n. Schachtel, Karton, Kiste; (mail) Briefkasten; (theat.) Loge; — **office** Theaterkasse; —**seat** Logenplatz; — v. boxen; **-er** n. Boxer; **-ing** n. Boxen; **-ing glove** Boxhandschuh
**boxcar** n. Güterwagen
**boy** n. Knabe, Junge; Bediente; — **scout** Pfadfinder
**bra, brassiere** n. Büha, Büstenhalter
**brace** n. Band; (arch.) Stützbalken; (mech.) Drillbohrer; — v. stemmen
**bracelet** n. Armband
**bracket** n. Klammer; (fig.) Klasse
**brag** v. prahlen; **-gart** n. Prahler
**braid** n. Zopf; — v. flechten
**brain** n. Gehirn; pl. Verstand; **rack one's** — sich den Kopf zerbrechen; — **wash** v. das Gehirn waschen; **-y** adj. geistreich, gescheit
**brake** n. (mech.) Bremse; — **band** Bremsband; **put on the** **-s** bremsen; **release the** **-s** die Bremse loslassen; — v. bremsen
**bran** n. Kleie
**branch** n. Zweig, Ast; (com.) Filiale
**brand** n. Marke
**brand-new** adj. nagelneu
**brandy** n. Kognak, Weinbrand
**brass** n. Messing; (mil. sl.) hohes Tier; —**band** Blas-

orchester

**brassie** n. messingbeschlagener Golfstock

**brave** adj. brav, tapfer; kühn; — n. Krieger; **-ry** n. Mut, Tapferkeit

**bread** n. Brot; **(slice of)** — **and butter** Butterbrot

**breadbasket** n. Brotkorb

**breadth** n. Breite, Weite

**breadwinner** n. Ernährer

**break** n. Bruch; Pause; Chance; **bad** — Pech; — v. brechen; ruinieren; **down** stecken bleiben; — **in** anlernen; **-ing point** Festigkeitsgrenze

**breakdown** n. Zusammenbruch; Panne; **nervous** — Nervenzusammenbruch

**breakfast** n. Frühstück; — v. frühstücken

**breakwater** n. Wellenbrecher

**breast** n. Brust

**breath** n. Atem; Hauch; **catch one's** — Atem holen; **out of** — atemlos, **-e** v. atmen

**breed** n. Brut, Art, Rasse; — v. züchten

**breeze** n. Wind, Lüftchen

**bremsstrahlung** n. Bremsstrahlung

**brethren** n. pl. Brüder

**brew** n. Gebräu; — v. brauen

**bribe** n. Bestechung

**bric-a-brac** n. Nippsachen

**brick** n. Ziegel, Backstein

**brickbat** n. Ziegelbrocken

**bricklayer** n. Maurer

**brickyard** n. Ziegelei, Ziegellager

**bride** n. Braut

**bridegroom** n. Bräutigam

**bridesmaid** n. Brautjungfer

**bridge** n. Brücke; (cards) Bridge

**bridgework** n. (dent.) Zahnbrücke

**bridle** n. Zügel, Zaum

**bright** adj. hell, heiter; **-en** v. erleuchten; polieren; **-ness** n. Glanz

**brilliance** n. Glanz

**brilliant** adj. glänzend

**brim** n. Rand, Krempe

**brimstone** n. Schwefel

**brine** n. Salzwasser, Sole

**bring** v. bringen; — **along** mitbringen; — **to** wieder zu sich bringen; — **up** erziehen

**brink** n. Rand; steiles Ufer

**brisk** adj. rasch; flink; frisch

**bristle** n. Borste, Stachel

**brittle** adj. zerbrechlich

**broad** adj. breit, weit; liberal; — **jump** Weitsprung

**broadcast** n. Rundfunksendung; — v. senden; **-ing** n. Rundfunk; **-ing station** Sender

**brogue** n. (gebrochene) Mundart

**broke** (sl.) adj. ruiniert; **-n** adj. zerbrochen; **be** — kaputt sein

**broker** n. Makler, Agent; **insurance** — Versicherungsagent

**bronco** n. ungezähmtes Pferd

**brooch** n. Brosche, Spange

**brood** n. Brut; — v. (aus)brüten

**brook** n. Bach

**broom** n. Besen

**broth** n. Suppe, Fleischbrühe

**brother** n. Bruder; **-hood** n. Brüderschaft

**brother-in-law** n. Schwager

**brow** n. Stirn; Augenbraue

**brown** n. Braun; — adj. braun; — v. (sich) bräunen

**browse** v. grasen, weiden

**bruise** n. Quetschung; — v. zerquetschen; (coll.) braun und blau schlagen

**brunch** n. zweites Frühstück

**brush** n. Bürste; (art) Pinsel; (bot.) Gebüsch; (elec.) Strahlenbündel; — v. fegen, bürsten; kehren; — **off** (fig.) abweisen

**brusque** adj. barsch, schroff

**brutal** adj. roh, brutal; **-ity** n. Roheit, Brutalität

**brute** n. Tier; (coll.) Scheusal; — adj. tierisch

**bubble** n. Blase; Quark, Tand; — v. Blasen werfen

**buck** n. (zool.) Bock; (coll.) Stutzer

**bucket** n. Eimer, Kübel

**buckle** n. Schnalle

**bucksaw** n. Spannsäge

**buckskin** n. Hirschleder

**buckwheat** n. Buchweizen

**bud** n. Knospe, Auge; (sl.) Debütantin; — v. knospen, keimen; sich entwickeln

**buddy** (coll.) n. Gefährte, Kamerad

**budge** v. von der Stelle gehen

**budget** n. Haushaltsplan

**buff** n. Lederfarbe, Braungelb; — v. polieren; **-er** n. Nagelpolierer

**buffalo** n. Büffel

**buffet** n. Büffet, Anrichte; Geschirrschrank

**buffoon** n. Hanswurst

**bug** n. Käfer; Wanze

**bugle** n. Signalhorn

**build** v. bauen; — **up** aufbauen; **-er** n. Baumeister; **-ing** n. Gebäude

**bulb** n. (bot.) Zwiebel; (elec.) Birne

**bulge** n. Anschwellung

**bulk** n. Masse, Menge; **-y** adj. dick; unhandlich

**bulldozer** n. Planierungsraupenfahrzeug

**bullet** n. Kugel, Geschoss

**bull's-eye** n. Schuss ins Zentrum

**bulrush** n. Sumpfbinse

**bulwark** n. Bollwerk, Bastei

**bumblebee** n. Hummel

**bump** n. Beule; Schlag, Stoss; — v. stossen, schlagen; (fig.) sehen; **-er** n. (auto.) Stossstange

**bun** n. Brötchen, Semmel

**bunch** n. Bund; Bündel, Büschel; Menge; (coll.) Bande

**bundle** n. Bündel; Paket; — v. einpacken

**bunion** n. Schwellung am Ballen

**bunk** n. Koje; Wandbett;

(sl.) Geschwätz

**burden** n. Last, Bürde; — v. beladen, belasten

**bureau** n. Büro; Amtszimmer; Kommode

**burglar** n. Einbrecher

**burial** n. Beerdigung

**burlap** n. grobe Leinwand

**burly** adj. dick, plump

**burn** n. Brandwunde; — v. brennen, verbrennen

**burnish** v. polieren, glätten

**burst** n. Bersten, Platzen; v. bersten, platzen

**bury** v. begraben; vergraben

**bus** n. Bus, Omnibus; — **boy** Pikkolo

**bush** n. Busch, Strauch

**bushel** n. Scheffel

**bushing** n. (elec.) Durchführungsisolator

**business** n. Geschäft, Handel; Beruf; (fig.) Angelegenheit, Sache; **on** — geschäftlich; **that's none of your** — das geht dich nichts an

**businessman** n. Kaufmann, Geschäftsmann

**businesswoman** n. Geschäftsfrau

**bust** n. Büste; Brust, Busen

**bustle** n. Lärm; Geschäftigkeit

**busy** adj. beschäftigt, tätig, eifrig; **the number is** — die Nummer ist besetzt

**but** conj. aber; sondern; **all** — bis auf; — adv. nur

**butcher** n. Fleischer, Metzger; — **shop** Fleischerei; — v. (ab)schlachten

**butler** n. Haushofmeister

**butt** n. Kolben; Stummel

**butter** n. Butter

**butterfly** n. Schmetterling

**button** n. Knopf

**buttress** n. (arch.) Strebe(pfeiler)

**buxom** adj. drall

**buy** v. kaufen; einkaufen; (fig.) bestechen; — **for cash** gegen Barzahlung kaufen; — **on credit** auf Kredit kaufen; — **second-hand** gebrauchte Sachen kaufen; **-er** n. Käufer,

Einkäufer

**buzz** *n.* Summen, *v.* summen

**by** *prep.* an, bei, neben; — **far** weitaus, bei weitem; — **oneself** allein; — **that** damit, darunter; — **the way** apropos; — *adv.* nahe, dabei, vorbei; — **and** — nach und nach

**bygone** *adj.* vergangen, veraltet; **-s** *n. pl.* vergangene Dinge

**bylaw** *n.* Nebengesetz

**bypass** *n.* Nebenweg; — *v.* umgehen

**by-product** *n.* Nebenprodukt

**byword** *n.* Sprichwort

## C

**cab** *n.* Taxi

**cabana** *n.* Strandhütte; Wohnlaube

**cabbage** *n.* Kohl, Kraut

**cabdriver** *n.* Taxifahrer; Droschkenkutscher

**cable** *n.* Kabel, Seil; Kabeldepesche; — **address** Telegrammadresse; — *v.* kabeln

**cablegram** *n.* Kabel(depesche)

**cafeteria** *n.* Restaurant mit Selbstbedienung

**cake** *n.* Kuchen, Torte; — *v.* hart werden

**calamity** *n.* Unglück, Elend

**calculate** *v.* berechnen; (fig.) abwägen, vermuten

**calculator** *n.* Rechenmaschine

**calender** *n.* Tuchpresse, Kalander; — *v.* pressen, kalandern

**calf** *n.* Kalb; Kalbleder; (anat.) Wade

**calfskin** *n.* Kalbfell, Kalbleder

**caliper** *n.* Kaliberzirkel

**calisthenis** *n.* Freiübungen

**call** *n.* Ruf, Schrei; Forderung; kurzer Besuch; (com.) Nachfrage; (mil.) Appell; (tel.) Anruf; **long distance** — Ferngespräch;

— *v.* rufen; schreien; Besuch machen; nennen — **for** abholen; — **off** absagen, abberufen; — **on** besuchen; — **the roll** die Namensliste verlesen; — up anrufen; **-er** *n.* Besucher; Rufende; **-ing** *n.* Beruf; Berufung; **-ing card** Visitenkarte

**calligraphy** *n.* Kalligraphie, Schönschreibekunst

**calm** *n.* Ruhe, Stille; — *adj.* ruhig, still; — *v.* beruhigen

**calorimeter** *n.* Wärmeeinheitenmesser

**cameo** *n.* Kamee

**camera** *n.* Kamera; **candid** — Geheimkamera; **motion picture** — Filmkamera

**camouflage** *n.* Tarnung; — *v.* tarnen

**camp** *n.* Lager; Feldlager; — *v.* lagern, kampieren; **-er** *n.* Kampierende

**campaign** *n.* Feldzug

**campus** *n.* Universitätsgelände

**camshaft** *n.* Nockenwelle

**can** *n.* Büchse, Dose; — *v.* können; (coll.) dürfen; einmachen, einkochen

**canary** *n.* Kanarienvogel

**canasta** *n.* Canasta, Kanasta

**cancel** *v.* streichen; absagen; **-ation** *n.* Absage

**cancer** *n.* Krebs; **-ous** *adj.* krebsartig; krebskrank

**candidate** *n.* Kandidat

**candle** *n.* Kerze, Licht; — **power** Lichtstärke

**candlestick** *n.* Leuchter

**candor** *n.* Aufrichtigkeit

**candy** *n.* Süßigkeit(en), Bonbon(s), Zuckerwerk

**cane** *n.* Rohr; Spazierstock

**cannon** *n.* Kanone, Geschütz

**canoe** *n.* Kanu, Paddelboot

**canon** *n.* Regal, Richtschnur

**canopy** *n.* Baldachin

**cantaloupe** *n.* Zuckermelone

**canvas** *n.* (art) Leinwand, Ölgemälde; (naut.) Segel-

**cap** n. Mütze, Kappe; (mech.) Verschluss
**capability** n. Fähigkeit
**capable** adj. tüchtig, fähig
**cape** n. (geog.) Kap, Vorgebirge; (clothing) Kragenmantel
**capital** n. Hauptstadt; (com.) Kapital; (typ.) grosser Buchstabe; — adj. Kapital-, Haupt-; überragend; — **punishment** Todesstrafe; — **stock** Aktienkapital; **-ism** n. Kapitalismus; **-ist** n. Kapitalist
**capitol** n. Kapitol
**capsize** v. kentern
**capsule** n. Kapsel
**captain** n. (mil.) Hauptmann (naut. and sports) Kapitän
**caption** n. (film) Untertitel; (typ.) Überschrift
**captive** n. Gefangene
**captivity** n. Gefangenschaft
**captor** n. Erbeuter, Fänger
**capture** n. Gefangennahme; — v. einnehmen, fangen; erbeuten
**car** n. Wagen, Auto; **armored** — Panzerwagen
**caraway** n. Kümmel
**carbide** n. Karbid
**carbolic** adj. karbolsauer; — **acid** Karbolsäure
**carbon** n. Kohlenstoff; — **copy** Durchschlag; — **paper** Blaupapier
**carbonic** adj. Kohlen-; — **acid** Kohlensäure
**carbuncle** n. Karbunkel
**carburetor** n. Vergaser
**carcinogen** n. Krebserreger; krebserregende Substanz
**carcinoma** n. Krebsgeschwür
**card** n. Karte; — **index** Kartei; — **table** Spieltisch
**cardboard** n. Pappe
**cardinal** n. (eccl.) Kardinal; (orn.) Rotfink; — **number** Grundzahl
**cardiovascular** adj. herzmuskulär
**care** n. Sorge, Vorsicht, Pflege; — **of** per Adresse; **take** —! interj. Achtung!

Vorsicht! **take** — **to** dafür sorgen, dass; — v. sorgen, sich kümmern; pflegen; **for all I** — meinetwegen; **I don't** — es ist mir gleich (or einerlei); **what do I** —! Was geht's mich an! **who** –**s**? Wen interessiert das? **-ful** adj. vorsichtig, sorgfältig; **-less** adj. sorglos, nachlässig; **-lessness** n. Unachtsamkeit, Nachlässigkeit
**career** n. Beruf; Karriere
**carefree** adj. sorglos
**caress** n. Liebkosung; — v. liebkosen
**caretaker** n. Wärter, Wächter
**careworn** adj. abgehärmt
**carfare** n. Fahrgeld, Fahrpreis
**cargo** n. Fracht, Schiffsladung
**carload** n. Wagenladung
**carnation** n. Nelke
**carp** n. Karpfen; — v. bekritteln
**carpenter** n. Zimmermann
**carpet** n. Teppich; — **sweeper** Teppichkehrmaschine
**carpool** n. Mitfahrzentrale
**carport** n. Autoschuppen
**carriage** n. Wagen, Fuhrwerk; Haltung
**carrier** n. Träger, Bote; Spediteur; — **pigeon** Brieftaube
**carry** v. tragen, befördern, bringen; — **out** (oder **through**) ausführen, durchführen; **-ing charges** Buchhaltungsspesen
**cart** n. Karre(n); Wagen; — v. karren
**cartography** n. Kartographie
**cartoon** n. Karikatur; Trickfilm
**cartridge** n. Kartusche, Patrone
**carve** v. (meat) zerlegen, vorschneiden; (wood) schnitzen
**case** n. Behälter, Futteral; Kiste; Fall, Lage, Sache; **in any** — auf jeden Fall

**in** — falls; **in no** — keinesfalls

**casement** n. Fensterflügel

**cash** n. Bargeld, Barschaft; **— in advance** Vorauszahlung; **— on delivery** Lieferung per Nachnahme; **in** — bar; — v. einlösen; **-ier** n. Kassierer

**cashbook** n. Kassenbuch

**cashbox** n. Geldkassette

**casket** n. Kästchen; Sarg

**cassock** n. Soutane, Priesterrock

**cast** n. Werfen; Wurf; (med.) Gipsverband; — adj. **— iron** Gusseisen; — v. werfen; auswerfen; **— aside** fortwerfen; **— a vote** wählen; **— lots** auslosen; **-er** n. Laufrolle; **-ing** n. (mech.) Gussform

**castaway** n. Verworfene

**castdown** adj. entmutigt

**castle** n. Schloss, Burg; (chess) Turm; — v. rochieren

**castoff** adj. weggeworfen, abgelegt

**castor oil** n. Rizinusöl

**casual** adj. zufällig; gelegentlich; **-ty** n. Unfall, Todesfall; (mil.) Verlust

**cat** n. Katze; **— nap** Nikkerchen

**cataract** n. Katarakt, Wasserfall; (med.) grauer Star

**catbird** n. Spottdrossel

**catcall** n. Missfallensruf

**catch** n. Fang; Beute; Verschluss, Haken; **play — Ball** spielen; — v. fangen; (med.) angesteckt werden; **— cold** sich erkälten; **— on** hängen bleiben; (coll.) kapieren

**catchword** n. Schlagwort, Stichwort

**catechism** n. Katechismus

**caterer** n. Proviantmeister

**caterpillar** n. Raupe; **— tractor** Raupenschlepper

**catgut** n. Darmsaite

**cathedral** n. Dom, Münster

**Catholic** n. Katholik; — adj. katholisch; **-ism** n.

Katholizismus

**catsup** n. Ketchup

**cattle** n. Vieh, Rinder; **— ranch** Viehweide, Rinderfarm; **— show** Viehausstellung

**caucus** n. Vorversammlung

**cauliflower** n. Blumenkohl

**cause** n. Grund, Ursache; (fig.) Angelegenheit, Sache; — v. veranlassen

**caution** n. Vorsicht; Warnung; — v. warnen

**cautious** adj. vorsichtig

**cave** n. Höhle, Grube

**cavity** n. Höhlung, Vertiefung

**cease** v. aufhören; einstellen

**ceiling** n. Decke; (avi.) Flughöhe; **— price** Höchstpreis

**celebrate** v. feiern; preisen

**celebration** n. Feier, Fest

**celestial** adj. himmlisch

**cell** n. (biol.) Zelle; (elec.) galvanisches Element

**cellar** n. Keller

**cellophane** n. Zellophan

**cemetery** n. Friedhof, Kirchhof

**censor** n. Zensor; **-ship** n. Zensur, Zensoramt

**censure** n. Tadel, Rüge

**census** n. Volkszählung, Zensus

**centennial** n. Hundertjahrfeier

**center** n. Mitte, Zentrum; **— of gravity** Schwerpunkt

**central** adj. zentral

**century** n. Jahrhundert

**cereal** n. Getreide(pflanze)

**cerebral** adj. Gehirn-, das Gehirn betreffend

**ceremonious** adj. zeremoniell

**ceremony** n. Umstand, Zeremonie; Feier

**certain** adj. gewiss, sicher; **-ly** adv. allerdings; **-ty** n. Gewissheit; **with -ty** mit Bestimmtheit

**certificate** n. Zeugnis, Schein

**certified** adj. beglaubigt, bescheinigt; **— check**

beglaubigter Scheck
**certify** v. bezeugen, beglaubigen, bescheinigen
**certitude** n. Gewissheit
**chaff** n. Häcksel, Spreu
**chain** n. Kette, Fessel; Reihe; — **reaction** Kettenreaktion; — **smoker** Kettenraucher; — **stitch** Kettenstich; — **store** Kettenladen, Zweiggeschäft; — v. fesseln, (an)ketten
**chair** n. Stuhl, Sessel; Sitz; Professur; (pol.) Präsidium; — **car** Salonwagen
**chairman** n. Vorsitzende
**chalk** n. Kreide
**challenge** n. Aufforderung; — v. auffordern
**chamber** n. Kammer, Zimmer; — **of commerce** Handelskammer
**chambermaid** n. Kammermädchen, Zimmermädchen
**chamois** n. Gemse; Gemsenleder
**champion** n. Meister, Champion; — v. verteidigen; **-ship** n. Meisterschaft
**chance** n. Gelegenheit, Möglichkeit; Zufall; **by** — zufällig
**chancel** n. Altarplatz, Hochchor
**chancellor** n. Kanzler
**chandelier** n. Kronleuchter
**change** n. Änderung, Veränderung; Wechsel; Kleingeld; **for a** — zur Abwechslung; **make** — in Kleingeld umwechseln; — v. (sich) (ver)ändern; wechseln; (baby) trockenlegen; (rail.) umsteigen; — **clothes** sich umziehen; — **hands** den Besitzer wechseln; — **one's mind** sich anders besinnen
**channel** n. Kanal; Flussbett; (rad.) Sender
**chap** n. (coll.) Bursche, Kerl; — v. aufspringen; **-ped** adj. aufgesprungen
**chapel** n. Kapelle

**chaperon** n. Anstandsdame
**chaplain** n. Kaplan; **army** — Feldprediger; **navy** — Schiffsgeistlicher
**chapter** n. Kapitel, Abschnitt
**char** v. verkohlen
**character** n. Charakter; Person; Buchstabe; (theat.) Rolle; **-istic** n. Eigenschaft; **-istic** adj. eigentümlich, charakteristisch
**charcoal** n. Holzkohle
**charge** n. Preis; Ladung; (law) Beschuldigung; **be in** — **of** leiten; **free of** — unentgeltlich, gratis; — **account** Spesenkonto; — v. anrechnen beauftragen; (elec.) laden; (law) anklagen; — **for** verlangen, fordern; — **to one's account** auf die Rechnung setzen
**charitable** adj. wohltätig
**charity** n. Wohltätigkeit
**Charles** m. Karl
**charm** n. Reiz, Zauber; Anmut; **-ing** adj. reizend
**chart** n. Tabelle; (naut.) Karte; — v. auf einer Karte verzeichnen; **-er member** Stiftungsmitglied
**charwoman** n. Scheuerfrau
**chase** n. Jagd, Verfolgung; — v. jagen
**chassis** n. Fahrgestell, Rahmen
**chaste** adj. keusch, züchtig; **-n** v. strafen
**chastity** n. Keuschheit, Reinheit
**chat** v. plaudern, schwatzen
**chattel** n. bewegliche Gut
**chatterbox** n. Plaudertasche
**chauvinism** n. Chauvinismus
**cheap** n. billig; gering
**cheat** n. Betrüger, Schwindler; — v. betrügen, (be)schwindeln
**check** n. Scheck; Hindernis, Marke, Schein; Kontrolle; (chess) Schach; **traveler's** — Reisescheck; — **list** Kontrollverzeich-

nis; — v. hemmen, hindern; (fig.) dämpfen, zügeln

**checkbook** n. Scheckbuch

**checkerboard** n. Damebrett

**checking account** n. Gegenkonto

**checkmate** n. Schachmatt

**checkroom** n. Garderobenraum

**checkup** n. gründliche Untersuchung

**cheek** n. Wange, Backe

**cheer** n. Heiterkeit; Beifallsruf; pl. Applaus; — v. ermutigen; — up aufheitern; -ful adj. froh, heiter, munter

**cheese** n. Käse

**cheesecloth** n. Musselin

**chef** n. Küchenchef

**chemical** adj. chemisch; — engineering Chemotechnik; — warfare chemischer Krieg; -s n. pl. Chemikalien

**chemist** n. Chemiker; -ry n. Chemie

**chemotherapy** n. chemotherapeutische Behandlung

**cherish** v. hegen, pflegen

**cherry** n. Kirsche

**chess** n. Schach(spiel)

**chest** n. Kiste, Kasten; Truhe, Kommode; (anat.) Brust(kasten); — of drawers Kommode

**chevron** n. Wappensparren; (mil.) Winkel, Tresse

**chew** v. kauen; -ing adj. -ing gum Kaumgummi

**chick** n. Küken, -en n. Huhn; -en adj. -en pox Windpocken

**chief** n. Chef, Oberhaupt; — of staff Generalstabschef; — adj. erst, oberst

**chiffon** n. Chiffon

**chilblain** n. Frostbeule

**child** n. Kind; with — in anderen Umständen, schwanger; -ish adj. kindisch

**childbirth** n. Niederkunft

**childhood** n. Kindheit

**chili** n. spanischer Pfeffer; — sauce gepfefferte Tomatensauce

**chill** adj. eisig, frostig, kalt

**chime** n. Glockenspiel

**chimney** n. Schornstein; — sweep Schornsteinfeger

**chip** n. Splitter; Spielmarke

**chiropodist** n. Pedikürer; Fussspezialist

**chirp** v. zirpen, zwitschern

**chisel** n. Meissel, Stemmeisen; — v. meisseln

**chives** n. pl. Schnittlauch

**chlorine** n. Chlor

**chocolate** n. Schokolade

**choice** n. Wahl, Auswahl, — adj. vorzüglich

**choir** n. Chor

**choirmaster** n. Chorleiter

**choke** n. (auto) Drosselklappe; — v. ersticken, würgen

**cholesterol** n. Cholesterin, Gallenfett

**choose** v. wählen; vorziehen

**chop** n. Hieb, Schlag; Kotelett(e); breaded — paniertes Kotelett; — v. zerhauen, zerhacken

**chore** n. pl. Farmarbeiten, Hausarbeiten

**chorus** n. Chor; Refrain

**chosen** adj. erwählt, auserlesen

**chowder** n. Milchsuppe

**Christ** n. Christus; -endom n. Christentum, Christenheit

**christen** v. taufen; -ing n. Taufe

**Christian** adj. christlich; — name Taufname, Vorname; -ity n. Christentum

**Christmas** n. Weihnacht(en); Merry —! Fröhliche Weihnachten; — Eve Weihnachtsabend; — Heilige Abend; — present Weihnachtsgeschenk; — tree Weihnachtsbaum, Christbaum

**chrysalis** n. Puppe

**chubby** adj. plump, rundlich

**chuck** n. (meat) Kamm;

(mech.) Drehbankfutter

**chuckle** v. kichern

**chum** n. Freund, Kamerad; **school —** Schulkamerad; **-my** adj. intim

**chump** n. kurzes, dickes Stück Holz; (sl.) Dickkopf

**chunk** n. Klumpen

**church** n. Kirche

**churchgoer** n. Kirchgänger

**churchyard** n. Kirchhof

**cigarette** n. Zigarette; **— lighter** Feuerzeug

**cinch** n. Sattelgurt; (sl.) eine sichere Sache

**cinnamon** n. Zimt

**circle** n. Kreis, Zirkel; **dress —** erster Rang

**circuit** n. Kreis, Umkreis; (elec.) Stromkreis, Leitung, Schaltung; **short —** Kurzschluss; **— breaker** Stromunterbrecher

**circular** n. Rundschreiben

**circulation** n. Verbreitung

**circumference** n. Umfang

**circumstance** n. Umstand; Zufall; pl. Verhältnisse

**cite** v. erwähnen; (law) vorladen; (lit.) anführen

**citizen** n. Bürger; Staatsbürger; **fellow —** Mitbürger; **-ship** n. Bürgerrecht

**citrus** adj. **— fruit** Zitrofrucht

**city** n. Stadt, **—** adj. städtisch; **— hall** Rathaus

**civic** adj. bürgerlich; **-s** n. Bürgerkunde

**civil** adj. bürgerlich; höflich; **— engineer** Zivilingenieur; **— liberty** bürgerliche Freiheit; **— service** Zivilverwaltung; **— war** Bürgerkrieg; **-ian** n. Zivilleben; **-ity** n. Höflichkeit; **-ization** n. Kultur; **-ize** v. zivilisieren

**clad** adj. gekleidet

**claim** n. Anspruch, Anrecht; (law) Rechtsanspruch; **—** v. beanspruchen, fordern

**clam** n. Muschel

**clamor** n. Geschrei, Lärm

**clamp** n. Krampe, Klammer; **—** v. klammern,

klemmen

**clan** n. Clan, Sippe, Stamm

**clang** n. Klang; Geklirr; **—** v. klingen; klirren (lassen)

**clank** n. Geklirr, Gerassel; **—** v. klirren, rasseln

**clap** n. Klaps, Schlag; Beifallsklatschen; **—** v. klappen, klatschen; schlagen; Beifall klatschen; **— hands** in die Hände klatschen; **-ing** n. Applaus

**claptrap** n. Unsinn, Windbeutelei

**clarification** n. Aufklärung

**clarify** v. auf)klären; erläutern

**clash** n. Zusammenstoss; (fig.) Widerspruch; **—** v. (zusammen)stossen; (fig.) widerstreiten

**clasp** n. Haken; Spange; (fig.) Umarmung; **hand —** Händedruck; **—** v. einhaken; (fig.) umarmen

**class** n. Klasse; Stunde; Stand; Gesellschaftsklasse; **—** v. ordnen, klassifizieren; **-ification** n. Klassifizierung; **-ify** v. klassifizieren

**clause** n. Klausel; Satzteil

**claw** n. Klaue, Kralle; Pfote, Tatze; **—** v. klauen, krallen, (zer)kratzen

**clean** adj. rein, sauber; v. reinigen, säubern; **-ers** n. Reinigungsanstalt; **-ing** n. Reinigung; **-ing** adj. **-ing woman** Putzfrau; **-liness** n. Reinlichkeit, Sauberkeit

**clean-cut** adj. genau begrenzt

**clear** adj. klar; hell; rein; deutlich; **—** v. klären, aufklären; (com.) bar einnehmen; **— away** wegräumen; **— the table** den Tisch abräumen; **— up** aufklären; **-ance** n. Freimachung; Zwischenraum; (com.) Ausverkauf; **-ing** n. Abholzen; Lichtung; **-ly** adv. deutlich,

genau
**clear-cut** *adj.* gedrängt, kurz; unterschieden
**clear-headed** *adj.* verständig
**cleat** *n.* breitköpfiger Schuhnagel, Schuheisen
**cleave** *v.* (sich) spalten; –r *n.* Hackmesser
**clergyman** *n.* Geistliche
**clerical** *adj.* klerikal, geistlich; — **error** Schreibfehler; — **work** Büroarbeit, schriftliche Arbeit
**clerk** *n.* Büroangestellte; Schreiber; Sekretär
**clever** *adj.* geschickt, klug, gescheit
**client** *n.* Klient, Kunde; –ele *n.* Klientel; Kundschaft
**cliff** *n.* Abhang; Klippe
**climate** *n.* Klima
**climb** *v.* besteigen, (er)klimmen
**clinch** *n.* (sports) Clinch; (fig.) abschliessen
**cling** *v.* anhaften; sich klammern; (clothes) eng anliegen
**clip** *n.* Klammer; **paper —** Büroklammer; — *v.* (ab)schneiden
**cloak** *n.* Mantel; — *v.* einhüllen
**cloakroom** *n.* Garderobe
**clock** *n.* Uhr
**close** *n.* Ende, Schluss; — *v.* (zu-)schliessen, zumachen; abschliessen, beendigen
**closed circuit** *n.* (rad. & TV) Regional programm
**closeout** *n.* Restbestand
**closet** *n.* Kabinett; Klosett
**close-up** *n.* Grossaufnahme
**cloth** *n.* Stoff, Tuch, Zeug; –e *v.* kleiden, bekleiden; *pl.* Kleider, Wäsche; **suit of** –es Anzug; –es **closet** Kleiderschrank
**clothesbasket** *n.* Wäschekorb
**clothesbrush** *n.* Kleiderbürste
**clothesline** *n.* Wäscheleine

**clothespin** *n.* Wäscheklammer
**cloud** *n.* Wolke; Trübung; — **up** sich bewölken; **–iness** *n.* Bewölkung; Unklarheit; **–y** *adj.* bewölkt, düster, trübe
**cloudburst** *n.* Wolkenbruch
**clove** *n.* Gewürznelke
**cloverleaf** *n.* (auto.) Kleeblattkreuzung
**clown** *n.* Clown; Hanswurst
**club** *n.* Verein, Klub; Keule, Stock; (cards) Treff, Kreuz; (sports) Schläger
**clump** *n.* Klumpen, Klotz
**clumsy** *adj.* plump, ungeschickt
**cluster** *n.* Büschel, Traube; Schwarm; — *v.* sich sammeln; (bee) schwärmen
**clutch** *n.* Griff; Haken; (auto.) Kupplung, release the — die Kupplung loslassen; **step on the —** auf die Kupplung treten; **throw in the —** die Kupplung einschalten; **throw out the —** auskuppeln; — **pedal** Kupplungspedal; — *v.* greifen, packen
**clutter** *n.* Unordnung, Wirrwarr; — **up** verwirren
**coach** *n.* Kutsche, Wagen; Privatlehrer; Repetitor; (sports) Trainer; — *v.* einpauken; (sports) trainieren
**coachman** *n.* Kutscher
**coal** *n.* Kohle, Steinkohle
**coarse** *adj.* gemein, grob
**coast** *n.* Küste, Strand, Ufer; — **guard** Küstenwache; — **line** Uferlinie; — *v.* hinunterfahren
**coat** *n.* Mantel, Rock, Überzieher, Jacke; — **of paint** Anstrich; — **hanger** Kleiderbügel
**coatroom** *n.* Garderobenraum
**coax** *v.* beschwatzen; (fig.) überreden
**cobble** *v.* flicken; –r *n.*

185

Flickschuster
**cobblestone** n. Wackerstein
**cobweb** n. Spinngewebe
**cocaine** n. Kokain
**cock** n. Hahn; — v. (gun) spannen
**cockeyed** adj. schielend; (sl.) schief; besoffen
**cockpit** n. (avi.) Pilotenkanzel
**cockroach** n. Küchenschabe
**cocktail** n. Cocktail
**c.o.d.** abbr. per Nachnahme
**code** n. Kodex; (fig.) Geheimschlüssel, Chiffre
**codfish** n. Dorsch, Kabeljau
**cod-liver oil** n. Lebertran
**coed** n. Schülerin in einer Schule für Gemeinschaftserziehung
**coeducation** n. Gemeinschaftserziehung
**coffee** n. Kaffee; — **break** Kaffeepause
**coffin** n. Sarg
**cog** n. Radzahn; — **railway** Zahnradbahn
**cogwheel** n. Zahnrad
**coil** n. (elec.) Spule; (mech.) Rolle, Winde
**coin** n. Münze
**coincide** v. zusammentreffen, übereinstimmen
**colander** n. Durchschlag
**cold** n. Kälte, Frost; (med.) Erkältung, Schnupfen; **catch** — sich erkälten; — adj. kalt, frostig; — **cuts** Aufschnitt; — **storage** Kühlraumlagerung
**Cold War** n. Kalter Krieg
**coleslaw** n. Kohl-, Krautsalat
**collaborate** v. zusammenarbeiten, mitarbeiten
**collaboration** n. Zusammenarbeit, Mitarbeit
**collage** n. Kollage, Klebebild
**collapsible** adj. zusammenklappbar; — **boat** Faltboot
**collar** n. Kragen; (mech.) Ring, Reifen
**collarbone** n. Schlüsselbein
**collateral** adj. gleichzeitig; — **note** Schuldschein mit

zusätzlicher Deckung; — n. zusätzliche Deckung
**collect** n. (sich) sammeln; einkassieren; (taxes) eintreiben; **send** — unter Nachnahme senden; **–ive** adj. kollektiv, gemeinschaftlich; **–ive bargaining** Tarifabkommen; **–or** (elec.) Stromabnehmer; (taxes) Steuereinnehmer
**collectivize** v. verstaatlichen
**college** n. höhere Schule; Hochschule, Universität
**collide** v. zusammenstossen
**collision** n. Zusammenstoss
**cologne** n. Kölnischwasser
**colon** n. (anat.) Dickdarm
**colonel** n. Oberst; **lieutenant** — Oberstleutnant
**colonist** n. Kolonist
**colony** n. Kolonie
**color** n. Farbe; Anstrich; (mil.) Fahne; — v. färben; anstreichen
**column** n. (arch.) Säule; (math. and typ.) Rubrik, Spalte; **spinal** — Rückgrat; **–ist** n. Autor für eine bestimmte Zeitungsrubrik
**comb** n. Kamm; (bee) Wabe; — v. kämmen
**combat** n. Kampf, Gefecht; — v. (be)kämpfen
**combine** n. Geschäftsverband; Kartell, Trust; (agr.) Mähdrescher; — v. (sich) verbinden
**combustible** adj. brennbar
**combustion** n. Entzündung
**come** v. kommen; — **about** sich ereignen; — **across** stossen auf; — **by** vorbeikommen; zufällig erlangen
**comeback** n. Rückkehr; Wiederherstellung (theat.) Wiederauftreten; (coll.) Erwiderung
**comedian** n. Komödiant
**comedown** n. Niedergang
**comely** adj. anmutig
**comfort** n. Bequemlichkeit; Trost; — v. trösten, bequicken; **–able** adj. be

quem; **-er** n. Steppdecke;
Tröster

**coming** n. Ankunft, Kommen; **— of age** Mündigwerden

**command** n. Befehl, Gebot; **—** v. befehlen; **-er
in chief** Oberbefehlshaber; **-ing** adj. gebietend;
**-ment** n. (bibl.) Gebot;
(fig.) Vorschrift

**commemoration** n. Gedächtnisfeier; Erinnerung

**commence** v. anfangen, beginnen; **-ment** n. Anfang,
Beginn; (educ.) Promotion

**comment** n. Bemerkung;
**—** v. erläutern

**commerce** n. Handel, Verkehr

**commercial** adj. kaufmännisch; Handels-; **—**
n. (rad.) Werbefunk

**commission** n. Kommission, Auftrag; (mil. und
naut.) Offizierspatent; **on
—** auf (or unter) Provision; **out of —** ausser
Dienst; **—** v. beauftragen;
**-er** n. Kommissar, Beauftragte

**commit** v. übergeben, anvertrauen; **— oneself** sich
binden

**commodity** n. Artikel,
Ware

**common** adj. gemein, gemeinsam, gewöhnlich; **—
people** gewöhnliches Volk;
**— sense** gesunder Menschenverstand; **— stock**
Aktienstock; **have in —**
gemein haben

**Common Market** n. Gemeinsamer Markt

**commonwealth** n. (pol.)
Staat, Staatenverbindung

**commotion** n. Aufruhr

**communicate** v. mitteilen

**communication** n. Mitteilung, Nachricht; **-s satellite** Nachrichtensatellit,
Fernmelde-Satellit

**communion** n. Gemeinschaft; (rel.) Gemeinschaft; **take —** das Abendmahl
empfangen

**community** n. Gemeinschaft

**commute** v. verändern,
ablösen; (rail.) regelmässig auf einer Strecke verkehren; **-r** n. Zeitkarteninhaber

**compact** n. Puderdose;
(auto.) Kleinwagen

**companion** n. Genosse, Gefährte; Seitenstück

**company** n. Gesellschaft,
Firma; (fig.) Umgang,
Verkehr; **— union** Betriebsgewerkschaft

**compare** v. (sich) vergleichen

**comparison** n. Vergleich

**compartment** n. Abteilung,
Fach; (rail.) Abteil

**compassion** n. Erbarmen

**compel** v. zwingen, nötigen

**compensate** v. kompensieren; entschädigen

**compensation** n. Ersatz,
Vergütung; Entschädigung

**compete** v. konkurrieren

**competence** n. Befähigung

**competent** adj. fähig

**competition** n. Konkurrenz

**compile** v. zusammentragen; sammeln

**complain** v. klagen; sich
beklagen (or beschweren);
**-t** n. Klage; (med.)
Krankheit, Übel

**complete** adj. ganz, vollständig; **—** v. vollenden

**completion** n. Ergänzung;
Vollendung

**complex** n. Komplex; **inferiority —** Minderwertigkeitskomplex; **—** adj.
kompliziert

**complexion** n. Gesichtsfarbe

**complicate** v. verwickeln;
**-d** adj. kompliziert, verwickelt

**comply** v. einwilligen,
nachgeben

**compose** v. zusammensetzen; (lit.) verfassen, dichten; (mus.) komponieren;
**-d** adj. gefasst, ruhig; **be
-d of** bestehen aus; **-r** n.
(lit.) Dichter, Verfasser;
(mus.) Komponist

**composing room** n. Setzersaal

**composition** n. Zusammensetzung

**composure** n. Gemütsruhe, Fassung

**comprehend** v. einschliessen, enthalten; (fig.) verstehen, begreifen

**comprehension** n. Inbegriff; (fig.) Begriffsvermögen

**comprehensive** adj. umfassend

**compress** n. Kompresse, Umschlag; **-ed** adj. **-ed air** Druckluft, Pressluft; **-ion** n. Druck; **-or** n. Kompressor

**comptometer** n. Rechenmaschine

**comptroller** n. Kontrolleur

**compulsion** n. Nötigung, Zwang

**compulsory** adj. zwangsweise; Zwangs-

**computation** n. Rechnen, Berechnung; Überschlag

**compute** v. berechnen; überschlagen

**computer** n. Rechner, Computer; Kalkulator; **analog —** Analog-Rechner; **digital —** Digital-Rechner; **-ize** v. mit Rechnern verarbeiten

**comrade** n. Kamerad; Gefährte

**con** adv. dagegen, wider; **pro and —** für und wider

**conceal** v. verbergen, verstecken

**concede** v. einräumen, zugestehen

**conceit** n. Einbildung

**conceivable** adj. begreiflich, denkbar

**conceive** v. sich denken (or vorstellen)

**concept** n. Begriff; **-ion** n. Vorstellung, Begriff; Empfängnis

**concern** n. Firma, Geschäft; Sache; — v. angehen; **-ed** adj. beteiligt; besorgt

**conclude** v. (be)schliessen

**conclusion** n. Schluss, Beschluss; Folgerung

**conclusive** adj. abschliessend, endgültig; — **evidence** schlagender Beweis

**concrete** n. Beton; Steinmörtel; **reinforced —** Eisenbeton; — adj. konkret; gegenständlich; — **mixer** Betonmischmaschine

**concur** v. übereinstimmen; beitragen, mitwirken

**concussion** n. Erschütterung

**condemn** v. verdammen, verwerfen; (law) verurteilen; **-ation** n. Verdammung, Verwerfung

**condensation** n. Verdichtung

**condescend** v. sich herablassen

**condition** n. Bedingung; Beschaffenheit; Umstände, Verhältnisse; **on no —** unter keinen Umständen; **-al** adj. bedingt

**conduct** n. Führung; (fig.) Benehmen, Betragen; **safe —** freies (or sicheres) Geleit; — v. führen; (elec.) leiten; (mus.) dirigieren; **— oneself** sich benehmen

**conduit** n. Leitung; Röhre

**cone** n. Kegel; **ice-cream —** Eiskremtüte

**confection** n. Konfekt; **-ery** n. Konditorei

**confederate** n. Verbündete, Bundesgenosse; — adj. verbündet

**confederation** n. Bund, Bündnis; Staatenbund

**confer** v. sich besprechen, konferieren; verleihen

**confess** v. bekennen, (zu)gestehen; (eccl.) beichten; **-ion** n. Bekenntnis; (eccl.) Beichte; **-ional** n. Beichtstuhl; **-ional** adj. konfessionell; **-or** n. Beichtvater

**confide** v. vertrauen, sich verlassen; **-nce** n. Vertrauen, Zuversicht; **-ntial** adj. vertraulich; geheim

**confirm** v. bestätigen; (eccl.) konfirmieren, einsegnen; **-ation** n. Bestätigung, Bekräftigung; (eccl.) Konfirmation, Einsegnung

**confiscate** v. beschlagnahmen

**conflagration** n. Feuersbrunst

**confound** v. verwirren, verwechseln

**confrontation** n. Gegenüberstellung, Konfrontation

**confuse** v. verwirren, verwechseln; **-d** adj. verwirrt, verworren

**confusion** n. Verwirrung

**congenital** adj. angeboren

**congratulate** v. gratulieren

**congratulation** n. Glückwunsch

**congregate** v. (sich) versammeln

**congregation** n. Gemeinde, Versammlung

**conjecture** n. Vermutung; — v. mutmassen, vermuten

**conjunction** n. Verbindung

**connect** v. (elec. and mech.) koppeln, schalten; **-ed** adj. verbunden, verknüpft; zusammenhängend; **-ing** adj. **-ing rod** n. Pleuelstange; **-ion** n. Beziehung; Zusammenhang; (elec.) Schaltung; (rail.) Anschluss

**connotation** n. Nebenbedeutung, Merkmal

**connote** v. bedeuten

**conquer** v. besiegen, erobern; **-or** n. Sieger

**conquest** n. Eroberung Sieg

**Conrad** m. Konrad

**conscience** n. Gewissen

**conscientious** adj. gewissenhaft

**conscious** adj. bei Bewusstsein; **-ness** n. Bewusstsein

**conscription** n. allgemeine Wehrpflicht

**consecration** n. Weihe, Weihung

**consensus** n. Zustimmung

**consent** n. Zustimmung; — v. zustimmen

**consequence** n. Folge, Ergebnis

**consequently** adv. folglich; daher

**conservation** n. Erhaltung

**conservatism** n. Konser-

vatismus

**conservatory** n. Treibhaus, Gewächshaus; (mus.) Konservatorium

**consider** v. betrachten; bedenken; **-able** adj. beträchtlich; **-ate** adj. rücksichtsvoll; **-ation** n. Betrachtung, Erwägung

**consign** v. überweisen

**consist** v. bestehen; **-ent** adj. konsequent

**consolation** n. Trost, Tröstung

**console** v. trösten

**consolidate** v. (fig.) vereinigen

**consolidation** n. Verdichtung; Vereinigung

**consoling** adj. tröstend, trostreich

**conspicuous** adj. auffallend

**conspire** v. sich verschwören

**constable** n. Polizist

**constancy** n. Beständigkeit, Treue

**constant** adj. beständig

**constipation** n. Verstopfung

**constituency** n. Wählerschaft

**constitute** v. ausmachen; einsetzen; festsetzen

**constitution** n. Verfassung, Konstitution

**constrain** v. zwingen, nötigen

**construct** v. bauen, errichten; **-ion** n. Konstruktion, Bau, Aufführung

**consult** v. sich beraten; **-ation** n. Beratung

**consume** v. verbrauchen

**consumption** n. Verbrauch; (med.) Auszehrung

**consumptive** adj. schwindsüchtig

**contact** n. Berührung, Verbindung; (elec.) Stromschluss; — **lens** Kontaktlinse

**contagious** adj. ansteckend

**contain** v. enthalten, fassen; **-er** n. Behälter

**contaminate** v. verunreigen

**contemplate** v. beabsichtigen, betrachten

**contemporary** adj. zeitgenössisch; — n. Zeitgenosse

**contempt** n. Verachtung

**contend** v. kämpfen, ringen, streiten

**content** v. Gehalt; pl. Inhalt; **table of —s** Inhaltsverzeichnis; — adj. zufrieden

**contention** n. Streit, Hader

**contest** n. Wettbewerb; — v. bestreiten; **-ant** n. Mitbewerber

**context** n. Zusammenhang

**continual** adj. fortwährend; ununterbrochen

**continuation** n. Fortsetzung

**continue** v. dauern, weiterführen; **to be —d** Fortsetzung folgt

**continuous** adj. fortdauernd

**contraband** n. Schmuggelware, Schmuggel(ei)

**contract** n. Vertrag, Kontrakt; **-or** n. Unternehmer, Kontrahent

**contradict** v. widersprechen; **-ion** n. Widerspruch

**contraption** n. (coll.) Maschine, Vorrichtung

**contrary** adj. entgegengesetzt; ungünstig; — n. Gegenteil, Gegensatz

**contrast** n. Gegensatz

**contribute** v. beitragen, beisteuern; mitwirken

**contrivance** n. Erfindung

**contrive** v. erfinden, ersinnen; ausdenken

**control** n. Kontrolle, Aufsicht; **— tower** Kontrollturm

**controversy** n. Streit, Kontroverse

**conundrum** n. Scherzrätsel

**convalesce** v. genesen

**convene** v. (sich) versammeln

**convenience** n. Bequemlichkeit; **at your earliest —** baldmöglichst, umgehend;

**at your own —** ganz nach Ihrem Belieben

**convenient** adj. bequem; passend; gelegen, günstig

**convent** n. Kloster

**convention** n. Versammlung, Zusammenkunft; (fig.) Brauch

**conversant** adj. vertraut

**conversation** n. Gespräch

**conversion** n. Umtausch, Umwandlung; (rel.) Bekehrung

**convert** v. Bekehrte; — v. umwandeln, umkehren; (rel.) bekehren; **-er** n. (elec.) Umformer; (rel.) Bekehrer

**convey** v. befördern; übersenden; **-ance** n. Transportmittel; **-er** n., **-or** n. Spediteur, Transporteur; **-er belt** Fliessband

**convict** n. Sträfling; — v. überführen; **-ion** n. Überzeugung; (law) Überführung

**convince** v. überzeugen

**convocation** n. Versammlung

**convoke** v. einberufen; versammeln

**convoy** n. (mil.) Bedeckung, Eskorte; (naut.) Geleitzug

**convulsion** n. Krampf, Zuckung

**cook** n. Koch, Köchin; — v. Kochen; **— up** ausdenken; **-ery** n. Kochkunst; **-ing utensils** Küchengeräte

**cookie** n. Kleingebäck, Keks

**cool** n. Frische, Kühle; — adj. kühl, frisch; **keep —** ruhig bleiben; — v. (ab-) kühlen

**cool-headed** adj. besonnen

**cooper** n. Böttcher

**co-op** n. Kooperative; Konsumgeschäft; **-erate** v. zusammenwirken

**cootie** n. Laus

**cop** n. Polizist; — v. stehlen

**copilot** n. zweiter Pilot

**copper** n. Kupfer

**copperplate** *n.* Kupferstich

**copy** *n.* Abschrift, Kopie; Muster; Nachahmung; Nummer; Manuskript; — *v.* abschreiben; nachahmen, abzeichnen

**copycat** *n.* Nachäffer

**copyright** *n.* Copyright, Verlagsrecht

**cord** *n.* Schnur, Bindfaden, Kordel; Leine; (wood) Klafter

**cordial** *adj.* herzlich

**core** *n.* Kern, Herz, Mark

**corkscrew** *n.* Korkenzieher

**corn** *n.* Mais, Korn, Getreide; (med.) Hühnerauge

**corncob** *n.* Maiskolben

**corncrib** *n.* Maisspeicher

**corner** *n.* Ecke, Winkel; (com.) Aufkaufen

**corner stone** *n.* Eckstein

**cornstarch** *n.* Maisstärke

**corollary** *n.* Folgesatz

**coroner** *n.* Leichenbeschauer

**corporate** *adj.* gemeinsam

**corporation** *n.* Körperschaft

**corpse** *n.* Leiche, Leichnam

**correct** *v.* berichtigen, korrigieren; zurechtweisen; — *adj.* richtig, korrekt; –ion *n.* Berichtigung

**correspond** *v.* in Briefwechsel stehen; entsprechen; –ent *n.* Berichterstatter

**corridor** *n.* Gang, Flur

**corroborate** *v.* bestätigen

**corrode** *v.* zerfressen, ätzen

**corrupt** *v.* verderben, verführen; — *adj.* verderbt, korrupt; –ion *n.* Verdorbenheit, Fäulnis

**corsage** *n.* Ansteckblume

**cortisone** *n.* Kortizon

**cosmology** *n.* Kosmologie

**cosmonaut** *n.* Kosmonaut

**cosmopolitan** *n.* Weltbürger

**cost** *n.* Preis, Aufwand; Kosten; — of living Lebenshaltungskosten; — *v.* kosten, zu stehen kommen

–ly *adj.* teuer, kostspielig

**costume** *n.* Tracht, Kostüm

**cot** *n.* Feldbett

**cottage** *n.* Landhaus, Hütte; — cheese Quark, weisser Käse

**cotton** *n.* Baumwolle; Kattun; (med.) Watte; –gin Entkernmaschine; –mill Baumwollspinnerei; — thread Baumwollgarn

**couch** *n.* Sofa, Couch

**cough** *n.* Husten; — drop Hustenbonbon; — *v.* husten

**council** *n.* Ratsversammlung; –city — Stadtrat; –(l)or *n.* Ratsherr

**counsel** *n.* Rat; Beratung; (law) Rechtsanwalt; — *v.* raten; beraten

**count** *n.* Summe, Zahlung; Graf; — *v.* zählen: –er *n.* Theke; **Geiger** — **er** Geigerzähler

**countdown** *n.* Startzählung

**countenance** *n.* Gesicht

**counter** *n.* Ladentisch

**counteract** *v.* entgegenwirken

**counterattack** *n.* Gegenangriff

**counterculture** *n.* Gegenkultur, Subkultur

**counterfeit** *n.* Falschgeld

**counterpart** *n.* Gegenstück

**countess** *n.* Gräfin

**country** *n.* Land; Vaterland; Gegend

**county** *n.* Kreis, Provinz; — seat Kreisstadt

**couple** *n.* Paar; Ehepaar

**coupling** *n.* Kuppelung

**courage** *n.* Mut, Tapferkeit

**course** *n.* Lauf, Kurs; Gang; Kursus; of — natürlich, gewiss

**court** *n.* Hof; (law) Gericht; (sports) Spielplatz; –eous *adj.* höflich; –ship *n.* Werben

**courthouse** *n.* Gerichtsgebäude

**court-martial** *n.* Kriegsgericht

**courtyard** *n.* Hof

**cousin** *n.* Vetter; Kusine

**cover** n. Deckel, Decke; Deckung; **under separate** — mit derselben Post; — **charge** Bedienung; — v. (be)decken; überziehen; (newspaper sl.) berichten
**coward** n. Feigling; **-ice** n. Feigheit; **-ly** adj. and adv. feige
**cowhide** n. Rindsleder
**cowl** n. Kappe, Kapuze
**co-worker** n. Mitarbeiter
**cowpuncher** n. Cowboy
**cozy** adj. gemütlich, behaglich
**crab** n. (ast.) Krebs; (sl.) Sauertopf
**crack** n. Sprung, Riss, Spalt(e); Knall; — v. platzen; spalten; zerbrechen
**crackpot** n. harmlos Verrückter
**crack-up** n. Absturz
**cradle** n. Wiege
**craftsman** n. Handwerker
**cramp** n. Krampf; — v. beengen
**cranberry** n. Preiselbeere
**crane** n. (mech. and naut.) Kran; (zool.) Kranich
**crank** n. Windung; (mech.) Kurbel
**crankcase** n. Kurbelgehäuse, Kurbelkasten
**crankshaft** n. Kurbelwelle
**crape** n. Krepp; Trauerflor
**crash** n. Krach; Zusammenstoss; (avi.) Absturz; — v. krachen; (ein)stürzen; (avi.) abstürzen
**crash-landing** n. Bruchlandung
**crate** n. Packkorb
**crave** v. verlangen, flehen
**crayon** n. Farbstift
**crazy** adj. toll, verrückt; — **bone** Ellbogenknochen
**cream** n. Sahne, Rahm; Creme, Krem; (fig.) Beste; **whipped** — Schlagsahne; — **puff** Krapfen; — **separator** Entsahner; — v. abrahmen; **-ery** n. Molkerei
**crease** n. Falte; — v. falten.
**creation** n. Schöpfung

(fashion) Kreation
**creator** n. Schöpfer
**creature** n. Tier, Kreatur
**credentials** n. pl. Beglaubigungsschreiben
**credit** n. Kredit, Haben; Ansehen; — **card** Kreditausweis
**creed** n. Glaubensbekenntnis
**creek** n. Bach
**creep** v. schleichen
**crew** n. Mannschaft
**crib** n. Kinderbett, Krippe
**cricket** n. (ent.) Grille; (sports) Kricket
**crime** n. Verbrechen, Frevel
**crimson** n. Karmesin, Karmin; — adj. karminrot
**cripple** n. Krüppel; — v. lähmen
**crisis** n. Krise, Höhepunkt
**crisp** adj. knusperig
**critic** n. Kritiker; **art** — Kunstrichter; **-al** adj. kritisch; **-ism** n. Kritik; **-ize** v. kritisieren; rezensieren
**crock** n. Steinguttopf; **-ery** n. Töpferware
**crook** n. Haken, Krümmung; (sl.) Schwindler; **-ed** adj. schräg, schief; unehrlich
**crop** n. Ernte; Kropf
**cross** n. Kreuz, Kruzifix; adj. böse, ärgerlich; — **section** Querschnitt; — v. übergehen, kreuzen
**cross-eyed** adj. schielend
**crossword puzzle** n. Kreuzworträtsel
**crowbar** n. Brecheisen
**crowd** n. Menge, Masse; Gedränge; — v. (sich) drängen, pressen; **-ed** adj. gedrängt
**crown** n. Krone, Kranz; Spitze; Scheitel; — v. krönen
**crow's-nest** n. Ausguck; Krähennest
**crucifix** n. Kruzifix; **-ion** n. Kreuzigung
**crucify** v. kreuzigen
**cruel** adj. grausam

**crumb** n. Krume, Brocken; — v. zerkrümeln; **-le** v. zerbröckeln
**crusade** n. Kreuzzug; **-r** n. Kreuzfahrer
**crush** v. zerquetschen; unterdrücken
**crust** n. Kruste, Rinde
**crutch** n. Krücke
**cry** n. Ruf, Geschrei, Schrei; **a far — from** weit entfernt von; — v. rufen, schreien; weinen
**crybaby** n. Jammerlappen
**cubbyhole** n. Versteck; kleiner Raum
**cucumber** n. Gurke
**cue** n. Stichwort; (billiards) Queue
**cuff** n. Manschette; — **links** Manschettenknöpfe
**culprit** n. Schuldige, Verbrecher
**cultivate** v. bearbeiten, kultivieren
**cultivation** n. Kultivierung, Ackerbau
**cultural** adj. kulturell; Kultur-; — **revolution** Kulturrevolution
**culture** n. Kultur, Geistesbildung; **-d** adj. kultiviert, gebildet
**cumulative** adj. anhäufend
**cup** n. Tasse, Becher
**cupboard** n. Küchenschrank
**curable** adj. heilbar
**curate** n. Hilfspfarrer
**curb** n. Einschränkung; steinerne Einfassung
**curd** n. Quark, dicke Milch
**cure** n. Kur; Heilmittel; — v. heilen, pökeln
**curfew** n. Abendglocke; Polizeistunde
**curio** n. Rarität; **-sity** n. Neugier(de); **-us** adj. kurios, seltsam; neugierig
**curl** n. Locke; Windung; — v. sich winden; sich locken; **-ing** adj. **-ing iron** Brennschere
**currency** n. Währung
**current** n. Strömung, Strom; — adj. laufend; strömend; heutig
**curriculum** n. Lehrplan

**curse** n. Fluch; — v. (ver)fluchen; verdammen
**curtail** v. beschränken
**curtain** n. Vorhang; Gardine
**curts(e)y** n. Verbeugung
**cushion** n. Kissen, Polster
**custard** n. Eierrahm
**custodian** n. Kustos, Verwahrer; Vormund
**custom** n. Sitte, Gewohnheit; pl. Zoll; **-ary** adj. gewöhnlich; **-er** n. Kunde, Käufer
**customhouse** n. Zollamt
**cut** n. Schnitt, Hieb; Schnitte; — v. schneiden; (cards) abheben; stechen; (hair) stutzen; (salary) kürzen; (tree) fällen; — **short** ins Wort fallen; — adj. gespalten, zersägt; verwundet; — **glass** geschliffenes Glas
**cute** adj. hübsch, lieblich
**cuticle** n. Nagelhaut
**cutout** n. (elec.) Sicherung; Ausschalter
**cyanide** n. Zyan(id)
**cycle** n. Kreis, Zirkel; Fahrrad
**cyclist** n. Radfahrer
**cyclone** n. Wirbelsturm
**cyst** n. Zyste, Eitersack

**D**

**dab** n. Klecks; — v. tappen; beschmieren
**dad(dy)** n. Papa(chen), Vati
**daffodil** n. gelbe Narzisse
**dagger** n. Dolch, Stilett
**daily** adj. täglich
**dainty** adj. elegant, fein
**dairy** n. Molkerei
**daisy** n. Gänseblümchen
**damage** n. Schaden, Verlust; — v. beschädigen
**dame** n. Dame, vornehme Frau
**damn** v. verdammen; — interj. — **it!** verdammt! **-ation** n. Verdammung; **-ed** adj. verdammt
**damp** n. Feuchtigkeit; — adj. feucht, dunstig

**dance** n. Tanz; Ball; — **hall** Tanzhalle; — v. tanzen; **-er** n. Tänzer
**dandelion** n. Löwenzahn
**dandruff** n. Kopfschorf
**danger** n. Gefahr; — **zone** Gefahrenzone; **-ous** adj. gefährlich
**dangle** v. baumeln, schwanken
**dapper** adj. nett, niedlich
**dare** v. wagen, herausfordern
**daredevil** n. Wagehals
**dark** adj. dunkel, trübe; geheimnisvoll; **Dark Ages** Mittelalter; — n. Dunkel(heit); **-en** v. verdunkeln; **-ness** n. Dunkelheit, Finsternis
**darling** n. Liebling
**darn** v. stopfen, ausbessern
**dart** n. Speer, Wurfspiess
**dash** n. Sprung; (typ.) Gedankenstrich; — v. schleudern; — **off** wegstürzen; skizzieren; **-ing** adj. flott, schneidig, kühn
**dashboard** n. Armaturenbrett
**data** n. pl. Daten; Angaben; — **processing** Datenverarbeitung
**date** n. Datum; Jahreszahl, Zeitpunkt; Verabredung; **up to** — bis heute; modern; — v. datieren, ansetzen; ausgehen mit
**daughter** n. Tochter
**daughter-in-law** n. Schwiegertochter
**davenport** n. Sofa, Schlafsofa
**dawn** n. Morgendämmerung; — v. tagen, dämmern
**day** n. Tag; **a** — täglich; — **after tomorrow** übermorgen; — **before yesterday** vorgestern; **-s of grace** Verzugstage; **every other** — jeden zweiten Tag; **these** **-s** heutzutage
**daylight-saving time** n. Sommerzeit
**daze** n. Betäubung, Verwirrung
**deactivate** v. unwirksam

machen; (Radiumaktivität) neutralisieren
**dead** adj. tot, gestorben; — **end** Sackgasse; — **heat** unentschiedener Wettkampf; — **letter** unbestellbarer Brief; — **shot** Scharfschütze; — **weight** unnütze Last; — n. Tote; — adj. vollkommen; **-en** v. dämpfen, abstumpfen; **-ly** adj. tötlich; gefährlich
**deadline** n. Termin; Redaktionsschluss
**deadlock** n. Stillstand
**deaf** adj. taub, schwerhörig
**deaf-mute** n. Taubstumme
**deal** n. Teil, Menge; (com.) Handel, Geschäft; **a great** — sehr viel; — v. teilen, austeilen; handeln; (cards) geben; **-er** n. (cards) Kartengeber; (com.) Händler
**dean** n. (educ.) Dekan
**dear** adj. lieb, wert; teuer
**death** n. Tod; Todesfall; — **rate** Sterblichkeitsziffer; **-less** adj. unsterblich
**debit** n. Debet, Soll; Schuld
**debrief** v. Flugbericht erstatten (nach Landung); **-ing** n. Flugbericht
**debris** n. Überbleibsel
**debt** n. Schuld(en)
**decade** n. Jahrzehnt
**decay** n. Verfall, Verwesung; — v. verfallen
**deceased** adj. verstorben
**deceit** n. Betrug, Falschheit; **-ful** adj. (be)trügerisch, listig
**deceive** v. (be)trügen
**decency** n. Anstand
**decent** adj. anständig
**deception** n. Betrug
**decide** v. entscheiden, bestimmen; sich entschliessen; **-dly** adv. bestimmt
**decimal** adj. dezimal; — **point** Komma
**decision** n. Entscheidung; Entschlossenheit
**declaration** n. Erklärung
**declare** v. erklären
**decline** v. ablehnen, verweigern; abnehmen

**decode** v. entziffern

**decorate** v. schmücken

**decoration** n. Verzierung; Orden

**decrease** v. abnehmen, (sich) vermindern

**decree** n. Erlass, Verordnung

**dedication** n. Widmung

**deduct** v. abziehen; **-ion** n. Abzug; Schlussfolgerung

**deed** n. Tat, Handlung; Dokument; — v. überschreiben

**deep** n. Tiefe, Abgrund; — adj. tief; vertieft; scharfsinnig

**deep-freezer** n. Tiefgefriermaschine

**deer** n. Hirsch, Rotwild

**defeat** n. Niederlage; — v. vernichten, schlagen

**defect** n. Fehler, Mangel; **-ion** n. Abfall; **-ive** adj. mangelhaft

**defend** v. (sich) verteidigen; **-ant** n. Beklagte, Verklagte; **-er** n. Verteidiger

**defense** n. Verteidigung; **-less** adj. schutzlos

**defer** v. aufschieben; **-ment** n. Aufschub

**deficient** adj. mangelhaft

**deficit** n. Defizit, Fehlbetrag

**definite** adj. bestimmt, genau

**deflect** v. ablenken, abweichen

**deform** v. entstellen; **-ed** adj. entstellt; verwachsen; **-ity** n. Missgestalt

**defraud** v. betrügen, unterschlagen

**defrost** v. enteisen, auftauen

**defy** v. herausfordern, trotzen

**degenerate** v. ausarten, entarten

**degeneration** n. Entartung

**degrade** v. erniedrigen

**degree** n. Grad, Rang; Stufe; **by -s** allmählich

**deity** n. Gottheit, Gott

**delay** n. Verschiebung, Aufschub; — v. aufhalten

**delegate** n. Abgeordnete; — v. abordnen

**delegation** n. Abordnung, Delegation

**delicacy** n. Feinheit, Zartheit; Delikatesse

**delicate** adj. zart, fein, empfindlich; schmackhaft

**delicious** adj. köstlich

**delight** n. Vergnügen, Lust; — v. entzücken; **-ed** adj. entzückt

**deliver** v. befreien, erlösen; (com.) (ab)liefern; **-y** n. Übergabe; (com.) Lieferung

**delusion** n. Täuschung

**demand** n. Verlangen; Anspruch; Nachfrage; **on —** auf Verlangen; — v. verlangen, fordern

**demobilize** v. abrüsten

**democracy** n. Demokratie

**democrat** n. Demokrat

**democratic** adj. demokratisch

**demolish** v. abbrechen; zerstören

**demolition** n. Zerstörung

**demonstrate** v. beweisen

**demonstration** n. Beweis; Massenkundgebung

**den** n. Höhle; Herrenzimmer

**deniable** adj. verneinbar

**denial** n. Verleugnung; Verneinung; Absage

**denim** n. Drill(ich)

**denomination** n. Benennung; Anzeige; Konfession

**denote** v. bezeichnen, bedeuten

**denounce** v. anzeigen

**dense** adj. dicht, fest

**density** n. Dichte, Dichtheit

**dent** n. Beule, Eindruck; — v. eindrücken

**dentifrice** n. Zahnpasta

**dentine** n. Dentin, Zahnbein

**dentist** n. Zahnarzt; Dentist

**denture** n. falsches Gebiss

**denunciation** n. Anzeige, Anklage

**deny** v. leugnen, bestreiten; abschlagen

# DEODORANT

**deodorant** n. geruchtilgendes Mittel

**depart** v. abreisen; sich trennen; abweichen; sterben; **–ment** n. Abteilung; Fach; **–ment store** Warenhaus; **–ure** n. Abreise

**depend** v. abhängen; hängen; sich verlassen (auf); **–ent** n. Abhängige

**depersonalize** v. entpersönlichen

**depilatory** adj. enthaarend; **—** n. Enthaarungsmittel

**depletion** n. Abbau; Ausbeutung; **— allowance** Abnutzungsvergütung

**deplorable** adj. bejammernswert, beklagenswert

**deplore** v. beklagen

**deport** v. deportieren, fortschaffen; **–ation** n. Ausweisung; **–ment** n. Haltung, Benehmen

**deposit** n. Einzahlung; Hinterlegung; (geol. and phy.) Lager; **—** v. hinterlegen; einzahlen; **–ory** n. Aufbewahrungsort

**depot** n. Bahnhof, Depot

**depreciate** v. geringschätzen; im Werte sinken

**depreciation** n. Geringschätzung; (com.) Entwertung

**depress** v. niederdrücken; entmutigen

**deprive** v. entziehen, berauben

**depth** n. Tiefe

**deride** v. verlachen

**derivation** n. Ableitung

**derive** v. ableiten

**dermatology** n. Dermatologie, Hautlehre

**derrick** n. Ladebaum; (oil) Vorturm

**descend** v. hinabsteigen; **–ant** n. Nachkomme

**describe** v. beschreiben

**description** n. Beschreibung

**descriptive** adj. beschreibend

**desegregation** n. Rassenrehabilitierung

**desert** n. Wüste, Einöde; **—** v. desertieren; **–er** n.

Deserteur

**deserve** v. verdienen

**design** n. Entwurf, Plan; Muster; **—** v. entwerfen, ersinnen; **–ate** v. bezeichnen; **–ation** n. Bestimmung; **–er** n. Entwerfer; Zeichner

**desire** n. Wunsch; Begierde; **—** v. verlangen, wünschen

**desirous** adj. begierig

**desk** n. Schreibtisch, Pult

**despair** n. Verzweiflung

**desperate** adj. verzweifelt

**despise** v. verachten

**despondent** adj. mutlos

**dessert** n. Nachtisch

**destination** n. Bestimmung(sort)

**destitute** adj. verlassen; mittellos

**destroy** v. zerstören

**destruction** n. Zerstörung

**detach** v. ablösen, trennen

**detail** n. Einzelheit, Detail

**detain** v. aufhalten

**detect** v. entdecken, ertappen; **–ive** n. Detektiv

**detente** n. Entspannung

**detention** n. Verzug; Haft

**detergent** n. Reinigungsmittel

**determination** n. Entschlossenheit

**determine** v. bestimmen

**deterrence** n. Hindernis; Hürde; Verzögerung

**detour** n. Umweg

**detriment** n. Nachteil

**deuce** n. Zwei; Gleichstand

**devaluation** n. Entwertung

**develop** v. entwickeln

**deviate** v. abweichen

**deviationist** n. (pol.) Abtrünniger, Titoist

**device** n. Vorrichtung

**devil** n. Teufel

**devise** v. erdenken, erfinden

**devote** v. weihen, widmen

**devotion** n. Hingabe

**devour** v. verzehren, verschlingen

**devout** adj. fromm

**dew** n. Tau

**dewdrop** n. Tautropfen

**diabetes** n. Zuckerkrank-

heit
**dial** n. (clock) Zifferblatt; (mech.) Anzeigetafel; (tel.) Nummernscheibe
**dialog(ue)** n. Dialog
**diameter** n. Durchmesser
**diaper** n. Windel
**diaphragm** n. (med.) Zwerchfell
**diarrhea** n. Durchfall
**diary** n. Tagebuch
**diathermy** n. Bestrahlung
**dice** n. pl. Würfel
**dicker** v. feilschen, handeln
**dictate** v. diktieren, vorschreiben
**dictation** n. Diktat; Vorschrift
**dictator** n. Diktator; -ial adj. diktatorisch; -ship n. Diktatur
**die** n. Würfel; Los; (mech.) Stempel
**die** v. sterben, umkommen
**diesel engine** n. Dieselmotor
**diet** n. Diät; Speise; Reichstag; — v. Diät halten
**differ** v. abweichen; anderer Meinung sein; -ence n. Unterschied; -ent adj. anders, verschieden
**difficult** adj. schwer
**dig** v. (um)graben, wühlen
**digest** n. Übersicht, Auszug, Abriss; — v. verdauen, verarbeiten
**dignified** adj. würdevoll
**dignity** n. Würde
**dike** n. Deich, Damm
**diligence** n. Fleiss, Eifer
**diligent** adj. fleissig, eifrig
**dilute** v. verdünnen
**dim** adj. unklar, trübe; v. — **lights** abblenden; -ness n. Dunkel
**dime** n. Zehncentstück; — **novel** Schundroman
**diminish** v. verringern
**din** n. Lärm, Getöse
**dine** v. speisen, dinieren; -r n. Speisewagen
**dingy** adj. schmutzig
**dinner** n. Essen; — **jacket** Smoking

**dip** v. (ein)tauchen; — n. kurzes Bad
**dipper** n. Schöpfgefäss; **Big** — (ast.) grosser Bär
**diphtheria** n. Diphterie
**dire** adj. furchtbar
**direct** adj. gerade, direkt; offen; — **current** Gleichstrom; — **hit** Volltreffer; — v. richten, führen, anweisen; -ion n. Richtung; Anweisung; -ions pl. Gebrauchsanweisung; -ory n. Adressbuch
**dirt** n. Dreck; Erde; -y adj. schmutzig
**disability** n. Unvermögen
**disagree** v. nicht übereinstimmen
**disappear** v. verschwinden
**disappoint** v. enttäuschen
**disapprove** v. missbilligen
**disarm** v. entwaffnen; -ament n. Abrüstung
**disaster** n. Unfall
**disastrous** adj. unheilvoll
**disbelief** n. Unglaube
**disburse** v. auszahlen
**disc** n. Scheibe
**discern** v. unterscheiden
**discharge** n. Entlassung; (elec.) Entladung; (gun) Abfeuern; — v. entlassen; entladen; feuern
**disciple** n. Jünger, Schüler
**disclose** v. eröffnen
**discoloration** n. Verfärbung
**discomfort** n. Unbehagen
**disconnect** v. auskuppeln; (elec.) ausschalten
**discontented** adj. unzufrieden
**discontinue** v. unterbrechen; aufhören
**discotheque** n. Nachtlokal mit Schallplattenmusik
**discount** n. Abzug, Rabatt
**discourage** v. entmutigen
**discourteous** adj. unhöflich
**discover** v. entdecken
**discriminate** v. unterscheiden
**discrimination** n. Unterscheidung
**discuss** v. besprechen
**discussion** n. Verhandlung
**disease** n. Krankheit

**disembark** v. landen
**disfavor** n. Ungnade
**disfigure** v. entstellen
**disgrace** n. Schande; Ungnade; — v. entehren; **-ful** adj. entehrend, schimpflich
**disguise** n. Verkleidung, Maske
**disgust** n. Widerwille, Abscheu
**dish** n. Schüssel; Gericht
**dishearten** v. entmutigen
**dishonest** adj. unehrlich; **-y** n. Unehrlichkeit
**dishonor** n. Ehre; Nichtbezahlung; — v. entehren; nicht bezahlen; **-able** adj. entehrend, schimpflich
**dishwasher** n. Geschirrwaschmaschine
**dishwater** n. Spülwasser
**disinherit** v. enterben
**disinterested** adj. uneigennützig
**disjointed** adj. abgerissen
**disk** n. Scheibe; — **jockey** Schallplattenjongleur
**dislike** n. Abneigung; — v. nicht mögen
**dislocate** v. verrenken
**disloyal** adj. treulos
**dismiss** v. entlassen; **-al** n. Entlassung; Abschied
**dismount** v. absteigen
**disobedience** n. Ungehorsam
**disobedient** adj. ungehorsam
**disobey** v. nicht gehorchen
**disorder** n. Unordnung; **-ly** adj. unordentlich
**disparity** n. Ungleichheit
**dispatch** n. Absendung; Depesche; — v. absenden, expedieren
**dispensary** n. Apotheke.
**dispense** v. austeilen
**displace** v. versetzen; **-d person** Heimatvertriebene
**display** n. Entfaltung, Aufwand; (com.) Ausstellung; — v. ausstellen; entfalten
**displease** v. missfallen
**displeasure** n. Missfallen

**disposition** n. Gemütsart; Gesinnung
**disproportionate** adj. unverhältnismässig
**disprove** v. widerlegen
**dispute** n. Wortwechsel; — v. bestreiten
**disregard** v. missachten
**disrepute** n. Verruf, Schande
**disrobe** v. entkleiden
**disrupt** v. zerreissen; **-ion** n. Zerreissen; Bruch
**dissatisfaction** n. Unzufriedenheit
**dissatisfy** v. nicht befriedigen
**dissect** v. zerlegen; (anat.) sezieren
**dissimilar** adj. ungleichartig
**dissolution** n. Auflösung
**dissolve** v. (sich) auflösen
**distance** v. Entfernung, Strecke; **keep at a** — fern halten; **keep one's** — sich fern halten
**distant** adj. fern, entfernt
**distasteful** adj. ekelhaft; widerwärtig
**distend** v. (sich) ausdehnen
**distillery** n. Branntweinbrennerei
**distinct** adj. klar, deutlich; verschieden; **-ion** n. Unterscheidung; Auszeichnung; **-ive** adj. eigentümlich
**distinguish** v. unterscheiden
**distort** v. verdrehen; **-ion** n. Verdrehung
**distress** n. Not; Pein
**distribute** v. verteilen
**distribution** n. Verteilung
**distributor** n. Verteiler
**district** n. Bezirk; Gebiet, Zone; — **attorney** Staatsanwalt
**distrust** n. Misstrauen; — v. misstrauen
**disturb** v. stören; **-ance** n. Störung; Aufruhr
**ditto** n. Gleiche, Erwähnte; — adj. **-marks** Anführungszeichen
**dive** n. (sports) Tauchen;

Sturzflug; (coll.) Spelunke; **-er** n. Taucher
**diversion** n. Zeitvertreib
**divest** v. entkleiden
**divide** v. teilen
**divine** n. Geistliche, Priester; — adj. göttlich, heilig
**diving** n. Tauchen
**divinity** n. Theologie
**division** n. Teilung; Abteilung
**divisor** n. Divisor, Teiler
**divorce** n. Scheidung; get **a —** sich scheiden lassen; — v. scheiden
**dizziness** n. Schwindel
**do** v. tun, machen; genügen; **how — you —**? Wie geht es Ihnen? **-ne** adj. getan; fertig
**docket** n. Abriss
**doctrine** n. Lehre, Doktrin
**dodge** v. ausweichen
**doe** n. Reh, Hindin; Häsin
**dog** n. Hund; **— in the manger** Neidhammel; **go to the –s** auf den Hund kommen; — v. hetzen; **-ged** adj. störrisch
**dolly** n. Spitzendeckchen
**dole** n. Austeilung
**doll** n. Puppe; Zierpuppe
**dolly** n. kleiner Rollwagen
**domain** n. Gebiet; Gut
**dome** n. Kuppel, Dom
**domestic** adj. häuslich
**dominate** v. (be)herrschen
**domination** n. Herrschaft
**dominion** n. Herrschaft, Gebiet
**donate** v. schenken, geben
**donation** n. Schenkung
**donkey** n. Esel
**donor** n. Geber, Spender
**doodle** v. kritzeln
**doom** n. Schicksal, Los
**door** n. Tür, Pforte, Tor; **— mat** Fussmatte
**doorbell** n. Klingel
**doorknob** n. Türknopf
**dope** n. Rauschgift (sl.) Dummkopf; **— fiend** Rauschgiftsüchtige; — v. betäuben
**dormitory** n. Schlafsaal
**dose** n. Dosis
**dot** n. Punkt; **on the —** auf die Minute

**double** adj. doppelt; **— bass** Kontrabass; **— entry** doppelte Buchführung; — v. (sich) verdoppeln; zusammenlegen, falten; (cards) Kontra ansagen; **— up** sich krümmen
**double-cross** v. hintergehen
**double-dealing** n. Falschheit
**double feature** n. (theat.) zwei Hauptfilme
**doubt** n. Zweifel; — v. (be)zweifeln; **-ful** adj. bedenklich; zweifelhaft; **-less** adj. zweifellos
**dough** n. Teig; (sl.) Geld
**doughnut** n. Pfannkuchen
**douse** v. tauchen
**dove** n. Taube
**dovetail** v. genau ineinanderpassen
**dowel** n. Dübel; Holzpflock
**down** n. Daune, Flaum; — prep. unten; herab, hinab; **five dollars —** fünf Dollar als Anzahlung; — adj. niedrig, wenig; be **— and out** auf den Hund gekommen sein; **— payment** Anzahlung
**downcast** adj. niedergeschlagen
**downfall** n. Sturz, Niedergang, Untergang, Fall
**downhearted** adj. verzagt, niedergeschlagen, gedrückt
**downpour** n. Platzregen, Wolkenbruch, Guss
**downright** adv. gerade heraus, durchaus
**downstairs** n. pl. unteres Stockwerk
**downtown** adv. in die (or in der) Stadt
**doze** n. Schlummer; — v. schlummern
**dozen** n. Dutzend
**draft, draught** n. Zug; (art and lit.) Entwurf; (com.) Scheck; (drink) Trunk; (mil.) Musterung; **on —** vom Fass; **rough —** Rohentwurf; **sight —** Sichtwechsel; **— board** Musterungskommission; — v. entwerfen; einziehen

199

**draftsman** n. Zeichner
**drag** v. schleppen; eggen; — n. (coll.) Einfluss
**drain** n. Abfluss, Ableitung; — v. (ent)leeren; ableiten
**drainpipe** n. Abzugsrohr
**drake** n. Enterich
**drape** v. behängen; schmücken; — n. Vorhang; **-ry** n. Vorhang
**draw** n. Lotterie; (sports) Unentschieden; — v. ziehen; (art) zeichnen
**drayman** n. Rollkutscher
**dread** v. (sich) fürchten; **-ful** adj. schrecklich
**dream** n. Traum; — v. träumen
**dreary** adj. trübselig
**dredge** n. Bagger
**dress** n. Kleid, Anzug; Kleidung; — **suit** Gesellschaftsanzug; — v. (sich) anziehen; (hair) frisieren; (med.) verbinden; **-er** n. Kommode; (cooking) Zutat; (med.) Verband; **salad -ing** Salatsauce; **-ing gown** Schlafrock
**dressmaker** n. Damenschneider(in)
**drift** n. Antrieb; Treiben
**drill** n. Bohrer
**drink** n. Getränk; — v. trinken
**drip-dry** adj. bügelfrei
**drive** n. Fahrweg; Spazierfahrt; (mech.) Antrieb
**drive-in** n. Autobahngaststätte mit Bedienung am Wagen; Freilichtkino
**drop** n. Tropfen; Sinken; **letter** — Briefeinwurf; — **leaf** Klappbrett; — v. tröpfeln; fallen (lassen)
**dropout** n. Mensch mit abgebrochener Schulbildung
**dropsy** n. Wassersucht
**drought, drouth** n. Dürre
**drove** n. Herde, Trift
**drown** v. ertrinken, ertränken
**drowsy** adj. schläfrig
**drudgery** n. Plackerei
**drug** n. Droge; Rauschgift; — **addict** Rauschgiftsüchtiger
**drugstore** n. Drogerie

**drum** n. Trommel
**drumstick** n. Trommelschlegel
**drunk** adj. (be)trunken
**dry** adj. trocken, dürr; — **battery** Trockenbatterie; — **cell** Trockenelement; — v. (ab)trocknen
**dry clean** v. chemisch reinigen
**dry ice** n. Trockeneis
**dub** v. (rad.) nachsynchronisieren; nachträglich einsetzen
**dubious** adj. zweifelhaft
**duchess** n. Herzogin
**duck** n. Ente
**duct** n. Gang; Röhre
**dude** n. Geck, Stutzer
**due** adj. schuldig; zahlbar; — **to** durch, wegen
**dugout** n. Unterstand
**duke** n. Herzog
**dull** adj. dumm; stumpf
**duly** adv. pflichtgemäss
**dumb** adj. stumm
**dumbbell** n. Hantel
**dumb-waiter** n. Speiseaufzug
**dump** n. Abfallhaufen; **be (down) in the -s** schwermütig sein; — **truck** Kippwagen; — v. auskippen; abladen; **-ling** n. Kloss, Knödel
**dunce** n. Dummkopf
**dung** n. Mist, Dünger
**dungaree** n. Segeltuch
**dungeon** n. Verliess, Kerker
**dunghill** n. Dunghaufen
**dupe** n. Angeführte
**durable** adj. dauerhaft
**duration** n. Dauer
**during** prep. während
**dusk** n. Dämmerung
**dust** n. Staub; — **storm** Sandsturm; — v. abstauben; abwischen; **-y** adj. staubig
**dustpan** n. Kehrrichtschaufel
**dutiful** adj. gehorsam
**duty** n. Pflicht
**dwarf** n. Zwerg
**dwell** v. wohnen; **-ing** n. Wohnung
**dwindle** v. sich vermin-

dern
**dye** n. Farbe; Farbstoff; —
  v. färben
**dysentery** n. Ruhr
**dyspepsia** n. Verdauungs-
  störung

# E

**each** adj. jeder, jede, jedes;
  — other einander, sich
**eager** adj. eifrig, begierig
**eagle** n. Adler
**ear** n. Ohr; **by** — nach
  dem Gehör; — **of corn**
  Maiskolben; — **muff** Ohr-
  renschützer
**earache** n. Ohrenschmer-
  zen
**eardrum** n. Trommelfell
**earl** n. Graf
**early** adj. früh, zeitig
**earn** v. verdienen; **–ings**
  n. pl. Lohn, Verdienst
**earnest** adj. ernst(haft)
**earphone** n. Kopfhörer
**earring** n. Ohrring
**earth** n. Erde, Boden;
  Land; **–en** adj. irdisch;
  irden
**earthenware** n. Steingut
**earthquake** n. Erdbeben
**ease** n. Ruhe; Behaglich-
  keit; Leichtigkeit
**easel** n. Staffelei, Gestell
**easily** adv. leicht; ohne
  Frage, zweifellos
**east** n. Osten; Orient
**Easter** n. Ostern, Osterfest
**eastward** adj. östlich
**easy** adj. leicht; — **chair**
  Lehnstuhl
**easygoing** adj. gemütlich
**eat** v. essen; (zool.) fressen
**eaves** n. pl. Dachrinne
**ebony** n. Ebenholz
**echelon** n. Staffel(aufstellung)
**eclipse** n. Finsternis
**ecological** adj. ökologisch
**ecology** n. Ökologie
**economic** adj. volkswirt-
  schaftlich; **–al** adj. sparsam
**economize** v. (ein)sparen
**economy** n. Wirtschaft

**ecumenical** adj. ökumenisch
**edge** n. Schärfe; Rand
**edging** n. Saum, Einfassung
**edible** adj. essbar
**edict** n. Edikt, Verordnung
**edit** v. herausgeben; **–ion**
  n. Ausgabe; **–or** n. Herausgeber; **–or in chief**
  Chefredakteur; **–orial** n.
  Leitartikel
**educate** v. erziehen, (aus)-
  bilden
**education** n. Erziehung,
  Unterricht; Bildung
**eel** n. Aal
**effect** n. Wirkung; Eindruck; pl. Habseligkeiten;
  **go into** in Kraft treten; — v. bewirken; **–ive**
  adj. wirksam, kräftig
**effeminate** adj. weibisch
**efficiency** n. Tüchtigkeit
**efflorescence** n. Blüte,
  Entfaltung
**effort** n. Anstrengung
**egg** n. Ei; **fried** — Spie-
  gelei; **poached** — verlorenes Ei; **scrambled** —
  Rührei; — **cup** Eierbecher
**eggnog** n. Eierlikör
**eight** adj. acht; **be behind the** — **ball** im
  Schlamassel sein; **–een**
  adj. achtzehn; **–y** adj.
  achtzig
**either** pron. and adj.
  beide; — conj. entweder
**elapse** v. verstreichen,
  vergehen
**elastic** adj. elastisch; — n.
  Gummiband
**elbow** n. Ellbogen; Biegung; (mech.) Knie
**elect** v. (er)wählen; **–ion**
  n. Wahl, Abstimmung
**electric** adj. elektrisch; —
  **bulb** Glühbirne; — **fix-
  tures** elektrische Anlagen;
  — **razor** Trockenrasierap-
  parat
**electrocardiogram** n. EKG,
  Elektrokardiogramm
**electronics** n. Elektronik
**electroplate** v. galvanisieren
**elegance** n. Feinheit
**element** n. Element, Be-

standteil; **–ary school** Volksschule, Grundschule

**elevate** v. erhöhen, erheben; **–d** adj. hoch; erhaben; **–d railroad** Hochbahn

**elevation** n. Erhöhung; Höhe

**elevator** n. Fahrstuhl; **grain —** Getreidespeicher

**eleven** adj. elf

**eligible** adj. wählbar

**eliminate** v. beseitigen; ausscheiden

**elk** n. Elch, Elen

**elm** n. Ulme, Rüster

**elope** v. entlaufen; entführen; **–ment** n. Entführung

**eloquent** adj. beredt

**else** adj. and adv. anders, weiter; **nothing —** sonst nichts; **or —** sonst; **somewhere —** irgendwo anders, anderswo; **what —?** was sonst? — conj. sonst, wo nicht

**elsewhere** adv. anderswo

**Elsie** f. Ilse

**emancipation** n. Befreiung

**embalm** v. einbalsamieren

**embargo** n. Hafensperre

**embark** v. (sich) einschiffen; **–ation** n. Einschiffung

**embarrass** v. in Verlegenheit setzen, verwirren

**embassy** n. Gesandtschaft, Botschaft

**embrace** n. Umarmung; — v. (sich) umarmen

**embroider** v. sticken; **–y** n. Stickerei

**emergency** n. Not; — **brake** Notbremse

**emigrate** v. auswandern

**emigration** n. Auswanderung

**eminent** adj. hervorragend

**emotion** n. Rührung; **–al** adj. gefühlvoll; leicht erregbar

**emperor** n. Kaiser

**emphatic** adj. ausdrücklich

**emphysema** n. Emphysem

**empire** n. Reich; Herrschaft; Gewaltenbereich

**employ** n. Anstellung; — v. (ge)brauchen; anstel-

len; **–ee** n. Angestellte; **–er** n. Arbeitgeber; **–ment** n. Beschäftigung, Arbeit; **–ment** adj. **–ment agency** Arbeitsvermittlung

**empower** v. ermächtigen

**empress** n. Kaiserin

**emptiness** n. Leere

**empty** adj. leer; — v. (ent)leeren

**enable** v. ermöglichen

**enamel** n. Email(le), Glasur

**encircle** v. umringen

**enclose** v. einschliessen; (letter) beifügen

**enclosure** n. Einschliessung; (letter) Beilage

**encore** n. Dacaporuf

**encourage** v. ermutigen; **–ment** n. Ermutigung

**end** n. Ende; Zweck; Ziel; Tod; — **to —** der Länge nach; — v. (be)enden, vollenden; (fig.) sterben; **–ing** n. Ende, Schluss; **–less** adj. unendlich, endlos

**endanger** v. gefährden

**endeavor** n. Bemühung; — v. sich bemühen

**endorse** v. übertragen, überschreiben; (fig.) unterstützen; **–ment** n. Indossament; (fig.) Bestätigung, Unterstützung

**endow** v. ausstatten; **–ment** n. Ausstattung; Stiftung

**endurance** n. Ausdauer

**endure** v. dulden, ertragen

**enemy** n. Feind, Gegner

**energetic** adj. energisch

**energy** n. Energie, Tatkraft

**enforce** v. erzwingen, durchsetzen

**engage** v. anstellen, beschäftigen; **–ed** adj. verlobt; beschäftigt; **–ment** n. Verlobung; Verabredung

**engine** n. Maschine; Motor; Lokomotive

**engrave** v. gravieren, stechen

**engraving** n. Gravierung

**enjoin** v. befehlen; einschärfen; verbieten

**enjoy** v. geniessen; besitzen; — **oneself** sich (gut) unterhalten, sich amüsieren; **-able** adj. angenehm, erfreulich; **-ment** n. Genuss; Vergnügen

**enlarge** v. zunehmen; erweitern; (phot.) vergrössern

**enlighten** v. erleuchten

**enlist** v. sich anwerben lassen; (an)werben; gewinnen (für); **-ment** n. Anwerbung

**enmity** n. Feindschaft

**enormous** adj. enorm

**enough** adj. and adv. genug

**enroll** v. einschreiben, anmelden; **-ment** n. Einschreiben, Anmeldung

**ensign** n. Abzeichen, Fahne (naut.) Fähnrich

**ensue** v. folgen

**entangle** v. verwirren, verwickeln

**enter** v. eintreten; einschreiben

**enterprise** n. Unternehmen; Unternehmungsgeist

**entertain** v. unterhalten, bewirten; **-ment** n. Unterhaltung; Bewirtung

**enthusiasm** n. Begeisterung

**entire** adj. ganz, vollkommen, unversehrt; **-ly** adv. gänzlich; herzlich

**entitle** v. betiteln; berechtigen

**entrance** n. Eingang; Eintritt

**entrée** n. Eintritt, Zutritt; (cooking) Hauptgericht

**entrust** v. betrauen

**entry** n. Eingang; Eintritt; (com.) Eintragung

**enumerate** v. aufzählen

**envelop** v. einwickeln; **-e** n. Hülle; Briefumschlag

**envious** adj. neidisch

**environment** n. Umwelt; Umgebung; **-al** adj. Umwelt-; umgebungsbedingt; **-al protection** Umweltschutz

**envoy** n. Gesandte

**envy** n. Neid, Missgunst; — v. beneiden

**epidemic** n. Epidemie, Seuche

**epistle** n. Brief, Epistel

**epoch** n. Epoche, Zeitabschnitt

**equal** n. Gleiche; — adj. gleich; **-ity** n. Gleichheit

**equilibrium** n. Gleichgewicht

**equip** v. ausstatten; **standard -ment** Normalausrüstung

**equity** n. Billigkeit, Gerechtigkeit

**equivalent** n. Gleichwertigkeit; — adj. gleichwertig

**era** n. Ära, Zeitalter

**erase** v. ausradieren; verwischen; **-r** n. Radiergummi; Wischer

**erect** v. aufstellen, errichten; aufrichten; — adj. aufrecht, gerade; **-ion** n. Errichtung, Aufrichtung

**ermine** n. Hermelin

**erode** v. anfressen, zerfressen

**err** v. sich irren; fehlen; **-atic** adj. seltsam; **-oneous** adj. irrig, falsch; **-or** n. Irrtum, Fehler

**errand** n. Auftrag; Bestellung; — **boy** Laufbursche

**erupt** v. ausbrechen; **-ion** n. Ausbruch; Ausschlag

**escalate** v. (mil.) ausbreiten, grössere Kreise ziehen; ausarten

**escalator** n. Rolltreppe

**escape** n. Flucht; — v. entgehen, entfliehen

**escort** n. Begleitung; Eskorte; — v. begleiten

**escutcheon** n. Wappenschild

**esophagus** n. Speiseröhre

**especial** adj. besonder

**espionage** n. Spionage

**espouse** v. heiraten; befürworten

**essence** n. Extrakt; Wesen(heit)

**essential** adj. wesentlich

**establish** v. feststellen; errichten

**estate** n. Gut, Vermögen

**esteem** n. Hochachtung; Ansehen; — v. hochach-

ten; **-ed** *adj.* geachtet
**estimate** *n.* Voranschlag;
*v.* berechnen
**estimation** *n.* Meinung;
Schätzung
**estrange** *v.* entfremden
**estrogen** *n.* Estrogen (weibliches Hormon)
**etc.** *abbr.* und so weiter
**eternal** *adj.* ewig
**eternity** *n.* Ewigkeit
**ethical** *adj.* moralisch, sittlich
**etiquette** *n.* Etikette, gute Sitte
**Eucharist** *n.* Abendmahl(-sfeier); **-ic** *adj.* eucharistisch
**eugenics** *n.* Rassenhygiene
**evacuate** *v.* räumen; wegschaffen
**evacuation** *n.* Entleerung
**evaluate** *v.* (ab)schätzen
**evaluation** *n.* Abschätzung
**evangelical** *adj.* evangelisch
**evaporate** *v.* verdampfen (lassen); **-d** *adj.* **-d milk** kondensierte Milch
**eve** *n.* Abend; Vorabend
**even** *adj.* gerade, eben; glatt; rund, genau; **get — heimzahlen; we are —** wir sind quitt; **—** *adv.* selbst, sogar; **— if** wenn auch; **— so** trotzdem; **— though** wenn auch, obwohl; **not —** nicht einmal; **—** *v.* ebnen
**evening** *n.* Abend
**event** *n.* Ereignis, Vorfall; **-ual** *adj.* schliesslich
**ever** *adv.* immer, stets; **— since** von der Zeit an; **hardly —** fast nie
**everlasting** *adj.* ewig
**every** *adj.* jeder, jede, jedes; **— now and then, — once in a while** dann und wann, ab und zu
**everybody** *pron.* jedermann; **— else** alle anderen
**everyday** *adj.* alltäglich
**everyone** *pron.* jedermann
**everything** *pron.* alles
**everywhere** *adv.* überall
**evidence** *n.* Beweis; **give**

**— Zeugnis ablegen, beweisen**
**evident** *adj.* offenbar, klar
**evil** *n.* Übel, Bosheit; **—** *adj.* übel, böse
**evildoer** *n.* Übeltäter
**evolution** *n.* Entwicklung, Entfaltung
**ewe** *n.* Mutterschaf
**exact** *adj.* genau, sorgfältig; **—** *v.* erpressen; **-ing** *adj.* streng
**exaggerate** *v.* übertreiben
**exaggeration** *n.* Übertreibung
**exalt** *v.* erhöhen; **-ation** *n.* Erhöhung; Verzücktheit
**examination** *n.* Prüfung, Examen
**examine** *v.* prüfen, untersuchen
**example** *n.* Beispiel, Vorbild
**excavate** *v.* ausgraben
**excavation** *n.* Ausgrabung
**exceed** *v.* überschreiten
**excel** *v.* übertreffen; hervorragen; **-lence** *n.* Vortrefflichkeit; **-lent** *adj.* ausgezeichnet
**except** *conj.* es sei denn, dass; **—** *prep.* ausser; **— for** bis auf; **—** *v.* ausnehmen; **-ing** *prep.* mit Ausnahme von; **-ion** *n.* Ausnahme; Einwand; **-ional** *adj.* ungewöhnlich
**excess** *n.* Übermass; **— baggage** Überfracht; **-ive** *adj.* übertrieben
**exchange** *n.* Austausch; **(stock) —** Börse; **telephone —** Telefonzentrale; **—** *v.* (aus)tauschen, wechseln
**excitable** *adj.* reizbar
**excite** *v.* aufregen; erregen; **get -d** sich aufregen; **-ment** *n.* Aufregung
**exciting** *adj.* aufregend
**exclaim** *v.* ausrufen
**exclamation** *n.* Ausruf(ung)
**exclude** *v.* ausschliessen
**exclusion** *n.* Ausschluss
**exclusive** *adj.* ausschliesslich

**excursion** n. Ausflug

**excuse** n. Entschuldigung

**execute** v. ausführen, vollziehen; (law) hinrichten

**execution** n. Ausführung; (law) Hinrichtung

**executive** n. Exekutive, Staatsgewalt; Direktor

**exempt** adj. verschont; — v. verschonen; **-ion** n. Ausnahme

**exercise** n. Übung; — v. üben; sich Bewegung machen

**exert** v. anstrengen; **-ion** n. Anstrengung, Bemühung

**exhale** v. ausatmen

**exhaust** n. Auspuff; — **fan** Aussenventilator; — **gas** Abgas; — **manifold** Sammelleerung; — **pipe** Auspuffrohr

**exhibit** n. Austellung; Ausstellungsstück; (law) Beweisschrift; — v. ausstellen; **-ion** n. Ausstellung

**exile** n. Verbannung; — v. verbannen

**exist** v. vorhanden sein; leben; **-ence** n. Existenz, Dasein; Leben; **-ent** adj. vorhanden

**exit** n. Ausgang

**expand** v. (sich) ausdehnen

**expansion** n. Ausdehnung

**expect** v. erwarten; **she is —ing** sie ist guter Hoffnung; **-ant** adj. erwartend; **-ation** n. Erwartung, Hoffnung

**expedition** n. Forschungsreise; Expedition

**expel** v. vertreiben

**expend** v. ausgeben; **-iture** n. Ausgabe

**expense** n. Ausgabe; pl. Unkosten; **at the —** of auf Kosten von

**expensive** adj. teuer

**experience** n. Erfahrung, Erlebnis; — v. erfahren, erleben; **-d** adj. erfahren

**experiment** n. Versuch; — v. versuchen; **-al** adj. erfahrungsgemäss

**expert** n. Sachverständige, Fachmann

**expire** v. ablaufen

**explain** v. erklären

**explanation** n. Erklärung

**explanatory** adj. erklärend

**explicit** adj. deutlich, klar

**explode** v. explodieren

**exploration** n. Erforschung

**explore** v. untersuchen; **-r** n. Forschungsreisende

**export** v. exportieren; — n. Export, Ausfuhr

**exposition** n. Ausstellung; Darstellung

**exposure** n. Blossstellung; (phot.) Belichtung

**express** v. äussern, ausdrücken; **(by) —** per Express, per Eilgut; durch Eilboten; **— company** Paketpostgesellschaft; **— train** D-Zug; Schnellzug; **-ion** n. Ausdruck

**expressway** n. Schnellstrasse

**extend** v. reichen; erweitern; erweisen, gewähren

**extension** n. Ausdehnung, Erweiterung; (tel.) Nebenanschluss; **— cord** Verlängerungsschnur

**extensive** adj. ausgedehnt

**extent** n. Weite, Grösse

**exterior** n. Äussere

**external** adj. äusserlich

**extinguish** v. auslöschen; vernichten; **-er** n. Löscher

**extort** v. erpressen

**extra** n. Aussergewöhnliche; (newspaper) Extrablatt; — adj. extra, ungewöhnlich; **— charges** Nebenkosten; **— pay** Zulage; **— work** Mehrarbeit, Nebenarbeit; — adv. besonders

**extraordinary** adj. ausserordentlich

**extravagant** adj. verschwenderisch

**extreme** adj. äusserst, übermässig, extrem

**extremity** n. äusserste Not

**eye** n. Auge; (sewing) Öhr, Öse; **black —** blaues

Auge; **hooks and —s**
Haken und Ösen; **see —
to —** im gleichen Lichte
sehen; **—** v. anschauen,
betrachten
eyeball n. Augapfel
eyebrow n. Augenbraue
eyeglass n. Brille; Kneifer
eyelash n. Augenwimper
eyelet n. Schnürloch; Öse
eyelid n. Augenlid
eyesight n. Augenlicht;
Sehkraft
eyewitness n. Augenzeuge

# F

fable n. Fabel, Sage, Märchen
fabric n. Stoff, Gewebe;
**-ate** v. fabrizieren; erdichten, erfinden; **-ation** n.
Erdichtung; Fälschung
fabulous adj. fabelhaft
face n. Gesicht; (clock)
Zifferblatt; **at —** value
für bare Münze; **— card**
Bildkarte; **— lifting** He-
bung der Wangenhaut
facial n. Gesichtskosmetik
facilitate v. erleichtern
facing n. Besatz, Einfas-
sung
fact n. Tatsache; Wirklich-
keit; Tat; pl. Tatbestand;
**as a matter of —** zwar,
tatsächlich; **-ual** adj.
faktisch
faction n. Partei; Fraktion
factory n. Fabrik
faculty n. Fakultät; Fä-
higkeit
fad n. Liebhaberei; Mode-
torheit
fade v. verblassen
fade-out n. Abblenden
fail v. scheitern; (com.)
Bankrott machen; (educ.)
durchfallen; **— with-
out —** unfehlbar, ganz
gewiss; **-ing** n. Fehler,
Schwäche; **-ure** n. Misslingen, Misserfolg; (com.)
Bankrott
faint n. Ohnmacht; **—** adj.
schwach; **—** v. ohnmächtig werden, in Ohnmacht

fallen
fair n. Markt; Messe; **—**
adj. gerecht, unparteiisch;
schön; (sport) fair; (fig.)
gewöhnlich; **— trade** ge-
genseitige Handelsbezie-
hung; **-ly** well ziemlich
gut; **-ness** n. Aufrichtigkeit, Ehrlichkeit
fair-minded adj. vorurteils-
frei
fairy n. Fee, Elfe; **— tale**
Märchen
faith n. Glauben(sbekennt-
nis), Religion; Vertrauen
fake n. Schwindel, Fäl-
schung
fall n. Fall(en), Sturz;
Untergang; **—** v. fallen,
umfallen; **— asleep** einschlafen; **— for** (thing)
hereinfallen auf; **— in
love** sich verlieben; **—
through** durchfallen,
misslingen; **— upon** befallen; **-en** adj. gefallen;
**-en arches** Senkfuss
fallout n. (radioaktiver)
Rückstand
false adj. falsch; unrichtig; unecht; **-hood** n.
Lüge, Falschheit, Un-
wahrheit
falsies n. pl. falscher Busen
falsify v. (ver)fälschen
falter v. zögern, wanken
fame n. Ruhm, Ruf; **-d**
adj. berühmt
familiar adj. vertraut, vertraulich; wohlbekannt; alltäglich; **-ity** n. Vertraulichkeit, Vertrautheit; **-ize**
v. vertraut machen
family n. Familie
famine n. Hungersnot
famous adj. berühmt net
fan n. Fächer; (mech.)
Ventilator; **—** v. fächeln
fanciful adj. phantastisch
far adj. fern, weit, ent-
fernt; **—** adv. fern, weit;
sehr; **as — as** bis zu; **so
— bis jetzt; so — as** soviel
farce n. Posse, Schwank
fare n. Fahrgeld; Fahr-
gast; Speise, Kost; **—** v.

fahren; sich befinden

**farewell** n. Lebewohl, Abschied; —! interj. lebe wohl! auf Wiedersehen!

**farfetched** adj. weit hergeholt

**farm** n. Gut, Bauernhof, Farm; — **hand** Landarbeiter; — v. bearbeiten, bebauen; **-er** n. Bauer, Landwirt; **-ing** n. Ackerbau, Landbau

**farmyard** n. Bauernhof

**far-off** adj. weit entfernt

**farsighted** adj. (med.) weitsichtig

**farther** adj. and adv. weiter, ferner

**farthest** adj. weitest, fernst; — adv. am fernsten, am weitesten

**fashion** n. Mode; Form, Schnitt; **-able** adj. elegant, modisch, modern

**fast** n. Fasten; — **day** Fasttag; — v. fasten; — adj. fest, tief, schnell, waschecht, lichtecht

**fasten** v. befestigen, verschliessen; heften; **patent -er** Druckknopf

**fat** n. Fett, Schmalz; — adj. dick, fett; **-ten** v. fett machen

**fatal** adj. verhängnisvoll, tödlich

**fate** n. Schicksal, Geschick; **-ful** adj. verhängnisvoll

**father-in-law** n. Schwiegervater

**fathom** v. sondieren; (fig.) ergründen; **-less** adj. unergründlich

**fatigue** n. Ermüdung

**faucet** n. Hahn, Zapfen

**fault** n. Fehler; Vergehen

**favor** n. Gunst, Gefallen; Gnade; **balance in your** — Saldo zu Ihren Gunsten; **-able** adj. günstig, **-ite** n. Günstling

**fear** n. Furcht, Angst; — v. (be)fürchten; sich fürchten; **-ful** adj. furchtsam, bange; furchtbar, schrecklich; **-less** adj. furchtlos

**feast** n. Fest; Festtag; Festessen; — v. speisen, festlich bewirten

**feat** n. Heldentat, Leistung

**feather** n. Feder; **that's a — in his cap** darauf kann er sich etwas einbilden

**feature** n. Hauptzug; Hauptfilm; pl: Gesichtszüge

**federal** adj. Bundes-; **- government** Bundesregierung

**federate** adj. verbündet

**fee** n. Gebühr; Honorar, Lohn; Beitrag

**feeble** adj. schwach, matt

**feeble-minded** adj. geistesschwach

**feed** n. Futter, Nahrung; — v. füttern, nähren; essen; **-back** n. Rücksendung

**feel** n. Fühlen; Empfindung; — v. fühlen, empfinden; — **like** Lust haben auf (or zu); **-er** n. Fühler, **-ing** n. Gefühl

**fell** v. fällen, umhauen

**fellow** n. Gefährte; Kamerad; Kerl; Mitglied; — **citizen** Mitbürger; — **countryman** Landsmann; — **student** Studiengenosse; **-ship** n. Gemeinschaft; Mitgliedschaft; (educ.) Stipendium

**female** n. Weib, Weibchen

**feminine** adj. weiblich, weibisch

**fence** n. Zaun, Umzäunung; — v. einzäunen; **-r** n. Fechter; Fechtmeister

**fender** n. Kotflügel

**ferment** n. Gärung; Ferment; — v. gären, **-ation** n. Gärung

**fern** n. Farn(kraut)

**ferry** n. Fähre; — v. überführen

**fertile** adj. fruchtbar

**fertilize** v. befruchten; düngen; **-r** n. Dünger

**festival** n. Fest; — adj. festlich, Fest-

**festivity** n. Festlichkeit

**fetch** v. (ab)holen

**fetter** v. fesseln; n. pl. Fesseln

**fever** n. Fieber; **–ish** adj. fieberhaft

**few** adj. wenige; einige; **–er** adj. weniger

**fiancé** n. Verlobte, Bräutigam; **–e** n. Verlobte, Braut

**fib** n. Notlüge, Finte; — v. flunkern

**fiction** n. Dichtung, Erdichtung

**fiddle** n. Geige, Violine; — v. fiedeln, geigen; **–r** n. Geiger; Fiedler

**fidelity** n. Treue; **high** = höchste Tongenauigkeit; Raumton

**fidget** v. unruhig sein

**field** n. Feld; Acker; **–er** n. Spieler im Feld, Fänger

**fierce** adj. wild, wütend; **–ness** n. Wildheit

**fiery** adj. feurig, glühend

**fifteen** n. Fünfzehn(er); — adj. fünfzehn, **–th** adj. fünfzehnt

**fifth** n. Fünftel; — adj. fünft

**fiftieth** n. Fünfzigstel; — adj. fünfzigst

**fifty** n. Fünfzig; — adj. fünfzig

**fifty-fifty** adj. halb und halb, zu gleichen Teilen

**fig** n. Feige

**fight** n. Kampf, Streit; (sports) Ringkampf; — v. kämpfen, streiten; boxen, ringen

**figure** n. Figur, Form; Abbildung; (math.) Zahl, Nummer; — v. formen, gestalten; abbilden; rechnen; — **on** rechnen auf; — **out** lösen, berechnen

**filament** n. Fäserchen; (elec.) Glühfaden

**file** n. Kartei; (mech.) Feile; **on** — in den Akten; — v. (ein)ordnen, registrieren; (mech.) feilen

**filing** n. Registratur; Einordnung; pl. Feilspäne; — **card** Karteikarte; — **case** Karteischrank

**fill** n. Fülle; Genüge; — v. (an)füllen

**film** n. Schicht; Schleier;

(phot.) Film

**filter-tip** adj. mit Filter

**fin** n. Finne; Flosse

**final** adj. letzt, endlich; endgültig; n. pl. (sports) Schlussrunde; (educ.) Schlussprüfungen; **–ity** n. Endgültigkeit

**finance** n. Finanzwesen

**financier** n. Geldmann

**find** n. Fund; — v. finden; — **fault** mit tadeln; — **out** ermitteln; **–er** n. Finder, Entdecker; (phot.) Sucher

**fine** n. Geldstrafe; — v. zu einer Geldstrafe verurteilen; — adj. fein, zart, dünn; spitz; schön, herrlich, vortrefflich; vornehm

**finery** n. Staat, Glanz, Putz

**finger** n. Finger; **finger wave** (ohne Wickler gelegte) Kaltwelle; — v. betasten; **–ing** n. (mus.) Fingersatz

**fingerprint** n. Fingerabdruck

**finish** n. Ende, Schluss; Politur; — v. (be)enden; aufhören; (sports sl.) den Rest geben

**fir** n. Tanne, Fichte, Föhre

**fire** n. Feuer, Flamme; Brand; — **engine** Feuerspritze; — **insurance** Feuerversicherung; — **screen** Kamingitter; — v. schiessen, feuern; entlassen; heizen

**firearms** n. pl. Feuerwaffen

**fireman** n. Feuerwehrmann

**fireplace** n. Herd; Kamin

**fireside** n. Herd; Kamin

**firm** n. Firma, Geschäftshaus; — adj. fest, sicher; beständig

**first** adj. erste; — **aid** erste Hilfe; — **name** Vorname; — adv. zuerst; **at** — zuerst

**first-rate** adj. ausgezeichnet

**fish** n. Fisch; — **story** Anglerlatein; — v. fischen,

**angeln;** –ing **tackle** Angelgerät; –y *adj.* (coll.) verdächtig

**fishbone** *n.* Gräte

**fission** *n.* Spaltung; **nuclear** — Kernspaltung; –able *adj.* spaltbar

**fissure** *n.* Spalte, Riss

**fist** *n.* Faust

**fit** *n.* Anfall, Ausbruch; — *adj.* fähig, geeignet; — *v.* passen; anpassen; **be** — **for** taugen zu; –ness *n.* Eignung; Schicklichkeit; –ting *n.* Probe, Anpassen; –tings *pl.* Zubehör; –ting *adj.* passend, geeignet

**five** *n.* Fünf(er); — *adj.* fünf

**fix** *n.* üble Lage,' Klemme; — *v.* reparieren; festmachen; — **up** ordnen, einrichten; –ation *n.* Fixierung; –ed *adj.* fest; bestimmt; –ture *n.* Einrichtung; Inventarstück

**fizz** *n.* Zischen, Sprudeln; (fig.) Sodawasser; — *v.* zischen, sprudeln; –le *n.* misslungenes Unternehmen

**flabbergast** *v.* verblüffen

**flag** *n.* Fahne, Flagge; — *v.* ermatten; –ging *adj.* schlaff werdend

**flagstaff** *n.* Fahnenstange

**flagstone** *n.* Fliese, Platte

**flake** *n.* Flocke, Schuppe; — *v.* — **off** abschuppen

**flame** *n.* Flamme; Feuer; — *v.* flammen, lodern

**flammable** *adj.* entzündbar

**flap** *n.* Klappe; (beating) Klaps, Schlag; — *v.* klappen; schlagen; flattern

**flapjack** *n.* Pfannkuchen

**flare** *n.* Leuchtsignal

**flare-up** *n.* Auflackern, Aufbrausen; plötzlicher Streit

**flash** *n.* Blitz; **in a** — im Augenblick (or Nu); — *v.* blitzen; aufflammen; aufleuchten; –y *adj.* schimmernd; auffallend

**flashlight** *n.* Taschenlampe

**flat** *n.* Ebene, Fläche; Wohnung; — *adj.* flach; geschmacklos; — **tire** geplatzter Reifen, Plattfuss; –ness *n.* Flachheit; –ten *v.* (sich) abflachen

**flatiron** *n.* Plätteisen

**flatter** *v.* schmeicheln

**flavor** *n.* Geschmack; Aroma

**flaw** *n.* Sprung; Fehler

**flax** *n.* Flachs, Lein

**flaxseed** *n.* Leinsamen

**flee** *v.* fliehen, verlassen

**fleecy** *adj.* wollig, wollreich

**fleet** *n.* Flotte; — *adj.* flink, schnell

**flesh** *n.* Fleisch

**flesh-colored** *adj.* fleischfarben

**flexible** *adj.* biegsam, lenksam

**flight** *n.* Flucht; (avi.) Flug; — **mechanic** Bordmechaniker; — **of stairs** Treppe(nstufen); –y *adj.* leichtsinnig

**flimsy** *adj.* dünn, schwach

**fling** *n.* Wurf, Schlag; — *v.* werten

**flip** *n.* Klaps; Ruck; — *v.* schnipsen, schnellen

**flippant** *adj.* vorlaut

**flit** *v.* flattern; huschen

**float** *n.* Floss; — *v.* schwimmen; –ing **dock** Schwimmdock

**flock** *n.* Herde; (fig.) Haufen, Menge; — *v.* sich scharen

**flood** *n.* Flut; — **tide** Flut, Gezeit; — *v.* überfluten

**floodlight** *n.* Scheinwerferlicht

**floor** *n.* Boden, Fussboden; (arch.) Stockwerk; — *v.* mit Dielen belegen; niederschlagen; –ing *n.* Fussboden(belag)

**floorwalker** *n.* Verkaufsabteilungschef

**flop** *n.* Durchfall

**florist** *n.* Blumenhändler

**flour** *n.* Mehl; –ish *n.* Blüte, Verzierung; –ish *v.* gedeihen, blühen

**flow** *v.* fliessen, strömen

**flower** *n.* Blume, Blüte; — *v.* blühen

**flu** n. Grippe, Influenza

**flue** n. Rauchfang

**fluent** adj. fliessend

**fluid** n. Flüssigkeit; — adj. flüssig

**flunk** v. versagen, durchfallen

**flunkey** n. Lakai, Bediente

**fluorescent** adj. fluoreszierend

**fluorine** n. Fluorin

**flush** n. Erröten, Glut; — v. erröten

**fluster** v. verwirren, aufregen

**flute** n. Flöte; **-d** adj. gerillt, geriefelt

**flutist** n. Flötist

**flutter** n. Geflatter; — v. flattern

**flux** n. Fluss; (chem.) Flussmittel, Zusatz

**fly** n. Fliege; (baseball) Flugball; — v. fliegen; **-er** n., **flier** n. Flieger; **-ing** adj. fliegend

**flyby** n. Vorbeiflug

**flying saucer** n. fliegende Untertasse, Ufo

**foam** n. Schaum; — v. schäumen; **-y** adj. schaumig

**focus** n. Fokus; — v. (phot.) einstellen

**foe** n. Feind, Gegner

**fog** n. Nebel

**foghorn** n. Nebelhorn

**foil** n. Folie; (sports) Florett, Rapier; — v. vereiteln

**fold** n. Falte; — v. falten

**foliage** n. Laub(werk)

**folk** n. Volk; Leute; **common** — einfache Leute

**folklore** n. Volkskunde

**follow** v. folgen, nachgehen; **as —s** wie folgt; **-ing** adj. folgend, kommend

**follow up** adj. verfolgend

**folly** n. Torheit, Narrheit

**fond** adj. zärtlich, vernarrt; **be — of** gern haben; **-ness** n. Vorliebe

**food** n. Speise, Nahrung, Lebensmittel

**fool** n. Narr, Tor; Hanswurst; — v. betrügen;

**-ish** adj. töricht; **-ishness** n. Dummheit, Torheit; Unsinn

**foot** n. Fuss; Fussende; — v. — **the bill** aufkommen für

**football** n. Fussball (spiel)

**footboard** n. Trittbrett

**foothill** n. Vorgebirge

**footlights** n. pl. Rampenlicht; **before the** — auf der Bühne

**footman** n. Bediente

**footpath** n. Fusspfad

**footprint** n. Fusstapfe

**footrace** n. Wettlauf

**footstep** n. Tritt, Schritt; Spur

**for** prep. für; **what —?** wofür? wozu? warum? — conj. denn

**forbid** v. verbieten; **God —!** Gott behüte! **-den** adj. verboten

**force** n. Kraft, Gewalt; Macht, Stärke; Nachdruck; pl. Streitkräfte, Truppen; — v. zwingen, nötigen

**forcible** adj. gewaltsam, wirksam

**ford** n. Furt; — v. durchwaten

**forecast** n. Voraussage; **weather** — Wetterbericht

**foreground** n. Vordergrund

**forehead** n. Stirn

**foreign** adj. ausländisch, fremd; **-er** n. Fremde, Ausländer

**foreman** n. Vormann; Aufseher, Werkmeister

**foremost** adj. vorderst, erst

**foresee** v. voraussehen, vorherwissen

**foresight** n. Voraussicht, Vorsicht

**forest** n. Wald, Waldung; Forst; **-er** n. Förster

**forethought** n. Vorbedacht

**forever** adv auf immer, zu aller Zeit

**foreword** n. Vorwort

**forge** n. Schmiede, Esse; — v. schmieden; fälschen; erdichten; **-r** n. Falschmünzer; **-ry** n. Fälschung

**forget** v. vergessen; **–ful** adj. vergesslich; **–fulness** n. Vergesslichkeit

**forgive** v. vergeben; **–ness** n. Vergebung

**fork** n. Gabel; — v. (sich) gabeln; **–ed** adj. gabelförmig

**form** n. Form, Gestalt; Formalität; Formular; **— letter** schematisierter Brief; — v. formen; (sich) bilden; **–ation** n. Bildung, Gestaltung; **–less** adj. formlos

**formal** adj. förmlich, formell; **–ity** n. Formalität

**former** adj. vorig; früher; vorerwähnt; **the —** der erstere; **–ly** adv. ehemals, früher; sonst

**forsake** v. verlassen, aufgeben

**fort** n. Festung(swerk); Fort; **–ification** n. Befestigung; **–ify** v. befestigen; **–ress** n. Festung

**forth** adv. hervor; heraus, hinaus; **and so —** und so weiter

**fortieth** adj. vierzigst; — v. Vierzigste; Vierzigstel

**fortunate** adj. glücklich; **–ly** adv. glücklicherweise

**fortune** n. Glück; Schicksal

**fortune teller** n. Wahrsager

**forty** adj. vierzig

**forward** adj. vorder; voreilig; — v. absenden, befördern; **—(s)** adv. vorwärts

**foster** v. ernähren, pflegen

**foul** n. Zusammenstoss; — adj. ekelhaft; schmutzig; **— ball** Ball ins Aus

**found** v. (be)gründen, stiften; **–ation** n. Gründung; Stiftung; **–er** n. Gründer, Stifter

**foundry** n. Giesserei

**fountain** n. Quelle, Springbrunnen; **— pen** Füllfeder(halter)

**four** adj. vier; — n. Vier(er); **—some** —n. Vierer; **–teen** adj. vierzehn; **–teenth** adj. vierzehnt; **–th** n. Vierte, Viertel

**fowl** n. Vogel; Huhn; Geflügel

**fox** n. Fuchs; **–y** adj. schlau

**fraction** n. Bruchstück; (math.) Bruch

**fracture** n. Bruch; — v. (zer)brechen

**fragrance** n. Duft, Wohlgeruch

**fragrant** adj. duftig, wohlriechend

**frail** adj. zerbrechlich; zart

**frame** n. Rahmen; Gefüge, Gebälk, Zimmerwerk; (mech.) Gestell; — v. (ein)rahmen

**framework** n. Bau, System

**frantic** adj. wild, toll, rasend

**fraternal** adj. brüderlich

**fraternity** n. Brüderlichkeit; Bruderschaft

**fraternize** v. sich verbrüdern; fraternisieren

**fraud** n. Betrug, Schwindel; **–ulent** adj. betrügerisch

**freak** n. Missbildung

**freckle** n. Sommersprosse

**free** adj. frei, unabhängig; kostenlos; **— on board** (f.o.b.) frei an Bord; **— trade** Freihandel; — v. befreien; **–dom** n. Freiheit, Unabhängigkeit

**free-for-all** n. allgemeine Schlägerei

**free-lance** adj. unabhängig, freischaffend

**freeway** n. Autobahn

**freeze** v. (er)frieren, gefrieren (lassen); **–r** n. Gefrierapparat; **deep —** Tiefgefriermaschine

**freight** n. Fracht, Ladung; **— car** Güterwagen; **— elevator** Güteraufzug; **— train** Güterzug; **by —** per Fracht; **–er** n. Frachtdampfer

**French** adj. französisch

**frequency** n. Häufigkeit; (elec.) Frequenz;

**modulation** Frequenz-modulation; **high —** Hochfrequenz

**frequent** adj. häufig; — v. häufig besuchen

**fresh** adj. frisch; gesund; neu; **—en** v. erfrischen; auffrischen; **-ness** n. Neuheit; (sl.) Frechheit

**freshman** n. Neuling, Anfänger

**friar** n. Mönch

**friction** n. Reibung; — **tape** Isolierband

**Friday** n. Freitag; **Good — Karfreitag**

**fried** adj. gebraten; Brat-; **— eggs** Spiegeleier

**friend** n. Freund; Bekannte; **-ly** adj. freundlich; wohlwollend; **-ship** n. Freundschaft

**fright** n. Schrecken, Furcht; **-en** v. erschrekken

**frigid** adj. kalt, eisig; frostig

**fringe** n. Franse, Besatz

**frivolous** adj. leichtsinnig

**fro** adv. **to and —** auf und ab, hin und her

**frock** n. Kleid; Kittel

**frog** n. Frosch

**from** prep. von, aus; seit; entfernt von; infolge von

**front** n. Front; Vorderseite; **in — of** vor

**frontier** n. Grenze, Grenzland

**frontispiece** n. Titelbild

**frost** n. Frost, Reif; v. mit Zuckerguss versehen; **-ed** adj. bereift; glasiert; **-ed glass** Milchglas; **-ing** n. Zuckerglasur; **-y** adj. frostig, eisig

**frown** v. die Stirn runzelnd; **— on** missbilligen

**frozen** adj. gefroren, erstarrt

**frugal** adj. genügsam

**fruit** n. Frucht, Obst; **-ful** adj. fruchtbar; **-less** adj. vergeblich, fruchtlos

**frustration** n. Vereitelung

**fry** v. braten; **-ing pan** n. Bratpfanne

**fuel** n. Heizmaterial; Feue-

rung; **— gauge** Benzinmesser; **— oil** Heizöl; **— tank** Benzintank

**fugitive** n. Flüchtling; adj. flüchtig

**fulfil(l)** v. erfüllen; **-ment** n. Erfüllung

**full** adj. voll, ganz; satt; **at — speed** mit höchster (or in voller) Geschwindigkeit; **— dress** Gesellschaftsanzug; **— of** voll von, voller; **— power** unumschränkte Vollmacht; **— steam ahead!** Volldampf voraus! **— time** ganztägig; **in —** vollständig; adv. völlig, ganz; **-ness** n. Vollsein, Fülle

**fullback** n. Verteidiger

**full-length** adj. lebensgross

**fume** n. Dampf, Rauch; — v. rauchen; dampfen

**fun** n. Spass, Scherz; **for — zum Spass; make — of** spotten (or sich lustig machen) über; **-ny** adj. komisch; seltsam; **-ny bone** Ellbogenknochen

**function** n. Funktion, Tätigkeit; — v. funktionieren; **-ary** n. Funktionär; Beamte

**fund** n. Fonds, Kapital; pl. Gelder

**fundamental** adj. Grund-; wesentlich; **-s** n. pl. Grundlage

**funeral** n. Begräbnis, Leichenbegängnis

**funnel** n. Trichter

**fur** n. Pelz; Fell; **— coat** Pelzmantel; **-rier** n. Pelzhändler; Kürschner; **-ry** adj. pelzartig

**furious** adj. wütend, rasend

**furlough** n. Urlaub

**furnace** n. Ofen; Schmelzofen; **blast —** Hochofen

**furnish** v. versehen; liefern; ausstatten, möblieren; **— a house** im Haus einrichten; **-ed** adj. möbliert

**furniture** n. Möbel; Haus-

rat
**furrow** n. Furche; (anat.) Runzel
**further** adj. weiter, entfernte; **until — notice** bis auf weiteres; — adv. weiter, ferner; noch dazu; — v. (be)fördern
**furthermore** adv. ausserdem
**fury** n. Wut, Raserei
**fuse** n. Zünder, Zündschnur; (elec.) Sicherung; — v. verschmelzen
**fuselage** n. Flugzeugrumpf
**fuss** n. Störung; (coll.) Wesen, Getue; — v. viel Aufhebens machen; —y adj. übertrieben umständlich
**futile** adj. nutzlos; wertlos
**future** adj. künftig, zukünftig; — n. Zukunft
**fuzz** n. Flaum, Fäserchen; —y adj. flockig, faserig; flaumig

# G

**gab** n. Geschwätz; **gift of —** ein gutes Mundwerk
**gable** n. Giebel
**gadget** n. Vorrichtung
**gag** n. Knebel; (theat.) improvisierter Witz; — v. knebeln
**gaiety** n. Munterkeit
**gaily** adv. lustig, munter
**gain** n. Gewinn, Vorteil; — v. gewinnen, erwerben; (clock) vorgehen
**gale** n. steife Brise
**gall** n. Galle; (fig.) Unverschämtheit
**gallant** adj. höflich, galant; — n. —ry n. Galanterie, Artigkeit
**gallery** n. Galerie
**gallon** n. Gallone
**gallows** n. Galgen
**gallstone** n. Gallenstein
**galosh** n. Galosche, Überschuh
**gamble** v. spielen, wetten
**game** n. Spiel; (hunting) Wild; **— license** Jagdschein; **— warden** Wild-

**hüter;** — adj. spielbereit, mutig
**gang** n. Abteilung; Truppe; **-ster** n. Verbrecher
**ganglion** n. Überbein, Nervenknoten; (fig.) Knoten
**gangplank** n. Laufplanke
**gangway** n. Durchgang; Steg
**gantry** n. Polarkran; Gerüstkran
**gap** n. Lücke, Bresche; **-e** v. gähnen, klaffen; gaffen
**garbage** n. Abfall, Auswurf; **— can** Abfallbehälter
**garble** v. entstellen
**garden** n. Garten; **-er** n. Gärtner; **-ing** n. Gärtnerei
**gargle** n. Gurgelwasser; — v. gurgeln
**garlic** n. Knoblauch
**garment** n. Kleid, Kleidung
**garret** n. Dachstube
**garter** n. Strumpfband
**gas** n. Gas, Leuchtgas; Benzin; **— station** Tankstelle; **— tank** Benzintank
**gate** n. Tor, Pforte; (rail.) Schranke
**gather** v. sammeln, pflücken; **-ing** n. Versammlung
**gavel** n. Hammer (des Vorsitzenden)
**gay** adj. lustig, fröhlich; bunt
**gaze** n. Anstarren, Anstaunen; — v. starren; anstaunen
**gear** n. (mech.) Zahnrad; Gang; **out of —** ausgeschaltet; **put in —** in Gang setzen; **shift into second —** den zweiten Gang einschalten; **shift —** umschalten
**gearshift** n. Umschaltung; **— lever** Schalthebel
**gem** n. Edelstein
**general** n. General, Feldherr; — adj. allgemein, gewöhnlich; **— delivery** hauptpostlagernd
**generate** v. erzeugen

213

**generator** n. Generator; Erzeuger

**generous** adj. freigebig

**genetic code** n. Vererbungsgesetz

**genius** n. Genie

**genocide** n. Völkermord

**gentile** n. Nichtjude; Heide

**gentle** adj. mild, sanft; **-ness** n. Milde, Sanftmut

**gentleman** n. Herr; Ehrenmann; **-'s agreement** freundschaftliches Übereinkommen

**genuine** adj. echt, rein

**genus** n. Geschlecht, Gattung

**geophysical** adj. geophysikalisch

**George** m. Georg

**germ** n. Keim; Erreger; **-icide** n. keimtötendes Mittel

**German** adj. deutsch; **-measles** n. pl. Röteln; **-y** n. Deutschland

**gesture** n. Gebärde, Geste

**get** v. werden; bekommen, holen; **— about** herumkommen; **— along** vorwärtskommen; (um;) **— at** erreichen; **— back** zurückerhalten; **— in** einsteigen; **— off** aussteigen; **— out** aussteigen; **— rid of** loswerden; **— up** aufstehen; **— well** wieder gesund werden

**getup** n. Aufmachung

**G-force** n. Gravitationskraft

**ghetto** n. Getto

**ghost** n. Gespenst, Geist; **— writer** Berufsschriftsteller, der für einen anderen schreibt; **-ly** adj. geisterhaft

**giant** n. Riese

**giblets** n. pl. Gänseklein

**giddy** adj. schwindlich

**gift** n. Gabe; Geschenk; (fig.) Talent; **-ed** adj. begabt

**gigantic** adj. riesenhaft

**giggle** n. Kichern; **—** v. kichern

**gild** v. vergolden

**gill** n. (ichth.) Kiemen

**gilt-edged** adj. mit Gold-

schnitt versehen

**gimmick** n. sinnreiche Vorrichtung; Trick

**gin** n. Gin; Entkörnungsmaschine

**gingerbread** n. Pfefferkuchen, Lebkuchen

**gingersnap** n. Ingwerkeks

**girdle** n. Gurt, Gürtel

**girl** n. Mädchen; (coll.) Dienstmädchen; **— scout** Pfadfinderin

**girth** n. Umfang; Sattelgurt

**gist** n. Hauptpunkt, Kern

**give** v. geben, schenken; **— up** aufgeben, verzichten; **-n** adj. gegeben, festgesetzt; **— name** Taufname

**glacial** adj. eisig; Gletscher-

**glacier** n. Gletscher, Firn

**glad** adj. heiter, froh; **-ness** n. Freude, Fröhlichkeit

**glade** n. Lichtung

**glamor** n. Reiz, Zauber; **-ous** adj. zauberhaft, reizend

**glance** n. flüchtiger Blick; **at first** — auf den ersten Blick, sofort; **—** v. flüchtig blicken

**gland** n. Drüse; **-ular** adj. drüsenartig

**glaring** adj. blendend; starrend

**glass** n. Glas; Trinkglas; Spiegel; — adj. gläsern, Glas-; **-y** adj. glasig, gläsern; glatt; starr

**glasshouse** n. Treibhaus

**glaze** v. verglasen; **-d** adj. verglast, glasiert

**gleam** n. Schein, Schimmer; Lichtstrahl; **—** v. glänzen, schimmern

**glee** n. Heiterkeit; **— club** Gesangverein

**glen** n. Bergschlucht, Talenge

**glide** v. gleiten, (avi.) segelfliegen; **-r** n. (avi.) Gleitflugzeug

**glimpse** n. flüchtiger Blick

**global** adj. weltumfassend

**globe** n. Kugel, Globus,

Erde

**globe-trotter** n. Welten-
bummler

**gloom** n. Dunkel(heit);
Schwermut; **-y** adj. düster; schwermütig; traurig

**glorious** adj. glorreich;
herrlich; prächtig

**glory** n. Herrlichkeit; Ruhm

**glove** n. Handschuh

**glow** v. glühen, erglühen

**glue** n. Leim, Klebstoff;
— v. leimen, kleben

**gnat** n. Mücke, Stechmücke

**gnaw** v. (zer)nagen, zerfressen

**go** v. gehen, fahren; reisen, laufen; — for holen;
— **in for** sich interessieren ·für; — **without** entbehren; **I am -ing to** ich
werde; **it's no** — so
geht's nicht; **-ne** adj.
weg, fort; hin; (fig.) tot

**goal** n. Ziel, Pfahl; Mal;
(sports) Tor; — **line**
Torlinie; — **post** Tor-
pfosten

**goat** n. Ziege, Geiss

**gobbledygook** n. Kauder-
welsch

**go-between** n. Vermittler

**God** n. Gott; **act of —**
Naturereignis; — **willing**
so Gott will; **thank —**
Gott sei Dank

**god** n. Gott; **-ess** n. Göt-
tin; **-less** adj. gottlos; **-ly**
adj. gottselig

**godchild** n. Patenkind

**godfather** n. Pate

**Godfrey** m. Gottfried

**godmother** n. Patin

**goiter, goitre** n. Kropf

**gold** n. Gold; **-en** adj.
golden; **-en mean** gol-
dener Mittelweg

**goldsmith** n. Goldschmied

**good** adj. gut; (child) artig, brav; **for —** für (or
auf) immer; — **sense**
gesunder Menschenver-
stand; — n. Gute; pl.
Vermögen, Güter; **-ness**
n. Güte; **for —ss sake**
um Himmels willen; **my
-ness** du meine Güte

**good-by(e)** interj. lebe

wohl!

**good-for-nothing** n. Taugenichts; adj. untauglich

**goose** n. Gans

**gorgeous** adj. prächtig

**gospel** n. Evangelium

**gossip** n. Klatsch, Geschwätz; — v. klatschen,
schwatzen

**govern** v. regieren; lenken, leiten; **-ess** n. Gouvernante; **-ment** n. Regierung; **-ment bonds**
Staatspapiere; **-or** n.
Statthalter, (mech.) Regulator

**gown** n. Kleid; Talar

**grab** v. ergreifen, packen

**grace** n. Gnade, Gunst;
Anmut; Tischgebet; zie-
ren; **-ful** adj. anmutig;
graziös

**gracious** adj. reizend;
gnädig, gütig

**grade** n. Grad, Stufe;
Qualität; (educ.) Note,
Zensur; Klasse; — **crossing** Neigungskreuzung; —
**school** Volksschule; — v.
abstufen, ordnen; ebnen

**gradual** adj. allmählich

**graduate** n. Graduierte,
Promovierte; — v. in
Grade einteilen; promo-
vieren; **be -d** promoviert
haben

**graft** n. Erpressung, Bestechung; (agr.) Pfropf-
reis; — v. erpressen;
pfropfen

**grain** n. Getreide; Korn;
Faser; **against the —**
gegen den Strich

**grammar** n. Grammatik;
— **school** Volksschule

**granary** n. Kornspeicher

**grand** adj. gross, grossartig

**granddaughter** n. Enke-
lin

**grandfather** n. Grossvater

**grandmother** n. Gross-
mutter

**grandson** n. Enkel

**grandstand** n. Zuschauer-
tribüne

**grant** n. Bewilligung; (law)
Schenkungsurkunde;

**215**

GRANULE

bewilligen; zugeben
**granule** n. Körnchen
**grape** n. Traube; **bunch of –s** Weintraube
**grapefruit** n. Pompelmuse
**grapevine** n. Weinrebe
**graphic** adj. anschaulich
**grasp** n. Griff; Händedruck; — v. fassen; begreifen; **–ing** adj. habgierig, geizig
**grass** n. Gras, Rasen, Wiese; **–y** adj. grasig, grasartig
**grasshopper** n. Heuschrecke
**grateful** adj. dankbar
**gratitude** n. Dankbarkeit
**grave** n. Grab
**gravel** n. Kies, Sand
**gravity** n. Gewicht, Schwere; **center of —** Schwerpunkt; **force of —** Anziehungskraft
**gravy** n. Tunke, Bratensosse
**gray, grey** adj. grau
**graze** v. weiden, grasen
**grease** n. Fett; Schmiere; — v. schmieren
**great** adj. gross; grossartig; berühmt; **–ness** n. Grösse, Bedeutung; Erhabenheit, Herrlichkeit
**great-grandchild** n. Urenkelkind
**greed, greediness** n. Gier, Habgier; **–y** adj. gierig
**green** n. Grün; — adj. grün; neu; jung
**greenback** n. amerikanische Banknote
**greenhouse** n. Treibhaus
**greet** v. grüssen; **–ing** n. Gruss
**grid** n. Bratrost; Gitter; (elec.) Netzplatte; Zentralelektrode; Elektrofilter
**gridiron** n. Bratrost; (sports) Fussballfeld
**grief** n. Kummer, Gram
**grim** adj. grimmig; finster
**grime** n. Schmutz, Russ
**grind** v. mahlen, schroten; wetzen; (organ) drehen
**grindstone** n. Schleifstein
**grip** n. Griff, Handdruck; Fassungskraft; (coll.) Reisetasche; — v. fassen, packen; **–ping** adj. ergreifend
**gripe** n. Klage, Übel; — v. sich beklagen
**grisly** adj. grässlich, gräulich
**grizzly bear** Grizzlybär
**groan** v. stöhnen, seufzen
**grocer** n. Lebensmittelhändler; **–y** n. Lebensmittelgeschäft; **–ies** n. pl. Lebensmittel
**groom** n. Bräutigam; Reitknecht; — v. pflegen, besorgen
**groove** n. Rinne, Furche, Rille; — v. aushöhlen, furchen
**grope** v. tasten; (umher)-tappen
**gross** n. Hauptmasse; Gros; — **amount** Gesamtsumme
**grouch** n. Verdruss; **–y** adj. verdriesslich
**ground** n. Grund, Boden, Erde; **–less** adj. grundlos, unbegründet
**group** n. Gruppe
**grove** n. Gehölz, Hain
**grow** v. wachsen; werden
**growl** n. Knurren, Brummen; — v. knurren, brummen
**grownup** n. Erwachsene
**grudge** n. Widerwillen, Groll
**gruesome** adj. grausig, entsetzlich
**gruff** adj. rauh, schroff
**grumble** v. murren, brummen
**grunt** v. grunzen
**guarantee** v. bürgen für
**guarantor** n. Bürge
**guaranty** n. Bürgschaft
**guard** n. Wache; Schutz; Wächter, Hüter; **on —** auf der Hut; — v. (be)hüten, schützen; bewachen; — **against** sich hüten vor; **–ian** n. (law) Vormund, Pfleger
**guer(r)illa** n. Guerilla-kämpfer
**guess** n. Vermutung; — v. (er)raten; vermuten;

216

**I** — ich denke
**guest** *n.* Gast, Fremde
**guidance** *n.* Führung, Leitung
**guide** *n.* Führer, Leiter; Führung, Leitung; Reiseführer; — *v.* führen, leiten; **-d missile** ferngesteuertes (*or* lenkbares) Geschoss
**guidebook** *n.* Reisehandbuch, Reiseführer
**guidepost** *n.* Wegweiser
**guild** *n.* Gilde, Zunft, Innung
**guilt** *n.* Schuld; **-less** *adj.* schuldlos; **-y** *adj.* schuldig; **plead -y** sein Verbrechen eingestehen
**guitar** *n.* Gitarre
**gulch** *n.* tiefe Schlucht
**gulf** *n.* Meerbusen, Golf
**gull** *n.* Möwe
**gullible** *adj.* leichtgläubig
**gulp** *n.* Schluck; — *v.* (gierig) schlucken
**gum** *n.* Gummi; (anat.) Gaumen; **chewing Kaugummi**; — *v.* gummieren, kleben
**gumdrop** *n.* Gummibonbon
**gun** *n.* Feuerwaffe; Kanone; **— barrel** Gewehrlauf
**gunboat** *n.* Kanonenboot
**gunny** *n.* Jute(leinewand); **— sack** Jutesack
**gunpowder** *n.* Schiesspulver
**gurgle** *n.* Gurgeln; — *v.* gurgeln
**gush** *n.* Guss, Erguss; — *v.* (sich) ergiessen
**gust** *n.* Bö, Windstoss
**gut** *n.* Darm; *pl.* Eingeweide, Gedärm; **I haven't the -s** (sl.) Ich habe nicht den Mut; **-ter** *n.* Dachrinne
**guy** *n.* Bursche, Kerl
**guzzle** *v.* saufen
**gym(nasium)** *n.* Turnhalle
**gymnastic** *adj.* gymnastisch; Turn-; **-s** *n. pl.* Gymnastik, Turnkunst
**gyp** *n.* Schwindel; — *v.*

beschwindeln
**gypsum** *n.* Gips
**gypsy, gipsy** *n.* Zigeuner
**gyration** *n.* Kreisbewegung

# H

**haberdasher** *n.* Kurzwarenhändler; **-y** *n.* Kurzwarenhandlung; Herrenmodegeschäft
**habit** *n.* Gewohnheit
**hack** *n.* Taxi; — *v.* (zer)hacken
**hag** *n.* Hexe, hässliche Alte
**haggard** *adj.* hager, abgehärmt
**hail** *n.* Hagel; Gruss; — *v.* (nieder) hageln; grüssen; **— from** kommen aus —! *interj.* Heil! Glückauf!
**hailstorm** *n.* Hagelwetter
**hair** *n.* Haar; — *adj.* **-dryer** Föhn; **— ribbon** Haarband
**haircut** *n.* Haarschnitt
**hairdo** *n.* Haartracht, Frisur
**hairdresser** *n.* Friseur
**hair-raising** *adj.* haarsträubend
**hairsplitting** *n.* Haarspalterei
**half** *n.* Hälfte; — *adj.* halb
**halfback** *n.* Läufer; Deckungsspieler
**half-witted** *adj.* albern, einfältig
**halitosis** *n.* Mundgeruch
**hall** *n.* Saal, Halle; Gang; Korridor; **entrance —** Diele
**Halloween** *n.* Abend vor Allerheiligen, Walpurgisnacht
**hallucination** *n.* Halluzination, Sinnestäuschung
**halt** *n.* Halt; — *v.* halten, anhalten; —! *interj.* Halt!
**ham** *n.* Schinken; Amateur
**hamburger** *n.* Bratklops
**hamlet** *n.* Dörfchen, kleine Ortsgemeinde
**hammer** *n.* Hammer
**hammock** *n.* Hängematte
**hand** *n.* Hand; **-le** *n.* Heft, Griff; Henkel; **-le bar** Lenkstange; **-le** *v.* hand-

haben, gebrauchen; **-y** *adj.* geschickt; handlich, bequem; **-y man** Handlanger

**handbag** *n.* Handtasche

**handbill** *n.* Plakat; Reklamezettel

**handclasp** *n.* Händedruck

**handcuff** *n.* Handschelle, Handfessel

**handicap** *n.* Handikap, Vorgabe

**handicraft** *n.* Handarbeit

**handkerchief** *n.* Taschentuch

**handout** *n.* (sl.) Almosen, milde Gabe

**handrail** *n.* Geländerstange

**handshake** *n.* Händedruck

**handsome** *adj.* schön, hübsch; ansehnlich

**handwriting** *n.* Handschrift

**hang** *v.* (auf)hängen; schweben; **— on** sich anklammern; **— n.** get the **— of** vertraut werden mit; **-er** *n.* Kleiderbügel

**hangnail** *n.* Niednagel

**hangout** *n.* Stammplatz

**hang-over** *n.* Katzenjammer

**haphazard** *n.* Zufall

**happen** *v.* geschehen; **I — to be** ich bin zufällig; **-ing** *n.* Ereignis

**happiness** *n.* Glück; Freude

**happy** *adj.* glücklich

**happy-go-lucky** *adj.* unbekümmert

**harass** *v.* belästigen

**harbor** *n.* Hafen; Zuflucht

**hard** *adj.* hart; schwer; streng; **— cash** klingende Münze, Bargeld; **— labor** Zwangsarbeit; *v.* härten, stählen; **-ly** *adv.* kaum; **-ly ever** fast nie; **-ness** *n.* Härte; **-ship** *n.* Unglück

**hardtop** *n.* Stahlverdeck

**hardware** *n.* Metallwaren; **— store** Metallwarengeschäft

**hare** *n.* Hase

**harebrained** *adj.* unbesonnen

**hark** *v.* horchen

**harlot** *n.* Hure, Dirne

**harm** *n.* Schaden, Verletzung; **— v.** schaden, ein Leid zufügen; **-ful** *adj.* schädlich

**harness** *n.* Geschirr; **— v.** anschirren

**harp** *n.* Harfe; **— on** herumreiten auf

**harrow** *n.* Egge; **— v.** eggen; **-ing** *adj.* schrecklich

**Harry** *m.* Heinrich

**harsh** *adj.* streng; barsch; **-ness** *n.* Herbheit, Härte

**hart** *n.* Hirsch

**harvest** *n.* Ernte; Ertrag; **— v.** ernten; **-er** *n.* Mähmaschine

**hash** *n.* Haschee, Gehacktes

**haste** *n.* Eile; Hast; **— makes waste** Eile mit Weile; **-n** *v.* (sich) eilen

**hasty** *adj.* eilig, hastig

**hat** *n.* Hut; **-s off!** *interj.* Hut ab!

**hatchet** *n.* Axt, Beil

**hate** *n.* Hass, Abscheu; **— v.** hassen; **-ful** *adj.* verhasst

**hatpin** *n.* Hutnadel

**hatrack** *n.* Hutrechen

**hatred** *n.* Hass, Groll

**haul** *n.* Zug, Fang; **— v.** ziehen; schleppen

**haunch** *n.* Hüfte; Keule

**haunt** *n.* Stammplatz; **-ed** *adj.* behext

**have** *v.* haben, besitzen

**havoc** *n.* Verwüstung

**hawk** *n.* Habicht, Falke

**hay** *n.* Heu; **— fever** Heufieber

**hayloft** *n.* Heuboden

**haystack** *n.* Heuschober

**haze** *n.* Dunst, Nebel

**hazelnut** *n.* Haselnuss

**hazy** *adj.* neblig, dunstig

**H-Bomb** *n.* H-Bombe

**he** *pron.* er

**head** *n.* Kopf, Haupt; Leiter; Chef; **at the —** oben; **by a —** um Kopfeslänge; **come to a —** sich zuspitzen, zur Krise kommen; **— first** Kopf voran; **I**

**can't make — or tail of it** ich kann daraus nicht klug werden; — v. leiten, anführen; **be —ed for** auf dem Wege sein nach; — **— off** verhüten; **–ing** n. Titel, Überschrift; **–less** adj. kopflos

**headache** n. Kopfschmerz(en)

**headdress** n. Kopfputz; Frisur

**headlight** n. Scheinwerfer

**headline** n. Titelzeile

**headlong** adj. kopfüber

**head-on** adv. gerade entgegen

**headquarters** n. Hauptquartier; **police —** Polizeidirektion

**headstone** n. Grabstein

**headwaiter** n. Oberkellner

**headway** n. Fortschritt

**heal** v. heilen

**health** n. Gesundheit; **–y** adj. gesund, wohl

**heap** n. Haufe(n), Menge; **— v.** (an)häufen

**hear** v. hören, erfahren

**hearken** v. horchen, anhören

**hearsay** n. Hörensagen

**hearse** n. Leichenwagen

**heart** n. Herz; **by —** auswendig; **— attack** Herzanfall, Herzschlag; **— transplant** Herzverpflanzung; **— trouble** Herzkrankheit; **–less** adj. herzlos; **–y** adj. herzlich, innig

**heartache** n. Kummer

**heartbeat** n. Herzschlag

**heartburn** n. Sodbrennen

**hearth** n. Herd; (fig.) Heim

**heart-to-heart** adj. freimütig

**heat** n. Hitze, Glut; (sports) Einzelrennen; **— v.** (sich) erhitzen, erwärmen; **–er** n. Heizvorrichtung

**heath** n. Heide

**heathen** n. Heide

**heather** n. Heidekraut

**heat-resistant** adj. feuerfest

**heaven** v. Himmel

**heavy** adj. schwer, drük-kend; **be — fett sein**

**heavyweight** n. Schwergewicht

**hedge** n. Hecke, Zaun

**heed** n. Acht(ung); **— v.** achtgeben auf

**heel** n. Ferse; (shoe) Absatz; **rubber —** Gummiabsatz

**height** n. Höhe, Höhepunkt; Anhöhe; **–en** v. erhöhen; vermehren

**heir** n. Erbe

**helibus** n. Hubschraubernahverkehr

**helicopter** n. Hubschrauber

**hell** n. Hölle; **–ish** adj. höllisch

**helm** n. Steuerruder; Helm

**helmet** n. Helm

**help** n. Hilfe, Beistand; **— v.** helfen, beistehen; **— yourself** langen Sie nur zu; **how can I — it?** was kann ich dafür? **–er** n. Gehilfe, Helfer; **–ful** adj. behilflich; **–ing** n. Portion

**helpmate** n. Gatte, Gattin

**helter-skelter** adv. Hals über Kopf

**hem** n. Saum, Rand; **— v.** säumen; stottern

**hemisphere** n. Halbkugel

**hemorrhage** n. Blutsturz

**hemp** n. Hanf

**hen** n. Henne, Huhn

**hence** adv. daher, deshalb

**henceforth** adv. von nun an

**henpecked** adj. unter dem Pantoffel stehend

**Henry** m. Heinrich

**her** pron. sie, ihr; **–s** pron. ihrer; der (or die, das) ihrige

**herb** n. Kraut

**herd** n. Herde, Rudel

**here** adv. hier, her; **–'s to you!** auf dein Wohl! **that's neither — nor there** das gehört nicht zur Sache

**hereafter** n. Zukunft; Jenseits; **— adv.** in Zukunft

**hereby** adv. hierdurch

**heredity** n. Vererbung

**hereupon** adv. darauf

**heritage** *n.* Erbschaft, Erbe

**hermetically** *adv.* luftdicht

**hero** *n.* Held; Halbgott; **-ic** *adj.* heroisch, tapfer; **-ine** *n.* Heldin; **-ism** *n.* Heldenmut

**herringbone** *n.* Fischgrätenmuster

**herself** *pron.* (sie, ihr) selbst; sich

**hesitate** *v.* zögern, zaudern

**heterosexual** *adj.* heterosexuell

**heyday** *n.* Höhepunkt

**hibernate** *n.* überwintern

**hiccup, hiccough** *n.* Schlucken; — *v.* den Schlucken haben

**hide** *n.* Haut, Fell; — *v.* verbergen, verstecken

**hideous** *adj.* scheusslich

**hide-out** *n.* Versteck

**high** *adj.* hoch, gross; erhaben; — **frequency** Hochfrequenz; — **light** Höhepunkt; — **school** Mittelschule, höhere Schule; — **voltage** Starkstrom; — *n.* (auto.) höchster Gang; **-ness** *n.* Hoheit; Höhe; Erhabenheit

**highball** *n.* Whiskey mit Eis

**high-grade** *adj.* erstklassig

**highhanded** *adj.* anmassend

**highlight** *v.* betonen

**high-powered** *adj.* (an Pferdekräften) stark (h.p.)

**highwayman** *n.* Strassenräuber

**hilarious** *adj.* heiter, lustig

**hill** *n.* Hügel; Haufen; **-y** *adj.* hügelig

**hilt** *n.* Griff, Heft, Knopf

**him** *pron.* ihn, ihm

**himself** *pron.* (er, *or* ihn, ihm, sich) selbst

**hinder** *v.* (ver)hindern

**hindrance** *n.* Hindernis

**hinge** *n.* Angel, Scharnier

**hint** *n.* Wink, Fingerzeig; — *v.* andeuten

**hip** *n.* Hüfte

**hipbone** *n.* Hüftbein

**hippie, hippy** *n.* Hippie

**hippopotamus** *n.* Flusspferd

**hire** *n.* Miete; Lohn; — *v.* mieten, pachten; **-ling** *n.* Mietling

**his** *pron.* sein, seiner; der (*or* die, das) seinige

**history** *n.* Geschichte

**hit** *n.* Schlag, Stoss, Streich; (mus.) Schlager; — *v.* schlagen; treffen

**hitch** *n.* Ruck, Zuck; Haken, Schwierigkeit; — *v.* anbinden

**hive** *n.* Bienenstock; *pl.* Hautausschlag

**hoard** *n.* Schatz, Hort; — *v.* aufhäufen

**hoarse** *adj.* heiser, rauh

**hobble** *v.* hinken, humpeln

**hobby** *n.* Liebhaberei

**hobnob** *v.* auf vertrautem Fuss stehen

**hobo** *n.* Landstreicher

**hodgepodge** *n.* Mischmasch

**hoe** *n.* Hacke, Haue

**hog** *n.* Schwein; (fig.) Schmutzfink

**hoist** *n.* Kran, Aufzug; — *v.* hochziehen, aufziehen

**hold** *n.* Halt, Griff; Gewalt; *v.* halten, greifen; besitzen; — **office** ein Amt bekleiden; **-er** *n.* Halter, Besitzer; Besitzer; **-ing** *adj.* haltend; **-ing company** Dachgesellschaft (von Konzernen)

**hole** *n.* Loch, Grube; (coll.) Patsche

**holiday** *n.* Feiertag, Festtag

**holiness** *n.* Heiligkeit

**holster** *n.* Halfter

**holy** *adj.* heilig; fromm; — **water** Weihwasser; **Holy Week** Karwoche

**homage** *n.* Huldigung

**home** *n.* Heim; Heimat; Haus; **charity begins at** — jeder ist sich selbst der Nächste; — *adj.* heimisch, einheimisch; — **economics** Hauswirtschaftslehre; — **plate** Zielbasis; — **rule** Selbstregierung; — **run** Vierbasisrunde; —

# HOW

town Vaterstadt; –liness n. Einfachheit; –ly adj. einfach

homer n. Vierbasisschlag
homestead n. Heimstätte
homestretch n. Zielgerade
homicide n. Mord; Mörder
homing pigeon n. Brieftaube

homogenized adj. neutralisiert (Fettgehalt in Milchprodukten)
hone n. Wetzstein
honest adj. ehrlich, redlich; –y n. Ehrlichkeit
honey n. Honig
honeycomb n. Honigwabe
honeymoon n. Flitterwochen

honk n. Hupe; — v. hupen
honor n. Ehre, Hochachtung; Your Honor Euer Ehrwürden; — v. ehren, achten; –able adj. ehrenhaft; rechtschaffen; –ary degree akademischer Ehrengrad; –ary doctor Ehrendoktor

hood n. Kapuze, Kappe; (mech.) Haube, Deckel; — v. verkappen
hoodlum n. Strolch, Raufbold
hoodwink v. täuschen
hoof n. Huf, Klaue
hook n. Haken; Türangel; by — or by crook so oder so; — v. anhaken, festhaken; angeln; — up einstellen; anhaken
hookup n. (rad.) Ringsendung

hoop n. Tonnenband, Fassreifen; — skirt Reifrock
hoot n. Geschrei, Geheul; — v. schreien, auszischen
hop n. Hupf, Sprung; pl. Hopfen; — v. hüpfen
hope n. Hoffnung, Vertrauen; — v. hoffen, vertrauen; — adj. — chest Ausstattungstruhe
hopper n. Trichterkasten
horn n. Horn; Geweih; (auto.) Hupe; –y adj. hörnern, hornig
hornet n. Hornisse
horrible adj. schrecklich

horrify v. erschrecken
horror n. Greuel, Schrecken
hors d'oeuvre n. Vorspeise
horse n. Pferd, Ross, Gaul
horseplay n. derber Spass
horsepower n. Pferdekraft
horse-radish n. Meerrettich

horseshoe n. Hufeisen
horticulture n. Gartenbau
hose n. Strumpf; Schlauch
hosiery n. Strumpfwaren
hospitable adj. gastlich
hospital n. Krankenhaus; –ity n. Gastfreundschaft
hospitalization n. Krankenhausbehandlung; — insurance Krankenkasse
hospitalize v. ins Krankenhaus einliefern
host n. Wirt, Gastgeber; Menge, Schwarm; (rel.) Messopfer, Hostie
hostel n. Gasthof, Herberge
hostile adj. feindlich
hostility n. Feindlichkeit
hot adj. heiss; hitzig, heftig; — dog heisse Frankfurter (Würstchen); — line heisser Draht
hotbed n. Mistbeet
hothouse n. Treibhaus
hot rod n. Amateurrennwagen
hound n. Jagdhund, Spürhund; — v. jagen
hour n. Stunde; Zeit; Uhr; for –s stundenlang; — hand Stundenzeiger; –ly adj. stündlich, häufig
house n. Haus; Wohnhaus; (theat.) Publikum; House of Representatives Repräsentantenhaus; keep — den Haushalt führen; — v. hausen, wohnen
household n. Haushalt(ung); — goods Hauseinrichtung
housekeeper n. Haushälterin
housewarming n. Einzugsfeier
housing n. Obdach; Wohnung; — shortage Wohnungsnot
hover v. schweben
how adv. and interr. wie,

221

auf welche Weise, warum;
— **are you?** wie geht es
Ihnen? — **come?** wieso?
wie kommt das? — **do
you do?** guten Tag!
— **many?** wieviele? **how
much?** wieviel!

**however** *adv.* jedoch, dennoch

**howl** *n.* Geheul; — *v.* heulen; wehklagen

**hub** *n.* Nabe; (fig.) Mittelpunkt

**hubbub** *n.* Lärm, Tumult

**huckster** *n.* Höker, Hausierer

**hug** *n.* Umarmung; — *v.* umarmen

**huge** *adj.* riesig, ungeheuer

**hull** *n.* (bot.) Hülse, (naut.) Schiffsrumpf

**hum** *n.* Summen, Gesumme; — *v.* summen, brummen

**human** *n.* Mensch; — *adj.* menschlich; — **being** Mensch; **-e** *adj.* human; **-itarian** *n.* Menschenfreund; **-ity** *n.* Menschheit

**humble** *adj.* bescheiden, demütig; — *v.* erniedrigen, demütigen

**humdrum** *adj.* eintönig

**humiliation** *n.* Demütigung

**humility** *n.* Demut

**hummingbird** *n.* Kolibri

**humor** *n.* Humor; Laune; **bad —** schlechte Laune; — *v.* sich anpassen; lassen; **-ist** *n.* Humorist; **-ous** *adj.* humoristisch

**hump** *n.* Buckel, Höcker

**humpbacked** *adj.* bucklig

**hunch** *n.* (coll.) Ahnung

**hundred** *n.* Hundert(er); **-th** *n.* Hundertstel; **-th** *adj.* hundertst

**hundredweight** *n.* Zentner

**hungry** *adj.* hungrig

**hunk** *n.* grosses (or dickes) Stück

**hunt** *n.* Jagd; — *v.* jagen; verfolgen; **— for** suchen; **-er** *n.* Jäger

**hurl** *v.* werfen, schleudern

**hurly burly** *n.* Tumult

**hurricane** *n.* Orkan

**hurry** *n.* Eile, Hast; **be in a —** es eilig haben; — *v.* sich beeilen; **— on** antreiben; **— up** eilen, sich beeilen

**hurt** *n.* Verletzung; Schaden; — *v.* verletzen; schädigen, schaden; — *adj.* verletzt, verwundet

**husband** *n.* Mann, Gatte

**husk** *n.* Hülse, Schote

**husky** *n.* Eskimohund; — *adj.* rauh, heiser

**hustle** *v.* stossen, drängen

**hut** *n.* Hütte

**hybrid** *n.* Bastard, Mischling, Kreuzung

**hydrangea** *n.* Hortensie

**hydraulic** *adj.* hydraulisch

**hydrochloric acid** Chlorwasserstoff, Salzsäure

**hydrogen** *n.* Wasserstoff; **— bomb** Wasserstoffbombe; **— peroxide** Wasserstoffsuperoxyd

**hydrophobia** *n.* Wasserscheu

**hygienic** *adj.* hygienisch

**hymn** *n.* Hymne; **-al** *n.* Gesangbuch

**hypertension** *n.* Überspannung, Überanspannung

**hypnotism** *n.* Hypnotismus

**hypnotize** *v.* hypnotisieren; einschläfern

**hypochondria** *n.* Schwermut

**hypocrite** *n.* Heuchler

**hypodermic** *adj.* unter der Haut liegend; **— injection** Einspritzung unter die Haut; **— syringe** hypodermische Spritze

**hysteric(al)** *adj.* hysterisch; (fig.) launisch

# I

**I** *pron.* ich

**ice** *n.* Eis; Gefrorenes; **— bag** Eisbeutel; **— cream** Speiseeis, Gefrorenes; **— skate** Schlittschuh; — *v.* überzuckern

**iceboat** *n.* Segelschlitten

**icebox** n. Eisschrank, Eiskiste

**icicle** n. Eiszapfen

**icing** n. Zuckerguss

**icy** adj. eisig; (fig.) kühl, kalt

**idea** n. Idee, Begriff, Vorstellung

**ideal** n. Ideal, Vorbild, Muster; — adj. ideal, vorbildlich; **-ism** n. Idealismus

**identification** n. Identifizierung; — **card** Personalausweis

**identify** v. identifizieren; — **oneself** sich ausweisen

**idle** adj. unbeschäftigt, müssig; eitel, leer; — v. faulenzen, müssig gehen; (mech.) leerlaufen; **-ness** n. Müssiggang

**idol** n. Abgott; Götzenbild; **-atry** n. Abgötterei, Götzendienst

**if** conj. wenn; ob; — **not** wenn nicht; — **so** in diesem Fall

**ignite** v. anzünden; (chem.) erhitzen

**ignition** n. Zündung; Entzündung; Erhitzung

**ignoble** adj. gering, wertlos; unedel

**ignoramus** n. Ignorant, Nichtswisser

**ignorance** n. Unwissenheit

**ignorant** adj. unwissend

**ignore** v. keine Notiz nehmen

**ill** n. Übel, Laster, Bosheit; adj. krank; übel, schlecht; **-ness** n. Krankheit

**illegal** adj. ungesetzlich

**illegible** adj. unleserlich

**illegitimate** adj. unehelich

**ill-health** n. Unwohlsein

**illiterate** adj. des Schreibens und Lesens unkundig

**ill-natured** adj. bosartig, boshaft

**illogical** adj. unlogisch

**ill-timed** adj. ungelegen

**illuminate** v. erhellen, beleuchten; (fig.) aufklären

**illustrate** v. illustrieren, erklären; **-d** adj. illustriert; erklärt

**illustrious** adj. berühmt, glänzend

**image** n. Bild(nis), Ebenbild; **-ry** n. Bildwerk; bildliche Rede

**imagination** n. Einbildung(skraft)

**imagine** v. sich einbilden, sich vorstellen

**imitate** v. nachahmen, nachmachen

**imitation** n. Nachahmung; — **leather** Kunstleder

**immaculate** adj. unbefleckt, rein

**immature** adj. unreif

**immediate** adj. unmittelbar, direkt; **-ly** adv. sogleich

**immense** adj. ungeheuer

**immigration** n. Einwanderung

**immodest** adj. unbescheiden; unanständig

**immoral** adj. unsittlich

**immortal** adj. unsterblich; **-ity** n. Unsterblichkeit

**immovable** adj. unbeweglich

**imp** n. Kobold; Schelm

**impact** n. Stoss, Aufschlag

**impair** v. verschlechtern

**impart** v. mitteilen

**impartial** adj. unparteiisch; **-ity** n. Unparteilichkeit

**impassable** adj. ungangbar

**impatient** adj. ungeduldig

**impeachment** n. Impeachment, Absetzungsverfahren

**impede** v. verhindern

**impediment** n. Hindernis

**impel** v. antreiben

**imperative** adj. gebietend; notwendig

**imperfect** adj. unvollkommen; **-ion** n. Unvollkommenheit

**imperial** adj. kaiserlich; **-ism** n. (fig.) Imperialismus, Weltherrschaftspolitik

**imperil** v. gefährden

**impious** adj. ruchlos, gottlos

**implant** v. einpflanzen, einimpfen

**implement** n. Werkzeug, Gerät

**implicate** v. verwickeln

**implied** adj. miteinbegriffen

**implore** v. (an)flehen

**imply** v. umfassen, bedeuten

**impolite** adj. unhöflich

**import** n. Import, Einfuhr; Bedeutung, Tragweite; — **duties** Einfuhrzoll; — v. importieren, einführen; (fig.) bedeuten; **-ance** n. Wichtigkeit; Bedeutsamkeit; **-ant** adj. wichtig, bedeutsam; **-ation** n. Import, Wareneinfuhr

**imposing** adj. eindrucksvoll

**imposition** n. Auferlegung; Zumutung

**impossibility** n. Unmöglichkeit

**impossible** adj. unmöglich

**impractical** adj. unpraktisch

**impregnate** v. befruchten; (chem.) imprägnieren

**impress** n. Eindruck, Merkmal; Abdruck; — v. beeindrucken; **-ion** n. Eindruck; Stempel; (typ.) Abdruck, Auflage; **-ive** adj. eindrucksvoll

**imprint** n. Aufdruck, Druckvermerk

**imprison** v. einkerkern, einsperren; **-ment** n. Haft, Gefangenschaft

**improbable** adj. unwahrscheinlich

**improper** adj. ungehörig, unpassend; — **fraction** unechter Bruch

**improve** v. verbessern; besser werden; **-ment** n. Verbesserung, Besserung; Fortschritt

**imprudent** adj. unvorsichtig, unklug

**impudence** n. Unverschämtheit

**impudent** adj. unverschämt

**impulse** n. Trieb, Antrieb

**impulsive** adj. impulsiv

**impunity** n. Straflosigkeit

**impure** adj. unrein, unsauber

**impurity** n. Unreinheit

**impute** v. zuschreiben; anrechnen

**in** prep. in; an, auf; — **itself** an und für sich

**inability** n. Unfähigkeit

**inaccurate** adj. ungenau

**inactive** adj. untätig, müssig; ausser Dienst

**inadequate** adj. unzulänglich

**inanimate** adj. unbeseelt; leblos

**inasmuch** adv. insofern

**inaudible** adj. unhörbar

**inaugural** adj. Antritts-

**inauguration** n. Einführung

**inbred** adj. angeboren

**incandescent** adj. erglühend; — **light** Glühlicht

**incapable** adj. unfähig

**incarnation** n. Fleischwerdung

**incense** n. Weihrauch

**incentive** n. Antrieb

**incessant** adj. unaufhörlich

**inch** n. Zoll

**incident** n. Ereignis, Vorfall; **-al** adj. gelegentlich; **-ally** adv. nebenbei

**incinerator** n. Verbrennungsofen

**incision** n. Einschnitt, Schnitt

**incite** v. anspornen, anregen

**inclination** n. Neigung

**incline** n. Abhang, Abdachung; — v. (sich) neigen; **-ed** adj. geneigt

**inclose** v. einschliessen; (letter) beifügen

**inclosure** n. Einzäunung; (letter) Einlage

**include** v. einschliessen, enthalten; **-d** adj. eingeschlossen

**inclusive** adj. einschliessend; einschliesslich

**income** n. Einkommen, Ertrag; — **tax** Einkommensteuer

**incoming** adj. neu eintretend

**incomparable** *adj.* unvergleichlich

**incompetent** *adj.* unfähig

**incomplete** *adj.* unvollständig

**incomprehensible** *adj.* unbegreiflich

**inconceivable** *adj.* unbegreiflich

**inconsiderate** *adj.* rücksichtslos

**inconsistent** *adj.* inkonsequent; widersprechend

**inconspicuous** *adj.* unauffällig

**inconvenience** *n.* Unbequemlichkeit; — *v.* belästigen

**inconvenient** *adj.* unbequem, lästig

**incorporate** *v.* vereinigen; verkörpern, einverleiben

**incorporation** *n.* Vereinigung; Einverleibung

**incorrect** *adj.* unrichtig, ungenau, falsch

**increase** *n.* Zunahme, Wachstum; Vermehrung, — *v.* wachsen, vermehren; zunehmen; vergrössern

**incredible** *adj.* unglaublich

**incubator** *n.* Brutapparat

**incumbent** *n.* Amtsinhaber; — *adj.* obliegend

**incurable** *adj.* unheilbar

**indebted** *adj.* verschuldet, verpflichtet

**indecent** *adj.* unanständig

**indecisive** *adj.* unentschlossen

**indeed** *adv.* wirklich; freilich; **yes** —! ja gewiss!

**indefinite** *adj.* unbestimmt

**indelible** *adj.* unauslöschlich

**indemnity** *n.* Sicherstellung; Entschädigung

**indent** *v.* auszacken; **–ation** *n.* Auszackung, Einschnitt

**independence** *n.* Unabhängigkeit; **Independence Day** Tag der Unabhängigkeitserklärung

**independent** *adj.* unabhängig

**indescribable** *adj.* unbeschreiblich

**indestructible** *adj.* unzer-

störbar

**index** *n.* Index, Verzeichnis; (math.) Exponent; — **finger** Zeigefinger

**indicate** *v.* anzeigen

**indication** *n.* Anzeige, Angabe

**indicator** *n.* Anzeiger; (elec.) Indikator

**indict** *v.* anklagen; **–ment** *n.* Anklage

**indifference** *n.* Gleichgültigkeit

**indifferent** *adj.* gleichgültig; unwesentlich

**indigent** *adj.* bedürftig arm

**indigestion** *n.* Verdauungsschwäche

**indignant** *adj.* unwillig

**indignation** *n.* Entrüstung

**indispensable** *adj.* unentbehrlich

**indisposed** *adj.* unpässlich

**indistinct** *adj.* undeutlich

**individual** *n.* Individuum, Einzelwesen, — *adj.* individuell; **–ity** *n.* Individualität

**indivisible** *adj.* unteilbar

**indoor** *adv.* drinnen; **–s** im Hause

**induce** *v.* überreden; (elec. and phil.) induzieren; **–ment** *n.* Bewegrund

**induct** *v.* einführen, einweihen; **–ion** *n.* Einführung; (elec. and phil.) Induktion; **–ion coil** Induktionsrolle; **–ive** *adj.* (elec. and phil.) induktiv, Induktions-

**indulge** *v.* nachsichtig sein

**industrial** *adj.* industriell

**industrialize** *v.* industrialisieren

**industrious** *adj.* fleissig

**industry** *n.* Industrie; Fleis

**ineffective** *adj.* unwirksam

**inefficient** *adj.* untüchtig

**inequality** *n.* Ungleichheit

**inequitable** *adj.* ungerecht

**inert** *adj.* träge, untätig; **–ia** *n.* Trägheit; Schlaffheit; (phys.) Beharrungsvermögen

**inevitable** *adj.* unvermeidlich

**inexact** *adj.* ungenau
**inexcusable** *adj.* unentschuldbar
**inexpensive** *adj.* billig, wohlfeil
**inexperienced** *adj.* unerfahren
**infallible** *adj.* unfehlbar
**infamous** *adj.* ehrlos; infam
**infamy** *n.* Ehrlosigkeit, Schande
**infancy** *n.* Kindheit
**infant** *n.* Kind; Säugling; **-ile** *adj.* kindlich; **-ile paralysis** Kinderlähmung
**infect** *v.* anstecken; **-ion** *n.* Ansteckung
**inferior** *adj.* untergeordnet; **-ity** *n.* Minderwertigkeit; **-ity complex** Minderwertigkeitskomplex
**infidel** *n.* Ungläubige, Heide; — *adj.* ungläubig
**infield** *n.* Innenfeld; **-er** *n.* Innenspieler
**infiltration** *n.* Infiltration
**infinite** *adj.* unendlich
**infinity** *n.* Endlosigkeit, Unendlichkeit
**infirm** *adj.* schwach, unsicher; **-ary** *n.* Krankenhaus, Hospital; **-ity** *n.* Schwäche; Gebrechlichkeit
**inflame** *v.* (sich) entflammen; (med.) (sich) entzünden
**inflammable** *adj.* entzündlich
**inflammation** *n.* Entzündung
**inflate** *v.* aufblasen
**inflation** *n.* (money) Inflation
**inflexible** *adj.* unbiegsam
**influence** *n.* Einfluss; — *v.* beeinflussen
**influential** *adj.* einflussreich
**influenza** *n.* Grippe
**inform** *v.* benachrichtigen; **-ation** *n.* Auskunft
**infrequent** *adj.* selten
**ingenuity** *n.* Scharfsinn, Genie, Geist, Begabung
**ingot** *n.* Barren, Block, Stange
**ingrate** *n.* Undankbare

**ingratitude** *n.* Undank-(barkeit)
**ingredient** *n.* Bestandteil
**inhabit** *v.* (be)wohnen; **-ant** *n.* Bewohner, Einwohner
**inhalation** *n.* Einatmung
**inhale** *v.* einatmen
**inherent** *adj.* anhaftend, eigen
**inherit** *v.* (be)erben; **-ance** *n.* Erbschaft, Erbe
**inhibit** *v.* zurückhalten, hemmen; **-ion** *n.* Verbot
**inhuman** *adj.* unmenschlich; **-ity** *n.* Unmenschlichkeit
**iniquity** *n.* Ungerechtigkeit; Missetat
**initial** *n.* Anfangsbuchstabe; — *adj.* anfänglich
**initiate** *v.* einführen, einweihen
**initiation** *n.* Einführung, Einweihung
**inject** *v.* einspritzen
**injunction** *n.* Einschärfung, Vorschrift
**injure** *v.* schaden; beleidigen
**injury** *n.* Schaden, Verletzung; Beleidigung
**injustice** *n.* Ungerechtigkeit
**ink** *n.* Tinte
**inkling** *n.* Ahnung
**inkpad** *n.* Stempelkissen
**inkstand, inkwell** *n.* Tintenfass
**inmate** *n.* Insasse, Mitbewohner
**inn** *n.* Gasthof, Wirtshaus
**innate** *adj.* angeboren
**inner** *adj.* inner, inwendig; **— tube** Luftschlauch
**innermost** *adj.* innerst
**inning** *n.* Spielabschnitt; Dransein
**innkeeper** *n.* Gastwirt
**innocence** *n.* Unschuld
**innocent** *adj.* unschuldig
**innumerable** *adj.* unzählbar
**inorganic** *adj.* unorganisch
**input** *n.* Einsatz
**inquest** *n.* amtliche Leichenschau
**inquire** *v.* (nach)fragen;

sich erkundigen

**inquiry** n. Anfrage, Nachfrage, Erkundigung

**inquisitive** adj. neugierig, wissbegierig

**insanity** n. Wahnsinn

**inscription** n. Inschrift, Aufschrift

**inseparable** adj. unzertrennlich

**insert** v. einlegen, einfügen; inserieren; **-ion** n. Inserat, Anzeige

**inside** n. Innere; Innenseite

**insight** n. Einblick, Einsicht

**insignificance** n. Bedeutungslosigkeit

**insignificant** adj. unbedeutend

**insincere** adj. unaufrichtig, falsch

**insist** v. bestehen, beharren; **-ence** n. Bestehen, Beharrlichkeit

**insomnia** n. Schlaflosigkeit

**inspect** v. inspizieren, besichtigen; **-ion** n. Inspektion; Beaufsichtigung

**inspire** v. inspirieren, begeistern

**install** v. einrichten, einbauen, installieren; einführen; **-ation** n. Installation, Einrichtung, Einführung

**instal(l)ment** n. Rate, Teilzahlung; Fortsetzung

**instance** n. Beispiel, Fall; Instanz; **for —** zum Beispiel

**instant** n. Augenblick, Nu; **— adj.** gegenwärtig, unmittelbar; **-ly** adv. sogleich; **-aneous** adj. augenblicklich

**instead of** (an)statt

**instep** n. Spann, Rist

**instil(l)** v. einträpfeln; (fig.) einflössen, einprägen

**institution** n. Anstalt, Institut, Institution; Einrichtung

**instruct** v. lehren, unterrichten; **-ion** n. Unterricht, Belehrung; Anwei-

sung; **-ive** adj. lehrreich, belehrend; **-or** n. Lehrer

**instrument** n. Instrument; Werkzeug; **— board** Armaturenbrett; **-al** adj. dienlich, förderlich

**insufficient** adj. ungenügend

**insulate** v. isolieren, absondern

**insulation** n. Isolierung, Absonderung

**insult** n. Beleidigung; **—** v. beleidigen

**insurance** n. Versicherung; **— agent** Versicherungsagent; **life —** Lebensversicherung

**insurrection** n. Aufstand, Aufruhr

**intake** n. Einlass; Einnahme

**integral** adj. ganz, vollständig; Integral-

**integrate** v. integrieren; eingliedern

**integrity** n. Ganzheit (fig.) Redlichkeit

**intellect** n. Intellekt, Verstand, Urteilskraft; **-ual** adj. intellektuell, vernünftig

**intelligence** n. Intelligenz, Verstand; Einsicht; (mil.) Nachricht, Auskunft

**intelligent** adj. intelligent, verständig, gescheit

**intelligible** adj. verständlich; deutlich

**intend** v. beabsichtigen, vorhaben

**intense** adj. heftig, stark; angestrengt

**intensity** n. Stärke, Grad

**intensive** adj. heftig, stark; verstärkend

**intent** n. Absicht; **-ion** n. Absicht, Vorsatz; **-ional** adj. absichtlich

**intercession** n. Vermittlung

**interchange** n. Austausch, Abwechslung; **—** v. vertauschen; abwechseln; **-able** adj. austauschbar

**interdenominational** adj. zwischen den Religionen

**interdependence** n. gegen-

seitige Abhängigkeit
**interest** n. Interesse; Zins; **compound** — Zinseszins; **rate of** — Zinsfuss; — v. interessieren; **be —ed in** sich interessieren für; **—ing** adj. interessant
**interfere** v. dazwischenkommen; **—nce** n. Einspruch; Dazwischentreten; (rad.) Störung
**interior** n. Innere; Binnenland; — adj. inner; binnenländisch
**interlude** n. Zwischenspiel
**intermediary** n. Vermittler
**intermediate** adj. vermittelnd
**intermingle** v. (sich) vermischen
**intermission** n. Pause; Unterbrechung
**intermittent** adj. zeitweilig aussetzend
**intern(e)** n. Hospitant
**internal** adj. inner, innerlich
**international** adj. international
**interpret** v. deuten, auslegen; **—ation** n. Auslegung, Erklärung; **—er** n. Dolmetscher, Übersetzer
**interrelated** adj. gegenseitig verknüpft
**interrupt** v. unterbrechen; **—ion** n. Unterbrechung, Störung
**interval** n. Abstand; **at —s** in Abständen
**intervene** v. einschreiten; vermitteln
**intervention** n. Vermittlung
**intestines** n. pl. Eingeweide
**intimacy** n. Vertraulichkeit
**intimate** adj. innig, vertraut; — v. andeuten
**intimidate** v. einschüchtern
**intimidation** n. Einschüchterung
**into** prep. in, auf, zu
**intolerable** adj. unerträglich
**intolerance** n. Unduld-

samkeit
**intoxicate** v. betrunken machen
**intoxication** n. Trunkenheit
**intricate** adj. verwickelt
**intrigue** n. Intrige
**introduce** v. vorstellen, einführen; einleiten
**introduction** n. Einführung, Einleitung; Vorstellung
**introductory** adj. einleitend
**intrust** v. anvertrauen
**invade** v. überfallen; **—r** n. Eindringling
**invalid** n. Invalide, Kranke; — adj. kränklich; dienstunfähig; ungültig; **—ate** v. ungültig machen
**invaluable** adj. unschätzbar
**invariable** adj. unveränderlich
**invasion** n. Einfall, Angriff
**invent** v. erfinden, erdenken; **—ion** n. Erfindung; **—ive** adj. erfinderisch; **—or** n. Erfinder
**inventory** n. Inventar
**invert** v. umkehren, umwenden
**investigate** v. erforschen, untersuchen
**investigation** n. Untersuchung; Forschung
**invigorate** v. kräftigen
**invisible** adj. unsichtbar
**invitation** n. Einladung
**invite** v. einladen
**invoice** n. Rechnung; Frachtbrief
**invoke** v. anrufen, anflehen
**involuntary** adj. unwillkürlich
**involve** v. verwickeln; in sich schliessen
**inward** adj. inner(lich)
**iodine** n. Jod
**ionosphere** n. Ionosphäre
**ire** n. Zorn
**iridescent** adj. schillernd
**irk** v. verdriessen
**iron** n. Eisen; Bügeleisen; **cast** — Gusseisen; **gal-**

JIG

vanized — verzinktes Ei-
senblech; — adj. eisern;
— v. bügeln, plätten;
–ing board Bügelbrett
iron lung n. Eiserne Lunge
ironware n. Eisenwaren
irrational adj. unvernünftig
irregular adj. unregelmässig; –ity n. Unregelmäs-
sigkeit
irrelevant adj. belanglos
irresponsible adj. un-
verantwortlich
irreverent adj. unehrer-
bietig
irrigate v. bewässern, befeuchten
irritate v. reizen, aufbrin-
gen
irritation n. Aufregung,
Erregung
isinglass n. Fischleim,
Hausenblase
island n. Insel, Eiland
isle n. Insel, Eiland
isolate v. absondern, isolieren
isolation n. Abgesondert-
heit; –ist n. Isolationist
issue n. Nummer, Ausgabe,
Folge, Resultat
it pron. es
itch n. Jucken; (med.)
Krätze; (fig.) Begierde;
— v. jucken; –y adj. juk-
kend; krätzig
item n. Einzelheit, Punkt,
Gegenstand, Posten; –ize
v. einzeln aufzählen (or
notieren)
itinerary n. Reiseplan
its pron. sein(er); dessen,
deren
itself pron. (es) selbst,
sich
ivory n. Elfenbein
ivy n. Efeu

J

jab n. Stich, Stoss; (boxing) gerade Linke; — v.
stechen, stossen
jack n. (cards) Bube, Un-
ter; (mech.) Wagenhe-
ber; — pot Haupttreffer
Jack m. Johann

jackass n. Esel
jackdaw n. Dohle
jacket n. Jacke, Rock;
(potato) Schale; book —
Buchumschlag
jackknife n. Taschenmes-
ser
jack-of-all-trades n. Hans
Dampf in allen Gassen
jack-o'-lantern n. Kür-
bislaterne; Irrlicht
jag n. Kerbe, Zacke,
Scharte; — v. kerben;
(aus)zacken; –ged adj.
gekerbt, gezähnt, schartig
jail n. Gefängnis, Kerker
jalopy n. alter Kasten
jam n. Marmelade; (coll.)
Gedränge; Patsche; — v.
drücken; verklemmen;
(rad.) stören
jamboree n. laute Lust-
barkeit
James m. Jakob
janitor n. Pförtner
jar n. Krug; Glas; — v.
erzittern machen
jaw n. Kiefer, Kinnbacken
jawbone n. Kiefernknochen
jazz n. Jazz
jealous adj. eifersüchtig;
neidisch; –y n. Eifersucht,
Neid
jeans n. pl. Hosen aus
blauem Baumwollköper
jeep n. Jeep
jelly n. Gelee; Gallert,
Sülze
jerk n. Stoss, Ruck; (sl.)
Kerl; — v. zucken; reis-
sen
jest n. Witz; Scherz, Spass
Jesus Christ n. Jesus
Christus
jet n. Wurf, Strahl; Röhre,
Düse; gas — Gashahn;
— plane Düsenflugzeug;
— propulsion Düsenan-
trieb
jet-propelled adj. mit Dü-
senantrieb
Jew n. Jude; –ish adj.
jüdisch
jewel n. Edelstein, Klei-
nod; (watch) Stein; –er
n. Juwelier; –ry n.
Schmuck, Juwelen
jig n. lustiger Tanz; —

229

saw Wippsäge
**jilt** v. täuschen; sitzen lassen
**jingle** n. Geklingel; — v. klingen, klingeln
**jinx** n. Unheilbringer
**jitterbug** n. Jitterbug; Anhänger des Swingmusik
**jitters** n. Nervosität, Angst
**jive** n. Spelunke
**job** n. Arbeit, Stellung; Aufgabe; **-less** adj. arbeitslos
**Job** n. Hiob
**John** m. Johann
**join** v. verbinden; sich verbinden (or vereinigen, anschliessen); **-er** n. Tischler, Zimmermann
**joint** n. (anat.) Gelenk; (meat) Lendenstück, Keule; (sl.) Spelunke
**joke** n. Witz, Scherz, Spass; — v. scherzen, spassen
**jolly** adj. lustig, munter, fidel
**jolt** n. Stoss, Gerüttel; — v. stossen, rütteln
**jot** n. Jota; Pünktchen, Kleinigkeit; — v. — **down** kurz vermerken
**journey** n. Reise; — v. reisen
**joy** n. Freude, Entzücken; **-ful** adj. **-ous** adj. freudig, fröhlich
**jubilee** n. Jubiläum
**Judaism** n. Judentum
**judge** n. Richter; — v. richten, urteilen; beurteilen
**judgment** n. Urteil; Urteilsspruch; Beurteilung, Meinung; — **day** jüngster Tag
**judicial** adj. richterlich, gerichtlich
**jug** n. Krug; (sl.) Gefängnis
**juggler** n. Taschenspieler
**juice** n. Saft; Kraft; (coll.) Strom
**juicy** adj. saftig, kraftvoll
**jukebox** n. Musikautomat
**jumble** n. Verwirrung, Durcheinander; — v. durcheinander werfen

**jump** n. Sprung, Absprung; — v. springen, abspringen; **-er** n. Jumper; Springer; **-y** adj. nervös, sprunghaft
**junction** n. Verbindung; (rail.) Knotenpunkt
**jungle** n. Dschungel
**junior** n. Jüngere, Junior
**juniper** n. Wacholder
**junk** n. Abfall, Kehrricht
**junkman** n. Trödler
**jurisdiction** n. Gerichtsbarkeit
**jurisprudence** n. Rechtswissenschaft
**jurist** n. Rechtskundige
**juror** n. Geschworene
**jury** n. Schwurgericht
**just** adj. gerecht, ehrlich; — adv. gerade eben nur; **-ification** n. Rechtfertigung; **-ify** v. rechtfertigen
**juvenile** adj. jugendlich; — **court** Jugendgericht; — **delinquency** Jugendkriminalität

## K

**keen** adj. eifrig, begierig; scharf; **-ness** n. Schärfe; Eifer; Scharfsinn
**keep** n. Unterhalt; — v. behalten, bewahren, erhalten; sich aufhalten; — **books** Buch führen; — **on** fortfahren, dabei bleiben; — **track of** sich merken; — **up** fortfahren mit, nachkommen; — **up with** Schritt halten mit, nachkommen; — **your shirt on!** bewahre ruhig Blut! **-er** n. Aufseher; Verwahrer; Wärter; Hüter; **-ing** n. Aufsicht; Verwahrung, Pflege
**keepsake** n. Andenken
**keg** n. Fässchen
**kennel** n. Hundehütte
**kerchief** n. Tuch; Halstuch
**kernel** n. Kern
**kettle** n. Kessel
**key** n. Schlüssel; (mech.) Keil, Splint; **(typewriter)** Taste

**keyboard** n. Tastatur, Klaviatur

**keystone** n. Grundstein

**kick** n. Tritt, Stoss; Hufschlag; — v. (mit dem Fuss) stossen, schlagen, treten; — **out** hinauswerfen

**kickoff** n. Abstoss

**kid** n. Zicklein; (coll.) Kind, Junge; — v. zum besten haben, necken

**kidnap** v. Kinder (or Menschen) rauben, entführen

**kidney** n. Niere

**kill** v. töten

**kill-joy** n. Spassverderber

**kiln** n. Brennofen

**kin** n. Verwandten; **next of** — die nächsten Verwandten

**kind** n. Art, Gattung, Sorte; **in** — in Waren; **nothing of the** — —! mitnichten! **what** — **of** was für ein; — adj. freundlich, gütig; **-ly** adj. gütig, mild; frendlich; **-ness** n. Güte, Freundlichkeit

**kindergarten** n. Kindergarten

**kindred** adj. Verwandtschaft

**kinetic** adj. kinetisch, bewegend, motorisch; **-s** n. pl. Kinetik, Bewegungslehre

**king** n. König; (cards, chess) König; (checkers) Dame; **-dom** n. Königreich

**kinsfolk** n. Verwandten

**kinsman** n. Verwandte

**kiss** n. Kuss; — v. küssen

**kiss-proof** adj. kussecht

**kit** n. Ausrüstung; **first-aid** — Ersthilfe-Ausrüstung

**kitchen** n. Küche; — **range,** — **stove** Küchenherd; **-ette** n. Kleinküche

**kite** n. Drache

**knack** n. Fertigkeit

**knead** v. kneten

**knee** n. Knie

**kneel** v. knien

**knife** n. Messer; — v. stechen

**knight** n. Ritter; (chess)

Springer; **-hood** n. Rittertum

**knit** v. stricken

**knob** n. Knopf, Knauf, Griff

**knock** n. Schlag; Klopfen; — v. klopfen; schlagen

**knot** n. Knoten; Ast; — v. knoten, verknüpfen; **-ted** adj. knotig, knorrig

**knothole** n. Astloch

**know** v. wissen, kennen; **ingly** adv. wissentlich; **-ledge** n. Kenntnis(se), Wissen; **-n** adj. gewusst; bekannt

**know-how** n. Spezialkenntnis

**kosher** adj. koscher, rein

## L

**label** n. Etikette; Aufschrift

**labor** n. Arbeit; Mühe; **Labor Day** Arbeiterfeiertag; — **union** Arbeitergewerkschaft; — v. arbeiten; **-er** n. Arbeiter; **-ious** adj. mühsam, mühevoll; fleissig

**laboratory** n. Laboratorium

**lace** n. Spitze; Schnur; — v. schnüren

**lacework** n. Spitzenarbeit, Posamentierarbeit

**lack** n. Mangel, Bedürfnis; — v. fehlen; bedürfen

**lacquer** n. Lack, Firnis; — v. lackieren, firnissen

**lad** n. Junge, Bursche

**ladder** n. Leiter

**laden** adj. beladen

**lading** n. Fracht; **bill of** — Frachtbrief

**ladle** n. Schöpflöffel

**lady** n. Dame; **ladies' room** Damentoilette; **young** — Fräulein

**lag** v. zögern; zurückbleiben

**laggard** n. Zauderer, Langsame

**laity** n. Laien

**lake** n. See

**lamb** n. Lamm; — **chop** Lammkotelett

# LAMBSKIN

**lambskin** n. Lammfell, Lammleder

**lame** adj. lahm; — v. lähmen; **-ness** n. Lahmheit, Lähmung

**lament** v. (be)klagen, trauern; **-able** adj. beklagenswert

**lamp** n. Lampe; Licht; **-shade** Lampenschirm

**lance** n. Lanze, Speer; — v. durchbohren; (med.) aufschneiden

**land** n. Land; Boden, Grundstück; — v. landen; **-ing** n. Landung (stairs) Treppenabsatz; **-ing place** Flugfeld; **emergency -ing** Notlandung

**landlady** n. Hauswirtin

**landlord** n. Hausbesitzer

**landowner** n. Grundbesitzer

**landscape** n. Landschaft

**landslide** n. Bergsturz; (pol.) Wahlsieg

**lane** n. Weg, Gasse; **traffic —** Fahrbahn

**language** n. Sprache

**languish** v. schmachten; erschlaffen; **-ing** adj. schmachtend; erschlaffend

**lank** adj. dünn, schlank; **-y** adj. schmächtig

**lantern** n. Laterne

**lap** n. Schoss

**lapel** n. Aufschlag

**lapse** n. Fall, Gleiten; Versehen; — v. verfallen

**larceny** n. Diebstahl

**lard** n. Schweinefett, Schmalz

**large** adj. gross, breit; **at —** frei, ungehindert

**lark** n. Lerche; (coll.) Streich

**larva** n. Larve, Puppe

**laryngitis** n. Kehlkopfentzündung

**larynx** n. Kehlkopf

**laser** n. Laser; **— fusion** Laser-Fusion

**lash** n. Schnur; Schlag; Peitsche; — v. peitschen

**lass** n. Mädchen, junge Frau

**last** adj. letzt; vorig; **next to —** vorletzt; — n.

Letzte; (shoe) Leisten; **— adv.** zuletzt; **at — endlich;** — v. dauern, bestehen; **-ing** adj. dauernd; **-ly** adv. zuletzt, endlich

**latch** n. Klinke, Drücker; — v. einklinken

**late** adj. spät; verstorben; **of —** kürzlich, jüngst; **— adv.** spät; **-ly** adv. kürzlich, neulich

**lath** n. Latte

**lathe** n. Drehbank

**lather** n. Seifenschaum; — v. einseifen, schäumen

**Latin** n. Latein; — adj. lateinisch

**latitude** n. Breite

**laugh** n. Lache(n), Gelächter; — v. lachen; **at —** auslachen; **-able** adj. lächerlich; **-ter** n. Gelächter

**launching pad** n. Abschussbasis (Rakete)

**launder** v. waschen und rollen (or plätten)

**laundry** n. Waschanstalt

**lavatory** n. Waschraum

**law** n. Gesetz; Recht; Rechtswissenschaft; **according to —** gesetzmässig; **-ful** adj. gesetzlich, gerichtlich; **-yer** n. Rechtsanwalt, Advokat

**lawn** n. Rasen(platz); **— mower** Rasenmäher

**lawsuit** n. Prozess

**lax** adj. schlaff, lose; lässig; **-ity** n. Schlaffheit

**laxative** n. Abführmittel

**lay** v. legen, stellen, setzen; **-er** n. Schicht, Lage; **-er cake** Schichttorte

**layman** n. Laie

**layoff** n. zeitweilige Entlassung

**layout** n. Plan, Anlage

**lazy** adj. faul, träge

**lead** n. Leitung; Vorsprung; (cards) Vorhand; (elec.) Leiter; (theat.) Hauptrolle; — v. führen, leiten; (cards) anspielen; **-er** n. Führer, Leiter

**lead** n. (min.) Blei; (typ.) Durchschuss; **— pencil**

**Bleistift**; — *adj.* bleiern; **-en** *adj.* bleiern

**leaf** *n.* Blatt; (door) Flügel; (table) Klappe; **-let** *n.* Blättchen, Zettel; Flugschrift

**league** *n.* Bund, Liga

**leak** *n.* Leck, Ritze; — *v.* lecken, leck sein

**lean** *v.* (sich) lehnen, anlehnen, auflehnen

**lean** *adj.* mager, dünn

**leap** *n.* Sprung, Satz; — **year** Schaltjahr; — *v.* springen, hüpfen

**learn** *v.* (er)lernen; hören, erfahren; **-ed** *adj.* gelehrt; **-ing** *n.* Lernen; Gelehrsamkeit, Wissen

**lease** *n.* Mietvertrag, Mietzeit; — *v.* vermieten

**least** *adj.* kleinste; wenigste; — *adv.* am wenigsten; **at** — wenigstens

**leather** *n.* Leder

**leave** *n.* Urlaub; Abschied; Erlaubnis; — **of absence** Urlaub; — *v.* lassen; verlassen; überlassen; — **alone** in Ruhe (or Frieden) lassen

**leavings** *n. pl.* Überbleibsel, Reste

**lecture** *n.* Vortrag, Vorlesung; — *v.* vorlesen, vortragen

**ledger** *n.* (com.) Hauptbuch

**left** *adj.* linke; — *adv.* links; — *n.* Linke

**leg** *n.* Bein; Schenkel

**legacy** *n.* Vermächtnis

**legal** *adj.* gesetzlich, gesetzmässig; **-ity** *n.* Gesetzlichkeit, Gesetzmässigkeit

**legend** *n.* Sage, Legende; Inschrift

**legging** *n.* Gamasche

**legible** *adj.* leserlich, lesbar

**legislation** *n.* Gesetzgebung

**legislature** *n.* gesetzgebender Körper

**legitimate** *adj.* ehelich, legitim; rechtmässig

**lemon** *n.* Zitrone, Limone; — **drop** Zitronenbonbon

**lend** *v.* (aus)leihen, verleihen; **-er** *n.* Leihende, Verleiher

**length** *n.* Länge; Dauer; Strecke, Ausdehnung; **at** — vollständig; **-en** *v.* verlängern; **-y** *adj.* ziemlich lang, ausgedehnt

**lenient** *adj.* mild, nachsichtig

**lens** *n.* Linse

**Lent** *n.* Fasten(zeit)

**lentil** *n.* Linse

**leprosy** *n.* Lepra, Aussatz

**lesbian** *n.* Lesbierin

**less** *adj.* and *adv.* kleiner, geringer; weniger; **-en** *v.* abnehmen, verkleinern, verringern; **-er** *adj.* weniger, kleiner, geringer

**lesson** *n.* Aufgabe; Lektion; Lehrstunde, Lehre

**lest** *conj.* damit nicht

**let** *v.* lassen, erlauben; vermieten; verdingen

**letdown** *n.* Enttäuschung; Reaktion (auf Spannung)

**letter** *n.* Brief, Schreiben; Buchstabe; **registered** — eingeschriebener Brief

**lettuce** *n.* Blattsalat

**leucocyte** *n.* Leukozyte

**leukemia** *n.* Leukämie

**levee** *n.* Uferdamm

**level** *n.* Höhe; Ebene, Fläche; — *adj.* waagerecht; eben, glatt, flach; — *v.* ebnen, planieren

**lever** *n.* Hebel, Hebebaum

**liability** *n.* Verbindlichkeit

**liable** *adj.* haftbar; verantwortlich; ausgesetzt

**liberal** *adj.* liberal; freisinnig; — **arts** Geisteswissenschaften; freie Künste

**liberate** *v.* befreien

**liberty** *n.* Freiheit

**library** *n.* Bibliothek

**license** *n.* Erlaubnis; Gewerbeschein; — **plate** Nummernschild

**lick** *v.* (be)lecken; prügeln; übertreffen

**licorice** *n.* Süssholz, Lakritze

**lid** *n.* Deckel, Klappe; (eye) Lid

**lie** *n.* Lüge; **white** — Notlüge; — v. liegen, ruhen; lügen, fabeln

**lieu** n. **in — of** anstatt

**life** n. Leben; Menschenleben; — **annuity** Lebensrente; — **insurance** Lebensversicherung

**lifeboat** n. Rettungsboot

**lifelong** adj. lebenslang

**life-size** adj. lebensgross

**lifetime** n. Lebenszeit; **once in a —** einmal im Leben

**lifework** n. Lebenswerk

**lift** n. Heben, Aufheben; (mech.) Hub; Aufzug; **give someone a —** jemandem helfen (or im Auto mitnehmen); — v. (er)heben, aufheben

**light** n. Licht; **in the — of** wie, als; — v. leuchten, anzünden; — **up** (er)leuchten; — adj. hell, licht; leicht; **-en** v. blitzen; erleuchten; **-ing** n. Beleuchtung; **-ly** adv. leicht(fertig)

**lightning** n. Blitz; — **rod** Blitzableiter

**lighthouse** n. Leuchtturm

**like** adj. gleich, ähnlich; prep. wie, gleich; — v. gern haben, mögen; **-lihood** n. Wahrscheinlichkeit; **-ly** adj. wahrscheinlich; **-n** v. vergleichen; **-ness** n. Ähnlichkeit; Ebenbild

**likewise** adv. ebenso, gleichfalls

**lilac** n. Flieder; Lila

**lily** n. Lilie

**limb** n. (anat.) Glied; (bot.) Ast, Arm; Rand

**lime** n. Vogelleim; (min.) Kalk, Mörtel

**limelight** n. Scheinwerferlicht

**limestone** n. Kalkstein

**limit** n. Grenze; Frist; — v. beschränken, begrenzen; **-ation** n. Beschränkung; Einschränkung; **-ed** adj. begrenzt, eingeschränkt; **-less** adj. unbegrenzt, grenzenlos

**limp** v. lahmen, hinken;

— adj. schlaff, schlapp

**line** n. Linie, Reihe; Leine, Schnur; (com.) Zweig, Fach; (lit.) Vers, Zeile; (tel.) Leitung; **stand in —** Schlange stehen; — v. ausfüttern, polstern; Spalier bilden; **-age** n. Familie; Stammbaum; **-al** adj. gerade, direkt

**linen** n. Leinen, Leinewand, Leinenzeug; Bettwäsche

**line-up** n. Formation; (baseball) Spielerliste; (football) Aufstellung

**linger** v. sich aufhalten, zögern

**liniment** n. Salbe, Einreibung

**lining** n. Futter, Besatz

**link** n. Glied, Gelenk; — v. (sich) verketten

**linnet** n. Hänfling

**linseed** n. Leinsamen

**lion** n. Löwe; **-ess** n. Löwin

**lip** n. Lippe

**lipstick** n. Lippenstift

**liquefy** v. schmelzen, flüssig machen (or werden)

**liquid** n. Flüssigkeit; — adj. flüssig, fliessend

**liquor** n. Alkohol, alkoholisches Getränk

**list** n. Liste, Verzeichnis; — **price** Katalogpreis; — v. registrieren, katalogisieren, verzeichnen

**listen** v. zuhören; horchen; **-er** n. Zuhörer; Horcher

**litterbug** n. Strassenbeschmutzer

**little** adj. klein; kurz; wenig; etwas; — adv. wenig; kaum

**live** v. leben; wohnen; sich nähren; — **on** leben von

**live** adj. lebend, lebendig; (elec.) geladen; **-lihood** n. Lebensunterhalt

**liver** n. Leber

**livestock** n. Vieh(stand)

**living** n. Leben; Lebensunterhalt; — adj. lebend(ig); — **wage** angemessenes Gehalt

**lizard** n. Eidechse

**load** n. Last, Bürde; — v. laden

**loaf** n. Laib; Brot; — v. bummeln

**loam** n. Lehm

**loan** n. Darlehen; — v. (aus)leihen

**lobby** n. Vorhalle, Korridor; (pol.) Gruppe, die Abgeordnete zu beeinflussen sucht; — v. (pol.) beeinflussen; **-ist** n. (pol.) Beeinflusser

**local** n. Lokal, (rail.) Ortszug; — adj. lokal, örtlich; **-ity** n. Ort

**locate** v. ausfindig machen

**location** n. Lage

**lock** n. Schloss; Schleuse; Locke; — v. schliessen, verschliessen; (mech.) verkuppeln; **-er** n. Schliessfach; Kühlanlage; **-er room** Garderobe

**locket** n. Medaillon

**lockjaw** n. Kinnbackenkrampf

**locksmith** n. Schlosser

**lodge** n. Hütte; Loge; — v. wohnen; übernachten

**lodging** n. Wohnung, Logis

**loft** n. Boden, Speicher

**log** n. Klotz, Block; — **cabin** Blockhaus; **-ging** n. Holzfällen

**loin** n. Lende; Lendenstück

**loiter** v. sich aufhalten, trödeln, bummeln; **-er** n. Faulenzer, Bummler

**lone** adj. einsam, einzeln; **-liness** n. Einsamkeit; **-ly** adj. einsam; **-some** adj. einsam

**long** adj. lang; langwierig; — v. sich sehnen; **-ing** n. Sehnsucht

**long-distance** adj. weit entfernt; — **call** Ferngespräch

**long-playing** adj. langspielend

**long-term** adj. langfristig

**look** n. Blick; Aussehen; — v. blicken, sehen; aussehen; — **for** suchen; — **forward to** sich freuen

auf; — **out** achtgeben; Achtung!

**loom** n. Webstuhl

**loop** n. Schleife, Schlinge; Biegung; Öse

**loophole** n. Guckloch, Luke

**loose** adj. lose(e), frei; **get** — loskommen; — v. lösen, befreien; **-n** v. lose (or locker) machen

**lord** n. Herr, Gebieter; **Lord** Herr, Gott, Herrgott; **Lord's Prayer** Vaterunser; **Lord's Supper** Heiliges Abendmahl; — **it over** herrschen über; **-ly** adj. herrenmässig; hochmütig; **-ship** n. Herrschaft

**lose** v. verlieren; (watch) nachgehen; — **ground** Einfluss verlieren

**loss** n. Verlust; Schaden

**lot** n. Los, Geschick; Teil; **a** —, **-s** eine Menge, ein Haufen; **building** — Bauplatz

**loud** adj. laut

**loudspeaker** n. Lautsprecher

**lounge** n. Foyer; Sofa; — v. müssiggehen

**louse** n. Laus

**lovable** adj. liebenswürdig

**love** n. Liebe; Liebchen; (tennis) Null; **make** — den Hof machen; — v. lieben, liebhaben; **-ly** adj. lieblich, liebenswürdig; **-r** n. Liebhaber

**love-making** n. Hofmachen

**low** adj. niedrig, tief; billig; (med.) schwach; — adv. niedriger, tiefer; **-er** **berth** untere Bett; **-er case** Kleinbuchstabe; **-er** v. herunterlassen, herablassen; **-liness** n. Niedrigkeit; Demut; **-ly** adj. demütig; niedrig; nieder; gering; gewöhnlich

**lox (liquid oxygen)** n. flüssiger Sauerstoff

**loyal** adj. (ge) treu; — **ist** n. Loyale; — **ty** n. Treue, Loyalität

**lozenge** n. Pastille, Tablette, Bonbon

**lubricate** v. ölen, schmieren

**lubrication** n. Ölen, Schmieren

**luck** n. Glück(sfall); Zufall; **–y** adj. glücklich, erfolgreich

**lug** v. ziehen, schleppen

**luggage** n. Gepäck, Reisegepäck

**lukewarm** adj. lauwarm

**lullaby** n. Schlummerlied

**lumber** n. Bauholz

**lumberjack** n. Holzfäller

**lumberyard** n. Holzplatz

**lump** n. Klumpen, Stück; Masse, Menge; Beule; **– sugar** Würfelzucker; **– sum** runde Summe; **–** v. vereinigen

**lunatic** n. Irrsinnige

**lunch** n. Imbiss; **–eon** n. Mittagessen

**lung** n. Lunge; **iron –** eiserne Lunge

**lure** n. (an)locken, reizen

**luscious** adj. schmackhaft; saftig

**lust** n. Begierde, Wollust; Lust; **–** v. begehren, gelüsten; **–y** adj. munter, lebhaft

**lute** n. Laute

**Lutheran** n. Lutheraner; **–** adj. lutherisch

**luxurious** adj. verschwenderisch

**luxury** n. Verschwendung, Üppigkeit

**lyceum** n. Lyzeum

**lye** n. Lauge

**lying** adj. lügnerisch, lügend

**lynch** v. lynchen, Volksjustiz ausüben

**lyre** n. Leier

**lyric(al)** adj. lyrisch

# M

**macadam** n. Asphaltbelag

**macaroon** n. Makrone

**machination** n. Anstiftung

**machine** n. Maschine; (pol.) Organisation; **– gun** Maschinengewehr; **– tool**

**Werkzeugmaschine; –** v. maschinell herstellen; **–ry** n. Maschinerie

**mackintosh** n. Regenmantel

**macrocosm** n. Makrokosmos, Weltall

**mad** adj. toll, verrückt; böse, zornig; **–den** v. toll machen; **–ness** n. Tollheit, Wahnsinn; Tollwut

**madam** n. gnädige Frau

**made** adj. gemacht

**made-to-order** adj. auf Bestellung gemacht

**madhouse** n. Irrenhaus

**magazine** n. Zeitschrift; Magazin; Lagerhaus

**magic** n. Zauber; Magie; Zauberei; **–ian** n. Magier, Zauberer

**magistrate** n. Beamte

**magneto** n. Zündapparat

**magnificent** adj. herrlich

**magnify** v. vergrössern

**magnitude** n. Grösse, Umfang

**maid** n. Mädchen, Jungfrau; **old –** alte Jungfer

**mail** n. Post(sendung); Panzer, Rüstung; **by registered –** eingeschrieben; **by return –** postwendend

**mailman** n. Briefträger

**mail-order house** n. Postversandgeschäft

**main** n. Hauptrohr; Macht, Stärke; **–** adj. hauptsächlich; **– office** Zentralbüro

**mainland** n. Festland

**mainspring** n. Haupt(trieb)feder

**maintain** v. (aufrecht)erhalten; behaupten

**maintenance** n. Erhaltung

**major** n. (educ.) Hauptstudienfach; (mil.) Major; **–** adj. mündig; grösser, wichtiger; **– part** grösser Teil, **–ity** n. Mehrzahl, Mehrheit

**make** n. Fabrikat, Marke; **–** v. machen, fabrizieren

**make-believe** n. Vorwand

**make-up** n. Beschaffenheit, Natur; (theat.) Schminke

**malady** *n.* Krankheit
**male** *n.* Mann; (zool.) Männchen; — *adj.* männlich
**malefactor** *n.* Übeltäter
**malice** *n.* Bosheit, Arglist
**malicious** *adj.* boshaft
**malignant** *adj.* (med.) bösartig
**mallet** *n.* Hammer, Schlegel
**malnutrition** *n.* Unterernährung
**malpractice** *n.* Quacksalberei
**mammal** *n.* Säugetier
**man** *n.* Mann, Mensch; (chess) Figur, Stein; — *v.* bemannen; **-ful** *adj.* männlich, tapfer; **-hood** *n.* Männlichkeit, Mannesalter; **-kind** *n.* Menschheit; **-liness** *n.* Männlichkeit; **-ly** *adj.* männlich, tapfer
**manage** *v.* verwalten, leiten; handhaben; **-ment** *n.* Leitung, Verwaltung, Handhabung; **-r** *n.* Vorsteher, Direktor; Verwalter; Haushalter
**manganese** *n.* Mangan
**manger** *n.* Krippe, Futtertrog
**mangle** *n.* Mangel, Rolle; — *v.* zerhacken; verstümmeln
**manhole** *n.* Einsteigloch
**manicure** *n.* Handpflege, Maniküre; — *v.* maniküren
**manicurist** *n.* Maniküre
**manifest** *n.* Kundgebung; Manifest; — *adj.* augenscheinlich; — *v.* offenbaren, zeigen; **-ation** *n.* Offenbarung; Kundgebung
**manifold** *adj.* mannigfaltig
**manipulate** *v.* handhaben
**manner** *n.* Art, Weise
**manslaughter** *n.* Totschlag
**mantelpiece** *n.* Kaminsims
**mantle** *n.* Mantel
**manual** *n.* Handbuch, Leitfaden; — **training** handwerklicher Unterricht

**manufacture** *n.* Fabrikation, Anfertigung; — *v.* fabrizieren, anfertigen; **-r** *n.* Fabrikant
**manure** *n.* Dünger, Mist
**many** *adj.* viel; **a great** — sehr viele; — **a** mancher, manch ein; — **a time** sehr oft
**Maoist** *n.* Maoist
**map** *n.* Karte, Landkarte
**marble** *n.* Marmor
**march** *n.* Marsch; Gang, Schritt; **March** *n.* März; — *v.* marschieren, ziehen
**margin** *n.* Rand; (fig.) Grenze, Spielraum
**marina** *n.* Bootsanlegestelle; Bootshafen
**marine** *n.* Seesoldat; Marine, Seewesen
**mark** *n.* Zeichen, Marke; — *v.* (be)zeichnen, markieren; — **down** notieren; (price) herabsetzen; — **my words!** merken Sie sich das!
**market** *n.* Markt, Messe; Jahrmarkt; — *v.* einkaufen
**markup** *n.* Verdienstaufschlag
**marriage** *n.* Ehe; Heirat, Hochzeit
**married** *adj.* verheiratet; ehelich
**marrow** *n.* Knochenmark
**marry** *v.* heiraten; verheiraten
**marsh** *n.* Marsch(land), Morast; **-y** *adj.* morastig, sumpfig
**marshmallow** *n.* Süssigkeit (aus geschlagenem Zucker)
**mart** *n.* Markt, Messe
**martial** *adj.* kriegerisch; — **law** Kriegsrecht
**martin** *n.* Mauerschwalbe
**martyr** *n.* Märtyrer
**marvel** *n.* Wunder; — *v.* sich (ver)wundern; **-(l)ous** *adj.* wunderbar; erstaunlich, unglaublich
**mascara** *n.* Wimperntusche
**masculine** *adj.* männlich
**mash** *n.* Maische, Mischfutter; — *v.* zerdrücken; **-ed**

*adj.* zerstampft; **-ed pota-toes** Kartoffelbrei

**mason** *n.* Maurer, Steinmetz **-ry** *n.* Maurerhandwerk; Mauerwerk

**mass** *n.* Masse, Menge, Haufe(n); (eccl.) Messe; — *v.* (sich) anhäufen

**master** *n.* Meister, Gebieter; (educ.) Lehrer; — **key** Hauptschlüssel; **-y** *n.* Meisterschaft

**masthead** *n.* Zeitungskopf

**match** *n.* Streichholz; Gleiche, Passende; Heirat; (sports) Wettkampf, Spiel, Partie

**matchbook** *n.* Streichholzheft

**matchbox** *n.* Streichholzschachtel

**matchmaker** *n.* Heiratsvermittler

**mate** *n.* Gatte, Gattin; Gefährte; (chess) Matt; — *v.* (sich) verheiraten

**material** *n.* Material, Stoff; — *adj.* materiell; wesentlich

**maternal** *adj.* mütterlich

**maternity** *n.* Mutterschaft; — **hospital** Entbindungsheim

**mathematician** *n.* Mathematiker

**mathematics** *n.* Mathematik

**matrimony** *n.* Ehe, Ehestand

**matter** *n.* Sache, Angelegenheit; Stoff; **as a — of fact** tatsächlich, wirklich; **for that —** was dies betrifft; **no —** es macht nichts (aus); **what is the —?** was ist los? — *v.* darauf ankommen

**may** *v.* mag, kann, darf; **May** *n.* Mai; **May Day** erste Mai

**maybe** *adv.* vielleicht

**mayor** *n.* Bürgermeister

**me** *pron.* mir, mich

**meadow** *n.* Wiese, Anger

**meal** *n.* Mahl(zeit); Mehl, Maismehl; **-y** *adj.* mehlig

**mean** *v.* meinen, denken; bedeuten, heissen; wollen;

willens sein; **I — business** ich rede im Ernst; — *n.* Mitte; Mittel; Durchschnitt; *pl.* Mittel, Werkzeug; Einkommen; **by all -s** durchaus, jedenfalls; — *adj.* gemein, niedrig; niederträchtig; **-ing** *n.* Bedeutung, Sinn

**meanwhile** *adv.* unterdessen

**measure** *n.* Mass(einheit); Massregel; — *v.* (ab)messen; **-ment** *n.* Mass

**meat** *n.* Fleisch; **broiled —** unter der Flamme gebratenes Fleisch; **fried —** Braten; **roast —** Braten

**mechanic** *n.* Mechaniker, Maschinenarbeiter; **-al engineering** Maschinenbau

**meddle** *v.* sich einmischen (or einlassen)

**mediator** *n.* Vermittler

**medical** *adj.* ärztlich

**Medicare** *n.* staatliche Krankenversicherung für ältere Personen

**medicine** *n.* Medizin; Arznei

**mediocre** *adj.* mittelmässig

**meditate** *v.* nachsinnen, grübeln

**meditation** *n.* Nachdenken

**medium** *n.* Mittel

**medium-sized** *adj.* mittelgross

**meek** *adj.* demütig, bescheiden; **-ness** *n.* Demut

**meet** *v.* treffen, begegnen

**megaphone** *n.* Megaphon

**melancholy** *n.* Schwermut

**mellow** *adj.* reif; mürbe; — *v.* reifen; weich machen; weich (or sanft) werden

**melody** *n.* Melodie

**melon** *n.* Melone

**melt** *v.* schmelzen, (sich) auflösen

**member** *n.* Mitglied, Glied; — **of congress** Abgeordnete; **-ship** *n.* Mitgliedschaft

**memento** *n.* Andenken

**memo** *abbr.* Notiz, Bemerkung

**memorable** *adj.* denkwürdig

**memorize** v. auswendig lernen

**memory** n. Gedächtnis; Andenken; **in — of** zum Andenken an

**mend** v. ausbessern, flicken

**mention** n. Erwähnung, Meldung; — v. erwähnen

**menu** n. Menü, Speisekarte

**mercenary** n. Söldner

**merchandise** n. Ware(n)

**merchant** n. Kaufmann; Händler, Krämer

**merciful** adj. gnädig, barmherzig, mitleidvoll

**Mercurochrome** n. Quecksilberchrom

**mercury** n. Quecksilber

**mercy** n. Gnade, Barmherzigkeit, Mitleid

**mere** adj. bloss, allein; **-ly** adv. nur, bloss

**merit** n. Verdienst, Lohn, Wert; — v. verdienen; **-orious** adj. verdienstlich

**merry** adj. fröhlich, munter

**merry-go-round** n. Karussell, Ringelspiel

**mesh** n. Masche, Netz

**mess** n. Unordnung; (cooking) Gericht, Schüssel

**message** n. Botschaft, Mitteilung, Auftrag

**messenger** n. Bote, Kurier

**metal** n. Metall; **-lic** adj. metallisch

**Methodist** n. Methodist

**metropolis** n. Hauptstadt, Metropole

**microbiology** n. Mikrobiologie

**microfilm** n. Mikrofilm

**microgroove** n. Schallplattenrille

**microphone** n. Mikrofon

**microscope** n. Mikroskop

**microwave** n. Mikrowelle

**mid** adj. mitten; **-dle** n. Mitte; Taille; **-dle** adj. mittel, mittler; **Middle Ages** Mittelalter; **-dle class** Mittelstand; **-st** n. Mitte; **in the -st of** mitten in (or (auf)

**middle-aged** adj. von mittlerem Alter

**middle-class** adj. Mittel-

stands-

**middleweight** n. Mittelgewichter

**midget** n. Zwerg, Knirps

**midnight** n. Mitternacht

**midshipman** n. Seekadett

**midwife** n. Hebamme

**mien** n. Miene, Haltung

**might** n. Macht; Kraft, Stärke; **-y** adj. mächtig; kräftig

**migraine** n. Migräne

**migrate** v. auswandern

**migration** n. Auswanderung

**mild** adj. mild, sanft; **-ness** n. Milde, Sanftheit

**mile** n. Meile; **-age** n. Meilenzahl

**military** n. Militär; Soldaten; — adj. compulsory — service Wehrpflicht

**militia** n. Miliz, Bürgerwehr

**milk** n. Milch; — v. melken; **-ing machine** Melkapparat

**milkmaid** n. Kuhmagd

**mill** n. Mühle; Fabrik; — v. mahlen; **-er** n. Müller

**millet** n. Hirse

**millimeter** n. Millimeter

**milliner** n. Putzmacherin; Modistin; **-y** n. Modeware, Putzware; **-y shop** Putzwarengeschäft

**million** n. Million; **-aire** n. Millionär

**millstone** n. Mühlstein

**Mimeograph** n. Abzugsmaschine, Mimeograph

**mincemeat** n. Gehacktes; — pie Fleischpastete

**mind** n. Geist, Verstand; Sinn, Gemüt; — v. merken, achten; **I don't —** ich habe nichts dagegen

**mine** pron. mein

**mine** n. Grube, Bergwerk

**mingle** v. mischen, vermengen

**miniaturization** n. Verkleinerung

**mining** n. Bergbau

**minister** n. (eccl.) Geistliche, Priester, Pastor; (pol.) Minister, Gesandte

**ministry** n. Geistlichkeit
**mink** n. Nerz
**minor** n. Minderjährige; (mus.) Moll
**minority** n. Minderheit
**minute** n. Minute; Augenblick; pl. Protokoll; **—hand** n. Minutenzeiger; — adj. klein, winzig
**miracle** n. Wunder
**miraculous** adj. wunderbar
**mire** n. Kot, Schlamm
**mirror** n. Spiegel
**mirth** n. Frohsinn, Freude
**miscarriage** m. Fehlgeburt
**miscellaneous** adj. gemischt
**mischief** n. Unheil; Unfug
**mischievous** adj. mutwillig, boshaft
**miserable** adj. elend
**misery** n. Elend, Not
**misfire** v. Fehlzündung
**misfortune** n. Unglück(sfall)
**misguide** v. verleiten
**misinform** v. falsch berichten (or belehren, unterrichten)
**misinterpret** v. missdeuten
**mislay** v. verlegen
**misplace** v. verlegen
**misprint** n. Druckfehler
**mispronounce** v. falsch aussprechen
**miss** n. Fräulein
**miss** n. Fehlschuss, Fehlwurf; — v. verfehlen, versäumen, vermissen; **-ing** adj. fehlend; vermisst
**missal** n. Messbuch
**missile** n. Wurfgeschoss
**mission** n. Mission; Auftrag
**misstatement** n. falsche Angabe
**mist** n. Nebel; **-y** adj. neblig
**mistake** n. Irrtum, Versehen; **by —** aus Versehen; **— v.** verkennen, verwechseln; **-n** adj. falsch, irrig; **be —** in sich irren
**Mister** n. Herr
**mistress** n. Herrin, Gebieterin; Geliebte
**misunderstand** v. missverstehen; **-ing** n. Missver-

ständnis
**mitt(en)** n. Fausthandschuh
**mix** v. mischen, mengen; **-ed** adj. vermischt
**mob** n. Mob, Pöbel; Rotte
**mobile** adj. beweglich
**mobility** n. Beweglichkeit
**mobilization** n. Mobilmachung, Kriegsrüstung
**mock** v. (ver)spotten; nachahmen; **-ery** n. Spott
**mode** n. Mode, Sitte, Gebrauch
**model** n. Modell; Muster, Schablone; — adj. musterhaft; — v. modellieren
**moderate** v. mässigen, mildern; — adj. mässig; mild
**moderation** n. Mässigung
**modern** adj. modern
**modest** adj. bescheiden; **-y** n. Bescheidenheit
**modulator** n. (rad.) Tonblende
**moist** adj. feucht, nass; **-en** v. befeuchten; **-ure** n. Feuchtigkeit, Nässe
**molar tooth** n. Backenzahn
**molecule** n. Molekül
**molest** v. belästigen
**molten** adj. geschmolzen, gegossen
**moment** n. Augenblick; Wichtigkeit; **-ous** adj. wichtig
**momentum** n. Moment, Triebkraft
**monastery** n. Mönchskloster, Kloster
**money** n. Geld; **— order** Geldanweisung, Postscheck
**monk** n. Mönch
**monkey** n. Affe; Range; **— wrench** Schraubenschlüssel
**monoplane** n. Eindecker
**monopoly** n. Monopol, Alleinhandel, **-vertretung**
**monorail** n. Einschienenbahn
**monoxide** n. Monoxyd
**monster** n. Ungeheuer
**month** n. Monat
**monument** n. Denkmal
**mood** n. Stimmung, Laune;

**-y** *adj.* launisch; mürrisch
**moon** *n.* Mond
**moonbeam** *n.* Mondstrahl
**moor** *n.* Moor, Morast;
**Moor** *n.* Maure, Mohr
**mop** *n.* Scheuerbesen, Mop;
— *v.* (auf)wischen
**moral** *n. pl.* Moral, Sittlichkeit; — *adj.* moralisch,
sittlich; **-ist** *n.* Moralist,
Tugendrichter, Sittenlehrer; **-ity** *n.* Sittenlehre; Sittlichkeit; **-ize** *v.*
moralisieren
**morale** *n.* Mut; Geisteszucht
**more** *adj.* mehr
**moreover** *adv.* ausserdem
**morgue** *n.* Leichenschauhaus
**morning** *n.* Morgen; Vormittag
**morphine** *n.* Morphium
**Morse code** *n.* Morsealphabet
**mortal** *adj.* sterblich, tödlich; **-ity** *n.* Sterblichkeit(sziffer)
**mortgage** *n.* Hypothek,
Pfandgut; — *v.* verpfänden
**mortuary** *n.* Leichenhalle
**most** *n.* Meiste, Höchste;
— *adj.* meiste; — *adv.*
meist(ens), sehr; **at** —
höchstens
**motel** *n.* Motel; Motorhotel
**moth** *n.* Motte; — **ball**
Mottenkugel
**mother** *n.* Mutter; —
**tongue** Muttersprache;
**-hood** *n.* Mutterschaft
**mother-of-pearl** *n.* Perlmutter
**motion** *n.* Bewegung,
Gang; **make a** — einen
Antrag stellen; — **picture**
Film; — *v.* ein Zeichen
geben
**motor** *n.* Motor; — **court**
Autoplatz
**motorbus** *n.* Autobus
**motorcycle** *n.* Motorrad
**mount** *n.* Berg; Reitpferd
**mountain** *n.* Berg, Gebirge; **-eer** *n.* Bergsteiger; Bergbewohner; **-ous**

*adj.* gebirgig, bergig
**mourn** *v.* (be)trauern;
(be)klagen; **-er** *n.* Leidtragende; **-ing** *n.* Trauer,
Trauerkleidung
**mouse** *n.* Maus; — **trap**
Mausefalle
**mouth** *n.* Mund; Mündung; **by word of** —
mündlich; — **organ**
Mundharmonika; **-ful** *n.*
Mundvoll, Bissen
**move** *n.* Bewegung, Umzug; (fig.) Massregel; —
*v.* bewegen, rühren; sich
fortbewegen (*or* rühren);
umziehen; **-ment** *n.* Bewegung
**mov(e)able** *adj.* beweglich
**movie** *n.* Film; *pl.* Kino
**moving** *adj.* bewegend,
beweglich; — **picture**
Film(bild)
**mow** *v.* mähen, schneiden
**much** *adj.* viel; — *adv.*
sehr
**muck** *n.* Dünger, Mist;
Unrat, Schmutz
**mucus** *n.* Schleim
**mud** *n.* Schlamm, Kot
**mudguard** *n.* Kotflügel
**muffle** *v.* einhüllen; dämpfen; **-r** *n.* Halstuch;
(auto) Schalldämpfer
**mug** *n.* Krug, Becher
**mulberry** *n.* Maulbeere
**mule** *n.* Maulesel, Maultier
**Multigraph** *n.* Vervielfältigungsmaschine
**multiplication** *n.* Vervielfältigung; — **table** Einmaleins
**multiply** *v.* multiplizieren
**multitude** *n.* Vielzahl,
Menge, Pöbel
**mum!** *interj.* st! still! —
*adj.* stumm, still; **keep** —
den Mund halten
**mummy** *n.* Mumie
**mumps** *n. pl.* Mumps, Ziegenpeter
**municipal** *adj.* städtisch;
— **government** Magistrat; **-ity** *n.* Stadtbezirk
**murder** *n.* Mord; — *v.*
(er)mordern; **-er** *n.* Mörder

241

**murmur** n. Gemurmel; — v. murmeln, plätschern; murren

**muscle** n. Muskel

**muscle-bound** adj. übertrainiert

**muscular** adj. muskulös

**mushroom** n. essbarer Pilz

**music** n. Musik; — **box** Spieldose; **-al** adj. musikalisch; **-al comedy** Singspiel; **-ian** n. Musiker, Musikant

**musket** n. Flinte; **-eer** n. Musketier

**muslin** n. Musselin, Nesseltuch

**muss** n. Unordnung; — v. verwirren

**must** v. muss; **I — not** ich darf nicht

**mustache** n. Schnurrbart

**mustard** n. Senf, Mostrich

**muster** n. Musterung, Parade; — v. mustern; auftreiben

**mutation** n. Änderung, Wechsel

**mute** n. Stumme; — adj. stumm

**multilate** v. verstümmeln

**mutiny** n. Meuterei

**mutter** n. Gemurmel; — v. murmeln, murren

**mutton** n. Hammelfleisch

**mutual** adj. gegenseitig

**my** pron. mein; **-self** pron. mich, mir; ich selbst (or 'selber)

**myrtle** n. Myrte

**mysterious** adj. geheimnisvoll

**mystery** n. Geheimnis, Rätsel; — **story** Kriminalgeschichte

# N

**nab** v. erwischen, ergreifen

**nag** n. Pferd, Klepper; — v. ärgern, nörgeln

**nail** n. Nagel; — **file** Nagelfeile; — v. (an)nageln, festnageln

**naked** adj. nackt, bloss; **-ness** n. Nacktheit, Blösse

**name** n. Name, Titel; **by**

— **dem Namen nach;** — v. (be-)nennen; bezeichnen; ernennen; **-ly** adv. nämlich; **-sake** n. Namensvetter

**Nancy** f. Anna

**nap** n. Schläfchen; — v. schlummern

**nape** n. Nacken, Genick

**napkin** n. Serviette

**narcotic** n. Betäubungsmittel

**narration** n. Erzählung

**narrative** n. Bericht, Geschichte

**narrator** n. Erzähler

**narrow** n. Engpass, Meerenge; — adj. eng, schmal

**narrow-minded** adj. kleindenkend

**nasal** adj. Nasen-; näselnd

**nasturtium** n. Kresse

**nasty** adj. garstig, schlecht; übel

**natal** adj. Geburts-

**nation** n. Nation; Volk

**native** n. Eingeborene; — adj. (ein)heimisch, eingeboren; — **land** Geburtsland

**nativity** n. Geburt; Nativität

**nature** n. Natur; Wesen; **good —** Gutartigkeit

**naughty** adj. unartig

**naval** adj. See-, Schiffs-, Flotten-, Marine-

**navel** n. Nabel

**navigate** v. schiffen, befahren

**navy** n. Marine, Flotte

**near** prep. nahe; dicht; — adj. nahe(liegend); — adv. nahe; beinahe; — v. sich nähern; **-ly** adv. fast, beinahe

**nearsighted** adj. kurzsichtig

**neat** adj. ordentlich, rein; nett

**necessary** adj. notwendig

**necessity** n. Notwendigkeit

**neck** n. Hals, Nacken

**neckerchief** n. Halstuch

**necklace** n. Halskette, Halsband

**necktie** n. Krawatte,

Schlips

**need** *n.* Not, Mangel; Bedarf; — *v.* brauchen, bedürfen; **-less** *adj.* unnötig; **-y** *adj.* (hilfs)bedürftig

**needle** *n.* Nadel; **hypodermic** — Injektionsnadel

**neglect** *v.* vernachlässigen

**negligent** *adj.* nachlässig

**negotiable** *adj.* umsetzbar

**negotiate** *v.* verhandeln

**Negress** *n.* Negerin

**Negro** *n.* Neger

**neigh** *v.* wiehern

**neighbor** *n.* Nachbar; Nächste; **-hood** *n.* Nachbarschaft

**neither** *conj.* weder; — *adj. and pron.* keiner

**nephew** *n.* Neffe

**nephritis** *n.* (med.) Nierenentzündung

**nerve** *n.* Nerv; (fig.) Mut

**nervous** *adj.* nervös, reizbar; **-ness** *n.* Nervosität

**nest** *n.* Nest, Brutstätte; **-le** *v.* nisten

**net** *n.* Netz; Schlinge, Falle; — *adj.* netto, rein; — **profit** Reingewinn; — *v.* netto einnehmen

**network** *n.* Rundfunknetz; Fernsehnetz

**neuralgia** *n.* Nervenschmerz

**neuritis** *n.* Nervenentzündung

**neutron** *n.* Neutron

**never** *adv.* nie(mals); — **mind!** das macht nichts!

**nevertheless** *adv.* dennoch

**new** *adj.* neu, frisch; **New Year's Eve** Silvester(abend)

**newcomer** *n.* Ankömmling

**newfangled** *adj.* neumodisch

**newlywed** *n.* Neuvermählte

**newsboy** *n.* Zeitungsjunge

**newscast** *n.* Nachrichtensendung

**newsletter** *n.* Presserundschreiben

**newspaper** *n.* Zeitung

**newsprint** *n.* Zeitungspapier

**newsreel** *n.* Wochenschau

**newsstand** *n.* Zeitungsstand

**next** *adj.* nächst, folgend; — **door** nebenan; — **time** ein anderes Mal; — *adv.* gleich darauf

**nice** *adj.* nett, hübsch; fein, zierlich; **-ly** *adv.* nett, lieblich; genau; **-ty** *n.* Feinheit, Zierlichkeit; Genauigkeit

**nickel-plated** *adj.* vernickelt

**nickname** *n.* Spitzname

**niece** *n.* Nichte

**night** *n.* Nacht; Abend; — **club** Nachtklub; — **letter** verbilligtes Brieftelegramm (ausserhalb der Geschäftsstunden); **-ly** *adj.* nächtlich; **-ly** *adv.* jede Nacht

**nightcap** *n.* (coll.) Schlaftrunk

**nightgown** *n.* Nachthemd

**nightshirt** *n.* Nachthemd

**nimble** *adj.* flink, gewandt

**nine** *adj.* neun; **-teen** *adj.* neunzehn; **-teenth** *adj.* neunzehnt; **-tieth** *adj.* neunzigst; **-ty** *adj.* neunzig

**ninth** *n.* Neunte; Neuntel

**nipple** *n.* Brustwarze, Zitze

**nitrogen** *n.* Stickstoff

**no** *adv.* nein, nicht; — *adj.* kein; **by** — **means** durchaus nicht; **in** — **way** keineswegs; — **one** niemand, kein

**noble** *n.* Adlige; — *adj.* edel, vornehm; **-ness** *n.* Adel; Edelmut

**nobleman** *n.* Edelmann

**nobody** *pron.* niemand

**nod** *n.* Nicken, Wink

**noise** *n.* Lärm, Geräusch; **make** — lärmen; **-less** *adj.* geräuschlos

**noisy** *adj.* lärmend, geräuschvoll

**nominate** *v.* ernennen

**nomination** *n.* Ernennung

**nominee** *n.* Vorgeschlagene

**nonaggression** *n.* Nichtangriff

**noncombatant** *n.* Nichtkämpfer

**none** *pron.* kein, niemand

**nonintervention** *n.* Nichteinmischung

**nonpartisan** *adj.* unparteiisch

**nonpayment** *n.* Nicht(be)zahlung

**nonsense** *n.* Unsinn

**nonskid** *adj.* nicht rutschend

**nonstop** *adj.* ununterbrochen

**nook** *n.* Ecke, Winkel

**noon** *n.* Mittag

**nor** *conj.* noch; auch nicht; **neither . . . —** weder . . . noch

**north** *n.* Nord(en); — *adj.* and *adv.* nördlich

**nose** *n.* Nase; Schnauze

**nostalgia** *n.* Heimweh

**not** *adv.* nicht; **— any** gar kein; **— at all** keineswegs; **— even** nicht einmal

**notarize** *v.* notariell beglaubigen

**notation** *n.* Aufzeichnung

**notch** *n.* Kerbe, Einschnitt

**note** *n.* Notiz, Anmerkung; Note; Ruf, Ansehen; **take** — *pl.* sich Aufzeichnungen machen; — *v.* notieren, beachten

**notebook** *n.* Notizbuch

**nothing** *n.* Nichts; **— but** nichts als

**notice** *n.*, Notiz, Nachricht; **at a moment's —** jeden Augenblick; **at short —** kurzfristig; **give — (to)** kündigen; **until further —** bis auf weiteres; — *v.* bemerken, beachten; **-able** *adj.* bemerkbar

**notification** *n.* Anzeige

**notify** *v.* anzeigen; vorladen

**notion** *n.* Begriff, Idee

**notorious** *adj.* berüchtigt

**nought** *n.* Null, Nichts

**noun** *n.* Hauptwort

**nourish** *v.* (er)nähren; **-ment** *n.* Nahrung(smittel)

**novel** *n.* Roman; — *adj.* neu, ungewöhnlich; **-ist** *n.* Romanschriftsteller; **-ty** *n.* Neuheit

**novice** *n.* Novize; Neuling

**now** *adv.* nun, jetzt

**nowadays** *adv.* heutzutage

**nozzle** *n.* Düse; Mundstück

**nuclear** *adj.* **— fission** Kernspaltung

**nucleic acid** *n.* (phy.) Kernsäure

**nucleus** *n.* Kern

**nude** *adj.* nackt, bloss

**nuisance** *n.* Unfug

**numb** *adj.* starr; betäubt

**number** *n.* Zahl; Nummer; Menge; — *v.* numerieren; **-less** *adj.* zahllos

**numeral** *n.* Zahl; Ziffer

**numerator** *n.* Zähler

**numerous** *adj.* zahlreich

**nun** *n.* Nonne; **-nery** *n.* Nonnenkloster

**nurse** *n.* Schwester, Pflegerin; Kindermädchen; **-ry school** Kindergarten

**nursemaid** *n.* Kindermädchen

**nursing** *n.* Krankenpflege; Kinderpflege

**nurture** *v.* (er)nähren

**nut** *n.* Nuss; (mech.) Schraubenmutter; (coll.) **be -s** verrückt sein

**nutmeg** *n.* Muskatnuss

**nutrition** *n.* Ernährung

**nylon** *n.* Nylon

## O

**oak** *n.* Eiche; Eichenholz; **-en** *adj.* eichen

**oar** *n.* Ruder, Riemen

**oarsman** *n.* Ruderer

**oat** *n.* Hafer

**oath** *n.* Eid, Schwur

**oatmeal** *n.* Haferflocken; Haferschleim

**obedience** *n.* Gehorsam

**obedient** *adj.* gehorsam

**obey** *v.* gehorchen, befolgen

**obituary** *n.* Todesanzeige

**object** *n.* Gegenstand; Zweck; **-ive** *n.* (phot.) Objektiv; **-ive** *adj.* objektiv; sachlich

**object** *v.* Einspruch erheben; **-ion** *n.* Einwand,

Einspruch; **raise an –ion** einen Einwand erheben

**obligation** n. Verpflichtung

**obligatory** adj. verbindlich; erforderlich

**oblige** v. zwingen; verpflichten

**obliging** adj. gefällig, verbindlich

**oblique** adj. schräg, schief

**oblong** adj. länglich; — n. Rechteck

**observation** n. Beobachtung; — **car** Aussichtswagen

**observe** v. beobachten; bemerken

**observing** adj. aufmerksam

**obstacle** n. Hindernis

**obstetrician** n. Geburtshelfer

**obstruct** v. versperren; hemmen; **–ion** n. Hindernis, Hemmung

**obtain** v. bekommen, erhalten

**obvious** adj. klar, deutlich

**occasion** n. Gelegenheit, Veranlassung; — v. veranlassen; **–al** adj. gelegentlich

**occupant** n. Besitzer, Inhaber

**occupation** n. Beruf, Beschäftigung

**occupy** v. besitzen, einnehmen; bewohnen

**occur** v. geschehen, vorkommen; **–rence** n. Ereignis

**ocean** n. Ozean, Weltmeer; **–arium** Museum für Meereskunde; **–ography** n. Meereskunde

**octagon** n. Achteck; Oktagon

**octane** n. Oktan

**oculist** n. Augenarzt

**odd** adj. seltsam, sonderbar; **–ity** n. Seltsamkeit

**odious** adj. verhasst

**odo(u)r** n. Geruch; Duft

**of** prep. von, aus, über

**off** adv. ab, weg, fort; — **and on** ab und zu; —! interj. weg! **hands** —!

Hände weg!

**offend** v. beleidigen, ärgern; sich vergehen; **–er** n. Beleidiger; Missetäter

**offense** n. Beleidigung, Verstoss; **take** — übelnehmen

**offensive** n. Angriff; — — adj. angreifend; beleidigend

**offer** n. Angebot; Offerte; — v. offerieren, (an)bieten

**offertory** n. Kollekte

**offhand** adj. and adv. auf der Stelle, aus dem Stegreif; ungezwungen, frei

**office** n. Amt, Büro, Geschäft; Dienst, Pflicht; **–boy** Laufbursche; **–hours** Geschäftsstunden, Dienststunden; — **supplies** Büroartikel; **–r** n. Beamte; Offizier; Polizist

**official** n. Beamte

**oft(en)** adv. oft

**oil** n. Öl; Petroleum; **crude** — Rohpetroleum; — v. (ein)ölen, (ein)-schmieren; **–y** adj. ölig

**oilcloth** n. Wachstuch

**ointment** n. Salbe

**okay, o.k.** n. Zustimmung; — adj. richtig; — v. zustimmen; —! interj. stimmt! richtig!

**okra** n. Eibisch

**old** adj. alt, altbekannt

**old-age pension** n. Altersrente

**old-fashioned** adj. altmodisch

**omelet(te)** n. Eierkuchen

**omission** n. Auslassung

**omit** v. auslassen, unterlassen

**omnibus** adj. allumfassend

**on** prep. auf, an, zu; — adv. weiter; ferner; **and so** — und so weiter; — **and** — immer weiter

**once** adv. einmal, einst; **at** — (so)gleich, auf einmal; **for** — diesmal; — **more** noch einmal; — conj. sobald

**oncoming** adj. sich nähernd, herannahend

245

**one** *adj.* ein; — *pron.* ein; man; — **another** einander, sich; — **by** — einer nach dem anderen, einzeln

**oneself** *pron.* (man) selbst, sich; **by** — aus eigenem Antriebe

**one-way** *adj.* einbahnig; — **street** Einbahnstrasse; — **trip** einfache Fahrt

**onion** *n.* Zwiebel

**only** *adj.* einzig; — **yesterday** erst gestern; — *adv.* nur, bloss; allein

**onset** *n.* Angriff; Anfang

**onto** *prep.* nach; hinauf

**onward** *adv.* nach vorne, vorwärts

**opaque** *adj.* undurchsichtig

**open** *adj.* offen, auf; frei, geöffnet, öffentlich; — *v.* öffnen; eröffnen; **-ing** *n.* Öffnung; Eröffnung

**open-air** *adj.* Freilicht-

**opera** *n.* Oper; **-glass(es)** Opernglas

**operate** *v.* (com.) leiten, betreiben; (mech.) in Gang setzen (med.) operieren

**operation** *n.* Verfahren; (com.) Unternehmen; (mech.) Betrieb; (med. and mil.) Operation; **have an** — operiert werden

**operator** *n.* Wirkende; Maschinenarbeiter

**ophthalmologist** *n.* Augenarzt, Augenspezialist

**ophthalmoscope** *n.* Augenspiegel

**opinion** *n.* Meinung, Ansicht; **in my** — meiner Meinung nach; **public** — öffentliche Meinung

**opponent** *n.* Gegner

**opportunity** *n.* (günstige) Gelegenheit

**oppose** *v.* entgegensetzen

**opposite** *n.* Gegenteil, Gegensatz; — *adj.* gegenüberstehend

**opposition** *n.* Widerspruch

**optometrist** *n.* Optiker

**or** *conj.* oder; **either . . .** — entweder . . . oder

**orange** *n.* Apfelsine; — **juice** Orangensaft

**orator** *n.* Redner, Sprecher;

**-y** *n.* Redekunst

**orchard** *n.* Obstgarten

**ordain** *v.* ordinieren

**order** *n.* Befehl, Verordnung; Rang; (com.) Auftrag, Bestellung; **by** — **of** im Auftrag von; **in** — **to** um . . . zu, damit; **make to** — nach Mass machen; **out of** — in Unordnung; — *v.* befehlen; verordnen; (com.) bestellen; **-ly** *adj.* ordentlich

**ordinance** *n.* Verfügung

**ordinary** *adj.* gewöhnlich, üblich

**ore** *n.* Erz, Metall; — **deposit** Erzlager

**organ** *n.* Organ, Stimme; Werkzeug; (mus.) Orgel

**origin** *n.* Ursprung; Herkunft; **-al** *adj.* ursprünglich, originell

**ornament** *n.* Verzierung; — *v.* verzieren

**orphan** *n.* Waise; **-age** *n.* Waisenhaus

**orthodontics** *n.* Orthodontie

**orthodox** *adj.* orthodox, strenggläubig

**orthopedics** *n.* Orthopädie

**oscillator** *n.* (elec.) Schwingungserreger; (rad.) Frequenzgenerator

**ostrich** *n.* Strauss

**other** *adj.* ander; **each** — einander

**otherwise** *adv.* anders, sonst

**ought** *v.* sollte, müsste

**ounce** *n.* Unze

**our** *pron.* unser; **-s** *pron.* unsere

**oust** *v.* verdrängen, vertreiben

**out** *adv.* aus; draussen; nicht zu Hause; weg; nicht im Dienst; — *prep.* aus, draussen; —! *interj.* heraus! hinaus! fort! weg! — *n.* Aus; **-ing** *n.* Spaziergang, Ausflug

**outbreak** *n.* Ausbruch, Aufruhr

**outburst** *n.* Ausbruch

**outcast** *n.* Ausgestossene, Verbannte; — *adj.* ausgestossen; verbannt

PACK

**outcome** n. Ergebnis

**outdo** v. übertreffen, zuvortun

**outdoor** adj. ausser dem Haus; **-s** adv. draussen, im Freien

**outgoing** adj. — **mail** abgehende Post

**outlay** n. Auslage, Ausgabe

**outline** n. Umriss, Skizze; — v. entwerfen

**outlook** n. Ausblick, Aussicht

**out-of-date** adj. veraltet

**outpost** n. Vorposten

**output** n. Ausbeute, Ertrag; (com.) Produktion

**outrage** n. Gewalttätigkeit

**outset** n. Anfang, Beginn

**outskirts** n. pl. Grenze

**outspoken** adj. freimütig; offen

**outstanding** adj. hervorragend

**outwit** v. an Einsicht übertreffen; überlisten

**outworn** adj. abgenutzt

**ovary** n. Eierstock; (bot.) Fruchtknoten

**oven** n. Ofen

**over** prep. über; — adv. hinüber, herüber; darüber; übrig; **all** — überall; — **and** — (again) immer wieder; — **there** da (or dort) drüben; — adj. ober

**overage** adj. zu alt, veraltet

**over-all** adj. überall, allgemein

**overburden** v. überladen

**overcast** adj. bedeckt, bewölkt

**overcharge** v. überfordern

**overcoat** n. Überrock

**overcome** v. überwinden

**overcrowd** v. überfüllen

**overdo** v. übertreiben

**overdrive** n. Geschwindigkeitsregler

**overdue** adj. überfällig

**overestimate** v. überschätzen

**overexposure** n. Überbelichtung

**overhaul** v. völlig ausbessern

**overhead** n. Unkosten

**overhear** v. belauschen

**overkill** n. Overkill

**overlap** v. überragen; übereinanderliegen

**overlook** v. übersehen

**overpass** n. Übergang, Überführung

**overproduction** n. Produktionsüberschuss

**override** v. sich hinwegsetzen über

**overrule** v. zurückweisen

**oversee** v. beaufsichtigen

**oversight** n. Versehen

**overstep** v. überschreiten

**oversupply** n. Überfluss

**overtake** v. einholen, überholen

**overthrow** n. Umsturz; — v. umstürzen

**overtime** n. Überstunden

**overturn** v. umwerfen

**overview** n. Überblick, Übersicht; Inspektion

**overweight** n. Übergewicht

**overwhelm** v. überwältigen

**overwork** n. Überarbeitung; — v. (sich) überarbeiten

**owe** v. schuldig sein

**owl** n. Eule; Kauz

**own** adj. eigen; einzig; — v. besitzen; **-er** n. Besitzer, Inhaber; **-ership** n. Eigentum(srecht); Besitz

**ox** n. Ochse

**oxalic acid** n. Oxalsäure

**oxide** n. Oxyd

**oxygen** n. Sauerstoff; — **tent** Sauerstoffzelt

**oyster** n. Auster

# P

**pace** n. Schritt, Tritt; Gang

**pacemaker** n. Herzschrittmacher

**pacifist** n. Pazifist

**pacify** v. beruhigen

**pack** n. Pack, Paket; Bürde; Meute, Rudel; Bande; (cards) Spiel; — **train**

247

PACT

Lastzug; — v. (zusammen) packen; — up einpacken; **–age** n. Paket

**pact** n. Vertrag, Pakt

**pad** n. Kissen, Polster

**padlock** n. Vorhängeschloss

**pagan** n. Heide; — adj. heidnisch

**page** n. Page; Botenjunge; Blatt, Seite

**pageant** n. Festspiel, Aufzug; **–ry** n. Prunkaufzug

**pail** n. Eimer, Kübel

**pain** n. Schmerz, Pein; pl. Mühe; — v. Schmerz verursachen; **–ful** adj. schmerzhaft; **–less** adj. schmerzlos

**painstaking** adj. peinlich, sorgfältig

**paint** n. Farbe; Anstrich; — v. malen; anstreichen

**pair** n. Paar; — v. (sich) paaren

**pajamas** n. pl. Pyjama, Schlafanzug

**pal** n. Gefährte, Kamerad

**palace** n. Palast

**palate** n. Gaumen

**pale** adj. bleich, blass; **–ness** n. Blässe, Farblosigkeit

**pallbearer** n. Bahrtuchhalter

**palm** n. Handfläche; (bot.) Palme, Palmbaum

**palpitation** n. Herzklopfen

**palsy** n. Lähmung, Gicht

**paltry** adj. armselig

**pamphlet** n. Broschüre

**pan** n. Pfanne, Tiegel

**pane** n. Scheibe, Platte; Fach

**panel** n. (arch.) Füllung, Fach; Tafel; (fig.) Sachverständigengruppe; **–discussion** Sachverständigengespräch

**panic-stricken** adj. von Schrecken ergriffen (or gelähmt)

**pansy** n. Stiefmütterchen

**pant** n. Keuchen; pl. Hosen; — v. keuchen; **–ies** n. pl. Schlüpfer

**pantry** n. Speisekammer

**papacy** n. Papsttum

**papal** adj. päpstlich

**paper** n. Papier; Zeitung; Vorlesung; (educ.) schriftliche Arbeit; pl. Briefschaften, Dokumente; **carbon** — Kohlepapier; **–clip** Büroklammer; — v. tapezieren

**par** n. gleicher Wert; Pari

**parable** n. Parabel, Gleichnis

**parachute** n. Fallschirm

**parakeet** n. Wellensittich

**paralysis** n. Lähmung; **infantile** — Kinderlähmung

**paralytic** n. Paralytiker; — adj. paralytisch

**paralyze** v. lähmen

**parasol** n. Sonnenschirm

**parboil** v. ankochen; schmoren

**parcel** n. Paket; Teil, Stück

**pardon** n. Verzeihung, Vergebung; — v. entschuldigen, vergeben

**pare** v. schälen

**parent** n. Vater, Mutter; pl. Eltern; **–age** n. Familie, Abstammung; **–al** adj. elterlich; **–hood** n. Elternschaft

**parings** n. pl. Schale, Späne

**parity** n. Gleichberechtigung

**park** n. Park, Anlage(n); — v. parken; **–ing** n. Parken; **–ing meter** Parkuhr; **–ing place** Parkplatz

**parlor** n. Salon; Gastzimmer; **funeral** — Begräbnishalle; — **car** Salonwagen

**parochial** adj. Pfarr-, Gemeinde-

**parrot** n. Papagei

**parsley** n. Petersilie

**parson** n. Pfarrer, Pastor; **–age** n. Pfarrhaus

**part** n. Teil, Anteil; (hair) Scheitel; (mus.) Stimme, Partie; (theat.) Rolle; **do one's** — seine Schuldigkeit tun; **for my** — meinerseits; **for the most** — grösstenteils; **in** — teilweise; **take** — in teilnehmen an; — **payment**

Teilzahlung; — v. (sich) trennen; (hair) scheitern; **-ing** n. Trennung, Abschied; Teilung; Scheiteln; **-ly** adv. teils, zum Teil

**partake** v. teilhaben, teilnehmen; mitessen

**partial** adj. teilweise; parteiisch; **-ity** n. Parteilichkeit

**participation** n. Teilnahme

**particular** adj. besonder

**partition** n. Teilung; (arch.) Scheidewand

**partner** n. Partner, Teilhaber, Teilnehmer

**partridge** n. Rebhuhn

**part-time job** n. Nebenbeschäftigung

**party** n. Partei; Gesellschaft; Partie

**pass** n. Pass; Zugang; Reisepass; (mil.) Urlaubsschein; — v. (vorüber) gehen; überholen; passieren; (cards) passen; — **away** sterben; — **for** gelten für; — **out** ohnmächtig werden; **-able** adj. leidlich; **-age** n. Korridor, Gang

**passer-by** n. Vorübergehende

**passion** n. Leidenschaft, Liebe; Wut; **-ate** adj. leidenschaftlich

**passkey** n. Hauptschlüssel

**Passover** n. Passah(fest)

**passport** n. Pass, Reisepass

**past** n. Vergangenheit; — adj. vergangen; — prep. vorbei an; **a quarter — nine** viertel Zehn, Viertel nach Neun; **at half — seven** um halb acht

**paste** n. Kleister, Klebstoff

**pasteboard** n. Pappdeckel

**pastime** n. Zeitvertreib

**pastry** n. Gebäck; Pastete; — **shop** Konditorei

**pat** n. Schlag, Klaps; **stand — seinen** Standpunkt verteidigen; — v. tappen, patschen, tätscheln; — **on the back** beglückwünschen

**patch** n. Flicken, Lappen; — v. flicken, ausbessern

**patent** n. Patent, Freibrief; — adj. offen(bar); — **medicine** Markenmedizin; — v. patentieren

**paternal** adj. väterlich

**path** n. Pfad, Weg

**patience** n. Geduld

**patient** n. Patient, Kranke; — adj. geduldig

**patron** n. Schutzherr; Gönner; Kunde; **— age** n. Gönnerschaft; Schutz

**pattern** n. Muster, Modell; Vorbild

**pauper** n. Arme

**pause** n. Pause, Unterbrechung; — v. pausieren, innehalten

**pave** v. pflastern; **-ment** n. Pflaster(ung)

**paw** n. Pfote, Klaue, Tatze

**pawnshop** n. Pfandleihe

**pay** n. Zahlung, Bezahlung; Lohn, Gehalt; — v. (be)-zahlen, auszahlen; belohnen; **-able** adj. zahlbar; fällig, **ment in advance** Vorauszahlung

**payload** n. Kargo; Ladekapazität; Nutzlast

**paymaster** n. Zahlmeister

**payoff** n. Höhepunkt, Ergebnis; Auszahlung

**pea** n. Erbse

**peace** n. Friede(n), Sicherheit, Ruhe; **-able** adj. friedfertig; **-ful** adj. friedlich

**Peace Corps** Friedenskorps

**peach** n. Pfirsich

**peacock** n. Pfau

**peak** n. Spitze, Gipfel

**peanut** n. Erdnuss

**pear** n. Birne

**pearl** n. Perle

**peasant** n. Bauer, Landmann

**peat** n. Torf

**pebble** n. Kiesel(stein)

**peck** n. Viertelscheffel

**peculiar** adj. eigentümlich, besonder

**pedestrian** n. Fussgänger

**peek** n. Blick, Blinzeln; — v. spähen, blinzeln

**peel** n. Schale, Rinde; — v. (ab)schälen

**peep** n. heimlicher Blick

**peg** n. Pflock, Holznagel
**pen** n. Feder; Hürde
**penal** adj. Straf-, strafbar; **-ize** v. strafen
**penance** n. Busse, Büssung
**pencil** n. Bleistift; **— sharpener** Bleistiftanspitzer
**penicillin** n. Penicillin
**peninsula** n. Halbinsel
**pennant** n. Wimpel, Fähnchen
**penny** n. Penny; Pfennig
**penology** n. Kriminal-, Strafrechtswissenschaft
**pension** n. Pension, Rente; **—** v. pensionieren; **-er** n. Pensionär
**penthouse** n. Luxuswohnung im obersten Stock
**peony** n. Päonie
**people** n. Volk, Nation; Leute, Menschen; **—** v. bevölkern
**pep** n. Energie, Mut; **— talk** anfeuernde Rede
**pepper** n. Pfeffer; **—** v. pfeffern
**peppermint** n. Pfefferminz(e); **— drops** Pfefferminzplätzchen
**perceive** v. (be)merken, wahrnehmen
**percentage** n. Prozentsatz
**perceptible** adj. bemerkbar
**perch** n. Stange; (ichth.) Barsch; **—** v. sitzen
**perchance** adv. vielleicht
**perfect** adj. vollkommen; **—** v. vervollkommnen; **-ion** n. Vollkommenheit
**perforate** v. durchlöchern
**perform** v. vollziehen; verrichten; (mus. and theat.) spielen, vortragen; aufführen; **-ance** n. Verrichtung; (mus. and theat.) Spiel, Vortrag; Aufführung; Vorstellung
**perhaps** adv. vielleicht
**pericardium** n. Herzbeutel
**perigee** n. (ast.) Erdnähe
**peril** n. Gefahr; **-ous** adj. gefährlich, gefahrvoll
**perimeter** n. Umfang; Umkreis
**period** n. Periode, Zeit-

raum; (typ.) Punkt
**perish** v. umkommen; **-able** adj. vergänglich
**peritonitis** n. Bauchfellentzündung
**perjury** n. Meineid
**perk** v. **— up** sich aufmuntern; **up one's ears** die Ohren spitzen
**permanent** adj. dauernd; **— wave** Dauerwelle
**permissible** adj. zulässig
**permission** n. Erlaubnis
**permissive** adj. gestattend
**permit** n. Erlaubnisschein, Passierschein; **—** v. erlauben, gestatten
**peroxide** n. Superoxyd; **— blonde** Wasserstoffblondine
**perpetual** adj. beständig
**persecute** v. verfolgen
**persecution** n. Verfolgung
**perseverance** n. Beharrlichkeit; Ausdauer
**persist** v. beharren, verharren; **-ence** n., **-ency** n. Beharrlichkeit; Dauer; **-ent** adj. beharrlich
**person** n. Person, Mensch; **-able** adj. hübsch, ansehnlich; **-al** adj. persönlich; **-nel** n. Personal
**perspiration** n. Schweiss
**persuade** v. überzeugen, überreden
**persuasion** n. Überzeugung, Überredung
**pertain** v. betreffen
**pervade** v. durchdringen
**pest** n. Pest, Seuche; **-er** v. belästigen
**pestle** n. Mörserkeule; Stössel
**pet** n. Liebling, Lieblingstier; **— name** Kosename; **—** v. (ver)hätscheln
**petal** n. Blumenblatt
**petition** n. Bitte, Gesuch; **—** v. bitten, ersuchen
**petrol** n. Benzin; **-eum** n. Petroleum, Erdöl; **-eum** adj. **-eum jelly** Vaseline
**petticoat** n. Unterrock
**petty** adj. klein, geringfügig; **— cash** Portokasse
**pew** n. Kirchenstuhl
**phantom** n. Gespenst

**pharmacist** *n.* Apotheker
**pharmacy** *n.* Apotheke
**phase** *n.* Phase, Wandlung
**pheasant** *n.* Fasan
**philander** *v.* eine Liebelei haben
**philatelist** *n.* Philatelist, Briefmarkensammler
**philosopher** *n.* Philosoph
**philosophic(al)** *adj.* philosophisch
**philosophy** *n.* Philosophie
**phlegm** *n.* Schleim; **-atic** *adj.* phlegmatisch
**phone** *n.* Telefon
**phonograph** *n.* Grammofon
**photo** *n.* Foto; — **finish** Sieg durch Zielfotografie; **-genic** *adj.* fotogen
**photoengraving** *n.* Hochdruckätzung
**photograph** *n.* Fotografie; — *v.* fotografieren
**photogravure** *n.* Lichtkupferätzung
**photoplay** *n.* Filmdrama
**photostat** *n.* Fotostat
**physic** *n.* Arznei; Abführmittel; **-al** *adj.* körperlich; **-al education** körperliche Ausbildung; **-ian** *n.* Arzt; **attending -ian** behandelnder Arzt; **-ist** *n.* Physiker; **-s** *n.* Physik, Naturlehre
**physique** *n.* Figur, Körperbau
**pianist** *n.* Pianist
**piano** *n.* Klavier, Piano; **grand** — Flügel
**piccolo** *n.* Piccoloflöte
**pick** *n.* Picke, Spitzhacke; (fig.) Auswahl; — *v.* picken, hacken, aussuchen; pflücken
**pickax(e)** *n.* Picke, Spitzhacke
**picket** *n.* Pfahl, Pflock; Streikposten; — **fence** Pfahlzaun; — *v.* Streikposten stehen
**pickle** *n.* Essiggurke
**pickpocket** *n.* Taschendieb
**pickup** *n.* Beschleunigung; (phonograph) Tonarm; (truck) offener Liefer-

wagen
**pictorial** *adj.* illustriert
**picture** *n.* Bild(nis), Gemälde; — **puzzle** Vexierbild; — **window** Bildfenster; — *v.* malen, abbilden; beschreiben
**pie** *n.* Pastete
**piece** *n.* Stück; (chess) Figur; **give someone a — of one's mind** jemand die Meinung sagen; — *v.* ausbessern, ansetzen
**piecemeal** *adv.* stückweise
**piecework** *n.* Akkordarbeit
**pier** *n.* Landungsplatz, Hafendamm, Mole
**pierce** *v.* durchstechen, durchbohren, eindringen
**piercing** *adj.* durchdringend; scharf
**piety** *n.* Frömmigkeit
**pig** *n.* Schwein, Ferkel
**pigeon** *n.* Taube; **homing —** Brieftaube
**pigeonhole** *n.* (fig.) kleines Schreibtischfach
**pigtail** *n.* Schweineschwanz; Zopf
**pile** *n.* Haufen; Pfahl; (elec.) galvanische Säule; *pl.* Hämorrhoiden; — **driver** Ramme; — *v.* aufschichten
**pilgrim** *n.* Pilger, Wallfahrer
**pill** *n.* Pille
**pillar** *n.* Pfeiler, Träger, Säule
**pillow** *n.* Kopfkissen, Kissen
**pilot** *n.* (avi.) Pilot, Flieger (naut.) Lotse, Steuermann; — **burner** Sparbrenner; — **light** Kontrollampe; — *v.* (avi.) fliegen; (naut.) lotsen, steuern
**pin** *n.* Nadel; (bowling) Kegel; (mech.) Stift, Pflock; **safety** — Sicherheitsnadel; — *v.* anstecken
**pinafore** *n.* Kinderschürze
**pincers** *n. pl.* Kneifzange
**pinch** *n.* Kneifen; Prise; (coll.) Klemme; — *v.* kneifen, zwicken, klem-

men

**pine** *n.* Kiefer, Föhre; — *v.* sich abhärmen

**pineapple** *n.* Ananas

**pinpoint** *v.* präzise angreifen (*or* festlegen)

**pint** *n.* Pinte (0,57 Liter)

**pin-up** *n.* Schönheitsfotografie

**pious** *adj.* fromm

**pipe** *n.* Rohr; Röhre; Tabakspfeife

**pipeline** *n.* Rohrnetz; Leitungsnetz

**pique** *n.* Groll; — *v.* beleidigen, kränken, reizen

**piracy** *n.* Seeräuberei

**pirate** *n.* Pirat, Seeräuber

**pistil** *n.* Stempel, Griffel

**pistol** *n.* Pistole

**piston** *n.* (mech.) Kolben; **—rod** Kolbenstange

**pit** *n.* Grube, Höhle; (bot.) Stein; (theat.) Parterre

**pitch** *n.* (chem.) Pech; (mech.) Zahneinteilung; Schraubenganghöhe; **—er** *n.* Krug; (baseball) Werfer

**pitchfork** *n.* Heugabel

**pitiful** *adj.* mitleiderregend; erbärmlich

**pitiless** *adj.* mitleidslos

**pity** *n.* Mitleid, Erbarmen; — *v.* bemitleiden, bedauern

**pivot** *n.* Zapfen, Angel

**placard** *n.* Plakat

**place** *n.* Platz; Stätte, Ort; Stadt; Stellung; (theat.) Sitz; — *v.* stellen, setzen, legen; **—ment** *n.* Unterbringung

**plague** *n.* Pest, Seuche; Plage; — *v.* heimsuchen, plagen

**plain** *adj.* einfach, schlicht; deutlich, klar; **—** *n.* Ebene, Prärie; **—ness** *n.* Einfachheit; Klarheit

**plait** *n.* Falte; Flechte; Zopf

**plan** *n.* Plan, Entwurf; — *v.* planen

**plane** *n.* Ebene, Fläche; (mech.) Hobel; Flugzeug; — *v.* hobeln; ebnen, glätten; — *adj.* flach, eben

**plank** *n.* Planke, Bohle

**plant** *n.* Pflanze, Gewächs; (com.) Betriebsanlage, Fabrik; — *v.* (an)pflanzen; anlegen, ansiedeln

**plaster** *n.* Gips, Stuck; Bewurf; — *v.* bewerfen, tünchen; **sticking —** Heftpflaster; **— cast** Gipsverband; **—er** *n.* Stukkateur; **—ing** *n.* Stuck

**plate** *n.* Platte, Tafel; Teller; — *v.* plattieren, versilbern; **— glass** Tafelglas, Spiegelglas

**platform** *n.* Tribüne; (rail.) Bahnsteig

**platter** *n.* grosse, flache Schüssel

**play** *n.* Spiel(erei); Spielraum; (mech.) Gang; (theat.) Schauspiel; — *v.* spielen; tändeln; (cards) ausspielen; (theat.) aufführen; darstellen

**playboy** *n.* Playboy

**playpen** *n.* Laufstall

**playhouse** *n.* Schauspielhaus

**playwright** *n.* Dramatiker

**pleasant** *adj.* angenehm; vergnügt, heiter; **—ry** *n.* Munterkeit, Fröhlichkeit; Scherz, Witz

**please** *v.* belieben; (jemandem) gefallen, angenehm sein, befriedigen; **do as you —** mach, was Du willst; **if you —** bitte

**pleasing** *adj.* gefällig, angenehm

**pleasure** *n.* Vergnügen

**pleat** *n.* Falte; Flechte

**plenteous, plentiful** *adj.* voll, reichlich

**plenty** *n.* Fülle, Überfluss; — *adj.* reichlich

**pleurisy** *n.* Rippenfellentzündung

**pliers** *n. pl.* Drahtzange

**plot** *n.* Parzelle, Flecken; Grundriss; Verschwörung; — *v.* entwerfen, planen; anzetteln; sich verschwören

**plow, plough** *n.* Pflug; — *v.* pflügen

**plowshare** *n.* Pflugschar

**pluck** v. pflücken, zupfen

**plug** n. Pflock, Pfropfen; Zapfen; Stöpsel; (elec.) Stecker; Steckdose; **spark —** Zündkerze; **water —** Wasserhahn; — v. verstopfen, zustopfen

**plum** n. Pflaume, Zwetschge

**plumb** n. Lot, Senkblei; — adj. lotrecht, senkrecht, gerade; **-er** n. Klempner

**plump** adj. plump, drall, feist; derb, grob

**plunge** n. Untertauchen, Bad; Sturz, Sprung; — v. (unter)tauchen; fallen, stürzen, sinken

**plywood** n. Sperrholz

**pneumonia** n. Lungenentzündung

**pocket** n. Tasche, Beutel

**poem** n. Gedicht, Dichtung

**poet** n. Poet, Dichter

**point** n. Punkt; Spitze; Frage, Sache; Pointe; **boiling —** Siedepunkt; **come to the —** zur Sache kommen; **decimal —** Komma; Dezimalstelle; **freezing —** Gefrierpunkt; **get the —** die Sache verstehen (or begreifen); **— of order** Punkt der Geschäftsordnung; **— of view** Gesichtspunkt; **that's the —** das ist es, darum geht es; — v. punktieren; spitzen, schärfen; zeigen; **-ed** adj. spitz; **-er** n. Zeiger, Weiser; Zeigestock

**point-blank** adv. rundweg

**poison** n. Gift; Gifttrank; — v. vergiften; **-ous** adj. giftig

**poke** n. Schlag, Stoss; — v. stossen; stochern, stöbern; **— fun** at sich lustig machen über; **-r** n. Feuerhaken, Schüreisen

**pole** n. Pfahl, Pfosten, Stange; **— vault** Stabhochsprung

**police** n. Polizei; **— court** Polizeigericht

**policeman** n. Polizist

**policewoman** n. Polizistin

**policy** n. Politik; Police;

**insurance —** Versicherungspolice

**polio(myelitis)** n. Poliomyelitis, spinale Kinderlähmung

**polish** n. Politur; Polieren; (fig.) Schliff; — v. polieren, glätten; (fig.) verfeinern

**polite** adj. höflich; **-ness** n. Höflichkeit

**political** adj. politisch; **— economy** Volkswirtschaft; **— science** Staatswissenschaft

**politician** n. Staatsmann, Politiker

**politics** n. (pl.) Politik

**poll** n. Wahl; pl. Wahllisten; Wahllokal

**pollen** n. Blütenstaub

**pollination** n. Bestäubung

**pollute** v. verunreinigen

**pollution** v. Verunreinigung; Entweihung

**polygamy** n. Polygamie, Mehrehe

**polygraph** n. Lügendetektor, Polygraph

**pomp** n. Pomp, Gepränge; **-ous** adj. pompös, prunkvoll

**pond** n. Teich, Weiher

**ponder** v. erwägen, überlegen; **-ous** adj. schwer, gewichtig

**pontiff** n. Pontifex, Papst

**poodle** n. Pudel

**pool** n. Pfuhl, Teich; (billiards) Poule(spiel)

**poolroom** n. Billardzimmer

**poor** adj. arm, (be)dürftig; schlecht; **— farm** Armenkolonie

**pop** n. Knall; — v. knallen, puffen; **— off** entwischen; **— goes the weasel!** weg war es!

**popcorn** n. Puffmais

**pope** n. Papst

**poplar** n. Pappel

**poppy** n. Mohn

**popular** adj. populär, volkstümlich

**populate** v. bevölkern

**population** n. Bevölkerung

**porch** n. Vorhalle; Veranda

**porcupine** *n.* Stachelschwein
**pork** *n.* Schweinefleisch;
— **sausage** Bratwurst
**porous** *adj.* porös, löcherig
**porpoise** *n.* Tümmler, Meerschwein
**port** *n.* Hafen; Portwein
**portable** *adj.* tragbar; — **typewriter** Reiseschreibmaschine
**porter** *n.* Portier, Pförtner; Träger
**porterhouse steak** *n.* Ochsenrostbraten
**portfolio** *n.* Mappe
**portion** *n.* Portion, Anteil; Ration; — *v.* (ver)teilen
**portray** *v.* (ab)malen, schildern
**position** *n.* Stellung, Stand, Lage; Behauptung
**posse** *n.* bewaffnete Schar
**possess** *v.* besitzen; beherrschen; **-ion** *n.* Besitz; **-or** *n.* Besitzer, Eigentümer
**possibility** *n.* Möglichkeit
**possible** *adj.* möglich
**post** *n.* Post; Botschaft; (arch.) Pfosten; (com.) Stelle, Posten; — **office** Postamt; — *v.* zur Post geben, — **no bills!** Plakate ankleben verboten! **-age** *n.* Porto; **-age stamp** Briefmarke
**post:** **-erior** *adj.* nachkommend, später; **-erity** *n.* Nachkommenschaft; Nachwelt; **-pone** *v.* aufschieben; **-ponement** *n.* Aufschub, Verzug; **-humous** nachgeboren, hinterlassen; **-ure** *n.* Haltung
**postman** *n.* Briefträger
**postmark** *n.* Poststempel
**post-mortem** *n.* Leichenschau
**post-office box** *n.* Postfach
**postpaid** *adj.* frankiert
**postscript** *n.* Nachschrift
**pot** *n.* Topf, Tiegel; Kanne; — **roast** Schmorfleisch; **-ter** *n.* Töpfer; **-tery** *n.* Tongeschirr; Töpferei
**potato** *n.* Kartoffel, Erdapfel

**potency** *n.* Kraft; Potenz
**potent** *adj.* mächtig, stark; **-ate** *n.* Machthaber
**pouch** *n.* Beutel, Tasche
**poultry** *n.* Geflügel
**pounce** *n.* Stoss, Sprung; — *v.* sich stürzen auf
**pound** *n.* Pfund; Einzäunung; — **sterling** englisches Pfund (20 shillings); — *v.* zerstampfen, zerstossen
**pour** *v.* giessen, schütten; strömen, rinnen
**pout** *v.* schmollen
**poverty** *n.* Armut, Mangel
**powder** *n.* Pulver, Puder; — **case** Puderdose; —
**puff** Puderquaste; — *v.* pulverisieren; (sich) pudern; **-ed** *adj.* pulverisiert; gepudert
**power** *n.* Kraft, Macht; (math.) Potenz
**powerhouse** *n.* Kraftwerk
**pox** *n.* Syphilis; **chicken** — Windpocken; **cow** — Kuhpocken; **small** — Pocken, Blattern
**practical** *adj.* praktisch
**practice** *n.* Praxis, Ausübung; Anwendung; Brauch; Übung, Training
**practise** *v.* betreiben; üben
**practitioner** *n.* Praktiker
**praise** *n.* Preis, Lob; — *v.* preisen, loben
**prank** *n.* Possen, Streich
**pray** *v.* beten; **-er** *n.* Gebet; **the Lord's Prayer** das Vaterunser
**preach** *v.* predigen
**preamble** *n.* Einleitung
**prearrange** *v.* vorher anordnen
**precaution** *n.* Vorsicht
**precede** *v.* vor(an)gehen
**preceding** *adj.* vorhergehend
**precept** *n.* Vorschrift, Regel
**precinct** *n.* Distrikt, Bezirk
**precious** *adj.* kostbar, teuer; — **stone** Edelstein
**precipice** *n.* Klippe, Abgrund
**precise** *adj.* präzis; genau
**predecessor** *n.* Vorgänger
**predicament** *n.* Verlegen-

heit
**predict** v. vorhersagen; **–ion** n. Prophezeiung
**prefabricate** v. vorarbeiten, vorher fertigstellen; **–d** adj. vorgearbeitet, (arch.) serienweise hergestellt
**preface** n. Vorrede
**prefer** v. vorziehen; **–able** adj. vorzuziehend; **–red** adj. bevorzugt; **–red stock** Prioritätsaktien
**pregnant** adj. schwanger
**prejudice** n. Voreingenommenheit, Vorurteil
**prelate** n. Prälat
**prelude** n. Vorspiel
**premature** adj. frühreif; (fig.) vorschnell
**premise** n. Voraussetzung
**premium** n. Prämie, Preis
**prepaid** adj. vorher bezahlt
**preparation** n. Vorbereitung
**preparatory** adj. vorbereitend
**prepare** v. vorbereiten
**prerogative** n. Vorrecht
**prescribe** v. vorschreiben
**prescription** n. Vorschrift; (med.) Rezept
**presence** n. Gegenwart; **— of mind** Geistesgegenwart
**present** n. Geschenk; **for the —** vorläufig; **—** adj. gegenwärtig, anwesend; **— v.** vorstellen, vorführen; schenken, geben; (theat.) darbieten; **–able** adj. vorstellbar, präsentierbar; **–ation** n. Darstellung, Vorstellung
**present-day** adj. heutig
**preservation** n. Erhaltung
**preside** v. präsidieren; **–ncy** n. Präsidium; **–nt** n. Präsident; Vorsitzende
**press** n. Gedränge, Andrang; Presse, Kelter; Zeitungswesen, Journalismus; **— v.** pressen, drücken; (be)drängen; **–ure** n. Druck, Spannung; **–ure cooker** Dampfkochtopf; **–ure gauge** Druckmesser
**presswork** n. Druckarbeit
**presume** v. annehmen,

wagen
**presumption** n. Vermutung; Anmassung
**presuppose** v. voraussetzen
**pretend** v. vorgeben
**pretty** adj. hübsch, niedlich
**prevent** v. zuvorkommen, verhindern
**preview** n. Vorschau
**previous** adj. vorhergehend
**prey** n. Raub, Beute
**price** n. Preis; Lohn; **cost — Einkaufspreis; fixed — fester Preis; sale —** Verkaufspreis
**pride** n. Stolz; Hochmut; **take — in** auf etwas stolz sein; **— v. — oneself on** sich brüsten mit
**priest** n. Priester, Geistliche; **–hood** n. Priesteramt; Priesterschaft
**prime** n. Anfang, Ursprung; **—** adj. erst, vorzüglichst; **–r** n. Fibel, Abobuch
**prince** n. Prinz, Fürst; **— consort** Prinzgemahl
**principle** n. Prinzip, Grundsatz
**print** n. Druck; Kopie; (phot.) Abzug; **in —** im Druck; **out of —** vergriffen; **— v.** (ab)drukken; (phot.) abziehen; **–ed** adj. gedruckt; **–ed matter** Drucksache; **–er** n. Drucker
**printshop** n. Druckerei
**prior** n. Prior; **—** adj. früher; **—** adv. **— to** vor; **–ity** n. Vorrang
**prism** n. Prisma
**prison** n. Gefängnis, Kerker
**privacy** n. Zurückgezogenheit
**private** n. (mil.) Gemeine; **in —** unter vier Augen; **—** adj. privat; geheim
**privilege** n. Vorrecht
**prize** n. Preis, Prämie; **— fight** Ringkampf; **— question** Preisfrage
**prizefighter** n. Berufsboxer, Berufsringer

**probability** n. Wahrscheinlichkeit
**probable** adj. wahrscheinlich
**procedure** n. Verfahren
**proceed** v. vor(wärts)gehen, fortfahren; –ing n. Verfahren; –ings pl. Rechtsverfahren; Protokolle; –s n. pl. Ertrag, Gewinn; gross –s Bruttoertrag; net –s Reinertrag
**process** n. Prozess; Verlauf; (chem. and law) Verfahren; (phot.) Entwicklung; — v. prozessieren; behandeln; –ion n. Prozession, Umzug
**proclaim** v. verkünden
**prod** v. stechen; anspornen
**prodigal** n. Verschwender; — adj. verschwenderisch; the — son (bibl.) der verlorene Sohn
**produce** n. Erzeugnis, Produkt; — v. produzieren, erzeugen; –r n. (theat.) Regisseur
**product** n. Produkt, Werk
**profane** adj. profan, weltlich; gottlos, lästerlich
**profess** v. bekennen; behaupten; –edly adv. ausgesprochen; –ion n. Beruf, Handwerk; Bekenntnis
**profit** n. Gewinn, Nutzen
**profusion** n. Überfluss
**program** n. Programm; — v. programmieren; –er n. Programmierer
**progress** n. Fortschritt; — v. fortschreiten; –ive adj. forschreitend, zunehmend
**prohibit** v. verbieten; –ion n. Prohibition; Verbot
**project** n. Projekt, Plan; — v. vorspringen; –ile n. Geschoss; –ion n. Entwurf; –or n. (film) Projektionsapparat
**prolong** v. verlängern
**prominent** adj. hervorragend
**promise** n. Versprechen; — v. versprechen
**promote** v. (be)fördern
**promotion** n. Förderung
**prong** n. Spitze; Zacke

**pronounce** v. aussprechen
**pronunciation** n. Aussprache
**proof** n. Beweis, Probe
**proofread** v. Korrektur lesen
**propel** v. vorwärtstreiben; –ler n. Propeller
**proper** adj. eigen; geeignet; anständig
**property** n. Eigentum, Vermögen; Eigenschaft
**proportion** n. Proportion, Verhältnis; — v. –al adj. verhältnismässig
**proposal** n. Vorschlag; Heiratsantrag
**propose** v. vorschlagen
**proposition** n. Vorschlag
**proprietor** n. Eigentümer
**propulsion** n. Antrieb
**prospect** n. Ansicht; Aussicht; –ive adj. zukünftig; –or n. Goldgräber; (fig.) Spekulant; –us n. Prospekt
**prosper** v. gedeihen; –ity n. Wohlstand; –ous adj. glücklich
**protect** v. (be)schützen, sichern; –ion n. Schutz; –ive adj. schützend
**protein** n. Protein, Eiweisstoff
**protest** n. Protest, Einspruch; — v. protestieren
**Protestant** n. Protestant
**protoplasm** n. Protoplasma
**proud** adj. stolz; trotzig
**prove** v. prüfen, beweisen
**proverb** n. Sprichwort; –ial adj. sprichwörtlich
**provide** v. anschaffen; besorgen; –ed conj. –ed that vorausgesetzt, dass; –nce n. Vorsehung; –nt adj. fürsorglich; haushälterisch; –ntial adj. glücklich; –r n. Versorger
**province** n. Provinz; Bezirk
**provision** n. Vorrat; pl. Nahrungsmittel; –al adj. vorläufig
**provoke** v. herausfordern
**provoking** adj. herausfordernd
**prow** n. Bug
**prowl** v. herumstöbern; –er

*n.* Einbrecher
**prudence** *n.* Klugheit
**prudent** *adj.* klug, vorsichtig
**prune** *n.* Backpflaume; — *v.* stutzen, beschneiden
**pry** *v.* spähen, gucken
**psychedelic** *adj.* psychedelisch
**psychiatrist** *n.* Psychiater
**psychoanalyze** *v.* psychoanalytisch behandeln
**psychologist** *n.* Psychologe
**public** *n.* Publikum; Öffentlichkeit; **in** — vor aller Welt; **make** — öffentlich bekanntmachen; — *adj.* öffentlich; — **debt** Staatsschuld; — **library** Volksbücherei; — **official** Staatsbeamte; — **relations** Meinungsforschung; — **works** öffentliche Bauten; -**ation** *n.* Herausgabe; Bekanntmachung
**publish** *v.* veröffentlichen; verlegen; -**er** *n.* Verleger; -**ing company** Verlag(sgesellschaft); -**ing house** Verlag(shaus)
**puddle** *n.* Pfuhl, Pfütze
**puff** *n.* Hauch, Windstoss; **powder** — Puderquaste; — *v.* blasen; paffen
**pull** *n.* Ziehen, Reissen; Zug, Ruck, (pol.) Einfluss; — *v.* ziehen, reissen
**pulley** *n.* Flaschenzug
**pulp** *n.* Fruchtmark
**pulpit** *n.* Kanzel, Katheder
**pulpwood** *n.* Holz zur Papierbereitung
**pulse** *n.* Puls(schlag)
**pulsejet** *n.* Antriebsrakete; — **engine** Raketenmotor
**pump** *n.* Pumpe; — *v.* (aus)pumpen; (coll.) ausforschen
**pumpkin** *n.* Kürbis
**punch** *n.* Puff, Stoss, Schlag; (beverage) Punsch; (mech.) Locheisen; **Punch** Hanswurst; — *v.* puffen, stossen; (mech.) lochen
**punctual** *adj.* pünktlich
**punctuation** *n.* Interpunktion
**puncture** *n.* Stich; (tire)

Loch; — *v.* (durch)-stechen; ein Loch bekommen
**punish** *v.* (be)strafen; -**able** *adj.* strafbar, straffällig; -**ment** *n.* Strafe, Bestrafung
**puny** *adj.* winzig; schwächlich
**pup** *n.* (or **puppy**) *n.* Welpe, kleiner Hund
**pupil** *n.* Schüler, Zögling; (anat.) Pupille
**puppet** *n.* Puppe, Marionette; — **show** Puppenspiel
**purchase** *n.* Kauf; — *v.* kaufen; -**r** *n.* Käufer
**pure** *adj.* rein, unverfälscht
**purgatory** *n.* Fegefeuer
**purge** *n.* Reinigung; (med.) Abführmittel; — *v.* reinigen; (med.) abführen
**purifier** *n.* Reiniger
**purify** *v.* reinigen, läutern
**purity** *n.* Reinheit
**purple** *n.* Purpur; — *adj.* purpurn, purpurrot
**purport** *n.* Inhalt, Sinn
**purpose** *n.* Vorsatz, Absicht; Zweck; — *v.* beabsichtigen, bezwecken
**purr** *v.* schnurren
**purse** *n.* Tasche; Geldbeutel
**pursue** *v.* verfolgen
**push** *n.* Stoss, Schub; — **button** Kontaktknopf; — *v.* stossen, schieben, treiben, drücken
**pushover** *n.* leichtes Spiel, einfache Sache; Schwächling
**put** *v.* setzen, stellen, legen; — **aside** beiseite setzen; — **away** weglegen; — **on** (dress, shoes) anziehen, (hat) aufsetzen; — **out** auslöschen; — **up with** dulden, sich gefallen lassen; -**t** *v.* einlochen, putten
**putt** *n.* (golf) Schlag, -**er** (golf) Ballkelle
**putty** *n.* Kitt; — *v.* kitten
**puzzle** *n.* Rätsel; **jigsaw** — Zusammensetzspiel; — *v.* verwirren

**pyrex** n. Pyrex, feuerfestes Glasgeschirr
**pyrotechnics** n. Feuerwerk

## Q

**quack** n. Quacksalber
**quadrangle** n. Viereck; (arch.) viereckiger Hof, Häuserblock
**quadrilateral** adj. vierseitig
**quadruped** n. Vierfüssler; — adj. vierfüssig
**qualification** n. Befähigung, Tauglichkeit
**quality** n. Qualität, Güte
**quantity** n. Quantität, Menge
**quarrel** n. Zank, Streit; — v. (sich) zanken, streiten
**quarry** n. Steinbruch; (hunting) Beute
**quart** n. Quart
**quarter** n. Viertel, Quartal; Fünfundzwanzigcentstück; —s pl. Quartier, Logis; — v. vierteilen; (mil.) einquartieren
**quarterback** n. (football) ausserhalb der Gruppe stehender Ballfänger
**quasar** n. quasi-stellar adj. quasi-stellär
**queen** n. Königin
**queer** adj. wunderlich, seltsam, sonderbar
**quench** v. löschen, stillen
**query** n. Frage, Zweifel
**quest** n. Suchen, Nachforschen
**question** n. Frage, Sache; **be out of** — nicht in Betracht kommen; **in** — fraglich; vorliegend; — v. befragen; (fig.) bezweifeln; **-able** adj. fraglich, zweifelhaft; **-naire** n. Fragebogen
**quibble** n. Ausflucht
**quick** adj. schnell, rasch; lebendig, lebhaft; — **ear** feines Ohr; — **eye** scharfes Auge; — **returns** schneller Umsatz; — n. Lebende; **-en** v. beleben,

beschleunigen; **-ness** n. Schnelligkeit; Lebhaftigkeit
**quick-freeze** v. schnell gefrieren
**quicklime** n. ungelöschter Kalk
**quicksand** n. Flugsand
**quicksilver** n. Quecksilber
**quick-witted** adj. schlagfertig
**quiet** n. Stille, Ruhe; Ungestörtheit; — adj. still, ruhig; — v. beruhigen; **-ude** n. Ruhe, Stille
**quill** n. Feder; Federkiel; (mech.) Weberspule
**quilt** n. Steppdecke; **crazy** — Flickendecke
**quinine** n. Chinin
**quinsy** n. Halsbräune
**quip** n. witzige Bemerkung
**quit** v. verlassen, aufgeben
**quite** adv. ganz; völlig
**quiz** n. Rätselfrage, Quiz; Prüfung; — v. (aus)fragen, prüfen
**quota** n. Quote, Anteil
**quotation** n. Zitat; (com.) Preisnotierung
**quote** n. Zitat; — v. zitieren, angeben
**quotient** n. Quotient; **intelligence** — Intelligenzberechnungswert

## R

**rabbi** n. Rabbi(ner)
**rabbit** n. Kaninchen
**rabble** n. Pöbel, Haufen
**rac(c)oon** n. Waschbär
**race** n. Rasse, Geschlecht, Volksstamm; Wettrennen; — v. rennen, wettlaufen
**racecourse** n. Rennbahn
**racial** adj. rassenmässig
**Rachel** f. Rahel
**racism** n. Rassismus
**racist** n. Rassist
**rack** n. Gestell, Ständer; (rail.) Gepäcknetz; — v. quälen; — **one's brains** sich den Kopf zerbrechen
**racket** n. Lärm, Getöse; (tennis) Schläger; (sl.) Erpressergeschäft; **-eer** n.

Erpresser
**radar** n. Radar
**radiation** n. Ausstrahlung
**radiator** n. Heizkörper
**radio** n. Radio, Rundfunk;
— **amplifier** Verstärkerröhre; — **announcer**
Rundfunkansager; — **beacon** Stationszeichen;
— **beam** Richtstrahl;
— **hookup** Ringsendung;
Übertragung; — **listener**
Rundfunkhörer; — **message** Funkspruch; — **operator** Funker; — **receiver** Rundfunkempfänger; — **set** Rundfunkapparat; — **station** Sender;
— **transcription** Schallplattensendung; — v. funken, senden
**radiobroadcasting** n.
Rundfunksendung
**radiology** n. Strahlenlehre
**radio(tele)gram** n. Funkspruch
**radish** n. Rettich
**raffle** n. Auslösen
**rag** n. Lumpen, Lappen;
–**amuffin** n. Lump(enkerl); –**ged** adj. uneben,
rauh; zackig; zerlumpt
**rage** n. Wut, Raserei; —
v. wüten, rasen
**raid** n. Überfall, Streifzug;
— überfallen; –**er** n.
Angreifer; (avi.) Bombenflugzeug
**rail** n. Riegel, Querholz;
Geländer; (rail.) Schiene;
— v. schimpfen, schelten;
–**ing** n. Geländer
**railroad** n. Eisenbahn;
**elevated** — Hochbahn;
— **crossing** Bahnkreuzung; — **track** Schienenstrang
**rain** n. Regen; — v. regnen; it —s cats and dogs
es regnet in Strömen; –**y**
adj. regnerisch
**rainbow** n. Regenbogen
**rainproof** adj. wasserdicht
**raise** n. Gehaltserhöhung;
— v. (auf)heben, erhöhen;
errichten; (tax) eintreiben,
einkassieren
**raisin** n. Rosine

**ramble** v. umherstreifen;
–**r** n. Umherstreicher,
Nachtschwärmer
**ramp** n. Rampe, Auffahrt
**ranch** n. Farm; Viehwirtschaft; –**er** n. Farmer,
Viehzüchter
**range** n. Umfang; Bereich,
Tragweite; (cooking)
Kochherd; — **finder** Entfernungsmesser; — v.
(ein)reihen, ordnen; reichen; –**r** n. Umherstreifer;
Förster
**rank** n. Reihe, Linie, Glied;
Rang
**ransom** n. Lösegeld
**rap** n. Schlag, Klopfen;
(sl.) unverdiente Strafe;
— v. schlagen, klopfen
**rape** n. Raub, Entführung;
(law) Notzucht; — v.
(law) notzüchten
**rapid** adj. schnell
**rare** adj. selten, rar; dünn
**rascal** n. Spitzbube, Schuft
**rash** n. Hautausschlag; —
adj. hastig, übereilt
**raspberry** n. Himbeere
**ratchet** n. Sperrklinke
**rate** n. Rate; Verhältnis;
Preis, Betrag; **at a low** —
wohlfeil; **at any** — auf
jeden Fall; — **of discount** Diskontsatz; — **of
exchange** Wechselkurs;
— **of interest** Zinsfuss;
— v. schätzen
**rather** adv. eher, lieber
**ratification** n. Ratifizierung
**rating** n. Schätzung; Rang
**ratio** n. Verhältnis
**rational** adj. vernünftig
**rattle** n. Gerassel; Klapper;
— v. rasseln; klappern
**rattlesnake** n. Klapperschlange
**rave** v. rasen, toben
**raven** n. Rabe
**raw** adj. roh, ungekocht;
unreif; unbearbeitet; —
**materials** Rohstoffe
**rawhide** n. ungegerbtes
Leder
**ray** n. Strahl
**rayon** n. Rayon, Kunstseide
**razor** n. Rasiermesser, Ra-

sierapparat

**reach** n. Bereich; Reichweite; — v. (er)reichen

**read** v. (ab)lesen; — adj. belesen (in); **-able** adj. lesbar; **-er** n. Leser, Vorleser; Lesebuch

**readily** adv. bereitwillig

**ready** adj. bereit, fertig

**real** adj. wirklich, echt; — **estate** Grundbesitz

**reap** v. schneiden, ernten; **-er** n. Schnitter; Mähmaschine

**rear** n. Hinterseite; Rückseite; — v. errichten; aufziehen

**rearmament** n. Wiederbewaffnung

**rear-vision mirror** n. Rückspiegel

**reason** n. Vernunft, Verstand; Grund, Ursache

**rebate** n. Rabatt, Abzug

**rebel** n. Rebell, Aufrührer; — adj. rebellisch, aufrührerisch; — v. rebellieren, sich empören; **-lion** n. Aufruhr, Empörung; **-lious** adj. aufständisch

**rebirth** n. Wiedergeburt

**rebroadcast** n. wiederholte Rundfunksendung

**rebuild** v. wieder aufbauen

**rebuke** n. Tadel, Vorwurf; — v. tadeln

**recall** n. Zurückrufung; Widerruf; — v. zurückrufen; widerrufen

**recap** n. (tire) neuer Belag; — v. neu vulkanisieren; **-itulate** v. kurz wiederholen

**receipt** n. Annahme; Quittung; (med.) Rezept; pl. Eingänge; **acknowledge** — den Empfang bestätigen; — v. quittieren

**receive** v. empfangen, erhalten; **-r** n. Empfänger; (tel.) Hörer

**recent** adj. neu, frisch; **-ly** adv. kürzlich

**receptacle** n. Behälter

**reception** n. Empfang; Aufnahme; **-ist** n. Empfangsdame

**recess** n. Unterbrechung

**recession** n. wirtschaftlicher Stillstand

**recipe** n. Rezept

**recital** n. Vortrag; (mus.) Konzert

**recitation** n. Vortrag

**recite** v. vortragen

**reckless** adj. tollkühn

**reckon** v. rechnen; schätzen, meinen; **-ing** n. Berechnung; Schätzung

**recluse** n. Einsiedler; — adj. zurückgezogen

**recognize** v. anerkennen; wiedererkennen

**recommend** v. empfehlen; **-ation** n. Empfehlung

**reconcile** v. versöhnen

**reconciliation** n. Versöhnung

**recondition** n. Reparatur; v. reparieren

**reconsider** v. von neuem betrachten

**reconstruct** v. wieder aufbauen

**record** n. Bericht, Aufzeichnung; Schallplatte; — v. eintragen; verzeichnen

**record-breaking** adj. rekordbrechend

**recount** v. wieder erzählen

**recourse** n. Zuflucht

**recover** v. wieder erlangen; wiederfinden; sich erholen; **-y** n. Wiedererlangung; (med.) Genesung

**recreate** v. neu gestalten

**recreation** n. Erholung

**rectangle** n. Rechteck

**rectifier** n. Gleichrichter

**rector** n. Rektor; Pfarrer; **-y** n. Pfarre

**recuperate** v. sich erholen

**red** adj. rot; (pol.) rot, kommunistisch; — **herring** getrockneter Hering; (coll.) Vorspiegelung, Finte; — **tape** Bürokratie

**redcap** n. Gepäckträger

**redeem** v. zurückkaufen; erlösen; **-er** n. **Redeemer** Erlöser, Heiland

**redemption** n. Rückkauf; (rel.) Erlösung

**red-letter day** n. Glücks-

tag, Freudentag
**red-tape** n. Amtsschimmel
**reduce** v. verkleinern, vermindern
**reduction** n. Verringerung
**reef** n. Riff, Klippe
**reek** v. rauchen; stinken
**reel** n. Haspel, Rolle; — v. haspeln, rollen; taumeln
**reelect** v. wiederwählen
**reenforce** v. verstärken
**reentry** n. Wiedereintritt in die Erdatmosphäre
**reestablish** v. wiederherstellen
**refer** v. verweisen, hinweisen; **-ee** n. Schiedsrichter; **-ence** n. Referenz; Empfehlung; **works of -ence** Nachschlagewerke; **-endum** n. Volksentscheid
**refill** v. Nachfüllung; Ersatzbatterie; — v. neu füllen, nachfüllen
**refine** v. verfeinern, läutern; **-ment** n. Verfeinerung, Veredlung
**reflect** v. widerspiegeln
**reform** n. Reform, Verbesserung; — v. verbessern; (eccl.) reformieren; **-ation** n. Umgestaltung; (eccl.) Reformation; **-atory** n. Besserungsanstalt; **-er** n. Verbesserer; (eccl.) Reformator
**refresh** v. (sich) erfrischen; erquicken; **-ment** n. Erfrischung
**refrigerate** v. kühlen
**refrigerator** n. Kühlschrank
**refuel** v. tanken; wieder füllen
**refuge** n. Zuflucht
**refund** n. Zurückzahlung; — v. zurückzahlen
**refusal** n. Weigerung
**refuse** n. Abfall, Kehricht
**refute** v. widerlegen
**regard** v. Achtung; Rücksicht; pl. Grüsse; **with — to** mit Rücksicht auf; — v. achten, ansehen; betreffen
**regenerate** v. (sich) erneuern
**regeneration** n. Wieder-

geburt
**regression** n. Rückkehr; Fall
**regret** n. Bedauern; — v. bedauern
**regular** n. aktiver Soldat; — adj. regelmässig; richtig, ordentlich
**regulate** v. regulieren; ordnen, regeln
**regulation** n. Regulierung
**rehearsal** n. (theat.) Probe
**reign** n. Regierung(sdauer); — v. regieren
**reimburse** v. entschädigen
**reindeer** n. Renntier
**reinforce** v. verstärken; **-d** adj. verstärkt; **-d concrete** Eisenbeton; **-ment** n. Verstärkung
**reject** v. ablehnen, zurückweisen; **-ion** n. Ablehnung, Abweisung
**rejoice** v. erfreuen, sich freuen
**relapse** n. Rückfall
**relate** v. erzählen, berichten; sich beziehen; **-d** adj. erzählt; verwandt
**relation** n. Verhältnis, Bezug; Verwandtschaft, Verwandte; **-ship** n. Verwandtschaft
**relative** n. Verwandte; — adj. bedingt; bezüglich
**relativity** n. Relativität
**relax** v. lockern, -schwächen; nachlassen; zerstreuen; **-ation** n. Lockerung; Zerstreuung
**relay** n. — **race** Stafettenlauf
**release** n. Entlassung; — v. entlassen
**relent** v. nachgeben; **-less** adj. unerbittlich
**reliability** n. Zuverlässlichkeit
**reliable** adj. zuverlässlich
**reliance** n. Verlass, Vertrauen
**relic** n. Reliquie
**relief** n. Linderung
**relieve** v. lindern
**religion** n. Religion
**religious** adj. religiös
**relinquish** v. verlassen,

aufgeben

**reload** v. wieder beladen

**reluctant** adj. unwillig; zögernd

**rely** v. sich verlassen

**remain** v. (ver)bleiben, übrigbleiben; dauern; **-der** n. Rest; **-s** n. pl. Überreste, sterbliche Reste

**remark** n. Bemerkung; — v. bemerken; **-able** adj. bemerkenswert

**remedy** n. Heilmittel

**remember** v. sich erinnern

**remembrance** n. Erinnerung

**remind** v. erinnern, mahnen; **-er** n. Verweis, Mahnung

**remit** v. übersenden; **-tance** n. Sendung

**remodel** v. umbilden

**removable** adj. fortschaffbar

**removal** n. Beseitigung

**remove** v. wegschaffen; beseitigen, entlassen; **-r** n. Spediteur; **spot -r** Fleckenentferner

**remuneration** n. Belohnung

**renew** v. erneuern; **-al** n. Erneuerung

**renovate** v. erneuern

**renown** n. Ruhm, Ruf; **-ed** adj. berühmt

**rent** n. Miete, Pacht; — v. mieten; (ver)pachten; **-al** n. Miete

**repair** n. Reparatur; — v. reparieren; — **shop** Reparaturwerkstatt; **-ed** adj. repariert

**reparation** n. Entschädigung

**repay** v. zurückzahlen

**repeal** n. Widerruf; — v. widerrufen

**repeat** v. (sich) wiederholen; **-ed** adj. wiederholt

**repetition** n. Wiederholung

**replace** v. ersetzen

**replenish** v. wieder füllen

**reply** n. Antwort; — v. antworten

**report** n. Bericht; Schulzeugnis; — v. (sich) melden, berichten

**represent** v. darstellen; vertreten; **-ation** n. Darstellung; Vertretung

**reprint** n. Neudruck, Nachdruck; — v. neudrucken, neuauflegen

**republic** n. Republik; **-an** n. Republikaner

**repudiate** v. verwerfen

**reputation** n. Ansehen, Ruf

**request** n. Bitte, Gesuch; **on** — auf Verlangen; — v. bitten

**require** v. verlangen, nötig haben; **-ment** n. Erfordernis

**rescue** n. Rettung, Befreiung; — v. retten, befreien

**research** n. Forschung

**resemblance** n. Ähnlichkeit

**resemble** v. ähnlich sein

**reserve** n. Reserve, Vorrat; — v. reservieren

**reside** v. wohnen; **-nce** n. Wohnsitz; **-nt** adj. wohnhaft

**resign** v. entsagen, niederlegen; **-ation** n. Amtsniederlegung; **-ed** adj. ergeben, resigniert

**resist** v. widerstehen; **-ance** n. Widerstand; **-ance coil** Widerstandsspule

**resolution** n. Entschluss

**resolve** n. Entschluss; — v. beschliessen

**resort** n. Zuflucht; Badeort; **summer** — Sommerfrische

**respect** n. Respekt, Achtung; Rücksicht; Beziehung; pl. Grüsse, Empfehlungen; — v. verehren, schätzen; betreffen; **-able** adj. achtbar, ansehnlich; **-ed** adj. angesehen; **-ful** adj. ehrerbietig

**respiration** n. Atmen, Atemzug

**responsibility** n. Verantwortlichkeit

**responsible** adj. verantwortlich

**rest** n. Rest; Rast, Ruhe; **— room** Toilette; **— cure** Liegekur; **—** v. rasten, ruhen; **-ful** adj. beruhigend; **-ive** adj. störrisch; **-less** adj. rastlos, ruhelos

**restitution** n. Wiederherstellung, Wiedererstattung

**restore** v. wiederherstellen

**restrain** v. abhalten, zurückhalten

**restrict** v. beschränken; **-ion** n. Einschränkung

**result** n. Resultat, Ergebnis; **—** v. folgen, sich ergeben

**resurrect** v. wiedererwecken; **-ion** n. Auferstehung

**retail** n. Kleinhandel; **—** v. im Einzelhandel verkaufen; **-er** n. Kleinhändler

**retain** v. zurück(be)halten; **-er** n. (law) Prozessvollmacht, Anwaltshonorar

**retaliate** v. vergelten

**retard** v. verzögern; aufhalten

**retire** v. (sich) zurückziehen; pensionieren; **-ment** n. Ausscheiden; Pensionierung

**retract** v. zurückziehen, widerrufen

**retread** n. (auto.) vulkanisieren; **—** n. Vulkanisierung

**retreat** n. Rückzug; Zufluchtsort, Zurückgezogenheit; **—** v. sich zurückziehen

**retrorocket** n. Rückfeuerungsrakete, Bremsrakete

**return** n. Rückkehr; (med.) Rückfall; pl. Einnahmen; **in —** als Vergeltung; **in — for** als Ersatz für; **by — mail** postwendend; **— ticket** Rückfahrkarte; **— trip** Rückfahrt; **—** v. zurückkommen

**reveal** v. enthüllen, offenbaren

**revelation** n. Offenbarung

**revenge** n. Rache, Genug-

tuung; **—** v. rächen; **-ful** adj. rachsüchtig

**revenue** n. Einkommen; Zoll

**reverence** n. Verehrung

**reverse** n. Rückseite; **—** adj. umgekehrt, verkehrt; **—** v. umkehren, umstellen

**review** n. Durchsicht, Prüfung; Rückblick, Überblick; (educ.) Wiederholung; (lit.) Kritik, Rezension; **—** v. durchsehen, prüfen; zurückblicken auf; (lit.) rezensieren, kritisieren; (mil.) mustern; **-er** n. Rezensent

**revise** v. revidieren

**revival** n. Wiederbelebung

**revive** v. wiederbeleben; erneuern

**revoke** v. widerrufen

**revolution** n. Revolution, Umsturz

**revolve** v. sich drehen um; **-r** n. Revolver

**reward** n. Belohnung; **—** v. belohnen

**RH-factor** n. Rhesusfaktor

**rhubarb** n. Rhabarber

**rib** n. Rippe

**ribbon** n. Band; Streifen; **typewriter —** Farbband

**rice** n. Reis

**rich** adj. reich; nahrhaft, kräftig; **-es** n. pl. Reichtümer

**rickety** adj. gebrechlich

**rid** v. befreien; **get — of** loswerden; **-dance** n. Befreiung

**riddle** n. Rätsel; **—** v. erraten

**ride** n. Ritt, Fahrt; **—** v. reiten, fahren; **— a bicycle** radfahren; **-r** n. Reiter; Fahrer

**ridiculous** adj. lächerlich

**riffraff** n. (coll.) Gesindel

**rifle** n. Gewehr; **— barrel** Gewehrlauf; **— range** Schiessplatz, Scheibenstand

**right** n. Recht; Rechte; **all -s reserved** alle Rechte vorbehalten; **by -s** von Rechts wegen; **to the —** nach rechts; **—** adj.

263

recht; **all — schon gut**; **be — recht haben; it serves him —** es geschieht ihm recht; **— away** sofort, sogleich; **-eous** adj. rechtschaffen, gerecht

**right-angled** adj. rechtwinklig

**rigid** adj. starr, steif; **-ity** n. Starrheit, Steifheit

**rim** n. Rand, Krempe

**rind** n. Rinde, Borke

**ring** n. Ring; Kreis, Reif; Klang; Geläute; — v. beringen; umringen; kreisen; klingen, klingeln, läuten; **— up** anrufen

**ringleader** n. Rädelsführer

**rink** n. Eisbahn; Rollschuhbahn

**rinse** v. (aus)spülen

**riot** n. Aufstand, Aufruhr; — v. Aufruhr stiften; lärmen; schwelgen

**rip** n. Riss; **— cord** Reissleine; — v. (zer)reissen

**ripe** adj. reif; **-n** v. reifen

**rise** n. Aufstieg; Zunahme; Ursprung; **(sun)** Sonnenaufgang; — v. aufstehen; emporkommen; aufgehen; entstehen, zunehmen

**risk** n. Risiko, Wagnis; — v. riskieren, wagen; **-y** adj. riskant, gewagt

**rite** n. Ritus, Brauch

**rival** n. Rivale, Konkurrent; — v. wetteifern, konkurrieren; **-ry** n. Konkurrenz; Wetteifer

**river** n. Fluss, Strom

**rivet** n. Niet(e); — v. nieten

**road** n. Strasse, Weg; Fahrbahn; **-ster** n. Tourenwagen

**roadblock** n. Strassensperre; Hindernis

**roadway** n. Fahrdamm

**roam** v. umherstreifen

**roar** n. Gebrüll; Brausen; — v. brüllen; brausen

**roast** n. Braten; — adj. — **beef** Roastbeef; — v. braten, rösten

**rob** v. (be)rauben; **-ber** n. Räuber; **-bery** n. Raub

**robe** n. Talar, Amtskleid

**robin** n. Rotkehlchen

**rock** n. Fels; Stein; Klippe; **— bottom** Urboden; — v. wiegen, schaukeln; **-er** n. Schaukelstuhl; **-er** adj. **-er arm** Kipphebel

**rocket** n. Rakete

**rock 'n' roll, rock-and-roll** n. Rockmusik, Rock-'n' Roll

**rod** n. Rute, Gerte; Stab, Stange; **connecting —** Verbindungsstange

**Roger** m. Rüdiger

**rogue** n. Schurke; **-'s gallery** Verbrecheralbum

**roll** n. Rolle; Walze; Semmel; Liste; **call the —** namentlich aufrufen; **— call** Namensaufruf; — v. rollen, walzen; **— the drum** Trommelwirbel schlagen; **— er** n. Walze, Rolle; **-er bearing** Rollager; **-er coaster** Fahruntersatz; **-er skate** Rollschuh; **-er towel** endloses Handtuch; **-ing** adj. rollend; wellenförmig; **-ing mill** Walzwerk; **-ing pin** Nudelholz

**roll-top desk** n. Rollschreibtisch

**Roman** n. Römer; — adj. römisch

**romp** n. — v. tollen, toben; **-ers** n. pl. Spielanzug

**roof** n. Dach; **— of the mouth** Gaumen; — v. bedachen, überdachen; **-ing** n. Dachmaterial

**rook** n. (chess) Turm

**room** n. Raum; Zimmer; **-er** n. Mieter; **-y** adj. geräumig

**roommate** n. Stubengenosse

**roost** n. Hühnerstange; — v. (wie Hühner auf der Stange) sitzen (or schlafen); **-er** n. Hahn

**root** n. Wurzel; — v. (ein)wurzeln

**rope** n. Seil, Strick

**rosary** n. (eccl.) Rosenkranz

**rosebud** n. Rosenknospe

**rot** *n.* Fäulnis; (sl.) Unsinn; — *v.* (ver)faulen, verwesen; **-ten** *adj.* faul(ig), verfault

**rotate** *v.* sich drehen

**rotation** *n.* Rotation; Abwechslung

**rote** *n.* **by** — durch blosse Übung

**rotogravure** *n.* Fotogravüre

**rotor** *n.* drehender Zylinder

**rouge** *n.* rote Farbe (*or* Schminke), Rouge

**rough** *adj.* roh, erstmalig; rauh; — **draft** erster Überschlag (*or* Entwurf); **-en** *v.* rauhen; rauh machen (*or* werden)

**rough-and-ready** *adj.* grob aber zuverlässig

**round** *n.* Runde; — *adj.* rund; ganz; — **steak** rundes Steak (vom Rindsschenkel); — *v.* (ab)runden; umfahren, umbiegen

**roundup** *n.* Zusammentreiben

**row** *n.* Rudern; Reihe, Linie; Prügelei; — *v.* rudern; (auf)reihen; prügeln

**royal** *adj.* königlich

**rub** *v.* reiben; einreiben

**rubber** *n.* Gummi; **-s** *n. pl.* Gummischuhe; — **stamp** Gummistempel

**rubbish** *n.* Schutt, Kehricht; Schund

**rubdown** *n.* Abreibung

**rudder** *n.* Steuerruder

**rude** *adj.* grob, unhöflich; **-ness** *n.* Grobheit, Roheit

**rug** *n.* Decke, Teppich

**ruin** *n.* Ruin; Untergang; — *v.* ruinieren; zerstören

**rule** *n.* Lineal; Regel, Vorschrift; linieren; leiten, regieren; **-r** *n.* Lineal; Herrscher

**ruling** *n.* (law) Entscheidung; — *adj.* herrschend

**rumble** *v.* rumpeln, rasseln

**ruminate** *v.* wiederkäuen; (coll.) nachdenken

**rummage** *n.* Durchsuchen; — **sale** Ramschverkauf;

— *v.* durchsuchen

**rumor** *n.* Gerücht, Gerede; — *v.* Gerüchte verbreiten

**rump** *n.* Rumpf

**rumple** *n.* Falte, Runzel; — *v.* falten zerknittern

**run** *n.* Lauf; (com.) Sorte; **in the long** — auf die Dauer; — *v.* rennen, laufen, eilen; — **across** zufällig treffen; — **aground** scheitern; — **for office** sich um ein Amt bewerben; — **into** treffen; **-ning mate** (pol.) Nebenkandidat; **-ning water** fliessendes Wasser

**runaway** *n.* Ausreisser

**run-down** *adj.* erschöpft

**runner-up** *n.* Zweite (im Endkampf)

**runway** *n.* (avi.) Rollbahn

**rupture** *n.* Bruch

**rural** *adj.* ländlich; bäuerlich

**rush** *n.* Ansturm, Andrang; — **hours** Hauptverkehrsstunden; — **order** Eilauftrag; — *v.* (sich) stürzen, drängen

**Russian** *n.* Russe; — *adj.* russisch

**rust** *n.* Rost; — *v.* (ver)rosten; **-y** *adj.* rostig, verrostet

**rustic** *n.* Landmann; — *adj.* ländlich, bäuerisch

**rustproof** *adj.* rostsicher

**rutabaga** *n.* Kohlrübe

**ruthless** *adj.* unbarmherzig

**rye** *n.* Roggen

## S

**sable** *n.* Zobel; Zobelfell

**sack** *n.* Sack, Tasche; — *v.* einsacken; plündern

**sacred** *adj.* heilig; geweiht

**sacrifice** *n.* Opfer; — *v.* opfern; mit Verlust verkaufen

**sad** *adj.* traurig; — **sack** (sl.) nasser Sack, trübe Tasse; **-den** *v.* (sich) betrüben; **-ness** *n.* Traurigkeit

**saddle** *n.* Sattel

**saddlebag** n. Satteltasche
**safe** n. Geldschrank; — adj. sicher; ausser Gefahr; **-ty valve** Sicherheitsventil
**safebreaker** n. Geldschrankknacker
**safe-deposit** adj. gesichert; — **box** einbruchssicherer Schrank
**sag** v. sacken, sich senken
**saga** n. Sage
**sail** n. Segel; Segelfahrt; — v. segeln; fahren; **-ing** adj. segelnd; **-or** n. Matrose, Seemann
**saint** n. Heilige; **guardian** — Schutzheilige; **Saint** adj. Sankt
**sake** n. **for God's** — um Gottes willen; **for my** — meinetwegen
**salary** n. Gehalt, Besoldung
**sale** n. Verkauf; **clearance** — Räumungsausverkauf; **-s tax** Verkaufssteuer
**salesclerk** n. Verkäufer(in)
**salesman** n. Vertreter; **traveling** — Geschäftsreisende; **-ship** n. Verkaufsgewandtheit
**salmon** n. Salm, Lachs
**saloon** n. Salon; (coll.) Kneipe
**salt** n. Salz; — adj. salzig; — v. (ein) salzen, pökeln; **-y** adj. salzig
**saltshaker** n. Salzstreuer
**salutation** n. Begrüssung
**salute** n. — v. grüssen
**salvation** n. Erlösung; Rettung
**salve** n. Salbe
**same** adj. nämlich, gleich; derselbe, dieselbe, dasselbe; **all the** — dessenungeachtet; **it's all the** — **to me** es ist mir einerlei
**sample** n. Probe, Muster; — v. (aus)probieren, kosten
**sanctify** v. weihen; heiligen
**sanctuary** n. Heiligtum
**sandpaper** n. Sandpapier
**sandwich** n. Sandwich; belegtes Brot
**sane** adj. vernünftig
**sanitary** adj. sanitär

**sanitation** n. Gesundheitswesen
**sanity** n. geistige Gesundheit
**sap** n. Saft; (coll.) Schwachkopf; **-ling** n. junger Baum
**Satan** n. Satan
**satchel** n. Schulmappe
**satellite** n. Satellit, Trabant
**satin** n. Atlas, Satin
**satisfaction** n. Genugtuung; Zufriedenheit
**satisfactory** adj. genügend
**satisfy** v. genügen; zufriedenstellen
**saturation** n. (chem.) Sättigung; Durchwässerung; — **point** Sättigungspunkt
**Saturday** n. Sonnabend, Samstag
**sauce** n. Sosse, Tunke
**saucer** n. Untertasse
**saucy** adj. frech; vorlaut
**sausage** n. Wurst
**savage** adj. wild, barbarisch
**save** v. retten; aufbewahren; — prep. ausser
**saving** n. pl. Ersparnisse; **-s bank** Sparkasse; — adj. sparsam
**savio(u)r** n. Retter, Erlöser; **Savior** Heiland
**saw** n. Säge; — v. sägen
**sawdust** n. Sägemehl
**say** v. sagen, sprechen; — **mass** Messe lesen; **that is to** — das heisst; **-ing** n. Redensart, Ausspruch; Sprichwort
**scaffold** n. Gerüst
**scald** n. Verbrühung; — v. verbrühen
**scale** n. Schuppe; (math.) Gradeinteilung, Masstab; (mech.) Waage; (mus.) Tonleiter, Skala; **platform** — Brückenwaage; — v. schuppen, abschaben; (ab)wiegen
**scalp** n. Skalp, Kopfhaut; — v. skalpieren; (com.) spekulieren
**scan** v. skandieren; abwägen
**scant(y)** adj. knapp, dürftig

**scapegoat** n. Sündenbock
**scar** n. Narbe, Schramme
**scarce** adj. selten, rar; knapp; **-ly** adv. kaum
**scarcity** n. Teuerung, Mangel
**scare** v. erschrecken
**scarf** n. Schal, Halstuch
**scarfpin** n. Schalnadel
**scatter** v. (sich) zerstreuen
**scenario** n. Filmmanuskript
**scene** n. Szene, Auftritt; pl. Kulissen; **-ry** n. Szenerie, Gegend, Bild
**scent** n. Geruch; Duft; (hunting) Fährte; — v. riechen; wittern
**schedule** n. Verzeichnis, Tabelle; Fahrplan
**schematic** adj. schematisch
**scheme** n. Plan, System
**scholar** n. Schüler; Gelehrte; **-ly** adj. gelehrt; **-ship** n. Gelehrsamkeit
**school** n. Schule; **high** — Mittelschule, höhere Schule
**science** n. Wissenschaft
**scientific** adj. wissenschaftlich
**scientist** n. Wissenschaftler
**scissors** n. pl. Schere
**scold** v. schelten, zanken
**scoop** n. Schaufel; Schöpfkelle; (newspaper sl.) Sensationsnachricht
**scope** n. Ausdehnung; Absicht
**score** n. Kerbe; Rechnung; zwanzig Stück; (sports) Spielstand **what's the** —? wie steht das Spiel?
**scorn** n. Verachtung; Hohn, Spott; — v. verachten; verhöhnen
**Scot** n. Schotte; **-ch** adj., **-tish** adj. schottisch
**scoundrel** n. Schurke, Schuft
**scour** v. scheuern, reinigen; **-ge** n. Geissel; Peitsche; **-ge** v. geisseln, peitschen
**scout** n. Späher; **boy** — Pfadfinder; **girl** — Pfadfinderin; — v. spähen
**scoutmaster** n. Pfadfinderführer
**scowl** n. mürrischer Blick
**scramble** v. sich reissen

(um); **-d** adj. **-d eggs** Rührei
**scrap** n. Stückchen, Brokken; — **heap** Abfallhaufen; — **iron** Abfalleisen, Alteisen; — v. kämpfen; sich prügeln
**scrape** n. Schaben, Kratzen; (coll.) Klemme; — v. (ab)schaben, (ab)-kratzen; **-r** n. Kratzer; Schaber; Fussabtreter
**scratch** n. Ritz, Schramme; — **paper** Schmierpapier; — v. (zer)kratzen; (aus)-streichen
**scream** n. Geschrei; — v. schreien
**screen** n. Schirm; Schutz-(wand); (film) Leinwand; (mech.) Sieb
**screw** n. Schraube; **-driver** Schraubenzieher; — v. (fest)schrauben
**scribble** n. Gekritzel; — v. kritzeln
**scribe** n. Schreiber
**scrip** n. Zettel; **-t** n. Schrift; (film) Drehbuch; (theat.) Rollenbuch; **-tural** adj. schriftmässig, biblisch
**Scripture** n. Heilige Schrift, Bibel; Bibelstelle
**scroll** n. — **saw** Bogensäge
**scrollwork** n. Verschnörkelung
**scrub** — v. schubben, scheuern
**scruple** n. Skrupel, Zweifel
**sculptor** n. Bildhauer; Bildschnitzer
**sculpture** n. Skulptur; v. meisseln, aushauen
**sea** n. See; Meer
**seaboard** n. Meeresufer, Seeküste
**seacoast** n. Meeresküste
**seal** n. Siegel, Stempel; (zool.) Seehund, Robbe; — v. versiegeln, (fig.) besiegeln; **-ing** adj. **-ing wax** Siegellack
**seam** n. Saum, Naht; — v. säumen; **-less** adj. nahtlos; **-stress** n. Näherin
**seaman** n. Seemann, Matrose

**search** *n.* Suche; — *v.* suchen

**searchlight** *n.* Scheinwerfer

**seaside** *n.* Strand; Meeresküste

**season** *n.* Jahreszeit; Saison; — *v.* würzen;

**seat** *n.* Sitz, Stuhl; Platz; — **belt** Sicherheitsgurt; — **cover** Sitzüberzug; — *v.* (hin)setzen; **be -ed** sitzen; sich setzen

**secede** *v.* abfallen; sich trennen

**second** *n.* Sekunde; Sekundant; — *adj.* zweite; — **hand** Sekundenzeiger; — *v.* beistehen, unterstützen; **-ly** *adv.* zweitens; **-ary** *adj.* untergeordnet; — **school** höhere Schule

**secondhand** *adj.* gebraucht; antiquarisch; — **dealer** Altwarenhändler; Antiquar

**secrecy** *n.* Verschwiegenheit, Heimlichkeit

**secret** *n.* Geheimnis; — *adj.* geheim, heimlich; — **service** Geheimdienst

**secretary** *n.* Sekretär; Schriftführer

**section** *n.* Abschnitt, Abteilung

**secure** *adj.* sicher, gewiss; — *v.* sichern; befestigen

**security** *n.* Sicherheit, Gewissheit; — **risk** Sicherheitsrisiko, Spionagegefahr

**sedative** *n.* Beruhigungsmittel

**sedition** *n.* Aufruhr

**see** *n.* Erzbistum; **Holy See** Papsttum; — *v.* sehen, ansehen; **-r** *n.* Seher

**seed** *n.* Same, Saat; (fig.) Geschlecht; — *v.* säen

**seek** *v.* suchen; begehren

**seem** *v.* (er)scheinen; **-ingly** *adj.* anscheinend

**seersucker** *n.* kreppartiger Leinendruck (*or* Baumwolldruck)

**segregate** *adj.* abgesondert; — *v.* trennen

**segregation** *n.* Absonderung

**seize** *v.* ergreifen; beschlagnahmen

**seldom** *adv.* selten

**select** *v.* auswählen; — *adj.* auserlesen; **-ion** *n.* Auswahl

**self** *adj.* derselbe, dieselbe, dasselbe; — *pron.* selbst

**self-confident** *adj.* selbstvertrauend

**self-conscious** *adj.* selbstbewusst

**self-defense** *n.* (law) Notwehr

**self-denial** *n.* Selbstverleugnung

**self-esteem** *n.* Selbstachtung

**self-evident** *adj.* selbstverständlich

**selfish** *adj.* selbstsüchtig; **-ness** *n.* Selbstsucht

**self-preservation** *n.* Selbsterhaltung

**self-respect** *n.* Selbstachtung

**self-righteous** *adj.* selbstgerecht; pharisäisch

**self-seeking** *adj.* selbstsüchtig

**self-service** *n.* Selbstbedienung

**self-starter** *n.* Selbstanlasser

**self-support** *n.* Selbsterhaltung

**sell** *v.* verkaufen; verraten; (coll.) täuschen, betrügen; — **out** ausverkaufen

**selvage** *n.* Kante, Borte

**semantics** *n. pl.* Semantik, Wortbedeutungslehre

**semaphore** *n.* Zeichentelegraf; Flaggenwinken

**semiannual** *adj.* halbjährig

**semifinal** **-s** *pl.* Vorschlussspiele

**semimonthly** *adj.* halbmonatlich

**seminar** *n.* Seminar, Arbeitsgruppe; **-y** *n.* Seminar

**semiweekly** *adj.* halbwöchentlich

**senate** *n.* Senat

**send** *v.* senden; — **for** holen lassen; **-er** *n.* Absender; (rad.) Sender

**sensation** n. Empfindung
**sense** n. Sinn; Gefühl; Bedeutung; Vernunft; **common** — gesunder Menschenverstand; — v. wahrnehmen, empfinden; **-less** adj. sinnlos, unvernünftig
**sensibility** n. Empfindungsvermögen
**sensible** adj. fühlbar; verständig
**sensitive** adj. empfindlich
**sentence** n. Spruch; Satz; Urteil; — v. (ver)urteilen
**sentiment** n. Empfindung; Meinung; **-al** adj. sentimental, gefühlvoll
**sentry** n. Wache, Wachposten
**separate** v. (sich) trennen, (sich) scheiden; — adj. getrennt; **-ly** adv. einzeln, besonders
**separation** n. Trennung, Scheidung
**separator** n. **cream** — Entsahner
**sequence** n. Reihenfolge
**serene** adj. hell, klar, heiter
**serial** n. Serienaufführung
**series** n. pl. Reihe; Serie
**serious** adj. ernst(haft)
**sermon** n. Predigt; Sermon
**serpent** n. Schlange; **-ine** adj. schlangenartig
**servant** n. Diener; Magd; **public** — Staatsbeamte
**serve** v. dienen; bedienen, aufwarten; (tennis) anspielen; **that -s him right** das geschieht ihm recht
**service** n. Dienst; Service, Tafelgeschirr; (eccl.) Gottesdienst; (tennis) Aufschlag, Anspiel; — **station** Tankstelle; **-able** adj. nützlich
**session** n. Tagung, Sitzung
**set** n. Service, Besteck; Reihe, Folge; (film) Standfoto; (rad.) Apparat; (tennis) Partie; — v. (hin)setzen, (hin)stellen, legen; (jewels) fassen
**setscrew** n. Stellschraube

**settle** v. bestimmen, entscheiden; bezahlen; sich niederlassen (or ansiedeln) **-ment** n. Regelung, Abmachung; Ansiedlung, Niederlassung; **-r** n. Ansiedler, Kolonist
**seven** adj. sieben; **-teen** adj. siebzehn; **-ty** adj. siebzig
**sever** v. (ab)trennen; abhauen
**several** adj. mehrere; **-ly** adv. besonders, einzeln
**severe** adj. streng
**sew** v. nähen, heften
**sewer** n. Abzugskanal, Siel
**sex** n. Geschlecht; **-ual** adj. sexuell, geschlechtlich
**shabby** adj. schäbig, abgetragen
**shack** n. Bretterbude, Hütte
**shade** n. Schatten, Schattierung; Schirm; — v. beschatten; schützen; (art) schattieren
**shadow** n. Schatten(bild); — v. verdunkeln, beschatten; schützen; heimlich beobachten; **-y** adj. schattig
**shady** adj. schattig; anrüchig
**shaft** n. Schaft, Stiel; (mech.) Achse, Spindel; Welle
**shake** n. Schütteln; pl. Zittern; — v. schütteln, rütteln; — **hands** die Hand schütteln; **-r** n. **cocktail -r** Mixbecher; **salt -r** Salzstreuer
**shakedown** n. (coll.) Erpressung
**shake-up** n. (coll.) Personalwechsel
**shaky** adj. zitternd, unsicher
**shall** v. werden, sollen
**shallow** adj. seicht, flach
**sham** n. Schein, Täuschung; — adj. — **battle** Scheingefecht
**shame** n. Scham, Schande; — v. sich schämen; schänden; **-ful** adj. schändlich; **-less** adj. schamlos

**shampoo** v. den Kopf waschen

**shank** n. Schenkel

**shanty** n. Hütte, Bude

**shape** n. Gestalt, Form; (coll.) Zustand; — v. bilden, gestalten; **-less** adj. formlos; **-ly** adj. wohlgestaltet

**share** n. Teil; Beitrag; (com.) Aktie; — v. teilen; verteilen; teilhaben

**shareholder** n. Aktienbesitzer

**shark** n. Hai(fisch); Gauner

**sharp** n. adj. scharf, spitz; (coll.) verschlagen; **two o'clock —** genau zwei Uhr; **-en** v. (ver)schärfen, spitzen; **-ener** n. **pencil -ener** Bleistiftanspitzer

**shave** n. Rasieren; **close —** knappes Entkommen; — v. (sich) rasieren

**shaving** n. pl. Schnitzel, Späne; **— cream** Rasierkrem

**she** pron. sie

**sheaf** n. Garbe, Bündel

**shear** v. scheren

**shed** n. Schuppen; Hütte; — v. vergiessen; verbreiten; abwerfen

**sheep** n. Schaf; **-ish** adj. einfältig

**sheer** adj. rein; bloss; dünn; — adv. gänzlich

**sheet** n. Bettuch; Blatt, Bogen; **blank —** unbeschriebener Bogen (or Wahlzettel); **— iron** Eisenblech

**shelf** n. Brett; Regal

**shell** n. (bot.) Schale, Hülse, Schote; (mil.) Granate, Bombe; (zool.) Muschel; **cartridge —** Patronenhülse; — v. schälen, enthülsen

**shellproof** adj. bombensicher

**shelter** n. Schutzraum; Schuppen; Obdach; **air-raid —** Luftschutzkeller; — v. (be)schützen

**shelve** v. mit Brettern (or Regalen) versehen; auf ein Regal stellen

**shepherd** n. Schäfer

**shield** n. Schild; Schirm Schutz; — v. (be)schirmen, (be)schützen

**shift** n. Schicht; Wechsel; — v. (ver)schieben

**shin(bone)** n. Schienbein

**shine** n. Schein, Glanz; — v. scheinen, leuchten; (coll.) putzen; (fig.) glänzen

**shingle** n. Schindel

**shiny** adj. blank

**ship** n. Schiff; — v. schiffen; verschiffen, versenden; **-ment** n. (naut.) Schiffsladung

**shipwreck** n. Schiffbruch; Wrack; **-ed** adj. schiffbrüchig

**shipyard** n. Schiffswerft

**shirk** v. sich drücken

**shirt** n. Hemd

**shock** n. Stoss, Erschütterung; (med.) Schock; **— absorber** Stossdämpfer; — v. (an)stossen; erschüttern; **-ing** adj. anstössig

**shockproof** adj. stossfest

**shoe** n. Schuh; Hufeisen

**shoestring potatoes** n. pl. Kartoffelstäbchen

**shoot** v. schiessen; stürzen (film) aufnehmen, drehen; adj. **-ing gallery** Schiessstand; **-ing star** Sternschnuppe

**shop** n. Laden; Geschäft; Werkstatt; — v. einkaufen; **-per** n. Käufer, Kunde; **-ping** n. Einkauf; **go -ping** einkaufen gehen; **-ping center** Einkaufszentrum, Verbräucher-Markt

**shoplifter** n. Ladendieb

**shopwindow** n. Schaufenster

**shore** n. Strand, Ufer; **— leave** Landurlaub

**short** adj. klein, kurz; sparsam; barsch; **run —** knapp werden; **— circuit** Kurzschluss; — n. pl. Shorts, kurze Hosen; **-en** v. (ab)kürzen; **-ening** n. Backfett; **-ly** adv. bald

**shortcake** n. Mürbekuchen
**shortchange** v. zu wenig herausgeben
**short-circuit** v. kurzschliessen
**shorthand** n. Stenografie
**short-term** adj. kurzfristig
**shot** n. Schuss; Kugel; Schütze; Wurf
**shotgun** n. Schrotflinte
**shoulder** n. Schulter, Achsel; — **blade** Schulterblatt; — v. (fig.) auf sich nehmen
**shout** n. Geschrei; Ruf; — v. rufen, schreien, jauchzen
**shove** n. Schub, Stoss; — v. schieben, stossen, drängen
**shovel** n. Schaufel; — v. schaufeln
**show** n. Ausstellung; (theat.) Schauspiel; (fig.) Prunk; — v. zeigen, erklären; ausstellen, beweisen; — **off** hervorstechen; — **up** blosstellen; -y adj. prächtig; auffällig
**shower** n. Schauer; (fig.) Fülle, Menge; — **bath** Brause, Dusche; — v. regnen
**shrewd** adj. scharfsinnig; schlau
**shrimp** n. Garnele, Krabbe
**shrink** v. schrumpfen; -age n. Schrumpfen; Abnahme
**shrub** n. Strauch, Busch; -bery n. Gebüsch
**shrug** v. mit der Achsel zucken
**shudder** v. erzittern, schaudern
**shuffle** v. schieben, stossen; verwirren; (cards) mischen; (walk), schlürfen
**shun** v. (ver)meiden
**shut** v. (ver)schliessen, zumachen
**shutdown** n. Arbeitsniederlegung
**shy** adj. scheu, schüchtern; -ness n. Scheu, Schüchternheit
**sick** adj. krank; unwohl;

überdrüssig; -ly adj. schwächlich, kränklich; -ness n. Krankheit
**sickle** n. Sichel
**side** n. Seite; Rand, Ufer, Grenze; — **by** — dichtbeieinander
**sideboard** n. Anrichte, Büffet
**side-step** v. beiseitetreten
**sidewalk** n. Bürgersteig
**siding** n. (rail.) Nebengeleis
**siege** n. Belagerung
**sieve** n. Sieb
**sift** v. sieben, sichten
**sigh** n. Seufzer; — v. seufzen (nach)
**sight** n. Sehen, Sehkraft; Anblick; Sehenswürdigkeit; **at first** — im ersten Augenblick; **bomb** — Bombenzielgerät; **play at** — vom Blatt spielen; — **draft** Sichtwechsel
**sight-seer** n. Tourist
**sign** n. Zeichen, Wink; Merkmal; Schild; (com) Unterschrift; — **language** Zeichensprache; — v. unterzeichnen; winken; -al n. Signal; **busy** -al Besetztzeichen; -ature n. Unterschrift
**significance** n. Bedeutung
**significant** adj. bedeutsam
**signify** v. bezeichnen
**silence** n. Schweigen, Stille; — v. beruhigen; -r n. (auto.) Auspufftopf
**silent** adj. still, ruhig, schweigend
**silk** n. Seide; Seidenstoff; -en adj. seiden, seidig
**silkworm** n. Seidenraupe
**sill** n. Schwelle; Fensterbrett
**silly** adj. einfältig, dumm
**silt** n. Schlamm, Triebsand
**silver** n. Silber; — adj. silbern
**similar** adj. ähnlich, gleich(artig)
**simple** adj. einfach, schlicht; einfältig, arglos
**simplicity** n. Einfachheit
**simplify** v. vereinfachen
**simply** adv. einfach, klar;

bloss, nur
**simultaneous** *adj.* gleichzeitig

**sin** *n.* Sünde; — *v.* sündigen; **-ful** *adj.* sündig; **-ner** *n.* Sünder

**since** *adv.* seitdem, vorher; — *prep.* seit; — *conj.* da

**sincere** *adj.* aufrichtig

**sincerity** *n.* Aufrichtigkeit

**single** *adj.* einzig, einzeln, einfach; unverheiratet; — **file** Gänsemarsch

**single-breasted** *adj.* einreihig

**singlehanded** *adj.* einhändig

**single-track** *adj.* eingleisig

**sink** *n.* Ausguss; — *v.* sinken, untertauchen, untergehen; *adj.* **-ing fund** Tilgungsfonds

**sip** *v.* nippen, schlürfen

**sir** *n.* Herr

**sirloin** *n.* Lendenstück

**sister** *n.* Schwester; (eccl.) Nonne

**sister-in-law** *n.* Schwägerin

**sit** *v.* sitzen; **-ting** *n.* Sitzung, Tagung

**site** *n.* Lage, Platz

**sit-in (strike)** *n.* Sitzstreik

**six** *adj.* sechs; **-fold** *adj.* sechsfach; **-teen** *adj.* sechzehn; **-th** *adj.* sechst; **-tieth** *adj.* sechzigst; **-ty** *adj.* sechzig

**size** *n.* Grösse, Gestalt; (com.) Nummer, Mass

**skate** *n.* Schlittschuh; **roller —** Rollschuh; — *v.* Schlittschuh (*or* Rollschuh) laufen

**skeleton** *n.* Skelett, Gerippe

**sketch** *n.* Skizze, Entwurf; — *v.* skizzieren, entwerfen

**skewer** *n.* Fleischspiess

**ski** *n.* Ski; — **jump** Skisprung; — *v.* skilaufen

**skid** *n.* Ausrutschen; (mech.) Hemmschuh, Hemmkette; — *v.* hemmen, bremsen; rutschen

**skilful (*oder* skillful)** *adj.* geschickt, gewandt

**skill** *n.* Geschicklichkeit, Gewandtheit; Fähigkeit; **-ed** *adj.* geschickt, gewandt

**skillet** *n.* Bratpfanne

**skimp** *v.* knapp halten; **-y** *adj.* knauserig, sparsam

**skin** *n.* Haut, Fell, Pelz; — *v.* häuten; abschälen; **-ny** *adj.* fleischlos, mager

**skin-deep** *adj.* oberflächlich

**skip** *v.* springen, hüpfen

**skirt** *n.* Frauenrock

**skull** *n.* Schädel

**sky** *n.* Himmel

**skyjacker** *n.* Flugzeugentführer

**Skylab** *n.* Raum-Labor

**skylight** *n.* Oberlicht

**skyline** *n.* Wolkenkratzerkette

**skyrocket** *n.* Raumrakete; — *v.* in die Höhe schiessen

**skyscraper** *n.* Wolkenkratzer

**slam** *n.* Schlag, Knall; — *v.* zuschlagen

**slander** *n.* Verleumdung; — *v.* verleumden

**slant** *n.* Neigung, Richtung; — *v.* sich neigen; schräg liegen, abschrägen; **-ing** *adj.* schief, schräg

**slap** *n.* Klaps, Schlag; — *v.* klapsen, schlagen

**slash** *n.* Schmarre, Schnitt; — *v.* schlitzen, schneiden

**slat** *n.* Querholz, Leiste

**slate** *n.* Schiefer; (educ.) Schiefertafel

**slaughter** *n.* Schlachten; — *v.* (ab)schlachten

**slaughterhouse** *n.* Schlachthaus

**slave** *n.* Sklave; **-ry** *n.* Sklaverei

**slaw** *n.* Krautsalat

**sled(g)e** *n.* Schlitten, Schleife

**sledge (hammer)** *n.* Schmiedehammer

**sleek** *adj.* glatt; geschmeidig

**sleep** *n.* Schlaf; — *v.* schlafen; **-er** *n.* (rafl.) Schlafwagen; *adj.* schlafend; **-y** *adj.* schläfrig

**sleepwalker** *n.* Nacht-

wandler
**sleet** *n.* Schlossen; Hagel-schauer; — *v.* hageln
**sleeve** *n.* Ärmel
**sleigh** *n.* Schlitten
**slender** *adj.* schlank, dünn
**slice** *n.* Schnitte, Scheibe; — *v.* abschneiden
**slick** *adj.* glattzüngig; glatt, geölt
**slide** *n.* Gleiten; Gleitbahn; — **rule** Rechenschieber; *v.* (aus)gleiten, rutschen
**sliding scale** *n.* bewegliche Lohnskala (*or* Preisskala)
**slight** *adj.* gering, unbedeutend; — *v.* geringschätzig behandeln, vernachlässigen
**slim** *adj.* schlank, schmächtig
**slime** *n.* Schleim, Schlamm
**slink** *v.* schleichen
**slip** *n.* Entschlüpfen; Unterrock; Kissenbezug; (fig.) Fehler; — *v.* ausgleiten; entschlüpfen; (fig.) sich irren (*or* versprechen); **-pery** *adj.* schlüpfrig, (fig.) unzuverlässlich
**slipcover** *n.* Möbelüberzug
**slipper** *n.* Pantoffel, Hausschuhe
**slipshod** *adj.* nachlässig
**slit** *n.* Schlitz, Spalte; — *v.* (zer)schlitzen, spalten
**sliver** *n.* Splitter; — *v.* abspalten, splittern
**slogan** *n.* Schlagwort
**slope** *n.* Abhang, Neigung; Abschrägung; — *v.* abfallen; (sich) neigen (*or* abschrägen)
**slot** *n.* Öffnung, Einwurf, Schlitz; (mech.) Kerbe; — **machine** Automat
**slow** *adj.* langsam, träge
**slug** *n.* Schlag; — *v.* einen Schlag versetzen; **-gard** *n.* Faulenzer; **-gish** *adj.* träge, schwerfällig
**slump** *n.* Preissturz
**slur** *n.* Vorwurf; — *v.* verleumden
**slush** *n.* Matsch, Schlamm
**sly** *adj.* schlau, verschlagen
**smack** *n.* Klatsch, Schlag;

— *v.* schmatzen; schlagen, klatschen
**small** *adj.* klein, schmal; — **change** Kleingeld
**smallpox** *n.* Pocken, Blattern
**smart** *n.* Schmerz, Stich; — *adj.* gewandt, schlau, fein; — **money** Schmerzensgeld; **-ness** *n.* Schlauheit, Gescheitheit; Schneidigkeit
**smash** *v.* zerschmeissen, zertrümmern
**smashup** *n.* schrecklicher Zusammenstoss
**smattering** *n.* oberflächliche Kenntnis
**smear** *n.* Schmiere; Schmiererei; (coll.) Verleumdung; — *v.* schmieren; besudeln; (coll.) anschwärzen
**smell** *n.* Geruch; Duft; **sense of** — Geruchssinn; — *v.* riechen; duften
**smile** *n.* Lächeln; — *v.* lächeln
**smith** *n.* Schmied; **black** — Grobschmied, Hufschmied
**smog** *n.* Rauchschleier
**smoke** *n.* Rauch, Qualm; — *v.* rauchen, räuchern
**smokestack** *n.* Schornstein
**smoking** *n.* rauchend; — **car** Raucherabteil
**smoky** *adj.* rauchig, qualmig
**smooth** *adj.* glatt; — *v.* glätten; **-ness** *n.* Glätte
**smother** *v.* ersticken
**smuggle** *v.* schmuggeln; **-r** *n.* Schmuggler
**smut** *n.* Schmutz; Zote; — *v.* beschmutzen; **-ty** *adj.* schmutzig; (fig.) schlüpfrig, zotig
**snack** *n.* Bissen, Imbiss
**snail** *n.* Schnecke
**snake** *n.* Schlange; — *v.* schlängeln
**snap** *n.* Knall, Knack(s); (coll.) etwas Leichtes; — *v.* schnappen; (zer)springen; **-per** *n.* Schnapper; **-py** *adj.* schnippig; (coll.) lebhaft, elegant

**snapshot** n. Momentaufnahme

**snare** n. Schlinge, Fallstrick; — v. verstricken; mit einer Schlinge fangen

**snatch** n. schneller Griff; — v. schnell ergreifen, erhaschen

**sneak** n. Schleicher; — v. schleichen; stibitzen

**sneer** n. Hohnlächeln; Stichelei; — v. spötteln, die Nase rümpfen

**sneeze** n. Niesen; — v. niesen

**snicker** n. Gekicher; — v. kichern

**sniper** n. Heckenschütze

**snob** n. Snob, Grosstuer; — **bish** adj. eingebildet

**snoop** n. Schnüffler; (coll.) Detektiv; — v. schnüffeln; (coll.) spionieren

**snooze** v. schlummern

**snore** v. schnarchen

**snorkel** n. Schnorchel; Feuerleiter

**snout** n. Schnauze; Rüssel

**snow** n. Schnee; — v. schneien

**snowbound** adj. eingeschneit

**snowdrift** n. Schneewehe

**snowflake** n. Schneeflocke

**snowslide** n. Lawine

**snowsuit** n. Wintersportanzug

**snub** n. Rüge, Verweis; v. rügen, verweisen

**snuff** n. Schnupftabak; — v. schnauben, schnüffeln; -**er** n. Tabakschnupfer; Lichtputzschere

**snug** adj. schmuck, nett; eng; -**gle** v. (sich) anschmiegen, liebkosen

**so** adv. so, also; **and — forth** und so weiter; — **much more** um so mehr

**soak** v. einweichen, durchnässen

**soap** n. Seife; — **opera** Schmalzoper; — v. (ein)-seifen

**soapbox** n. Seifenkiste

**soar** v. sich erheben

**sob** v. schluchzen

**sober** adj. nüchtern

**so-called** adj. sogenannt

**sociability** n. Geselligkeit

**sociable** adj. gesellig

**social** adj. sozial; gesellschaftlich

**society** n. Gesellschaft

**sock** n. Socke, (sl.) Prügel

**socket** n. (elec.) Fassung

**soda** n. Soda; — **cracker** Salzkeks; — **water** Selterwasser

**soft** adj. weich, sanft; mild; — **coal** Braunkohle; — **drink** alkoholfreies Getränk; -**en** v. erweichen; mildern

**soggy** adj. durchweicht

**soil** n. Boden, Erde; Schmutz; — v. beschmutzen, beflecken

**solar** n. Sonnen-; — **energy** Sonnenenergie

**soldier** n. Soldat; -**ly** adj. soldatisch, militärisch

**sole** n. Sohle; — adj. allein, einzig; (law) unverheiratet; — v. besohlen

**solemn** adj. feierlich

**solicit** v. (dringend) bitten, sich bewerben; ansprechen; -**ation** n. dringende Bitte

**solid** adj. fest, dicht; echt; — n. (fester) Körper

**solid-state physics** n. Festkörperphysik

**solution** n. Lösung

**solve** v. (auf)lösen; -**ncy** n. Zahlungsfähigkeit; -**nt** adj. zahlungsfähig

**some** adj. and pron. irgendein, gewisse; etwas; einige

**somebody** pron. jemand, irgendein

**somehow** adv. irgendwie

**someone** pron. irgendjemand

**something** n. etwas; — **else** etwas anderes

**sometime** adv. einmal; ehemals; -**s** adv. zuweilen; manchmal

**somewhat** adv. etwas, ein wenig; ziemlich

**somewhere** adv. irgendwo(hin)

**son** n. Sohn

**song** n. Lied; Gesang; **buy**

**for a** — spottbillig kaufen

**soon** adv. bald, schnell; **as — as** sobald wie; **-er** adj. eher, früher; **no -er than** kaum . . . als; **-er or later** früher oder später

**sophomore** n. Student (im zweiten Jahr)

**sore** n. wunde Stelle; Übel; — adj. wund; **— throat** Halsweh

**sorority** n. Mädchenclub, Frauenclub

**sorrow** n. Sorge, Trübsal; — v. trauern, sich grämen; **-ful** adj. sorgenvoll

**sorry** adj. traurig; **I am very** — es tut mir leid

**sort** n. Sorte, Art; Weise

**soul** n. Seele; **— music** Seelenmusik; **-ful** adj. seelenvoll

**sound** n. Ton, Laut, Schall, Klang; — adj. gesund; tüchtig, gründlich; (sleep) fest; **— track** Tonspur; **— wave** Schallwelle; — v. (er)tönen, (er)schallen

**soundproof** adj. schalldicht

**soup** n. Suppe, Brühe

**sour** adj. sauer; scharf; — v. säuern

**source** n. Quelle, Ursprung

**south** n. Süden; **-ern** adj. südlich

**sovereign** n. Souverän, Herrscher

**sow** n. Sau; — v. (aus)säen; **-er** n. Säemann, Säemaschine

**soybean** n. Sojabohne

**spa** n. Heilbad, Kurort

**space** n. Raum, Platz; Zeitraum; **— capsule** Kapsel des Astronauten; **— platform** Raumstation; **— probe** Raumsonde; **— shuttle** Raumtransporter, Raumgleiter; **— travel** Raumfahrt

**spaceship** n. Raumschiff

**spacesuit** n. Überdruckkombination; Schutzanzug für den Astronauten

**spacious** adj. geräumig

**spade** n. Spaten; (cards) Pik; **call a — a —** das

Kind beim richtigen Namen nennen; — v. graben; umgraben

**span** n. Spanne; — v. (um)spannen

**spank** n. Schlag, Klaps; — v. klapsen

**spare** v. (er)sparen, schonen; entbehren; — adj. sparsam, spärlich; **— bed** Gastbett; **— parts** Ersatzteile; **— time** Freizeit; **— tire** Ersatzreifen

**spark** n. Funke(n); **— plug** Zündkerze

**sparrow** n. Sperling, Spatz

**spasm** n. Krampf

**spatula** n. Spatel

**speak** v. sprechen, reden; **so to** — sozusagen; **-er** n. Redner; Vorsitzende

**special** adj. speziell; besonder; **— delivery** Eilzustellung; **-ist** n. Spezialist, Fachmann; **-ize** v. spezialisieren

**special-delivery letter** n. Eilbrief

**species** n. Art, Gattung

**specify** v. einzeln angeben

**specimen** n. Probe(stück), Muster, Exemplar

**spectacle** n. Anblick; Schauspiel; pl. Brille

**spectacular** n. (TV) Fernsehgrossprogramm

**spectator** n. Zuschauer

**spectogram** n. fotografische Aufnahme eines Spektrums

**speculate** v. spekulieren

**speech** n. Sprache; Rede

**speed** n. Eile, Schnelligkeit; **— limit** (zulässige) Höchstgeschwindigkeit; — v. (be)eilen; beschleunigen; **-y** adj. eilig, schnell

**speedboat** n. Rennboot

**speedometer** n. Tachometer

**spell** n. Zauber; Zauberformel; (med.) Anfall; — v. (gram.) buchstabieren; (fig.) entziffern

**spelunker** n. Höhlenforscher

**spend** v. ausgeben

**sphere** n. Sphäre; Kugel

**spice** n. Gewürz; — v.

würzen
**spick-and-span** *adj.* blitzblank
**spicy** *adj.* würzig, aromatisch
**spider** *n.* Spinne
**spigot** *n.* Zapfen, Hahn
**spike** *n.* Nagel, Stift
**spill** *n. v.* verschütten, vergiessen
**spin** *n.* rasche Fahrt; — *v.* wirbeln, kreiseln, spinnen; **-dle** *n.* Spindel
**spinach** *n.* Spinat
**spinal** *adj.* — **column** Rückgrat; — **cord** Rückenmark
**spine** *n.* (anat.) Rückgrat
**spire** *n.* (arch.) Turmspitze; Kirchturm
**spirit** *n.* Geist; Gespenst; Genie, Sinn, Mut; Seele, Gemütsart; *pl.* Spiritus; **in high –s** guter Laune; — *v.* **-ed** *adj.* geistvoll, lebhaft; **–ual** *adj.* geistig, geistlich
**spit** *n.* Speichel, Spucke; (mech.) Spiess; — *v.* spucken, speien; **–toon** *n.* Spucknapf
**spite** *n.* Groll, Ärger; Bosheit; **in — of** trotz; **out of spite** aus Groll, zum Ärger; — *v.* grollen, ärgern; **–ful** *adj.* boshaft
**splash** *n.* Spritzer; — *v.* (be)spritzen, platschen
**splendid** *adj.* glänzend, prächtig
**splendor** *n.* Glanz, Pracht
**splint** *n.* Splitter, Span
**split** *n.* Spalt, Riss; Spaltung; — *adj.* gespalten; — *v.* spalten
**spoil** *n. pl.* Beute, — *v.* (be)rauben; verderben
**spoke** *n.* Speiche, Sprosse
**spokesman** *n.* Wortführer
**sponge** *n.* Schwamm; — *v.* abwischen
**sponsor** *n.* Förderer, Gönner; Pate; (rad.) reklamemachende Firma
**spontaneous** *adj.* spontan, freiwillig
**spook** *n.* Spuken; — *v.* spuken

**spool** *n.* Spule
**spoon** *n.* Löffel
**sport** *n.* Sport; Spiel; — **shirt** Sporthemd; — *v.* sich belustigen, scherzen; Sport treiben
**spot** *n.* Fleck(en), Klecks; Stelle, Ort; — **cash** Bargeld; — **remover** Fleckenentferner; — *v.* (be)-flecken; sprenkeln; feststellen
**spotlight** *n.* Schweinwerfer(licht)
**spouse** *n.* Gemahl; Gatte; Gattin
**sprain** *n.* Verrenkung; — *v.* verrenken
**spray** *n.* (bot.) Zweig, Reis; (mech.) Zerstäuber, Spritze; — **gun** Zerstäuber; — *v.* bestäuben, (be)-sprühen
**spread** *n.* Bettdecke, Tischtuch; — *adj.* ausgebreitet; — *v.* (aus)breiten, verbreiten; entfalten
**spring** *n.* Frühling; (geol.) Quelle; (mech.) Feder
**springboard** *n.* Sprungbrett
**sprinkle** *n.* Sprühregen; — *v.* (be)sprengen; sprenkeln; **-r** *n.* Rasensprenger
**sprocket** *n.* — **wheel** Kettenrad
**sprout** *n.* Spross(e), Sprössling; — *v.* spriessen
**spruce** *n.* Fichte
**spry** *adj.* flink, munter
**spur** *n.* Sporn
**sputnik** *n.* Sputnik, Satellit
**spy** *n.* Spion, Kundschafter; — *v.* spionieren
**spyglass** *n.* Fernglas
**squad** *n.* Mannschaft; — **car** Streifenwagen
**squander** *v.* verschwenden
**square** *n.* Platz; Viereck, Quadrat; (mech.) Winkelmass; — *adj.* viereckig, quadratisch; redlich; **to be — quitt sein; — dance** Quadrille; — **deal** faires Spiel; — **inch** Quadratzoll; — *v.* ausgleichen (geom.) abmessen; (math.) ins Quadrat erheben

**squash** n. (bot.) Kürbis; — v. zerquetschen, zerdrücken; (fig.) unterdrücken

**squeal** v. quieken, schreien; (coll.) protestieren; verraten

**squeeze** n. Druck; — v. (sich) drücken, pressen

**squint** v. schielen; schräg anblicken

**squire** n. Gutsherr

**squirrel** n. Eichhörnchen

**squirt** n. Strahl; (coll.) Emporkömmling; — v. spritzen

**stability** n. Festigkeit; Beständigkeit

**stable** n. Stall; — adj. stabil, dauerhaft

**stack** n. Haufen; Stoss, Schornstein; — v. schichten; aufstellen

**staff** n. Stab; Stock; (fig.) Stab, Personal; **editorial** — Redaktionspersonal

**stag** n. Hirsch; — **party** Herrengesellschaft

**stage** n. Gerüst, Gestell; Bühne; (fig.) Stufe; **landing** — Landungsbrücke

**staging** n. (theat.) Inszenierung

**stain** n. Fleck; — v. (be-) flecken; **-less** adj. fleckenlos; **-less steel** rostfreier Stahl

**stair** n. Stufe; pl. Treppe

**stake** n. Pfahl, Stange; Marterpfahl; (bet) Einsatz, Preis; **be at** — auf dem Spiel stehen; — v. wagen, wetten

**standpoint** n. Standpunkt

**stale** adj. schal, matt, fade; abgenutzt

**stalemate** n. Unentschieden; (chess) Patt

**stalk** n. (bot.) Stengel, Stiel, Halm; — v. stolzieren

**stamina** n. Ausdauer

**stammer** v. stottern, stammeln

**stamp** n. Stampfen; **postage** — Briefmarke; **revenue** — Zollstempel, Zollmarke; — v. (auf)stamp-

fen; (mail) frankieren

**stand** n. Stand; Stillstand; Standpunkt; Halteplatz; — v. stehen; stillstehen; ertragen; **-ing** adj. **-ing room** Stehplatz

**standard** n. Standard, Muster, Masstab, Norm; **gold** — Goldwährung; — **of living** Lebenshaltung; — adj. massgebend; — **time** Normalzeit

**staple** n. Haupterzeugnis, Rohstoff; Heftklammer

**star** n. Stern, Gestirn; (film) Star; **-s and stripes** Sternenbanner; — v. (theat.) glänzen, in der Hauptrolle auftreten; **-let** n. Sternchen

**starch** n. Stärke; — v. stärken

**stare** n. Starren; — v. (an)starren

**star-spangled** adj. sternenbesät

**start** n. Sprung, Satz, Ruck; Aufschrecken; Start, Anfang; — v. aufspringen, aufschrecken; (mech.) anlassen, in Gang setzen; **-er** n. Starter, Anlasser

**starve** v. verhungern

**state** n. Stand, Zustand; (pol.) Staat; — v. angeben, darlegen; **-ly** adj. staatlich, prächtig; **-ment** n. Angabe, Aussage

**stateroom** n. (naut.) Luxuskajüte; (rail.) Luxuswagen

**statesman** n. Staatsmann

**static** adj. statisch; (rad.) störend; — n. (rad.) Sendestörung

**station** n. Standort, Stellung; Station; — **agent** Stationsbeamte; — **house** Polizeiwache; — **wagon** Tourenwagen; **-ary** adj. stillstehend, beständig, fest

**stationery** n. Schreibwaren

**stature** n. Statur, Wuchs

**status** n. Status, Zustand; Stellung, Rang

**stay** n. Aufenthalt; Stütze, Strebe; pl. Korsett; — v.

bleiben; hindern; stützen
**stead** n. Statt, Stelle
**steadfast** adj. standhaft
**steady** adj. fest, sicher; stetig; zuverlässig
**steal** v. stehlen, entwenden
**steam** n. Dampf, Dunst; — adj. dampfend; — **cooker** Dampfkochapparat; — **engine** Dampfmaschine; — **gauge** Manometer; — **heating** Dampfheizung; — v. dampfen, ausdunsten; **-er** n. Dampfer
**steel** n. Stahl; — adj. stählern; — **filings** Stahlstaub; — **wool** Stahlspäne; — v. stählen
**steelworks** n. pl. Stahlhütte
**steep** adj. steil, jäh
**steeple** n. spitzer Turm
**steer** n. (zool.) Stier; — v. steuern, lenken
**stein** n. Bierglas, Humpen
**stem** n. Stamm; Stengel, Stiel
**stencil** n. Schablone; — v. mit einer Schablone arbeiten
**step** n. Schritt, Tritt; Stufe; — v. schreiten, treten
**stepfather** n. Stiefvater
**Stephen** n. Stefan
**stepladder** n. Stehleiter
**stepmother** n. Stiefmutter
**stereophonic** adj. volltönend; stereophonisch
**stern** adj. finster, ernst
**stevedore** n. Staumeister
**stew** n. Gedämpfte, Geschmorte; — v. dämpfen, schmoren
**steward** n. Verwalter; (avi. and naut.) Steward
**stewardess** n. Stewardess
**stick** n. Stock, Stange, Stab; — v. stecken, kleben, heften; **-er** n. Ankleber; (com.) Klebezettel; **-y** adj. klebrig
**stickpin** n. Krawattennadel
**stiff** adj. steif, starr; schwierig, hartnäckig
**stifling** adj. erstickend

**still** n. Stille, Ruhe; (chem.) Destillierapparat; — adj. still, ruhig; — adv. noch (immer); — conj. (je)doch, dennoch; — v. stillen; **-ness** n. Stille, Ruhe
**stimulant** n. Reizmittel
**sting** n. Stachel; Stich; — v. stechen; (fig.) schmerzen; **-iness** n. Geiz; **-ing** adj. stechend; schmerzhaft; **-y** adj. geizig; kärglich
**stipulate** v. festsetzen
**stir** n. Bewegung, Aufregung; — v. rühren; anschüren, bewegen
**stitch** n. Stich, Masche; — v. nähen, sticken, heften
**stock** n. (agr.) Vieh(stand); (com.) Vorrat; pl. Inventar; Aktien; **in** — lagernd, vorrätig; — **on hand** Warenbestand; — adj. — **company** Aktiengesellschaft; — **exchange** Börse; — **market** Effektenbörse; — **raiser** Viehzüchter; — v. lagern, aufspeichern
**stockholder** n. Aktionär
**stocking** n. Strumpf
**stockpile** n. Materialreserve; **atomic** — Atomkernreserve
**stockroom** n. Lagerraum
**stockyard** n. Viehhof
**stole** n. Stola
**stomach** n. Magen; — v. verdauen; vertragen
**stone** n. Stein; (bot.) Kern; — adj. steinern, steinig; Stein-; — v. steinigen
**stonemason** n. Steinmetz
**stony** adj. steinig, steinern
**stool** n. Schemel, Stuhl; (med.) Stuhlgang; — **pigeon** Lockspitzel
**stoop** v. sich beugen; demütigen
**stop** n. Halt; Pause; Haltestelle; — **light** Bremslicht; — v. (ver)stopfen; aufhalten; (stehen)bleiben, anhalten; **-per** n. Stöpsel, Pfropfen
**stopover** n. Zwischenau-

fenthalt

**store** n. Geschäft, Laden; Speicher; Vorrat; **department — Kaufhaus; — v.** aufhäufen, aufspeichern

**storekeeper** n. Geschäftsbesitzer

**stork** n. Storch

**storm** n. Sturm; Gewitter; **— v.** stürmen; toben; **-y** adj. stürmisch

**story** n. Geschichte, Erzählung; (arch.) Stock(werk), Geschoss; **short — Novelle**

**stove** n. Ofen; Kochherd

**straight** adj. gerade, direkt; **-en** v. gerade machen; (fig.) in Ordnung bringen

**straightedge** n. Lineal

**strain** n. Anstrengung; — v. anstrengen, überanstrengen; verrenken; (mech.) durchpressen; **-er** n. Durchschlag

**strait** n. Meerenge, Strasse; **— adj. eng. knapp**

**strand** n. Strand, Ufer

**strange** adj. fremd

**strangle** v. erwürgen

**strap** n. Riemen, Gurt; — v. festschnallen

**stratosphere** n. Stratosphäre

**straw** n. Stroh; Strohhalm

**strawberry** n. Erdbeere

**stray** v. verlaufen; — v. irregehen

**streak** n. Strich, Streifen

**streaker** n. Blitzer, Flitzer

**stream** n. Strom, Fluss; — v. strömen, fliessen

**streamline** n. in Stromlinie formen; glätten

**street** n. Strasse; Gasse

**streetcar** n. Strassenbahn

**strength** n. Stärke, Kraft; **-en** v. (ver)stärken

**strenuous** adj. anstrengend

**stress** n. Druck, Gewicht; Betonung; — v. betonen

**stretch** n. Ausdehnung; Strecke; — v. strecken, dehnen

**strife** n. Streben; Streit

**strike** n. Streik, Aufstand;

(baseball) Nichttreffer; **— v.** streiken; treffen

**striking** adj. streikend; überraschend

**string** n. Schnur, Bindfaden; — adj. **— bean** grüne Bohne; — v. aufreihen, aufziehen

**strip** v. abstreifen; entkleiden; **-tease** n. Entkleidungsakt

**stripe** n. Streifen, Strich; **— v. streifen**

**strive** v. streben; streiten

**stroke** n. Schlag, Streich

**stroll** n. Spaziergang; — v. schlendern

**strong** adj. stark, kräftig

**strongbox** n. Geldschrank

**struggle** n. Ringen, Kampf; — v. ringen, kämpfen

**strut** v. sich brüsten

**stub** v. anstossen; **-ble** n. Stoppel; **-by** adj. stämmig

**stubborn** adj. widerspenstig

**stucco** n. Stuck, Stukkatur

**stuck-up** adj. hochnäsig, hochmütig

**studious** adj. fleissig; bemüht

**study** n. Studium; Untersuchung; Studierzimmer; — v. studieren; (er)forschen

**stuff** n. Stoff; Zeug; — v. (voll)stopfen; (cooking) füllen, spicken; **— up** verstopfen

**stumble** v. stolpern, straucheln

**stumbling block** n. Hindernis

**stump** n. Stumpf, Stummel; — **speech** Wahlrede; — v. abstumpfen; roden

**stun** v. betäuben; verblüffen; **-ning** adj. betäubend; verblüffend; famos

**stunt** n. Kunststück, Trick

**stupendous** adj. erstaunlich

**stupid** adj. dumm, beschränkt; **-ity** n. Dummheit

**sturdy** adj. stark, derb; starr

**sturgeon** *n.* Stör
**stutter** *n.* stottern, Stammeln; — *v.* stottern, stammeln
**style** *n.* Stichel, Griffel; (fig.) Stil; Mode
**stylish** *adj.* modisch, elegant
**sub** *n.* U-boot
**subcommittee** *n.* Unterausschuss
**subhead** *n.* Untertitel
**subject** *n.* Gegenstand, Thema; Untertan; — *adj.* unterworfen; — **matter** Gegenstand; — *v.* unterwerfen
**submarine** *n.* Unterseeboot
**submerge, submerse** *v.* untertauchen
**submission** *n.* Unterwerfung
**submit** *v.* vorlegen; sich fügen
**subpoena** *n.* Vorladung unter Strafandrohung
**subscribe** *v.* abonnieren, unterschreiben
**subscription** *n.* Abonnement; Unterschrift, Unterzeichnung
**subsidy** *n.* Unterstützung
**substitute** *n.* Stellvertreter; Ersatz; — *v.* ersetzen, vertreten
**substitution** *n.* Stellvertretung, Ersetzung
**subterranean** *adj.* unterirdisch
**subtitle** *n.* Untertitel
**subtract** *v.* abziehen; **-ion** *n.* (math.) Abziehen
**suburb** *n.* Vorort
**subversive** *adj.* unterminierend
**subway** *n.* Untergrundbahn
**succeed** *v.* gelingen, glücken
**success** *n.* Erfolg, Gelingen; **-ful** *adj.* erfolgreich; **-ion** *n.* Folge, Nachfolge; Thronfolge, Erbfolge; **-ive** *adj.* aufeinanderfolgend; **-or** *n.* Nachfolger
**succinct** *adj.* kurzgefasst

**succotash** *n.* junger Mais mit Bohnen
**such** *pron.* and *adj.* solch; so ein; — **as** diejenigen, welche
**suck** — *v.* saugen
**suction** *n.* Ansaugen; — **pump** Saugpumpe
**sudden** *adj.* plötzlich
**sue** *v.* (ver)klagen, nachsuchen
**suede** *n.* Wildleder
**suffer** *v.* (er)leiden, (er)dulden; **-ing** *n.* Leiden
**suffice** *v.* genügen, befriedigen
**sufficient** *adj.* genügend
**suffocate** *v.* ersticken
**suffrage** *n.* Stimmrecht
**sugar** *n.* Zucker; — **bowl** Zuckerdose; **-y** *adj.* zuckerig
**suggest** *v.* vorschlagen, anregen; **-ion** *n.* Anregung, Vorschlag
**suicide** *n.* Selbstmord; Selbstmörder
**suit** *n.* Anzug; Kostüm; (cards) Farbe; — *v.* passen, kleiden, stehen
**suitable** *adj.* passend, geeignet
**suitcase** *n.* Handkoffer
**suite** *n.* Gefolge; — **of rooms** Zimmerflucht
**sulfa drugs** *n. pl.* Sulfanomiden
**sulk** *v.* schmollen; **-y** *adj.* verdriesslich, ärgerlich
**sullen** *adj.* mürrisch, unfreundlich
**sulphur** *n.* Schwefel
**sultry** *adj.* schwül, drückend
**sum** *n.* Summe; Betrag; (fig.) Inhalt; — **total** Gesamtsumme
**summer** *n.* Sommer; — **resort** Sommerfrische
**summit** *n.* Gipfel, Spitze
**summon** *v.* auffordern; (be)rufen; **-s** *n. pl.* Aufforderung; (law) Vorladung
**sun** *n.* Sonne; — **visor** Sonnenschutz; — *v.* (sich) sonnen; **-ny** *adj.* sonnig

**sunbeam** n. Sonnenstrahl
**sundae** n. Fruchtspeiseeis
**Sunday** n. Sonntag
**sundial** n. Sonnenuhr
**sundown** n. Sonnenuntergang
**sundries** n. pl. Verschiedenes
**sundry** adj. allerlei
**sunfast** adj. lichtecht
**sunlamp** n. Höhensonne
**sunlight** n. Sonnenlicht
**sunrise** n. Sonnenaufgang
**sunset** n. Sonnenuntergang
**sunshine** n. Sonnenschein
**sunspot** n. Sonnenfleck
**sunstroke** n. Sonnenstich
**superb** adj. prächtig
**superficial** adj. oberflächlich
**superfluous** adj. überflüssig
**superhighway** n. Autostrasse
**superhuman** adj. übermenschlich
**superintend** v. beaufsichtigen; **-ent** n. Oberaufseher
**superior** n. Vorgesetzte; — adj. höher; überlegen; **-ity** n. Überlegenheit
**superman** n. Übermensch
**supermarket** n. Selbstbedienungsladen
**superpower** n. Grossmacht
**supersonic** adj. Überschall-
**superstition** n. Aberglaube
**supervise** v. beaufsichtigen
**supervisor** n. Aufseher
**supper** n. Abendessen; **Lord's Supper** das Heilige Abendmahl
**supplement** n. Ergänzung; Beilage; — v. ergänzen
**supply** n. Vorrat; — **and demand** Angebot und Nachfrage; — v. liefern
**support** n. Stütze; (fig.) Unterstützung; — v. (unter)stützen
**suppose** v. annehmen
**supposing** conj. unter der Voraussetzung
**suppress** v. unterdrücken
**supreme** adj. höchst; oberst
**sure** adj. sicher, gewiss;

**-ly** adv. sicherlich; **-ty** n. Bürgschaft
**surface** n. Oberfläche
**surgeon** n. Chirurg
**surgery** n. Chirurgie
**surly** adj. mürrisch
**surmise** n. Vermutung; — v. vermuten
**surname** n. Familienname
**surpass** v. übersteigen
**surplice** n. Chorhemd
**surplus** n. Überfluss
**surprise** n. Überraschung; — v. überraschen
**surrender** n. Auslieferung, Übergabe; — v. ausliefern, übergeben
**surround** v. umgeben; **-ings** pl. Umgegend
**surtax** n. Steuerzuschlag
**survey** n. Übersicht; — v. übersehen; **-or** n. Feldmesser, Landmesser
**survival** n. Überleben
**survivor** n. Überlebende
**suspect** adj. verdächtig; — v. verdächtigen
**suspend** v. entlassen, suspendieren
**suspense** n. Spannung; Unentschiedenheit
**suspicion** n. Verdacht
**suspicious** adj. verdächtig
**sustain** v. stützen; unterhalten
**suture** n. Naht; — v. nähen
**swaddling clothes** n. pl. Windeln
**swallow** n. Schluck; (orn.) Schwalbe; — v. (ver-)schlucken
**swamp** n. Sumpf, Morast
**swan** n. Schwan
**swanky** adj. elegant, luxuriös
**swarm** n. Schwarm, Gewimmel; — v. schwärmen, wimmeln
**swastika** n. Hakenkreuz
**sway** v. schwingen; beeinflussen
**swear** v. (be)schwören; fluchen
**sweat** n. Schweiss; — v. schwitzen
**sweater** n. Sweater
**sweep** n. Fegen, Kehren;

Bereich; — v. fegen, kehren; — ing adj. schwungvoll; umfassend

**sweepstakes** n. Wettrennen

**sweet** adj. süss, lieblich, hübsch; — **potato** süsse Kartoffel; **-ness** n. Süsse; **-s** n. pl. Süssigkeiten; **-en** v. (ver)süssen

**sweetheart** n. Geliebte, Liebchen, Schatz

**sweetmeats** n. pl. Süssigkeiten

**swell** adj. flott, famos; — v. (an)schwellen; **-ing** n. (med.) Beule

**swept** adj. gefegt, gekehrt

**swerve** — v. abweichen

**swift** n. (mech.) Haspel; (orn.) Mauerschwalbe; — adj. schnell

**swim** v. schwimmen; **-mer** n. Schwimmer; **-ming** n. Schwimmen; **-ming** adj. **pool** Schwimmbassin

**swindle** n. Schwindel(ei); — v. (be)schwindeln; **-r** n. Schwindler

**swine** n. Schwein

**swing** n. Schwung; Schaukel; (boxing) Schwinger; — v. schwingen; schaukeln

**swipe** n. Schlag; — v. schlagen; (coll.) stehlen

**switch** n. Gerte, Rute; (elec.) Schalter; **ignition** — Zündschalter; — **box** Schaltkasten; (rail.) Weichenbock; — v. (elec.) umschalten, schalten

**switchback** n. Berg- und Talbahn; Zickzackbergbahn

**switchblade** n. Federtaschenmesser

**switchboard** n. Schalttafel

**swivel** n. Drehring; — **chair** Drehstuhl

**swollen** adj. angeschwollen

**swoon** n. Ohnmacht

**swoop** n. Stoss, Sturz; — v. (herab)stossen

**sword** n. Schwert; Degen

**syllable** n. Silbe

**symmetry** n. Ebenmass

**sympathetic** adj. sympathisch, mitfühlend; harmonierend; seelenverwandt

**sympathize** v. — **with** übereinstimmen mit; mitfühlen

**sympathy** n. Sympathie; Mitgefühl

**synagogue** n. Synagoge

**synchronize** v. synchronisieren

**synopsis** n. Übersicht

**synthetic** adj. synthetisch

**syringe** n. Spritze, Injektionsnadel

**syrup** n. Sirup

**system** n. System; Verfahren; **-atic** adj. systematisch

## T

**tab** n. Streifen; Scheck

**tabernacle** n. Tabernakel

**table** n. Tisch; Tafel; Platte; Tabelle, Register; **folding** — Klapptisch; **d'hôte** Hoteltafel; feste Speisenfolge; — **of contents** Inhaltsverzeichnis; — v. auf den Tisch legen

**tablecloth** n. Tischtuch

**tablespoon** n. Esslöffel

**tablet** n. Tablette, Pastille

**tableware** n. Tischgeschirr

**tabulate** v. katalogisieren

**tabulation** n. Tabellarisierung

**tacit** adj. stillschweigend

**tack** n. Stift, Reissnagel; — v. (an-)heften

**tact** n. Takt; **-ful** adj. taktvoll; **-less** adj. taktlos

**tactics** n. Taktik

**tadpole** n. Kaulquappe

**taffeta** n. Taf(fe)t

**tag** n. Preisschild

**tail** n. Schwanz, Schweif

**taillight** n. Schlusslicht

**tailor** n. Schneider

**taint** n. Fleck(en), Makel; — v. beflecken, verderben

**take** n. Einnahme; — v. (an)nehmen; verstehen, ansehen; — **aback** verwirren; — **after** nacharten; — **care of** in Verwahrung nehmen; sorgen für; — **charge of** Verantwortung übernehmen für;

— fire Feuer fangen; — for granted als selbstverständlich annehmen; — heart Mut fassen; — it easy es sich leicht machen; — off abnehmen, ausziehen; (avi.) abfliegen
**take-home pay** n. Nettogehalt
**take-off** n. (avi.) Abflug
**tale** n. Erzählung, Geschichte
**talent** n. Talent, Begabung; **-ed** adj. begabt
**talk** n. Gespräch; Geschwätz; — v. reden, sprechen, klatschen; **-ie** n. (coll.) Tonfilm; **-ing machine** Grammofon; **-ing picture** Tonfilm
**tall** adj. gross, hoch, lang
**tallow** n. Talg
**tame** adj. zahm; (fig.) matt, schal; — v. (be-) zähmen
**tangible** adj. greifbar, fühlbar
**tangle** n. Verwicklung, Gewirr; — v. (sich) verwirren, verwickeln
**tank** n. Behälter
**tape** n. Band, Streifen; **adhesive** — Leukoplast; **red** — Bürokratismus; — **recording** Tonbandaufnahme; — v. binden, heften
**tapeline** n. Bandmass
**taper** n. Wachskerze; — v. spitz zulaufen
**tapestry** n. Wandteppich
**tapeworm** n. Bandwurm
**taproom** n. Schenkstube, Bar
**tar** n. Teer; (sl.) Matrose; — v. teeren
**tardy** adj. langsam, säumig
**target** n. Ziel(scheibe)
**tarpaulin** n. Wagendecke
**tart** n. Fruchttörtchen; — adj. scharf, herb
**task** n. Aufgabe
**tassel** n. Quaste, Troddel
**taste** n. Geschmack, Kostprobe; — v. kosten, schmecken
**tasty** adj. appetitlich
**tatter** n. Lumpen, Fetzen; **-ed** adj. zerlumpt, zerfetzt

**tavern** n. Schenke, Gasthaus
**tax** n. Steuer, Abgabe
**taxi** n. Taxe; **-cab** n. Taxe
**taxidermy** n. Kunst des Ausstopfens
**taxonomy** n. Klassifizierung
**taxpayer** n. Steuerzahler
**tea** n. Tee
**teach** v. lehren, unterrichten; **-er** n. Lehrer
**teakettle** n. Teekessel
**team** n. Team; Mannschaft; Gespann
**teamwork** n. Zusammenarbeit
**teapot** n. Teekanne
**tear** n. Träne; Riss; — **bomb** n. Tränengasbombe; — v. tränen; (zer)reissen
**tease** v. necken, hänseln
**teaspoon** n. Teelöffel
**technical** adj. technisch
**technician** n. Techniker
**technology** n. Technologie
**tee** n. (golf) Erdhaufen; — v. **off** (golf) das Spiel eröffnen
**teen-age** n. Flegeljahre; **-r** n. Backfisch; Halbwüchsige
**teeth** n. pl. Zähne; **set of** — Gebiss; **-ing** n. Zahnen; **-ing ring** Beissring
**teetotaler** n. Abstinenzler
**telecast** v. (TV) Fernsehsendungen übertragen
**telemeter** n. Telemeter
**telephone** n. Telefon, Fernsprecher; **dial** — Selbstanschlusstelefon; — **booth** Fernsprechzelle; — **directory** Telefonbuch; — **exchange** Fernsprechamt; — **operator** Telefonist(in); — **receiver** Telefonhörer
**teleprompter** n. Textband
**telescope** n. Fernrohr
**television** n. Fernsehen
**tell** v. erzählen, sagen
**temper** n. Stimmung, Laune; Wut, Ärger; **lose one's** — die Geduld verlieren; — v. mässigen, mildern; **-ance** n. Mässigkeit; **-ate** adj. mässig
**temple** n. Tempel, Gotteshaus

**temporary** *adj.* vorläufig
**tempt** *v.* versuchen, verlocken; **-ation** *n.* Versuchung, Reiz
**ten** *n.* Zehn(er); — *adj.* zehn
**tenant** *n.* Mieter, Insasse; Pächter
**tend** *v.* (be)dienen, pflegen; (be)hüten; **-ency** *n.* Richtung, Tendenz
**tender** *adj.* zart, zärtlich; weich; **-ness** *n.* Zartheit, Weichheit; Zärtlichkeit
**tenderloin** *n.* Lendenstück, Filet
**tenement** *n.* — **house** Mietshaus
**tense** *adj.* straff, gespannt
**tension** *n.* Spannung
**tent** *n.* Zelt; **oxygen** — Sauerstoffzelt
**tenth** *n.* Zehnte; Zehntel; — *adj.* zehnt; **-ly** *adv.* zehntens
**term** *n.* Termin, Frist; (educ.) Semester; *pl.* Bedingungen; **be on good -s** auf gutem Fusse stehen; **come to -s** sich einigen (*or* vergleichen); — *v.* benennen; **-inal** *n.* Grenze; (rail.) Endstation
**terrace** *n.* Terrasse; — *v.* (terassenförmig) aufsteigen
**terrible** *adj.* schrecklich, furchtbar
**terrific** *adj.* fürchterlich
**terrify** *v.* erschrecken, entsetzen
**territory** *n.* Gebiet, Bezirk
**terror** *n.* Schrecken, Entsetzen; **-ism** *n.* Gewaltherrschaft
**test** *n.* Test, Probe; Prüfung, Untersuchung; **-tube** Probierröhre; **-ament** *n.*, **Testament** (bibl.) Testament; **-ify** *v.* (be)zeugen; **-imony** *n.* Zeugnis
**text** *n.* Text; (rel.) Bibelstelle
**textbook** *n.* Lehrbuch, Schulbuch; Leitfaden
**than** *conj.* als, denn
**thank** *n.* Dank; *pl.* Danke!

— *v.* danken; **-ful** *adj.* dankbar; **-fulness** *n.* Dankbarkeit
**thanksgiving** *n.* Danksagung; (**Thanks-**); Dankgebet; **Thanksgiving (Day)** Dankfest; Erntedankfest
**that** *adj.* and *pron.* jene, diese, solche, welche; der, die, das; — *conj.* dass, damit
**thaw** *n.* Tau; Tauwetter; — *v.* (auf)tauen
**the** *art.* der, die, das; *pl.* die
**thee** *pron.* dich, dir, deiner
**theft** *n.* Diebstahl
**their** *pron.* ihr; *pl.* ihre; der (*or* die, das) ihrige
**them** *n. pron.* sie; ihnen; **-selves** *pron.* sie (*or* sich) selbst
**theme** *n.* Thema, Gegenstand
**then** *adv.* darauf, (als)-dann; damals, da; nun; **now and** — dann und wann, hier und da
**thence** *adv.* von dort, dorther; daher, daraus; **-forth** *adv.* seitdem
**theologian** *n.* Theologe
**theology** *n.* Theologie
**there** *adv.* da, dort, darin; dorthin
**thereafter** *adv.* danach
**thereby** *adv.* dadurch, damit
**therefore** *adv.* deswegen, deshalb
**therein** *adv.* darin, dadurch
**thereof** *adv.* davon
**thereupon** *adv.* daraufhin
**thermodynamics** *n.* Thermodynamik
**these** *pron.* diese, jene
**they** *pron.* sie, die(jenigen), solche; man
**thick** *adj.* dick, gross, dicht; **-en** *v.* verdicken; **-et** *n.* Dickicht; **-ness** *n.* Dicke
**thief** *n.* Dieb
**thigh** *n.* Oberschenkel
**thimble** *n.* Fingerhut
**thin** *adj.* dünn, mager; — *v.* verdünnen; **-ness** *n.*

Dünnheit

**thing** n. Ding, Sache; pl. Kleider, Gepäck

**think** v. denken, meinen, glauben

**third** n. Dritte; Drittel; — adj. dritt

**thirst** n. Durst; — v. dursten; **-y** adj. durstig

**thirteen** n. Dreizehn(er); — adj. dreizehn; **-th** n. Dreizehnte, Dreizehntel; **-th** adj. dreizehnt

**thirty** n. Dreissig(er); — adj. dreissig

**this** adj. and pron. dies, das

**thorn** n. Dorn

**thorough** adj. gründlich; **-ly** adv. durch und durch

**those** adj. and pron. jene, die(jenigen), solche

**though** conj. obgleich, obschon; — adv. allerdings

**thought** n. Gedanke; **-ful** adj. gedankenvoll

**thousand** n. Tausend; — adj. tausend; **-th** n. Tausendste, Tausendstel; **-th** adj. tausendst

**thread** n. Faden; Zwirn, Garn; **-bare** adj. fadenscheinig

**threat** n. Drohung; **-en** v. (be)drohen

**three** n. Drei(er); — adj. drei; **-fold** adj. dreifach

**thresh** v. dreschen; **-er** n. Drescher

**threshold** n. Schwelle

**thrift** n. Sparsamkeit; **-less** n. verschwenderisch; **-y** adj. sparsam

**thrill** n. Schauer, Zittern; — v. durchdringen, durchschauern; aufregen; **-er** n. Schauergeschichte; **-ing** adj. erregend, spannend

**throat** n. Kehle, Gurgel, Hals

**throb** n. Pochen, Klopfen; Pulsschlag; — v. pochen, klopfen

**throne** n. Thron

**through** prep. durch

**throughout** prep. hindurch

**throw** n. Wurf; — v. werfen, schleudern

**thrush** n. Drossel

**thrust** n. Stoss, Schub; — v. stossen

**thumb** n. Daumen

**thumbtack** n. Reissnagel

**thunder** n. Donner; — v. donnern

**thunderbolt** n. Donnerkeil

**thunderstorm** n. Gewitter

**Thursday** n. Donnerstag

**thy** pron. dein; **-self** pron. du selbst; dir, dich (selbst)

**tick** n. Ticken; — v. ticken; **-er** n. Börsentelegraf; (coll.) Herz, Uhr

**ticket** n. Zettel; Schein; Eintrittskarte; Fahrkarte; — **window** Fahrkartenschalter

**tickle** v. Kitzeln; schmeicheln

**tide** n. Ebbe, Flut

**tidings** n. pl. Nachrichten

**tie** n. Band, Schleife; Krawatte; Verbindung; — v. (ver)binden, (ver)knüpfen

**tier** n. Reihe, Lage

**tie-up** n. Verkehrsstorung

**tiger** n. Tiger

**tight** adj. dicht, fest; straff; — **squeeze** Klemme; **-s** n. pl. Trikot; **-en** v. straff spannen (or festziehen); zusammenziehen; **-ness** n. Festigkeit, Dichtheit

**tigress** n. Tigerin

**tile** n. Ziegel, Kachel, Fliese; — v. mit Ziegeln decken, Fliesen legen

**till** prep. bis zu (or auf); — **now** bis jetzt; — conj. bis; — v. Schalterkasse; — v. bestellen

**timber** n. Holz, Baumbestand

**time** n. Zeit; Zeitalter; Mal; **at all -s** stets, immer; **at no** — niemals; **on** — pünktlich; **spare** — Mussestunden; — **exposure** Zeitaufnahme; — **fuse** Zeitzünder; — **limit** Frist; — v. die Zeit abmessen

**timepiece** n. Zeitmesser, Uhr

**timetable** n. (rail.) Fahrplan

**timid** *adj.* furchtsam
**tin** *n.* Zinn; Weissblech; —
*v.* verzinnen; **-ner** *n.*
Klempner
**tine** *n.* Zinke, Zacken
**tinker** *n.* Kesselflicker; —
*v.* herumflicken
**tinsel** *n.* Flitter
**tinsmith** *n.* Blechschmied
**tint** *n.* Farbe, Schattierung; — *v.* färben; schattieren
**tiny** *adj.* winzig, sehr klein
**tip** *n.* Spitze, Ende; Trinkgeld; Wink, Rat; — *v.*
tippen, kippen; Winke
geben; Trinkgeld geben
**tiptoe** *n.* Zehenspitze
**tire** *n.* (mech.) Reifen; *pl.*
Bereifung; **flat** — Reifenpanne; **spare** — Ersatzreifen; — *v.* ermüden;
(mech.) bereifen; **-d** *adj.*
müde
**tissue** *n.* — **paper** Seiden-
papier
**title** *n.* Titel; Überschrift
**to** *prep.* and *adv.* an, in,
nach, zu; bis; um zu
**toad** *n.* Kröte
**toadstool** *n.* Giftpilz
**toast** *n.* geröstetes Brot;
Trinkspruch; — *v.* Brot
rösten; trinken auf
**toastmaster** *n.* Toastleiter
**tobacco** *n.* Tabak
**toboggan** *n.* flacher Schlitten; — *v.* rodeln
**today** *adv.* heute
**toe** *n.* Zehe; Spitze; —
**dancer** Spitzentänzer
**together** *adv.* zusammen
**toil** *n.* Mühsal, Plackerei;
— *v.* sich abmühen
**toilet** *n.* Toilette
**token** *n.* Zeichen; Andenken; — **payment** Anzah-
lung
**tolerable** *adj.* erträglich,
leidlich
**tolerate** *v.* dulden, leiden
**toleration** *n.* Duldung
**toll** *n.* Zoll; Brückengeld;
— **call** Ferngespräch
**tomb** *n.* Grab(mal)
**tomboy** *n.* Range, Wild-
fang
**tombstone** *n.* Grabstein

**tomcat** *n.* Kater
**tomorrow** *adv.* morgen;
**day after** — übermor-
gen; — *adj.* — **morning**
morgen früh
**ton** *n.* Tonne; **-nage** *n.*
Tonnengehalt
**tone** *n.* Ton, Klang, Laut
**tongs** *n. pl.* Zange
**tongue** *n.* Zunge
**tonic** *n.* Stärkungsmittel
**tonight** *adv.* heute nacht;
(fig.) heute abend
**tonsil** *n.* Mandel; **-lec-
tomy** *n.* Mandeloperation;
**-litis** *n.* Mandelentzün-
dung
**too** *adv.* zu, allzu; auch,
noch, dazu, ebenfalls
**tool** *n.* Werkzeug, Gerät
**tooth** *n.* Zahn; — **paste**
Zahnpasta
**toothache** *n.* Zahnweh
**toothbrush** *n.* Zahnbürste
**toothpick** *n.* Zahnstocher
**top** *n.* Spitze, Höhe; (toy)
Kreisel; — *adj.* oberst;
grösst, höchst; — **hat**
Zylinderhut; — *v.* be-
decken; übertreffen
**topcoat** *n.* Überrock, Überzieher
**top-heavy** *adj.* oberlastig
**topic** *n.* Thema, Gegenstand
**topmost** *adj.* höchst, oberst
**topnotch** *adj.* erstklassig
**top-secret** *adj.* strenggeheim (mil.)
**torch** *n.* Fackel
**torment** *n.* Folter, Qual;
— *v.* foltern, quälen
**torn** *adj.* zerrissen, zerfetzt
**torque** *n.* Drehung
**torrent** *n.* Giessbach
**torture** *n.* Tortur, Folter;
— *v.* foltern, martern
**tortoise** *n.* Schildkröte
**toss** *n.* Werfen; Wurf; —
*v.* bewegen; (herum)wer-
fen
**tossup** *n.* Hochwerfen;
(fig.) Ungewissheit
**tot** *n.* Kleine; **-ter** *v.* wanken, wackeln
**total** *adj.* total, ganz, gänzlich; — *n.* Gesamtbetrag
**touch** *n.* Berührung; Ge-

**fühl;** — *v.* berühren
**touchdown** *n.* (football) Ball an (or hinter) der feindlichen Ziellinie
**touchstone** *n.* Probierstein; Prüfstein
**tough** *n.* Raufbold; — *adj.* zäh, fest, hart; **—en** *v.* zäh machen (or werden)
**tournament** *n.* Wettspiel
**tow** *n.* Tau; Schleppen; Werk; — *v.* (ab)schleppen
**toward(s)** *prep.* and *adv.* gegen, nach, zu; gegenüber
**towel** *n.* Handtuch; **roller** — endloses Handtuch
**tower** *n.* Turm
**towline** *n.* Schlepptau
**town** *n.* Stadt; **home** — Heimatstadt; Stadt; — **hall** Rathaus
**toxin** *n.* Giftstoff, Toxin
**toy** *n.* Spielzeug; Tand
**trace** *n.* Spur, Fährte; Strang, *v.* nachspüren; heraushinden; **-able** *adj.* auffindbar
**tracing** *adj.* — **paper** Pauspapier
**track** *n.* Spur; Bahn; Geleis(e); **race** — Rennbahn
**tract** *n.* Strecke, Gegend; (lit.) Traktat; **-able** *adj.* folgsam; **-ion** *n.* Zug(kraft); Spannung; **-or** *n.* Trecker; Schlepper
**trade** *n.* Handel; Handwerk, Gewerbe; **board of** — Handelsamt; — **price** Engrospreis; — **school** Handelsschule; — **union** Gewerkschaft
**trademark** *n.* Schutzmarke
**trade-unionism** *n.* Gewerkschaftswesen
**trading** *n.* Handel(n)
**tradition** *n.* Überlieferung; **-al** *adj.* traditionell
**traffic** *n.* Verkehr, Handel; **heavy** — starker Verkehr; — **light** Verkehrslicht; — **sign** Verkehrszeichen; —

*v.* handeln
**tragedy** *n.* Tragödie; Trauerspiel
**trail** *n.* Spur, Fährte; — *v.* verfolgen, nachspüren; **-er** *n.* (car) Wohnwagen
**train** *n.* Zug; (dress) Schleppe; — **conductor** Zugführer; — *v.* ziehen; schulen, ausbilden, trainieren; dressieren; **-er** *n.* Trainer; **-ing** *n.* Training, Übung
**trainload** *n.* Zugladung
**trajectory** *n.* Flugbahn; Schussbahn
**tramp** *n.* Landstreicher; Getrampel; — *v.* wandern; trampeln
**transcript** *n.* Abschrift, Umschrift; **-ion** *n.* Abschreiben; (rad.) Bandaufnahme, Schallplattenwiedergabe; Umschnitt
**transfer** *n.* Übertragung; Verlegung; (rail.) Umsteiger; — *v.* übertragen; verlegen; (rail.) umsteigen:
**transfix** *v.* durchstechen, durchbohren
**transform** *v.* umwandeln, umformen
**transgress** *v.* überschreiten, übertreten; **-ion** *n.* Überschreitung, Übertretung; **-or** *n.* Übertreter, Schuldige; Sünder
**transient** *n.* Durchreisende; — *adj.* vergänglich
**transistor** *n.* Transistor; Verstärker (Elektronensystem)
**transit** *n.* Transport; **-ion** *n.* Übergang; **-ory** *adj.* vergänglich, flüchtig
**translation** *n.* Übersetzung
**transmit** *v.* übermitteln, senden; **-ter** *n.* Sender
**transom** *n.* Oberfenster
**transparent** *adj.* durchsichtig
**transplant** *v.* verpflanzen
**transport** *n.* Beförderung; Spedition; — *v.* transportieren, befördern

**-ation** n. Transport, Beförderung

**transsexual** adj. transsexuell; **Geschlechtsumwandlungs-**

**trap** n. Falle, Fussangel; **— door** Falltür; — v. in einer Falle fangen

**trash** n. Abfall, Plunder; (coll.) Unsinn, Blech; **-y** adj. wertlos

**travel** n. Reise; — v. reisen; **-er** n. Reisende; **-ing salesman** Handelsreisende

**tray** n. Servierbrett, Tablett

**treason** n. Verrat

**treasure** n. Schatz; — v. (Schätze) sammeln; (fig.) hochschätzen; **-r** n. Schatzmeister

**treasury** n. Schatzkammer

**treat** n. Bewirtung, Schmaus; — v. behandeln; bewirten, freihalten; **-ise** n. Abhandlung; **-ment** n. Behandlung; **-y** n. Vertrag

**tree** n. Baum

**tremble** n. Zittern; — v. zittern

**tremendous** adj. furchtbar, schrecklich, kolossal

**trench** n. Graben; — v. umgraben, Gräben ziehen

**trend** n. Neigung, Richtung, Lauf; Tendenz; — v. sich neigen

**trespass** n. Vergehen; Übertretung; — v. sich vergehen; übertreten; unbefugt eindringen

**trial** n. Versuch, Probe, Prüfung; (law) Verhör; (fig.) Versuchung; Heimsuchung; **— balance** Rohbilanz

**triangle** n. Dreieck

**triangular** adj. dreieckig

**tributary** n. Tributpflichtige; (geol.) Nebenfluss; **— adj.** tributpflichtig

**tribute** n. Tribut, Zins, Abgabe; Beitrag

**trick** n. Trick, Kniff, Kunstgriff; Streich; (cards)

Stich; — v. überlisten, hereinlegen; **-ery** n. Betrügerei

**tried** adj. erprobt, treu

**triennial** adj. dreijährig

**trifle** n. Kleinigkeit, Lappalie; — v. scherzen

**trifling** adj. geringfügig, unbedeutend, wertlos

**trigger** n. Drücker; (phot.) Auslöser

**trillion** n. Trillion; (USA) 1,000.000.000.000; (Europe) 1,000.000.000.000.-000

**trim** adj. geputzt, gepflegt, nett; — v. zurechtmachen; putzen, schmücken

**trinity** n. (ec.) Dreieinigkeit

**trinket** n. (fig.) Kram, Tand

**trip** n. Reise, Fahrt; — v. trippeln, stolpern; einen Fehler machen

**triple** adj. dreifach, dreimalig; **-ts** pl. Drillinge

**tripod** n. Dreifuss; Stativ

**triumph** n. Triumph; — v. triumphieren, frohlocken

**trolley bus** n. Oberleitungsbus

**trombone** n. Posaune

**troop** n. Trupp(e), Schar

**trot** n. Trott, Trab; — v. trotten, traben; **-ter** n. Traber

**trouble** n. Störung; Beschwerde, Plage; **-shooter** Störungssucher; — v. stören; belästigen; **-some** adj. lästig, beschwerlich

**trough** n. Trog, Mulde, Wanne

**troupe** n. (theat.) Truppe

**trousers** n. pl. Hosen, Beinkleider

**trousseau** n. Brautausstattung

**trout** n. Forelle

**trowel** n. Maurerkelle

**truce** n. Waffenstillstand

**truck** n. Lastwagen, Güterwagen; **— farm** Gemüsefarm

**true** adj. wahr, echt, wirklich; treu; genau

**truly** *adv.* aufrichtig, wahrhaftig

**trump** *n.* Trumpf; — *v.* auftrumpfen; übertrumpfen; **-et** *n.* Trompete; **-et** *v.* trompeten

**trunk** *n.* Stamm, Stumpf; (anat.) Rumpf; (zool.) Rüssel; (coll.) Schrankkoffer; — *adj.* — **line** (rail.) Hauptlinie; (tel.) Fernleitung

**truss** *n.* Bruchband

**trust** *n.* Trust, Unternehmerverband; Vertrauen, Glauben; **on** — auf Kredit; — *v.* (ver)trauen; glauben; **-ee** *n.* Sachverwalter; **-ful** *adj.* vertrauend, zutraulich

**trustworthy** *adj.* zuverlässig, glaubwürdig

**truth** *n.* Wahrheit; **-ful** *adj.* wahrhaft(ig)

**try** *v.* versuchen; prüfen; — **on** anprobieren

**tryout** *n.* Ausprobieren, Ausscheidungsspiel

**tub** *n.* Bad(ewanne), Zuber

**tube** *n.* Tube; Rohr, Röhre; **amplifying** — Verstärkerröhre; **electronic** — Elektronenröhre; **inner** — Luftschlauch; **test** — Probierröhre; Reagensglas; **vacuum** — Vakuumröhre

**tubing** *n.* Röhrenmaterial

**tuck** *n.* Falte, Umschlag; — *v.* falten, umschlagen; umkrempeln

**Tuesday** *n.* Dienstag

**tug** *n.* Ruck; Mühe; — **of war** Tauziehen; — *v.* ziehen, zerren, schleppen

**tugboat** *n.* Schlepper

**tuition** *n.* Unterricht

**tulip** *n.* Tulpe

**tumble** *n.* Sturz, Fall; *v.* stürzen, fallen, purzeln; **-r** *n.* Wasserglas

**tuna** *n.* (ichth.) Thunfisch

**tune** *n.* Melodie, Lied; — *v.* (ab)stimmen; — **in** (rad.) einstellen

**tunnel** *n.* Tunnel; Stollen; — *v.* durchbohren

**turbine** *n.* Turbine; **blast** — Gebläseturbine

**turbojet** *n.* Turbine; Düsenjäger

**turf** *n.* Rennbahn; Torf

**turkey** *n.* Truthahn

**turmoil** *n.* Aufruhr, Unruhe

**turn** *n.* Krümmung, Kurve; Wendung, Veränderung; **a good** — eine gute Wendung; **by —s** der Reihe nach, abwechselnd; **it is his** — er ist an der Reihe; — *v.* (um)drehen, (um)wenden, umkehren; verändern; — **down** herunterschrauben; ablehnen; — **off** ablenken, ausdrehen; — **on** anleiten; anstellen; aufdrehen

**turnip** *n.* weisse Rübe

**turnout** *n.* Versammlung

**turnover** *n.* (com.) Umsatz

**turnpike** *n.* Strasse, deren Benutzung bezahlt werden muss

**turnstile** *n.* Drehkreuz

**turntable** *n.* Drehscheibe; Plattenteller

**turpentine** *n.* Terpentin

**turtle** *n.* Schildkröte

**tusk** *n.* Fangzahn

**tussle** *v.* raufen; zanken

**tutor** *n.* Hauslehrer, Privatlehrer; — *v.* unterrichten; nachhelfen

**tuxedo** *n.* Smoking

**tweezers** *n. pl.* Pinzette

**twelfth** *n.* Zwölfte; Zwölftel; — *adj.* zwölft

**twelve** *n.* Zwölf; — *adj.* zwölf

**twentieth** *n.* Zwanzigste; Zwanzigstel; — *adj.* zwanzigst

**twenty** *n.* Zwanzig(er)

**twice** *adv.* zweimal, zweifach

**twig** *n.* Zweig, Rute

**twilight** *n.* Zwielicht, Dämmerung

**twin** *n.* Zwilling; — **screw** Doppelschraube

**twine** *n.* Zwirn, Schnur,

Bindfaden; — v. (sich) winden; verflechten

**twinkle** n. Flimmern, Funkeln; Blinzeln; — v. flimmern, funkeln; blinzeln

**twist** n. Drehung, Windung; Verdrehung, Verwicklung; — v. drehen, winden; verdrehen

**twitch** n. (med.) Zuckung; — v. zupfen, kneifen, zwicken; (med.) zucken

**two** n. Zwei(er); Paar; — adj. zwei; **-fold** adj. zweifach, doppelt

**two-faced** adj. doppelzüngig

**tycoon** n. Industriemagnat

**type** n. Art, Charakter, Merkmal; (typ.) Type

**typesetter** n. Schriftsetzer

**typewrite** v. tippen; **-r** n. Schreibmaschine; **-r ribbon** Farbband

**typhoon** n. Taifun

**typic(al)** adj. typisch

**typing** n. Tippen

**typist** n. Maschinenschreiber(in)

**tyrant** n. Tyrann

## U

**udder** n. Euter

**ugliness** n. Hässlichkeit

**ugly** adj. hässlich; garstig

**ulcer** n. Magengeschwür

**ultrahigh frequency** n. Ultra-Hochfrequenz

**ultramodern** adj. übermodern

**ultrasonic** adj. in Überschallgeschwindigkeit

**umbrella** n. Schirm; **— stand** Schirmständer

**umpire** n. Schiedsrichter

**unable** adj. unfähig

**unabridged** adj. ungekürzt

**unacceptable** adj. unannehmbar

**unaccustomed** adj. ungewohnt

**unacquainted** adj. unbekannt

**unaffected** adj. unberührt

**unanimous** adj. einstimmig

**unarmed** adj. unbewaffnet

**unavoidable** adj. unvermeidlich

**unawares** adv. unvermutet

**unbearable** adj. unerträglich

**unbecoming** adj. unpassend

**unbelief** n. Unglaube

**unbeliever** n. Ungläubige

**unbiased** adj. unparteiisch

**unbolt** v. aufriegeln

**unbosom** v. sich offenbaren

**unbreakable** adj. unzerbrechlich

**unbuckle** v. losschnallen

**unburden** v. entladen

**unbutton** v. aufknöpfen

**uncalled-for** adj. nicht verlangt (or gerechtfertigt)

**uncanny** adj. unheimlich

**unceasing** adj. unaufhörlich

**uncertain** adj. ungewiss

**unchangeable** adj. unveränderlich

**unclaimed** adj. nicht gefordert; **— letters** unbestellbare Briefe

**uncle** n. Onkel

**uncomfortable** adj. unbequem

**uncommon** adj. ungewöhnlich

**uncompromising** adj. unnachgiebig

**unconditional** adj. unbedingt

**unconscious** adj. unbewusst; (med.) bewusstlos

**unconstitutional** adj. verfassungswidrig

**unconventional** adj. formlos; natürlich

**uncork** v. entkorken

**uncouple** v. loskoppeln

**uncover** v. enthüllen

**unction** n. Salbe, Einreibung; **extreme —** letzte Ölung

**uncultured** adj. unkultiviert

**undated** adj. ohne Datum

**undecided** adj. unent-

schieden
**undefined** *adj.* unbestimmt
**undeniable** *adj.* unleugbar
**under** *prep.* unter(halb)
**underbid** *v.* unterbieten
**underbrush** *n.* Unterholz, Gesträuch
**underclothes** *n. pl.* **underclothing** *n.* Unterkleidung, Leibwäsche
**undercurrent** *n.* Gegenströmung
**undercut** *v.* unterhöhlen; unterbieten
**underdog** *n.* Unterliegende
**underexposure** *n.* (phot.) Unterbelichtung
**underfed** *adj.* unterernährt
**undergo** *v.* erdulden, ertragen
**undergraduate** *n.* Student (ohne Universitätsgrad)
**underground** *n.* Untergrund; — *adj.* unterirdisch
**underhand(ed)** *adj.* heimlich; hinterlistig
**underline** *v.* unterstreichen
**underneath** *prep.* unter; — *adv.* unten
**underpass** *n.* Unterführung
**underrate** *v.* unterschätzen
**underscore** *v.* unterstreichen
**undersell** *v.* verschleudern, unter dem Wert verkaufen
**undershirt** *n.* Unterhemd
**undersigned** *n.* Unterzeichnete; — *adj.* unterzeichnet
**understand** *v.* verstehen; **-ing** *n.* Verstand; Einverständnis; **-ing** *adj.* verständig
**understatement** *n.* Unterschätzung; zu geringe Angabe
**undertake** *v.* übernehmen; **-r** *n.* Leichenbestatter
**undertaking** *n.* Unternehmen
**underwear** *n.* Unterzeug
**underweight** *n.* Untergewicht
**underwrite** *v.* unterschreiben; versichern; **-r** *n.* Versicherer

**undeserved** *adj.* unverdient
**undeserving** *adj.* unwürdig
**undesirable** *adj.* unerwünscht
**undeveloped** *adj.* unentwickelt
**undisturbed** *adj.* ungestört
**undo** *v.* aufmachen, aufbinden
**undoubted** *adj.* zweifellos
**undress** *v.* (sich) entkleiden
**undue** *adj.* ungebührlich
**unduly** *adv.* übertrieben
**unearned** *adj.* unverdient
**unearth** *v.* ausgraben
**uneasiness** *n.* Unruhe
**uneasy** *adj.* unruhig
**uneducated** *adj.* ungebildet
**unemployed** *adj.* arbeitslos
**unemployment** *n.* Arbeitslosigkeit
**unerring** *adj.* unfehlbar
**uneven** *adj.* uneben, ungleich
**unexpected** *adj.* unerwartet
**unfaithful** *adj.* treulos
**unfamiliar** *adj.* unbekannt
**unfavorable** *adj.* ungünstig
**unfit** *adj.* untauglich
**unfold** *v.* (sich) entfalten
**unfortunate** *adj.* unglücklich
**unfounded** *adj.* unbegründet
**unfurl** *v.* entfalten
**unfurnished** *adj.* unmöbliert
**ungodly** *adj.* gottlos; verrucht
**ungrateful** *adj.* undankbar
**ungrounded** *adj.* unbegründet
**unhandy** *adj.* ungeschickt
**unharmed** *adj.* unverletzt
**unheard-of** *adj.* unerhört; unbekannt
**unhook** *v.* aufhaken, aushaken
**unhurt** *adj.* unbeschädigt
**unification** *n.* Vereinigung
**uniform** *n.* Uniform;

291

*adj.* einförmig; **–ity** *n.* Gleichförmigkeit

**unify** *v.* verein(ig)en

**unilateral** *adj.* einseitig

**unimportant** *adj.* unwichtig

**unintentional** *adj.* unabsichtlich

**uninterrupted** *adj.* ununterbrochen

**union** *n.* Vereinigung, Verein; (pol.) Gewerkschaft; **–ism** *n.* Gewerkschaftswesen

**unique** *adj.* einzig(artig)

**unisex** *n.* Unisex

**unit** *n.* Einheit; Abteilung

**unite** *v.* (sich) vereinigen; **–d** *adj.* vereinigt; **United States** Vereinigte Staaten

**Univac** *n.* Elektronengehirn

**universal** *adj.* allgemein

**universe** *n.* Universum, Weltall

**university** *n.* Universität

**unjust** *adj.* ungerecht

**unkind** *adj.* unfreundlich

**unknowingly** *adv.* unwissentlich

**unknown** *adj.* unbekannt

**unlace** *v.* aufschnüren

**unlawful** *adj.* ungesetzlich

**unleash** *v.* entfesseln

**unless** *conj.* wenn nicht

**unlike** *adj.* ungleich

**unlikely** *adj.* unwahrscheinlich

**unlimited** *adj.* unbegrenzt; unbeschränkt

**unload** *v.* abladen, ausladen

**unlock** *v.* aufschliessen

**unloose** *v.* (auf)lösen, losmachen

**unlucky** *adj.* unglücklich

**unmarked** *adj.* unbezeichnet

**unmask** *v.* (sich) entlarven

**unmerciful** *adj.* unbarmherzig

**unmistakable** *adj.* unverkennbar

**unnatural** *adj.* unnatürlich

**unnecessary** *adj.* unnötig

**unnot(ic)ed** *adj.* unbemerkt

**unnumbered** *adj.* ungezählt, unzählig, zahllos

**unoccupied** *adj.* unbesetzt

**unofficial** *adj.* unoffiziell

**unpack** *v.* auspacken

**unpaid** *adj.* unbezahlt, unbelohnt; (letter) unfrankiert

**unparalleled** *adj.* beispiellos

**unpleasant** *adj.* unangenehm

**unpopular** *adj.* unbeliebt

**unprofitable** *adj.* unvorteilhaft

**unprotected** *adj.* ungeschützt

**unqualified** *adj.* ungeeignet; uneingeschränkt

**unquestionable** *adj.* unbestreitbar

**unravel** *v.* entwirren

**unreal** *adj.* unwirklich

**unreasonable** *adj.* unvernünftig

**unreliable** *adj.* unzuverlässig

**unrequited** *adj.* unerwidert

**unrest** *n.* Unruhe

**unrestrained** *adj.* ungehemmt

**unripe** *adj.* unreif, unzeitig

**unroll** *v.* entfalten

**unsafe** *adj.* unsicher, gefährlich

**unsanitary** *adj.* unhygienisch

**unsatisfactory** *adj.* unbefriedigend

**unscientific** *adj.* unwissenschaftlich

**unscrupulous** *adj.* gewissenlos

**unseen** *adj.* ungesehen

**unselfish** *adj.* selbstlos

**unsettled** *adj.* ungeordnet; **— accounts** unbezahlte Rechnungen

**unskilled** *adj.* unerfahren

**unsociable** *adj.* ungesellig

**unsolved** *adj.* ungelöst

**unspeakable** *adj.* unsagbar

**unstable** *adj.* unbeständig

**unsteady** *adj.* schwankend

**unsuccessful** *adj.* erfolglos

**unsuitable** *adj.* unpassend

**unsuspected** *adj.* unverdächtig
**untamed** *adj.* ungezähmt
**untangle** *v.* entwirren
**untenable** *adj.* unhaltbar
**unthinkable** *adj.* undenkbar
**untie** *v.* aufbinden, aufknoten
**until** *prep.* bis; — *conj.* bis
**untimely** *adj.* unzeitig
**untiring** *adj.* unermüdlich
**unto** *prep.* zu, an, nach
**untold** *adj.* unbeschreiblich
**untouched** *adj.* unberührt
**untrue** *adj.* unwahr; untreu
**untruth** *n.* Unwahrheit
**unusual** *adj.* ungewöhnlich
**unveil** *v.* enthüllen
**unwanted** *adj.* unerwünscht
**unwarranted** *adj.* unberechtigt
**unwilling** *adj.* unwillig
**unwind** *v.* loswinden
**unwise** *adj.* unklug, töricht
**unwittingly** *adv.* unwissentlich
**unwonted** *adj.* ungewohnt
**unworthy** *adj.* unwürdig
**unwrap** *v.* aufwickeln, auswickeln; auspacken
**up** *adv.* auf, hinauf; herauf; oben; **it is** — **to me** es hängt von mir ab; — *prep.* herauf, hinauf; — *n.* *pl.* **the** —**s and downs of life** die Wechselfälle des Lebens
**upbringing** *n.* Erziehung
**upbuild** *v.* aufbauen, errichten
**upgrade** *n.* Aufstieg
**upheaval** *n.* Erhebung
**uphill** *adj.* bergan, bergauf
**uphold** *v.* aufrechthalten
**upholster** *v.* (auf)polstern; **-y** *n.* Polsterung
**upkeep** *n.* Instandhaltung; Unterhaltungskosten
**upmost** *adj.* oberst, höchst
**upon** *prep.* an, auf, in; nach
**upper** *adj.* höher, ober
**uppermost** *adj.* oberst, höchst

**upright** *adj.* aufrecht, gerade
**uprising** *n.* Aufstand
**uproar** *n.* Getümmel, Lärm
**upset** *v.* umstürzen
**upshot** *n.* Ausgang, Ende
**upside-down** *adj.* verkehrt, umgekehrt
**upstairs** *adv.* oben; nach oben
**upstanding** *adj.* gerade, aufrichtig
**upstart** *n.* Emporkömmling
**up-to-date** *adj.* zeitgemäss, modern
**upward** *adv.* aufwärts
**uranium** *n.* Uran
**urban** *adj.* städtisch
**urbane** *adj.* artig, höflich
**urge** *n.* Trieb; — *v.* drängen; dringen; **-nt** *adj.* dringend
**urinal** *n.* Harnglas, Ente
**us** *pron.* uns; **of** — unser
**usable** *adj.* brauchbar
**usage** *n.* Gebrauch; Brauch
**use** *n.* Gebrauch, Anwendung, Verwendung; — *v.* anwenden, verwenden, gebrauchen; **she** —**d to do** sie pflegte zu tun; **-d** *adj.* gewohnt; verbraucht; **-ful** *adj.* nützlich; **-fulness** *n.* Nützlichkeit; **-less** *adj.* nutzlos, unbrauchbar
**usher** *n.* Türhüter; (theat.) Platzanweiser; — *v.* (theat.) Plätze anweisen
**usual** *adj.* üblich, gewöhnlich
**usury** *n.* Wucher
**utensil** *n.* Gerät; Werkzeug
**utility** *n.* Nützlichkeit, Nutzen; **public utilities** gemeinnützige Betriebe
**utilize** *v.* verwerten
**utmost** *adj.* äusserst, fernst, höchst, grösst
**utter** *adj.* äusserst, gänzlich; — *v.* äussern, aussprechen; **-ance** *n.* Äusserung, Wort

## V

**vacancy** *n.* freie Stelle, Vakanz

**vacant** *adj.* frei, offen; leer

**vacate** *v.* leeren, räumen

**vacation** *n.* Ferien, Urlaub

**vaccinate** *v.* impfen

**vaccination** *n.* Impfung

**vacillate** *v.* schwanken, wanken

**vacuum** *n.* Vakuum; — **bottle** Thermosflasche; — **cleaner** Staubsauger; — **filter** Vakuumfilter; — **tube** Vakuumröhre

**vague** *adj.* vag, unbestimmt

**vain** *adj.* eitel; nichtig, leer

**valance** *n.* kurzer Vorhang

**valet** *n.* Kammerdiener

**valid** *adj.* wirksam, triftig; rechtsgültig

**valise** *n.* Reisetasche

**valley** *n.* Tal

**valuable** *adj.* wertvoll, kostbar

**valuation** *n.* Abschätzung

**value** *n.* Wert, Preis; **face** — Nennwert; **real** — Realwert; — *v.* (ab)schätzen

**valve** *n.* Ventil, Klappe

**van** *n.* Möbelwagen

**vane** *n.* Wetterfahne

**vanish** *v.* (ver)schwinden

**vanity** *n.* Eitelkeit; — **case** Puderdose

**vanquish** *v.* besiegen

**vapor** *n.* Dunst, Dampf; **-ize** *v.* (ver)dampfen

**variable** *adj.* veränderlich

**variance** *n.* Veränderung

**variation** *n.* Abweichung

**varicose** *adj.* — **vein** Krampfader

**varied** *adj.* verschiedenartig

**variety** *n.* Mannigfaltigkeit

**various** *adj.* mannigfach

**varnish** *n.* Firnis, Lack; — *v.* firnissen, lackieren

**varsity** *n.* (coll.) Universität

**vary** *v.* (ab)wechseln, abweichen

**vase** *n.* Vase

**vast** *adj.* ungeheuer

**vat** *n.* Fass; Bottich, Kufe

**vault** *n.* Sprung; Gewölbe; — *v.* springen

**veal** *n.* Kalbfleisch; — **chop** Kalbskotelett

**vegetable** *n.* Gemüse

**vegetarian** *n.* Vegetarier

**vegetation** *n.* Vegetation

**vehement** *adj.* heftig

**vehicle** *n.* Fuhrwerk

**veil** *n.* Schleier, Hülle; — *v.* (sich) verschleiern

**vein** *n.* Ader

**velocity** *n.* Geschwindigkeit

**velvet** *n.* Samt

**veneer** *n.* Furnier; Anstrich; — *v.* furnieren, einlegen

**venerable** *adj.* ehrwürdig

**veneration** *n.* Verehrung

**vengeance** *n.* Rache; Strafe

**venial** *adj.* verzeihlich

**venison** *n.* Wildbrett

**ventilate** *v.* lüften

**ventilation** *n.* Lüftung

**ventriloquist** *n.* Bauchredner

**venture** *v.* wagen

**verbal** *adj.* wörtlich

**verdict** *n.* Urteil, Meinung

**verification** *n.* Bestätigung

**verify** *v.* (nach)prüfen, beweisen

**verily** *adv.* wahrlich, wirklich

**verity** *n.* Wahrheit

**vermilion** *n.* Zinnober(rot)

**vermin** *n.* Ungeziefer

**vermouth** *n.* Wermuth

**vernacular** *adj.* einheimisch

**verse** *n.* Vers; Strophe

**version** *n.* Version, Fassung; Übersetzung

**versus** *prep.* kontra, gegen

**vertebra** *n. pl.* Rückgrat

**vertigo** *n.* Schwindel

**very** *adv.* sehr; — *adj.* derselbe

**vessel** *n.* Gefäss; (naut.) Schiff

**vest** *n.* Weste, Jacket

**vestige** *n.* Spur; Merkmal

**vestment** *n.* Amtsgewand

**vest-pocket edition** *n.* Taschenausgabe

**vestry** *n.* Sakristei

**veteran** *n.* Veteran

**veterinary** *n.* Tierarzt

**vex** *v.* ärgern; necken; **-ation** *n.* Verdruss, Ärger

VOUCH

-atious *adj.* ärgerlich
via *prep.* via, über, bei
vial *n.* Phiole, Flasche
vibrate *v.* vibrieren, schwingen
vicarious *adj.* stellvertretend
vice *n.* Laster, Untugend
vicinity *n.* Nähe, Umgegend
victim *n.* Opfer
victor *n.* Sieger; -ious *adj.* siegreich; -y *n.* Sieg
victual *n. pl.* Lebensmittel
video *n.* Fernsehen
view *n.* Aussicht, Anblick; Ansicht, Meinung; bird's-eye — Vogelperspektive; point of — Gesichtspunkt; — *v.* (be)sehen, betrachten
viewfinder *n.* (phot.) Sucher
viewpoint *n.* Gesichtspunkt
vigilance *n.* Wachsamkeit
vigor *n.* Lebenskraft
village *n.* Dorf
villain *n.* Schurke, Schuft
vim *n.* Tatkraft, Energie
vindicate *v.* rechtfertigen
vine *n.* Wein(stock), Rebe
vinegar *n.* Essig
vineyard *n.* Weinberg
vintage *n.* Weinlese
vinyl *n.* Vinyl, Kunststoff; — *adj.* aus Vinyl
violate *v.* übertreten
violation *n.* Übertretung
violator *n.* Rechtsbrecher
violence *n.* Gewalttätigkeit
violent *adj.* gewaltsam
violet *n.* Veilchen; — *adj.* veilchenblau; — rays ultraviolette Strahlen
violin *n.* Geige; Violine
virgin *n.* Jungfrau; -ity *n.* Jungfräulichkeit
virtual *adj.* eigentlich
virtue *n.* Tugend; by — of kraft, vermöge
virtuous *adj.* tugendhaft
virulent *adj.* bösartig; giftig
virus *n.* Virus, Krankheitserreger
visa *n.* Visum, Sichtvermerk
visage *n.* Gesicht, Angesicht
viscera *n. pl.* Eingeweide
vise *n.* Schraubstock
visé *v.* mit einem Visum versehen
visible *adj.* sichtbar, ersichtlich
vision *n.* Sehkraft; Erscheinung; -ary *n.* Träumer
visit *n.* Besuch; — *v.* besuchen; -ation *n.* Besichtigung; Heimsuchung; -ing *adj.* -ing card Visitenkarte; -or *n.* Besucher
visor, vizor *n.* Visier; Schirm
visualize *v.* sich vorstellen
vital *adj.* lebenswichtig; — statistics Lebensdauerstatistik; — parts, — *n. pl.* lebenswichtige Körperteile, edle Teile; -ity *n.* Lebenskraft
vivacious *adj.* lebhaft, munter
vivacity *n.* Lebhaftigkeit
vivid *adj.* lebhaft, lebendig
viz. *abbr.* nämlich, d.h.
vocabulary *n.* Wortschatz
vocal *adj.* laut, mündlich; — cords Stimmbänder; -ist *n.* Sänger(in)
vocation *n.* Beruf(ung); -al school Berufsschule
vogue *n.* Beliebtheit, Mode
voice *n.* Stimme; Sprache
void *adj.* leer, ungültig
volcano *n.* Vulkan
volleyball *n.* Ball über die Schnur
volt *n.* (elec.) Volt; -age *n.* (elec.) Spannung
volume *n.* Band; Masse
voluminous *adj.* umfangreich
voluntary *adj.* freiwillig
volunteer *n.* Volontär, Freiwillige; — *v.* freiwillig dienen
vomit *v.* erbrechen
votary *n.* Verehrer, Jünger
vote *n.* Wahlstimme; Abstimmung; — *v.* (ab)stimmen; wählen
vouch *v.* (ver)bürgen, bezeugen; -er *n.* Quittung,

295

Zeugnis
**vow** *n.* Gelübde, Schwur; — *v.* geloben
**vowel** *n.* Vokal, Selbstlaut
**voyage** *n.* Seereise, Luftreise
**vulcanite** *n.* Ebonit, Hartgummi
**vulgar** *adj.* vulgär, gemein; **-ity** *n.* Gemeinheit
**vulnerable** *adj.* verwundbar
**vulture** *n.* Geier

# W

**wad** *n.* Pfropf(en), Bausch; **-ding** *n.* Wattierung, Watte
**wade** *v.* (durch)waten
**wafer** *n.* (eccl.) Hostie
**waft** *v.* tragen; wehen
**wag** *n.* (coll.) Spassvogel; — *v.* wackeln, wedeln
**wage** *v.* (war) führen
**wages** *n. pl.* Lohn, Gehalt
**wagon** *n.* Güterwagen
**waif** *n.* Heimatlose
**waist** *n.* Taille; Mieder
**waistline** *n.* Taillenweite
**wait** *n.* Warten; Wartezeit; Hinterhalt; — *v.* (er)warten; aufwarten; lauern; **-er** *n.* Kellner, Aufwärter; **-ing** *adj.* wartend; bedienend; **-ress** *n.* Kellnerin
**wake** *n.* Totenwache; (naut.) Kielwasser; — *v.* wachen; erwachen; (er)wecken
**walk** *n.* Schritt, Gang; Spaziergang; Weg; — *v.* gehen
**walkie-talkie** *n.* Sprechfunkgerät, Teleport
**wall** *n.* Wand, Mauer; Wall; — *v.* einmauern
**wallet** *n.* Brieftasche
**wallflower** *n.* (fig.) Mauerblümchen
**wallpaper** *n.* Tapete
**walnut** *n.* Walnuss
**walrus** *n.* Walross
**waltz** *n.* Walzer
**wander** *v.* wandern

**want** *n.* Mangel; — *v.* (er)mangeln, bedürfen; wünschen
**war** *n.* Krieg; — *v.* Krieg führen
**ward** *n.* Krankensaal; Mündel; — *v.* — **off** abwehren
**warden** *n.* Wärter, Aufseher
**wardrobe** *n.* Garderobe; Kleiderschrank
**ware** *n.* Ware
**warehouse** *n.* Warenlager
**warhead** *n.* Sprengkopf der Bombe
**warm** *adj.* warm, heiss; — *v.* wärmen; (sich) erwärmen; **-ing pan** Wärmflasche; **-th** *n.* Wärme; Herzlichkeit
**warn** *v.* warnen; **-ing** *n.* Warnung; **air-raid -ing** Fliegeralarm
**warp** *v.* sich verziehen (or werfen)
**warrant** *n.* Vollmacht; (law) Haftbefehl; Haussuchungsbefehl; — *v.* bevollmächtigen, verbürgen; **-y** *n.* Garantie, Gewähr
**warrior** *n.* Krieger
**wash** *n.* Wäsche; — *v.* waschen; (be)spülen; **-able** *adj.* waschbar; **-er** *n.* Waschmaschine; Spülmaschine; (mech.) Dichtungsscheibe; **-ing** *n.* Wäsche
**washbowl** *n.* Waschbecken
**washout** *n.* (geol.) Auswaschung; (coll.) Reinfall, Durchfall
**wasp** *n.* Wespe
**waste** *n.* Abfall, Verlust; Verfall; — **pipe** Abflussrohr; — *adj.* wüst, öde; — *v.* verwüsten; verschwenden; **-ful** *adj.* verschwenderisch; **-r** *n* Verschwender
**wastebasket** *n.* Papierkorb
**wastepaper** *n.* Altpapier
**watch** *n.* Wache; Taschenuhr; **stop** — Stoppuhr; **wrist** — Armbanduhr; *v.* wachen, bewachen; beobachten; — **out!** *interj.* Achtung! **-ful** *adj.* wach-

sam, achtsam
**watchdog** n. Hofhund
**watchman** n. Wächter
**watchword** n. Parole, Losung
**water** n. Wasser; Gewässer; — **closet** Wasserkloset; — **level** Wasserstand(slinie); (mech.) Wasserwaage; — **lily** Teichrose; — **main** Hauptwasserrohr; — **wing** Schwimmgürtel; — v. (be)wässern; begiessen, besprengen
**watermark** n. Wassermarke
**waterproof** adj. wasserdicht
**watershed** n. Wasserscheide
**water-skiing** n. Wasserskilaufen
**wave** n. Welle, Woge; **short** — Kurzwelle; **sound** — Schallwelle; **length** Wellenlänge; — v. wellig machen
**wax** n. Wachs; — adj. wächsern; — **candle** Wachskerze; — v. wachsen, bohnen; **-en** adj. wächsern, wachsfarben
**waxwork** n. Wachsfigur
**way** n. Weg, Strasse; Richtung; Wandel, Benehmen; Zustand; Mittel, Art und Weise; **by the** — nebenbei; **by** — **of** über; **give** — aus dem Wege gehen
**we** pron. wir
**weak** adj. schwach; kränklich; **-en** v. schwächen; **-ling** n. Schwächling; **-ness** n. Schwäche
**wealth** n. Wohlstand; **-y** adj. reich
**weapon** n. Waffe; Wehr
**wear** v. tragen, anhaben
**weariness** n. Müdigkeit
**weary** adj. müde, matt
**weasel** n. Wiesel
**weather** n. Wetter; — **report** Wetterbericht
**weatherman** n. Wetterberichterstatter
**web** n. Gewebe, Netz
**wed** v. heiraten; **-ded** adj.

ehelich; **-ding** n. Heirat, Hochzeit
**wedge** n. Keil; — v. spalten
**wedlock** n. Ehe(stand)
**Wednesday** n. Mittwoch
**weed** n. Unkraut; — v. jäten
**week** n. Woche; **by the** — wöchentlich; **-ly** adj. wöchentlich
**weep** v. (be)weinen; **-ing** adj. weinend
**weigh** v. (ab)wiegen; erwägen; **-t** n. Gewicht; **-ty** adj. gewichtig
**weightlessness** n. Schwerelosigkeit
**welcome** n. Willkomm(en); — adj. willkommen; — v. willkommen heissen; **you are** — es ist gern geschehen
**welfare** n. Wohlfahrt; — **society** Fürsorgeverein
**well** n. Brunnen, Quelle
**well** adv. gut, schön, richtig; **as** — **as** so gut wie, sowohl als auch; — adj. wohl, gesund; **—!** interj. gut! schön! richtig! nun!
**well-behaved** adj. wohlerzogen
**well-being** n. Wohlergehen
**well-bred** adj. wohlerzogen
**well-known** adj. wohlbekannt
**well-off** adj. gut situiert
**well-timed** adj. rechtzeitig
**well-to-do** adj. wohlhabend
**wet** — **nurse** Amme; — adj. nass, feucht; — v. nass machen
**whale** n. Wal(fisch)
**whalebone** n. Fischbein
**wharf** n. Kai; Landeplatz
**what** pron. was (für ein), wer; — **is the matter?** was ist los?
**wheat** n. Weizen
**wheel** n. Rad; **driving** — Triebrad; **steering** — Steuerrad; — **base** Radstand; — **chair** Rollstuhl; — v. rollen
**wheelbarrow** n. Schub-

karren

**when** *adv.* wann; — *conj.* wenn, während, als

**when(so)ever** *adv.* so oft als

**where** *adv.* wo(hin)

**whereabouts** *n.* Aufenthalt; — *adv.* wo ungefähr

**whereby** *adv.* wobei, wodurch

**wherefore** *adv.* warum, weshalb

**whereof** *adv.* wovon; dessen, deren

**wherever** *adv.* wo auch (immer); wohin auch (immer)

**whether** *conj.* ob

**which** *pron.* welch; der, die, das

**while** *n.* Weile, Zeitraum; — *conj.* während

**whim** *n.* Einfall, Laune

**whip** *n.* Peitsche; — *v.* peitschen; **-ped cream** Schlagsahne

**whirl** *n.* Wirbel, Strudel; — *v.* (sich) drehen, wirbeln

**whisker** *n. pl.* Backenbart

**whisper** *n.* Wispern, Geflüster; — *v.* wispern, flüstern

**whistle** *n.* Pfiff, Pfeifen; Pfeife, Flöte; — *v.* pfeifen

**whit** *n.* Jota, Punkt; Bisschen

**white** *n.* Weiss(e); Eiweiss- (körper); — *adj.* weiss; — **heat** Weissglut; — **lead** Bleiweiss; — **lie** Notlüge; — **slavery** Mädchenhandel; **-n** *v.* weissen, tünchen; weiss (or grau, blass) werden

**white–collar worker** *n.* Büroangestellte

**whitewash** *n.* Tünche; — *v.* tünchen, weissen

**whither** *adv.* wohin

**who** *pron.* wer; welch; der, die, das

**whole** *n.* Ganze, Gesamtheit; — *adj.* ganz

**wholehearted** *adj.* aufrichtig

**wholesale** *n.* Grosshandel; — *adj.* en gros; **-r** *n.*

Grosshändler

**wholesome** *adj.* heilsam; gesund

**wholly** *adv.* ganz, gänzlich

**whooping cough** *n.* Keuchhusten

**whore** *n.* Hure

**whose** *pron.* wessen; dessen

**why** *adv.* warum, weshalb

**wick** *n.* Docht

**wicked** *adj.* böse, gottlos

**wide** *adj.* weit, breit, fern; **far and —** weit und breit

**wide-awake** *adj.* hell wach

**widow** *n.* Witwe; **-er** *n.* Witwer

**width** *n.* Weite, Breite

**wield** *v.* handhaben, führen

**wife** *n.* Weib, Ehefrau, Gattin

**wig** *n.* Perücke

**wiggle** *v.* schwänzeln, schlängeln

**wild** *n.* Wildnis, Wüste, Einöde; **-erness** *n.* Wildnis

**wilful** *adj.* eigensinnig

**will** *n.* Wille, Wunsch; — *v.* wollen, wünschen, verlangen

**William** *m.* Wilhelm

**willow** *n.* Weide

**will-o'-the-wisp** *n.* Irrlicht

**willy-nilly** *adv.* wohl oder übel

**win** *n.* Gewinn, Sieg; — *v.* gewinnen, siegen

**wind** *n.* Wind; Luftzug; **— instrument** Blasinstrument; **-ed** *adj.* ausser Atem

**wind** *v.* (sich) winden, wickeln; (watch) aufziehen

**windbag** *n.* (coll.) Windbeutel

**window** *n.* Fenster; (com.) Schaufenster; — **blind, — shade** Jalousie, Rouleau; — **sill** Fenstersims, Fensterbrett; **French —** Flügelfenster

**windowpane** *n.* Fensterscheibe

**windshield** *n.* Windschutzscheibe; — **wiper** Schei-

WRING

benwischer
wine n. Wein
wing n. Flügel; Seite; pl. (theat.) Kulissen
wintry adj. winterlich
wipe v. Wischen, Putzen; — v. (ab)wischen
wire n. Draht; (coll.) Telegramm; live — geladener Draht; — photo Bildtelegramm; -tapping Anzapfen (der Leitung); Abhören (telefonischer or telegraphischer Mitteilungen); — v. (mech.) Leitungen legen
wiring n. Leitung (elektrische)
wiretap v. das Telephon anzapfen
wisdom n. Weisheit, Klugheit
wise adj. weise, klug
wish n. Wunsch, Verlangen; — v. wünschen
wit n. Witz; Verstand, Geist; Witzbold
witch n. Hexe, Zauberin
with prep. mit; bei, durch
withdraw v. (sich) zurückziehen
within prep. innerhalb
without prep. ohne
witness n. Zeuge; Zeugnis
wizard n. Zauberer
wobbly adj. wackelig
woe n. Leid, Elend; Pein
wolf n. Wolf
woman n. Frau, Weib; -hood n. Weiblichkeit; -kind n. Frauen(welt); -ly adj. weiblich
womb n. Leib, Schoss
Women's Liberation Frauenemanzipation, Frauenbewegung
wonder n. Wunder; — v. (sich) wundern; neugierig sein; -ful adj. wundervoll
wood n. Holz; Wald(ung); — pulp Holzschliff, Zellulose; — wind (mus.) Holzblasinstrument; -ed adj. waldig, bewaldet; -en adj. hölzern
woodchuck n. Murmeltier
woodcut n. Holzschnitt

woodpecker n. Specht
woodshed n. Holzschuppen
wool n. Wolle; -en adj. wollen
word n. Wort; Nachricht
work n. Werk, Arbeit; Tat; — v. arbeiten; wirken; -able adj. ausführbar; -er n. Arbeiter; -ers pl. Arbeiterschaft
workmanship n. Kunstfertigkeit
workshop n. Werkstatt
world n. Welt; Erde; -ly adj. weltlich, irdisch
world-wide adj. weltberühmt
worm n. Wurm; (mech.) Gewinde; — gear Schneckengetriebe; -y adj. wurmig
worn(-out) adj. abgenutzt
worry n. Sorge; Plage; — v. (sich) sorgen
worse adj. schlechter
worship n. Anbetung; Gottesdienst; — v. verehren, anbeten
worst n. Schlimmste, Ärgste; — adj. schlechtest, schlimmst, ärgst
worsted n. (fabric) Kammgarn
worth n. Wert; — adj. wert, würdig
worth-while adj. be — sich lohnen
wound n. Wunde; Verwundung; — v. verwunden
wrap v. (ein)wickeln; verpacken
wrath n. Zorn, Grimm
wreath n. Kranz; -e v. winden, flechten
wreck n. Wrack; Schiffbruch; — v. zertrümmern
wren n. Zaunkönig
wrench n. (mech.) Schraubenschlüssel
wrestle v. ringen
wrestling n. Ringkampf
wretch n. Unglückliche; poor —! armer Teufel! -ed adj. unglücklich
wriggle v. sich winden
wring v. (aus)ringen; -er

299

*n.* (mech.) Wringma-
schine
**wrinkle** *n.* Runzel, Falte;
— *v.* (sich) runzeln
**wrist** *n.* Handgelenk; —
**watch** Armbanduhr
**writ** *n.* Schrift; Vorladung
**write** *v.* schreiben
**write-up** *n.* (coll.) loben-
der Artikel
**writing** *n.* Schreiben;
Schrift; Handschrift
**wrong** *n.* Unrecht; Kränkung; — *adj.* unrecht,
falsch; — *v.* unrecht tun
**wrought** *adj.* verarbeitet
**wry** *adj.* schief, krumm

# X

**Xmas, Christmas** *n.*
Weihnachten, Weihnachts-
fest
**X ray** *n.* Röntgenstrahl;
Röntgenbild

# Y

**yacht** *n.* Jacht, Segelboot
**yank** *v.* (coll.) zerren
**Yankee** *n.* Yankee, Nord-
amerikaner
**yard** *n.* Hof(raum);
(measure) Yard, Elle
**yardstick** *n.* Zollstock
**yarn** *n.* Garn
**yawl** *n.* Jolle
**yawn** *n.* Gähnen; — *v.*
gähnen, klaffen
**yea** *adv.* ja, gewiss
**year** *n.* Jahr; **many —s
ago** vor vielen Jahren;
**-ly** *adj.* jährlich
**yeast** *n.* Hefe
**yell** *n.* gellender Schrei;
— *v.* gellen, schreien

**yellow** *n.* Gelb; Eigelb; —
*adj.* gelb; — *v.* gelb
werden
**yes** *adv.* ja; — **indeed** ja
wahrhaftig
**yesterday** *adv.* gestern;
**day before** — vorgestern
**yet** *adv.* noch; jetzt (noch);
— *conj.* doch, dennoch
**yield** *n.* Ertrag, Ernte; —
*v.* einbringen, tragen; aufgeben; nachgeben
**yoke** *n.* Joch
**yolk** *n.* Eidotter, Eigelb
**yonder** *adv.* dort drüben
**you** *pron.* du, Sie, man, ihr
**young** *adj.* jung; frisch,
neu
**your** *pron.* dein, Ihr, euer;
**sincerely —s** Ihr ganz ergebener; **—s truly** Ihr
ergebener
**youth** *n.* Jugend; Jüngling;
junge Leute; — **hostel**
Jugendherberge; **-ful** *adj.*
jugendlich
**Yuletide** *n.* Weihnachts-
zeit

# Z

**zeal** *n.* Eifer; Wärme;
**-ous** *adj.* eifrig
**zebra** *n.* Zebra
**zero** *n.* Null; Nullpunkt;
(phys.) Gefrierpunkt; —
**hour** Entscheidungsstunde
**zigzag** *n.* Zickzack
**zinc** *n.* Zink; — *v.* verzin-
ken
**zipgun** *n.* selbsthergestell-
tes, primitives Gewehr
**zipper** *n.* Reissverschluss
**zone** *n.* Zone; Gebiet; Bezirk
**zoo** *n.* Zoo, zoologischer
Garten

# Traveler's Conversation Guide

# ENGLISH-GERMAN

## STATION OR AIRPORT

## DER BAHNHOF ODER DER FLUGHAFEN

| | |
|---|---|
| Here is my passport. | Hier ist mein Pass. |
| Here is my baggage. | Da ist mein Gepäck. |
| Here are the checks. | Hier sind die Scheine. |
| Where is the porter? | Wo ist der Träger? |
| Please put my bags in a taxi. | Bitte, schaffen Sie die Koffer in eine Taxe. |
| I have nothing to declare. | Ich habe nichts zu verzollen. |
| Must I pay duty on this? | Ist das zollpflichtig? |
| How much? | Wieviel? |
| How many pieces of baggage? | Wieviel Stück Gepäck? |
| Where is the baggage room? | Wo ist die Gepäckaufbewahrung? |
| I want to check my baggage. | Ich möchte mein Gepäck aufgeben. |
| Where is the ticket office? | Wo ist der Fahrkartenschalter? |
| I want a ticket to _____. | Ich möchte eine Fahrkarte nach _____ haben. |
| Where can I get change money? | Wo kann ich Geld wechseln? |
| Please give me Deutsche Marks. | Bitte, geben Sie mir Deutsche Mark. |
| Where is the men's room? (ladies' room?) | Wo ist die Herrentoilette? (Damentoilette?) |
| Here is a tip. | Hier ist ein Trinkgeld. |
| Is that all? | Ist das alles? |
| That is all. | Das ist alles. |

# TAXI

# TAXI

| | |
|---|---|
| Porter, please take my luggage to a taxi. | Träger, laden Sie mein Gepäck in eine Taxe, bitte. |
| What is your rate to _____? | Was ist der Preis nach _____? |
| Take the shortest way. | Bitte, fahren Sie den kürzesten Weg. |
| Where is the shopping district? | Wo ist das Geschäftsviertel? |
| Stop here. | Halten Sie hier. |
| Please wait for me. | Bitte, warten Sie auf mich. |
| Drive more slowly (faster). | Bitte, fahren Sie langsamer (schneller). |
| To the Hotel _____. | Zum Hotel _____. |
| Where is a good hotel? | Wo gibt es ein gutes Hotel? |
| Is it expensive? | Ist es teuer? |
| Is there a good restaurant? | Gibt es ein gutes Gasthaus? |

# TRAIN

# DER ZUG

| | |
|---|---|
| Where is the railroad station? | Wo ist der Bahnhof? |
| What is the fare to _____? | Was kostet die Fahrt nach _____? |
| I want a ticket to _____? | Ich möchte eine Fahrkarte nach _____? |
| One way. | Hinfahrt. |
| Round trip. | Hin-und Rückfahrt. |
| Where are the first- (second-) class cars? | Wo sind die Wagen erster (zweiter) Klasse? |
| Please put my baggage on the train (in my compartment). | Bitte, tragen Sie mein Gepäck in den Zug (in mein Abteil). |
| At what time does the train for _____ leave? | Um wieviel Uhr fährt der Zug nach _____ ab? |
| On what track does the train leave? | Von welchem Bahnsteig fährt der Zug? |
| Is there a dining-car on this train? | Hat dieser Zug einen Speisewagen? |
| Is there a sleeping-car on this train? | Hat dieser Zug einen Schlafwagen? |
| Does the train stop at _____? | Hält der Zug in _____? |
| All aboard! | Alle einsteigen! |
| Are you the conductor? | Sind Sie der Kondukteur? |
| Where is the dining-car? | Wo ist der Speisewagen? |
| Is there time to get something to eat? | Habe ich genug Zeit um etwas zu essen? |
| Where is the smoking compartment? | Wo ist das Raucherabteil? |
| Is the train on time? | Ist der Zug pünktlich? |
| Why are we stopping? | Warum halten wir? |

## AIRPLANE

I am flying to _____.
Is there motor service to the airport?
Here is the airport.
What planes are there to _____?

How much luggage is each passenger allowed?
What is the charge for extra luggage?
Please put my luggage on the plane for _____.
At what time do we leave (arrive)?
Which is the plane to _____?

The plane leaves on runway No. _____.

Here is the waiting room.
Where is the stewardess (hostess)?
Wait for me at the gate.

How high are we flying?
How fast are we flying?
I feel sick.
We are thirty minutes late.

When do we arrive at _____?
Where is the airline office?

## DAS FLUGZEUG

Ich fliege nach _____.
Gibt's einen Zubringerdienst?

Hier ist der Flugplatz.
Wann gehen Flugzeuge nach _____?
Wieviel Gepäck darf jeder Passagier mitnehmen?
Wieviel kostet weiteres Gepäck?
Bitte laden Sie mein Gepäck in das Flugzeug nach _____.
Um wieviel Uhr fahren wir ab (kommen wir an)?
Welches ist das Flugzeug nach _____?
Das Flugzeug fliegt von Position Nummer _____ ab.
Hier ist der Wartesaal.
Wo ist die Stewardess (Aufwärterin)?
Warten Sie auf mich bei der Schranke.
Wie hoch fliegen wir?
Wie schnell fliegen wir?
Mir ist schlecht.
Wir haben dreissig Minuten Verspätung.
Wann kommen wir in _____ an?
Wo ist das Fluglinienburo?

## BUS OR STREETCAR

Does this streetcar (bus) go to _____?
Wait at the car (bus) stop.

How much is the fare, please?
Will you please tell me where to get off?
I want to go to _____.
Do I need a transfer?
When does this car (bus) return?

## DER AUTOBUS ODER

## DIE STRASSENBAHN

Geht diese Strassenbahn (dieser Autobus) nach _____?
Warten Sie bei der Strassenbahn (Autobus) Haltestelle.
Was kostet die Fahrt, bitte?
Sagen Sie mir bitte wo ich aussteigen muss.
Ich möchte nach _____ gehen.
Brauche ich ein Umsteigebillet?
Wann fahrt diese Strassenbahn (dieser Autobus) zurück?

# SHIP

# DAS SCHIFF

Which way to the quay?

Wie kommt man zu der Landungs-stelle?

When does the ship sail?

Um wieviel Uhr geht das Schiff ab?

May visitors come on board?

Können Besucher an Bord kommen?

I am going to my stateroom.

Ich gehe in meine Kabine.

I am going on deck.

Ich gehe auf Deck.

I want to rent a deck chair.

Ich möchte einen Liegestuhl mieten.

I want to speak to the purser (deck steward).

Ich möchte gern mit dem Zahlmeister (Decksteward) sprechen.

Where are the lifeboats (life preservers)?

Wo sind die Rettungsbote (Rettungsgürtel)?

Where is the dining salon?

Wo ist der Speisesalon?

When are meals served?

Wann wird serviert?

I am seasick.

Ich bin seekrank.

Have you a remedy for seasickness?

Haben Sie ein Mittel gegen Seekrankheit?

We are landing at _____.

Wir gehen in _____ an Land.

# AUTOMOBILE

# DAS AUTO

Do you have a road map?

Haben Sie eine Autokarte?

Can you draw me a map?

Können Sie mir eine Zeichnung machen?

Which is the road to _____?

Welche Strasse führt nach ____?

How far is _____?

Wie weit ist es bis _____?

Is the road good?

Ist die Strasse gut?

Is there a good restaurant (hotel) in _____?

Gibt es ein gutes Gasthaus (Hotel) in _____?

Where is the garage?

Wo ist die Garage?

Fill her up.

Machen Sie den Tank voll.

Do I need oil (water, air)?

Brauche ich Öl (Wasser, Luft)?

How much is a liter?

Was kostet ein Liter?

Give me thirty liters.

Geben Sie mir dreissig Liter?

Please check the tires (the oil, the battery, the water, the spark plugs).

Bitte, sehen Sie die Reifen (das Öl, die Batterie, das Wasser, die Zundkerzen) nach.

Please wash the car.

Bitte, waschen Sie den Wagen.

Please grease the car.

Bitte, schmieren Sie die Maschine ab.

Please tighten the brakes.

Bitte, ziehen Sie die Bremse an.

Is there a mechanic here?

Ist ein Mechaniker hier?

The engine overheats (stalls).

Der Motor überhitzt (bleibt stehen).

Can you tow me?

Können Sie mich ziehen?

Where may I park?

Wo kann ich parken?

# ROAD SIGNS

# DIE STRASSENZEICHEN

| | |
|---|---|
| Stop | Halt! |
| Slow | Langsam! |
| Caution | Vorsicht! Vorsichtig! |
| Detour | Umleitung |
| Danger | Gefahr |
| Notice | Achtung! |
| | |
| Road closed (open) | Strasse geschlossen (offen) |
| Crossroads | Kreuzung |
| One way | Einbahnstrasse |
| (Dangerous) curve. | (Gefährliche) Kurve |
| Speed limit 30 km. an hour. | Geschwindigkeitsgrenze 30 Km. |
| Ladies | Damen |
| Gentlemen | Herren |
| Lavatory | Waschraum |
| Entrance | Eingang |
| Exit | Ausgang |
| No smoking (admittance, parking, spitting) | Rauchen (Eintritt, Parken, Spucken) verboten. |
| Tourist Information Office | (Touristen) Auskunftstelle |
| Extreme caution | Äusserste Vorsicht |
| Keep right (left) | Rechts (links) fahren |
| Grade crossing | Bahnübergang |
| Watch out for trains | Vorsicht auf den Zug |
| Narrow bridge | Enge Brücke |
| No thoroughfare | Keine Durchfahrt |
| No right (left) turn | Nicht rechts (links) einbiegen |
| Steep grade (up) | Starke Steigung |
| Steep grade (down) | Starkes Gefälle |
| No trespassing | Unbefugtes Betreten verboten |
| School | Schule |

# HOTEL

# DAS HOTEL

| | |
|---|---|
| Where is a good hotel? | Wo gibt es ein gutes Hotel? |
| Is it expensive? | Ist es teuer? |
| I want a room. | Ich wünsche ein Zimmer. |
| Have you a room with bath? | Haben Sie ein Zimmer mit Bad? |
| I made a reservation. | Ich habe eine Vorbestellung gemacht. |
| Have you a single (double) room with bath (with shower)? | Haben Sie ein Einzel- (Doppel-) zimmer mit Bad (mit Brause)? |
| How much is it by the day (week, month)? | Wieviel kostet es täglich (wöchentlich, monatlich)? |
| I should like to see the room. | Ich möchte das Zimmer sehen. |
| It is too small (large, noisy, hot, cold). | Es ist zu klein (gross, laut, heiss, kalt). |

|  |  |
|---|---|
| Are meals included? | Sind Mahlzeiten einbegriffen? |
| Where is the bathroom (the telephone, the lavatory, the dining room)? | Wo ist das Badezimmer (das Telephon, die Toilette, der Speisesaal)? |
| What is the room number? | Was ist die Zimmernummer? |
| Open the window. | Machen Sie das Fenster auf. |
| Close the door. | Machen Sie die Tür zu. |
| Please bring towels (soap). | Bringen Sie Handtücher (Seife), bitte. |
| Please send the chambermaid (the valet, the waiter). | Bitte, schicken Sie das Zimmermädchen (den Hausdiener, den Kellner). |
| I want these shoes shined. | Ich möchte diese Schuhe putzen lassen. |
| I want it pressed. | Ich möchte es bügeln lassen. |
| Please take these suits (these dresses) to be cleaned. | Lassen Sie diese Anzüge (diese Kleider) bitte reinigen. |
| Is there any mail for me? | Ist Post für mich da? |
| Please mail these letters for me. | Bitte, senden Sie diese Briefe für mich ab. |
| Some stamps. | Einige Briefmarken. |
| Some writing paper. | Etwas Schreibpapier. |
| An envelope. | Einen Briefumschlag. |
| Please change the sheets (pillow cases, towels). | Bitte, wechseln Sie die Bettücher (die Kissenbezüge, die Handtücher). |
| Call me at 6 a.m. | Wecken Sie mich um sechs Uhr morgens. |
| Who is there? | Wer ist es? |
| Wait a minute. | Bitte, warten Sie eine Minute. |
| Do not disturb. | Bitte, nicht stören. |
| I want an interpreter (guide, secretary) who speaks English. | Ich möchte einen Dolmetscher (einen Führer, eine Sekretarin) der (der, die) Englisch spricht. |
| Prepare my bill, please. | Meine Rechnung, bitte. |

# RESTAURANT

# DAS RESTAURANT

|  |  |
|---|---|
| Where is a good restaurant? | Wo ist ein gutes Restaurant? |
| A table for two, please, (near the window). | Ein Tisch für zwei, bitte, (nah dem Fenster). |
| Let me have the menu (wine list.) | Bitte geben Sie mir die Speisenkarte (Weinkarte). |
| What do you recommend? | Was empfehlen Sie? |
| Do you have a table d'hote dinner (lunch, breakfast)? | Haben Sie ein Table d'Hote Abendessen (Mittagessen, Frühstück)? |
| What wine do you recommend? | Welchen Wein empfehlen Sie? |

|  |  |
|---|---|
| Give us an aperitif (whiskey, gin, liqueur). | Geben Sie uns ein Aperitif (Whisky, Wacholderbrannt- wein, einen Likör). |
| Bring us this, please. | Bringen Sie uns das, bitte. |
| Bring us two orders of soup. | Bringen Sie uns zwei Portionen Suppe. |
| We should like to have dinner (lunch) German style. | Wir möchten gern Abendessen (Mittagessen) auf deutsche Art haben. |
| Bring us orders of _____. | Bringen Sie uns Portionen _____. |
| eggs | Eier |
| toast | Toast |
| chops | Koteletten |
| omelet | Omeletten |
| chicken | Huhn |
| duck | Ente |
| oysters | Austern |
| shrimps | Krabben |
| salad | Salat |
| liver | Leber |
| beans | Bohnen |
| carrots | Karotten |
| peas | Erbsen |
| lettuce | Kopfsalat |
| spinach | Spinat |
| rice | Reis |
| potatoes | Kartoffeln |
| mashed potatoes | Kartoffelbrei |
| fried potatoes | gebraten Kartoffeln |
| roast beef | Rostbraten |
| roast pork | Schweinebraten |
| pork chops | Schweinekotelett |
| steak (rare, medium, well done) | beefsteak (halb, durchgebrat- en, gut durch- gebraten) |
| fish | Fisch |
| lobster | Hummer |
| lamb | Lamm |
| radishes | Radieschen |
| tomatoes | Tomaten |
| cucumber | Gurke |
| cabbage | Kohl |
| stringbeans | Schnittbohnen |
| onion | Zwiebeln |
| Please bring _____: | Bitte, bringen Sie mir _____: |
| bread and butter | Brot und Butter |
| milk and cream | Milch und Sahne |
| vinegar and oil | Essig und Öl |
| lemon | Zitrone |
| salt and pepper | Salz und Pfeffer |
| cheese | Käse |
| tea | Tee |
| coffee | Kaffee |
| a napkin | eine Serviette |
| fork | Gabel |
| knife | Messer |
| teaspoon | Teelöffel |
| What have you for dessert? | Was haben Sie zum Nachtisch? |
| ice cream | Eis |
| pastry | Backwerk |
| fruit | Obst |
| cake | Kuchen |
| pie | Torte |
| I should like a cup of tea (black coffee, coffee with milk) | Ich möchte eine Tasse Tee (schwarzen Kaffe, Milch- kaffee). |
| The check, please | Die Rechnung, bitte! |

# THE MARKET

# DER MARKT

I should like to go shopping
Ich möchte einkaufen gehen

Can you tell me where I can buy _____?
Können Sie mir sagen wo ich _____ kaufen kann?

I should like to go to a department store
Ich möchte gern zu einem Warenhaus gehen.

a shoeshop
einem Schuhladen

a bookstore
einer Buchhandlung

a cigar store
einem Tabakladen

a stationer's
einem Papiergeschäft

I should like to see _____.
Ich möchte gern _____ sehen.

How much is this?
Wieviel kostet dies?

What size (color)?
Welche Grösse (Farbe)?

Do you have it in white? (black, red, brown, green, blue, yellow)
Haben Sie das in weiss? schwarz, rot, braun, grün, blau, gelb)

Do you have something larger (smaller)?
Haben Sie etwas Grösseres (Kleineres)?

May I try this on?
Kann ich dies anprobieren

Have you a better quality?
Haben Sie eine bessere Qualität?

This is too expensive.
Es ist zu teuer.

I like this one.
Mir gefällt dies hier.

Sale
Verkauf

Bargain sale
Ausverkauf

It does not fit.
Es passt nicht.

I shall take it with me.
Ich werde es mitnehmen.

Send it to the Hotel, _____, please.
Senden Sie es zum Hotel _____, bitte.

# THE POST OFFICE

# DAS POSTAMT

Can you direct me to the post office?
Können Sie mir den Weg zum nächsten Postamt zeigen?

Where can I get some stamps?
Wo kann ich Briefmarken bekommen?

How much is the postage?
Was ist die Gebühr?

What is the local postage here?
Was kostet ein einfacher Brief?

What is the regular postage to the U.S.A.?
Was kostet ein einfacher Brief nach U.S.A.?

What is the airmail postage to the U.S.A.?
Was kostet Luftpost nach U.S.A.?

I want to send this package.
Ich möchte dieses Paket absenden.

I want it insured.
Ich möchte es versichern.

Here is the (my) address.
Hier ist die (meine) Adresse.

## PHOTOGRAPHER

I should like some camera film No. _____. (a roll of color film)

Please develop the films (plates).

How much does it cost to develop a roll?

I want one print (enlargement) of each.

I want these pictures developed for tomorrow.

When will it be ready?

## DER PHOTOGRAPH

Ich möchte Kamerafilm Nummer _____. (eine Rolle Farbfilm)

Bitte, entwickeln Sie diese Filme (Platten).

Wieviel kostet es eine Rolle zu entwickeln?

Ich möchte einen Abzug (Vergrösserung) von jedem.

Ich möchte diese Bilder für morgen entwickeln lassen.

Wann wird es fertig sein?

## EVERYDAY EXPRESSIONS

## ALLTÄGLICHE AUSDRÜCKE

| | |
|---|---|
| Good morning. | Guten Morgen. |
| Good day. | Guten Tag. |
| Good afternoon. | Guten Tag. |
| How are you? | Wie geht es Ihnen? |
| Good evening. | Guten Abend. |
| Goodbye. | Auf Wiedersehen. |
| Well, thank you. | Danke, gut. |
| And you? | Und Ihnen? |
| Pleased to meet you. | Sehr angenehm. |
| Yes. | Ja. |
| No. | Nein. |
| Please. | Bitte. |
| Thank you. | Danke schön. |
| All right. | Sehr gut. |
| Don't mention it. | Nichts zu danken. |
| Pardon me. | Entschüldigen Sie. |
| Not at all. | Sicher nicht. |
| O.K. | Schön! (or Machen wir!) |
| I am sorry. | Es tut mir leid. |
| Isn't it so? | Nicht wahr? |
| I'm glad. | Es freut mich. |
| Perhaps. | Vielleicht. |
| I agree. | Ich bin einverstanden. |
| I (don't) think so. | Ich glaube ja (nicht). |
| You're right (wrong). | Sie haben recht (unrecht). |
| Would you like _____? | Mächten Sie gern _____? |
| Do you like _____? | Gefällt Ihnen _____? |
| Do you want _____? | Wünschen Sie _____? |
| I (do not) understand. | Ich verstehe (nicht). |

| | |
|---|---|
| Can anyone here speak _____? | Kann hier jemand _____ sprechen? |
| Please speak slowly. | Bitte sprechen Sie langsam. |
| Not so fast. | Nicht so schnell. |
| I see. | Ich verstehe. |
| I (don't) know. | Ich weiss (nicht). |
| I am glad. | Es freut mich. |
| I am ready. | Ich bin fertig. |
| Don't forget. | Vergessen Sie nicht. |
| Gladly. | Gerne. |
| Certainly. | Gewiss. |
| Of course. | Natürlich. |
| I am most grateful. | Ich bin sehr dankbar. |
| The pleasure is mine. | Gleichfalls. |
| May I introduce you to _____? | Darf ich Ihnen _____ vorstellen? |
| My name is _____. | Ich heisse _____. |
| Here is my card. | Hier ist meine Karte. |
| Give my regards to _____. | Besten Gruss an _____. |
| Please sit down. | Bitte setzen Sie sich. |
| Make yourself at home. | Machen Sie es sich bequem. |
| What time is it? | Wieviel Uhr ist es? |
| Do you mind my smoking? | Stört es Sie, wenn ich rauche? |
| May I open (close) the window (the door)? | Darf ich das Fenster (die Türe) öffnen? |
| Bring me _____. | Bringen Sie mir _____. |
| Take this away. | Nehmen Sie das weg. |
| I am tired. | Ich bin müde. |
| I am hungry. | Ich habe Hunger. |
| I am thirsty. | Ich habe Durst. |
| Please send for a doctor. | Bitte rufen Sie einen Arzt. |
| I am going out. | Ich gehe aus. |
| I shall return at _____ o'clock. | Ich komme um _____ Uhr zurück. |
| Has anyone asked for me? | Hat jemand nach mir gefragt? |
| Where and when shall we meet? | Wo und wann sollen wir uns treffen? |
| Will you call me at my hotel? | Wollen Sie mich in meinem Hotel abholen? |
| Where are we (you) going? | Wohin gehen wir (Sie)? |
| Which way? | Welche Richtung. |
| To the right (left). | Nach rechts (links). |
| This way.  Diese Richtung. | Exit.  Ausgang. |
| That way.  Dorthin. | Pedestrians.  Fussgänger |
| Notice!  Achtung! | Knock.  (An)klopfen. |
| Entrance.  Eingang. | Ring the bell.  (An)lauten. |
| Can you tell me _____. | Können Sie mir _____ sagen? |
| I am looking for _____. | Ich suche _____. |
| Push.  Drucken! | Free.  Frei. |
| Pull!  Ziehen! | Occupied.  Besetzt. |

| Quiet. | Ruhig. |
|---|---|

As quickly as possible.
How long have you been waiting?
You have been very kind.
A pleasant journey.
Let me hear from you.
I want an interpreter.

| A pleasant stay. | Angenehmen Aufenthalt! |
|---|---|

So schnell wie möglich.
Wie lang warten Sie schon?

Sie waren äusserst gütig.
Glückliche Reise.
Lassen Sie von sich hören!
Ich möchte einen Dolmetscher haben!

# THE WEATHER

# DAS WETTER

What is the weather like today?
It is a fine day.
It is (very) warm (cold).
It is raining (snowing).
The wind is blowing from the north (south, east, west).
What is the weather likely to be tomorrow?

Wie ist das Wetter heute?
Es ist ein schöner Tag.
Es ist (sehr) warm (kalt).
Es regnet (es schneit).
Der Wind bläst von Norden (Süden, Osten, Westen).
Wie wird das Wetter morgen sein?

# TIME

# DIE ZEIT

What time is it?
It is five o'clock.
It is a quarter past six.
It is half-past seven.
It is a quarter to eight.
It is twenty past nine.
It is ten to ten.
The day; the month; the season.

Wieviel Uhr ist es?
Es ist fünf Uhr.
Es ist viertel nach sechs.
Es ist halb acht.
Est ist viertel vor acht.
Es ist zwanzig nach neun.
Es ist zehn vor zehn.
der Tag; der Monat; die Jahreszeit.

| Midday | Mittag | January | Januar |
|---|---|---|---|
| Midnight | Mitternacht | February | Februar |
| Sunday | Sonntag | March | März |
| Monday | Montag | April | April |
| Tuesday | Dienstag | May | Mai |
| Wednesday | Mittwoch | June | Juni |
| Thursday | Donnerstag | July | Juli |
| Friday | Freitag | August | August |
| Saturday | Samstag | September | September |
| Spring | Frühling | October | Oktober |
| Summer | Sommer | November | November |
| Autumn | Herbst | December | Dezember |
| Winter | Winter | Leap year | Schaltjahr |

# THE NUMERALS

# DIE ZAHLEN

| | | | |
|---|---|---|---|
| nought | null | twenty-one | einundzwanzig |
| one | eins | thirty | dreissig |
| two | zwei | forty | vierzig |
| three | drei | fifty | fünfzig |
| four | vier | sixty | sechzig |
| five | fünf | seventy | siebzig |
| six | sechs | eighty | achtig |
| seven | sieben | ninety | neunzig |
| eight | acht | one hundred | hundert |
| nine | neun | one thousand | tausend |
| ten | zehn | one million | eine Million |
| eleven | elf | first | erst |
| twelve | zwölf | second | zweite |
| thirteen | dreizehn | third | dritte |
| fourteen | vierzehn | fourth | vierte |
| fifteen | fünfzehn | fifth | fünfte |
| sixteen | sechzehn | sixth | sechste |
| seventeen | siebzehn | seventh | siebente |
| eighteen | achtzehn | eighth | achte |
| nineteen | neunzehn | ninth | neunte |
| twenty | zwanzig | tenth | zehnte |

# THE FRACTIONS

# DIE BRUCHZAHLEN

| | |
|---|---|
| one-half, a half | halb |
| a half dozen | ein halbes Dutzend |
| one and a half | anderthalb |
| two and a half | zweieinhalb |
| one-third, a third | ein Drittel |
| two-thirds | zwei Drittel |
| one-fourth, one quarter | ein Viertel |
| three-fourths, three quarters | drei Viertel |
| three quarters of an hour | drei Viertelstunden |
| one-fifth | ein Fünftel |
| one-sixth | ein Sechstel |
| two and five-sixths | zwei fünf Sechstel |
| one-thirtieth | ein Dreissigstel |
| one-hundredth | ein Hundertstel |
| point three (.3) | Null Komma drei (0,3) |
| five point six (5.6) | fünf Komma sechs (5,6) |

# German Abbreviations
# Deutsche Abkürzungen

## A

| | |
|---|---|
| a. | an *on*; an der, am *on the*; aus of, *from* |
| A.A. | Auswärtiges Amt *neu.* State Department, Ministry of Foreign Affairs, Foreign Office |
| a.a.O. | an anderen Orten *elsewhere*; am angeführten Ort, *in the work previously cited, opere citato, op. cit.*; am angegebenen Ort *in the place cited, loco citato, loc. cit.* |
| Abb. | Abbildung *f. drawing, figure, fig. illustration, ill., portrait* |
| abds. | abends *p.m., evenings* |
| Abf. | Abfahrt *f. departure, dep.* |
| Abg. | Abgeordnete(r) *m. congressman, representative, rep., assemblyman* |
| Abh. | Abhandlung *f. paper, treatise, transaction, trans.* |
| Abk. | Abkürzung *f. abbreviation, abbr.* |
| Abs. | Absender *m. sender*; Absatz *m. paragraph, par.* |
| Abschn. | Abschnitt *m. section, sec(t)., chapter, chap., passage* |
| Abt. | Abteilung *f. department, dep(t)., section, sec(t)., division, div., compartment* |
| a. Chr. | ante Christum (vor Christus) *before Christ, B.C.* |
| a. d. | an der *on, on the, at the* |
| a.D. | ausser Dienst *retired, ret.*; an der Donau *on the Danube* |
| Adr. | Adresse *f. address* |
| A.G. | Aktiengesellschaft *f. joint-stock corporation, Corp., joint-stock company, Co.* |
| allg. | allgemein *general, common* |
| a.M. | am Main *on the Main* |
| amtl. | amtlich *official* |
| Anf. | Anfang *m. beginning* |
| Anh. | Anhang *m. appendix, app.* |
| Ank. | Ankunft *f. arrival, arr.* |
| Anl. | Anlage *f. enclosure, enc(l).* |
| Anm. | Anmerkung *f. remark, annotation* |
| Anst. | Anstalt *f. institution, inst.* |
| Antw. | Antwort *f. answer, ans., reply* |
| Anw. | Anwalt *m. attorney, atty., lawyer* |
| a.O. | an der Oder *on the Oder* |
| a.o. Prof. | ausserordentlicher Professor *assistant professor, asst. prof.* |
| a. Rh. | am Rhein *on the Rhine* |
| a.u.a. | auch unter andern *also among others* |
| Aufl. | Auflage *f. edition, ed.* |
| Ausg. | Ausgabe *f. (newspaper) edition, ed.* |
| Ausl. | Ausland *neu., ausländisch foreign* |
| ausschl. | ausschliesslich *exclusively* |
| a.Z. | auf Zeit *on credit* |

# B

| | |
|---|---|
| b. | bei, bei dem, beim *at, with, by, near* |
| B. | Beispiel *neu. example, ex.* |
| Bd. | Band *m. volume,* vol.; Bde. Bände *m. pl. volumes, vols.* |
| beil. | beiliegend *enclosed, enc(l).* |
| Bem. | Bemerkung *f. remark, comment, note* |
| bes. | besonders *especially, esp., in particular* |
| betr. | betreffend, betreffs *concerning, regarding* |
| bez. | beziehungsweise *respectively, or;* bezüglich *with regard to, with reference to;* bezahlt *paid, pd.* |
| Bez. | Bezirk *m. district, dist.* |
| B.-G. | Bruttogewicht *neu. gross weight, gr. wt.* |
| BGB | Bürgerliches Gesetzbuch *neu. Code of Civil Law* |
| B.H. | Büstenhalter *m. brassiere, bra* |
| Bhf. | Bahnhof *m. station, sta.* |
| bisw. | bisweilen *sometimes, occasionally* |
| BRD | Bundesrepublik Deutschland *Federal Republic of Germany, FRG* |
| brit. | britisch *British, Brit.* |
| brosch. | broschiert *(in) paperback* |
| BRT | Bruttoregistertonnen *f. pl. gross register tons, gr. reg. tn.* |
| b.w. | bitte wenden *please turn over, PTO* |
| bzw. | beziehungsweise *respectively, relatively, or* |

# C

| | |
|---|---|
| C | Celsius *centigrade, cent.* |
| cbm | Kubikmeter *neu. & m. cubic meter,* $m^3$, $m^3$. |
| ccm | Kubikzentimeter *neu. cubic centimeter,* $cm^3$, $cm^3$., cc, c.c. |
| CDU | Christlich-Demokratische Union *f. Christian Democratic Union* |
| Cie. | Kompanie *f. Company, Co.* |
| cm | Zentimeter *neu. centimeter, cm, cm., c, c.* |
| CSU | Christlich-Soziale Union *f. Christian Social Union* |

# D

| | |
|---|---|
| d. | das, der, die, des, dem, den *the, of the, to the* |
| d.Ä. | der Ältere *senior, sr., Sr.* |
| DB | Deutsche Bundesbahn *f. German Federal Railroad* |
| DDR | Deutsche Demokratische Republik *f. German Democratic Republic, GDR* |
| dgl. | desgleichen, dergleichen *the like, similar* |
| d.h. | das heisst *that is, which means, i.e.* |
| d.i. | das ist *that is, i.e.* |
| DIN, D.I.N. | Deutsche Industrie-Norm *f. German Industrial Standards* |
| Dipl.-Ing. | Diplomingenieur *m. graduate engineer* |
| d.J. | dieses Jahres *of this year;* der Jüngere *junior, jr., Jr.* |
| d.M. | dieses Monats *instant, inst., of this month* |
| DM | Deutsche Mark *f. German Mark* |
| DNS | Desoxyribonukleinsäure *f. deoxyribonucleic acid, DNA* |
| d. O. | der (die, das) Obige *the abovementioned* |
| Dr. jur. | Doktor der Rechte *Doctor of Laws, LL.D.* |

| | |
|---|---|
| **DRK** | Deutsches Rotes Kreuz *neu. German Red Cross* |
| **Dr. med.** | Doktor der Medizin *Doctor of Medicine, M.D.* |
| **Dtz(d).** | Dutzend *neu. dozen, doz.* |

## E

| | |
|---|---|
| **ebd.** | ebenda *in the same place* |
| **eigtl.** | eigentlich *properly, really, truly* |
| **einschl.** | einschliesslich *including, incl.* |
| **EKD** | Evangelische Kirche in Deutschland *Protestant Church in Germany* |
| **EKG** | Elektrokardiogramm *neu. electrocardiogram, EKG* |
| **entspr.** | entsprechend *corresponding, corr.* |
| **ev.** | evangelisch *Protestant, Prot.* |
| **e. V.** | eingetragener Verein *neu. incorporated, inc.* |
| **evtl.** | eventuell *probably, possibly* |
| **EWG** | Europäische Wirtschaftsgemeinschaft *f. European Economic Community, EEC* |
| **Expl.** | Exemplar *neu. copy, c.* |
| **EZU** | Europäische Zahlungsunion *f. European Payments Union, EPU* |
| **E-Zug** | Eilzug *m. express train* |

## F

| | |
|---|---|
| **F** | Fahrenheit *Fahrenheit, F;* Fernsprecher *m. telephone, tel.* |
| **FDP** | Freie Demokratische Partei *f. Liberal Democratic Party* |
| **FD-Zug** | Fernschnellzug *m. long-distance express train* |
| **ff, f.f.** | folgende Seiten *following pages, ff. pp.* |
| **Fr.** | Frau *f. Mistress, Mrs., Ms.* |
| **Frl.** | Fräulein *neu. Miss, Ms.* |
| **FS** | Fernsehen *neu. television, TV* |

## G

| | |
|---|---|
| **Gbf.** | Güterbahnhof *m. freight yard* |
| **geb.** | geboren *born, b.* |
| **Gebr.** | Gebrüder *pl. brothers, bros., Bros.* |
| **gegr.** | gegründet *founded* |
| **Gen.** | Genossenschaft *f. association, assn., cooperative, coop* |
| **ges. gesch.** | gesetzlich geschützt *patented, pat(d)., registered trademark* |
| **gest.** | gestorben *deceased, dec(d).* |
| **gez.** | gezeichnet *signed, sgd.* |
| **G.K.** | Geschlechtskrankheit *f. venereal disease, VD* |
| **GM.** | Gebrauchsmuster *neu. registered trademark* |
| **G.m.b.H., GmbH** | Gesellschaft mit beschränkter Haftung *incorporated, Inc., company with limited liability, Ltd.* |

## H

| | |
|---|---|
| **ha** | Hektar *neu. hectare, ha* |
| **Hbf.** | Hauptbahnhof *m. central station* |
| **herg.** | hergestellt *manufactured, mfd., made* |
| **hl.** | heilig *holy* |
| **Hr., Hrn.** | Herr(n) *Mister, Mr.* |
| **hrsg.** | herausgegeben *edited, ed.; published* |
| **Hyp.** | Hypothek *f. (real estate) mortgage* |

## I

| | |
|---|---|
| **i.** | in, im *in* |
| **i.A.** | im Auftrag *on behalf of, by order of, for* |
| **i. allg.** | im allgemeinen *in general, on the whole* |

315

| | |
|---|---|
| I.G. | Interessengemeinschaft *f.* trust, holding company, cartel, combine |
| i.J. | im Jahre *in the year* |
| Ing. | Ingenieur *m.* engineer, eng. |
| Inh. | Inhaber *m.* proprietor, prop.; Inhalt *m.* contents, cont. |
| insb. | insbesondere *in particular* |
| i.V. | in Vertretung *on behalf of, by order of* |
| i.W.v. | im Werte von *in the amount of* |

## J

| | |
|---|---|
| J(hr)b. | Jahrbuch *neu.* annual, ann., yearbook |
| jun., jr. | junior *junior, jr., Jr.* |

## K

| | |
|---|---|
| k. | kaiserlich *imperial, imp.;* königlich *royal* |
| Kap. | Kapitel *neu.* chapter, chap. |
| kath. | katholisch *Catholic, Cath.* |
| Kfz. | Kraftfahrzeug *neu.* motor vehicle |
| K.G. | Kommanditgesellschaft *f.* limited partnership |
| kgl. | königlich *royal* |
| KP(D) | Kommunistische Partei (Deutschlands) *Communist Party of Germany* |
| Kripo | Kriminalpolizei *f. criminal police* |
| Kto. | Konto *neu.* account, a/c, acct. |
| kub. | kubisch *cubic, cu, cu., c.* |
| KZ | Konzentrationslager *neu.* concentration camp |

## L

| | |
|---|---|
| lfd. | laufend *current, running, consecutive* |
| lfd. Nr. | laufende Nummer *f. serial number* |
| Lfg. | Lieferung *f. delivery; issue; installment* |
| l.J. | laufenden Jahres *of the current year* |
| Lkw. | Lastkraftwagen *m. truck* |
| LS(-Keller) | Luftschutz(keller) *m. air raid shelter* |
| lt. | laut *according to* |
| luth. | lutherisch *Lutheran, Luth.* |
| L-Zug | Luxuszug *m. luxury train* |

## M

| | |
|---|---|
| M.d.B., MdB | Mitglied des Bundestages *member of the federal legislative chamber* |
| M.d.L., MdL | Mitglied des Landtages *member of the state assembly* |
| m.E. | meines Erachtens *in my opinion* |
| MEZ | mitteleuropäische Zeit *Central European Time* |
| möbl. | möbliert *furnished* |

## N

| | |
|---|---|
| n(achm). | nachmittags *in the afternoon, p.m.* |
| n. Chr. | nach Christus *after Christ, A.D.* |
| n.J. | nächsten Jahres *(of) next year* |
| n.M. | nächsten Monats *(of) next month* |
| No., Nr. | Numero, Nummer *f. number, no.* |

## O

| | |
|---|---|
| o. | oben *above;* oder *or;* ohne *without* |
| ÖBB | Österreichische Bundesbahnen *f. pl. Federal Railways of Austria* |
| od. | oder *or* |
| OEZ | osteuropäische Zeit *f. East European Time* |

| | |
|---|---|
| OHG | Offene Handelsgesellschaft f. *ordinary partnership* |
| o.J. | ohne Jahr *no date* |

**P**

| | |
|---|---|
| p. A(dr). | per Adresse *care of, c/o* |
| Pf, Pf. | Pfennig m. *penny p., cent, c., ct(s).;* Pfund neu. *pound, lb, lb.* |
| Pfd. | Pfund neu. *pound, lb, lb.* |
| P.K. | Pferdekraft f. *horsepower, HP, H.P., hp., h.p.* |
| PKW, pkw | Personenkraftwagen m. *(passenger)car, auto* |
| p.p., ppa. | per procura *on behalf of, for* |
| PS | Pferdestärke f. *horsepower, HP, H.P., hp, h.p.* |

**Q**

| | |
|---|---|
| qkm | Quadratkilometer neu. *square kilometer,* km², km², sq km |
| qm | Quadratmeter neu. *square meter,* m²., m², sq m |

**R**

| | |
|---|---|
| R | Reaumur *Reaumur, R* |
| Reg. Bez. | Regierungsbezirk m. *administrative district* |
| RIAS | Rundfunk im amerikanischen Sektor (von Berlin) *Radio in the American Sector (of Berlin)* |
| RNS | Ribonukleinsäure f. *Ribonucleic acid, RNA* |

**S**

| | |
|---|---|
| S. | Seite f. *page, p.* |
| s. | siehe *see* |
| s.a. | siehe auch *see also* |
| s.d. | siehe dies *see this;* siehe dort *see there* |
| SED | Sozialistische Einheitspartei Deutschlands *United Socialist Party of Germany* |
| SFB | Sender Freies Berlin *Broadcasting Station of Free Berlin* |
| s.o. | siehe oben *see above* |
| SOS | internationales Notsignal neu., Hilferuf in Notlage *international distress signal, SOS* |
| SPD | Sozialdemokratische Partei Deutschlands *Social Democratic Party of Germany* |
| SS | Sommersemester neu. *summer term* |
| St. | Stück neu. *piece;* Sankt *Saint, St.* |
| St., Std., Stde.,Std(n). | Stunde(n) f. pl. *hour(s), hr(s).* |
| StGB | Strafgesetzbuch neu. *Penal Code* |
| StPO | Strafprozessordnung f. *Code of Criminal Procedure* |
| Str. | Strasse f. *street, st., St.* |
| s.u. | siehe unten *see below* |

**T**

| | |
|---|---|
| tägl. | täglich *daily* |
| Tbc. | Tuberkulose f. *tuberculosis, TB, t.b.* |
| Teilh. | Teilhaber m. *partner* |
| teilw. | teilweise *partly* |
| Tel. | Telephon, Telefon neu. *telephone, tel.* |
| TH | Technische Hochschule f. *school of engineering* |
| Tragk. | Tragkraft f. *load capacity* |

## U

| | |
|---|---|
| U. | Uhr *f. o'clock, hour, hr(s).* |
| u. | und *and;* unten *below;* unter *under* |
| u. a. | und andere(s) *and others;* unter anderem, unter anderen *among other things* |
| u.a.m. | und andere mehr, *and many others;* und anderes mehr *and so on, et cetera, etc.* |
| u.ä.m. | und ähnliches mehr *and similar; and so on* |
| u.a.O. | unter anderen Orten *among other places;* und andere Orte *and elsewhere* |
| U.A.w.g. | Um Antwort wird gebeten *répondez s'il vous plaît, R.S.V.P., please reply* |
| U-Bahn | Untergrundbahn *f. subway* |
| U-Boot | Unterseeboot *neu. submarine* |
| u.d. M. | unter dem Meeresspiegel *below sea level* |
| ü.d. M. | über dem Meeresspiegel *above sea level* |
| UdSSR | Union der Sozialistischen Sowjetrepubliken *Union of Soviet Socialist Republics, USSR* |
| u. E. | unseres Erachtens *in our opinion* |
| u.f., u.ff. | und folgende *and the following* |
| UKW | Ultrakurzwelle *f. very high frequency, VHF* |
| ung. | ungefähr *approximately, approx., about, a.* |
| u.s.w., usw. | und so weiter *and so on, et cetera, etc.* |
| u. U. | unter Umständen *under certain conditions, circumstances permitting* |

## V

| | |
|---|---|
| v. | von *from, of; by;* vom *by* |
| v. Chr. | vor Christus *before Christ, B.C.* |
| VEB | Volkseigener Betrieb *m. People's Own Enterprise* |
| Verl. | Verlag *m. publishing house;* Verleger *m. publisher* |
| vgl. | vergleiche *compare, refer, cf.* |
| v., g., u. | vorgelesen, genehmigt, unterschrieben *read, approved, signed* |
| v. H. | vom Hundert *percent, pct., pc.* |
| v. J. | vorigen Jahres *(of) last year* |
| v. M. | vorigen Monats *(of) last month* |
| vorm. | vormittags *in the morning, before noon, a.m.* |
| Vors. | Vorsitzender *m. chairman, chm., chmn.* |
| V. St. A. | Vereinigte Staaten von Amerika *United States of America, USA* |
| v. T. | von Tausend, pro Mille *per thousand* |
| VVN | Vereinigung der Verfolgten des Naziregimes *Union of Persons Persecuted under the Nazi Regime.* |

## W

| | |
|---|---|
| WE | Wärmeeinheit *f. thermal unit* |
| WEZ | westeuropäische Zeit *f. Western European Time* |
| wktgs. | werktags *(on) weekdays* |
| WS | Wintersemester *neu. winter term* |
| Wwe. | Witwe *f. widow* |

## Z

| | |
|---|---|
| z. | zu, zum, zur *at, to, for, by, of* |
| z. B. | zum Beispiel *for example, for ex., e. g.* |
| z. H., z. Hd. | zu Händen *attention of, care of, c/o* |
| ZPO | Zivilprozessordnung *f. Code of Civil Procedure* |

| | |
|---|---|
| z. T. | zum Teil *in part* |
| Ztg. | *Zeitung f. newspaper, magazine* |
| Ztr. | *Zentner m. centner (50 kg, 110.23 lbs)* |
| zus. | zusammen *together* |
| z. Z., z. Zt. | zur Zeit *at the time, currently, for the present; acting* |

# American and British Abbreviations
# Amerikanische und britische
# Abkürzungen

### A

| | |
|---|---|
| AAA | *antiaircraft artillery* Flugabwehrartillerie f., Flak f. |
| AAM | *air-to-air missile* Bord-Bord-Rakete f. |
| A.B. | *Bachelor of Arts* Bakkalaureus der Philosophie |
| abbr., abbrev. | *abbreviated* abgekürzt; *abbreviation* Abkürzung f., Abk. |
| ABM | *antiballistic missile* Antirakete f. |
| AC, A.C., a.c. | *alternating current* Wechselstrom m. |
| AD, A.D. | *Anno Domini, after Christ* nach Christus, n. Chr. |
| AEC | *Atomic Energy Commission* Atomenergiekommission f. |
| AF | *Air Force* Luftstreitkräfte f. pl., Luftwaffe f. |
| AFB | *air force base* Luftwaffenstützpunkt m. |
| AFN | *American Forces Network* Rundfunkanstalt der amerikanischen Streitkräfte |
| AM, A.M. | *amplitude modulation* Mittelwelle f.; *Master of Arts* Magister der freien Künste |
| a.m. | *ante meridiem, before noon* vormittags, morgens |
| arr. | *arranged* abgesprochen; *arrival* Ankunft f., Ank. |

### B

| | |
|---|---|
| B.A. | *Bachelor of Arts* Bakkalaureus der Philosophie |
| bbl., bbl | *barrel* Fass neu. |
| Bros., bros. | *brothers* Gebrüder pl., Gebr. |
| B.S. | *Bachelor of Science* Bakkalaureus der Naturwissenschaften |
| bu., bu | *bushel(s)* Scheffel m. (pl.) |

### C

| | |
|---|---|
| C | *Centigrade* Celsius |
| cf. | *confer, compare* vergleiche, vgl. |
| CIA, C.I.A. | *Central Intelligence Agency* Der amerikanische Geheimdienst |
| CIF, C.I.F., c.i.f. | *cost, insurance and freight* Kosten, Versicherung und Fracht einbegriffen |
| C. in C. | *commander in chief* Oberbefehlshaber m. |
| Co. | *Company* Gesellschaft f. |
| c/o, c.o. | *(in) care of* bei, per Adresse, p.A. (dr) |
| C.O.D., c.o.d. | *cash on delivery, collect on delivery* gegen Nachnahme, Zahlung bei Empfang |

**CPA, C.P.A.** *certified public accountant* Wirtschafts-
prüfer, beeidigter Bücherrevisor *m.*
**cu., cu** *cubic* Kubik-
**cwt.** *hundredweight* etwa ein Zentner (45,4 kg)

## D

**D.C., DC, d.c.** *direct current* Gleichstrom *m.; D.C. District
of Columbia* Distrikt Columbia
**DDD** *direct distance dialing* Selbstwählferndienst
*m.*
**DDT, D.D.T.** *dichloro-diphenyl-trichloro-ethane* Dichlordi-
phenyltrichloräthan *neu.*
**dep.** *departure* Abfahrt *f.*, Abf.
**dep(t).** *department* Abteilung *f.*, Abt.
**DNA** *deoxyribonucleic acid* Desoxyribosenuklein-
säure *f.*, DNS
**doz.** *dozen* Dutzend *neu., (pl.),* Dtz(d).

## E

**ea.** *each* je
**ECSC, E.C.S.C.** *European Coal and Steel Community* Euro-
päische Gemeinschaft für Kohle und Stahl
**ed.** *edited* herausgegeben, h(rs)g.; *edition* Auflage *f.*, Aufl.; *editor* Herausgeber *m.*, H(rs)g.
**EEC, E.E.C.** *European Economic Community* Europäische
Wirtschaftsgemeinschaft *f.*, EWG
**ESP** *extrasensory perception* Hellsehen *neu.*
**ESRO** *European Space Research Organization*
Europäische Weltraumforschungsorganisa-
tion *f.*
**etc.,** *et cetera, and so on* und so weiter, usw.
**Euratom** *European Atomic Energy Community* Europäische Atomgemeinschaft *f.*, Euratom
**ex.** *example* Beispiel *neu.*, B.

## F

**F(ahr.)** *Fahrenheit* Fahrenheit, F
**FAO** *Food and Agriculture Organization (of the
United Nations)* Organisation für Ernährung
und Landwirtschaft (der Uno)
**FBI, F.B.I.** *Federal Bureau of Investigation* Bundes-
kriminalamt *neu.*, Amerikanische Bundes-
sicherheitspolizei *f.*
**FCC, F.C.C.** *Federal Communcations Commission* Bun-
deskommission für das Nachrichtenwesen
**fig.** *figurative(ly)* übertragen, in übertragener
Bedeutung; *figure* Abbildung *f.*, Abb.
**FM, F.M.** *frequency modulation* Ultrakurzwelle *f.*,
UKW
**F.O.B., f.o.b.** *free on board* frei Schiff

## G

**GATT** *General Agreement on Tariffs and Trade*
Allgemeines Zoll- und Handelsabkommen
*neu.*
**G.B.** *Great Britain* Grossbritannien *neu.*
**GDR, G.D.R.** *German Democratic Republic* Deutsche De-
mokratische Republik *f.*, DDR
**GHQ** *general headquarters* Grosses Hauptquartier
**GI, G.I.** *government issue* von der Regierung ausgege-
ben, staatseigen; heereseigen; *American
serviceman* amerikanischer Soldat *m.*

| | | |
|---|---|---|
| GOP, G.O.P. | *Grand Old Party* Republikanische Partei *f.* |
| Gov. | *Governor* Gouverneur *m.* |
| Gov(t). | *Government* Regierung *f.* |

## H

| | |
|---|---|
| H.M.S. | *Her (His) Majesty's Ship* Ihrer (Seiner) Majestät Schiff *neu.* |
| H.P., HP | *horsepower* Pferdestärke *f.,* PS, P.K. |
| HR, H.R. | *House of Representatives* Repräsentantenhaus *neu.* |

## I

| | |
|---|---|
| ICBM | *Intercontinental Ballistic Missile* Interkontinentalrakete *f.* |
| ID, I.D. (card) | *identification* Ausweis *m.* |
| i.e. | *id est, that is* dass heisst, d. h. |
| IMF, I.M.F. | *International Monetary Fund* Internationaler Währungsfonds *m.,* IWF |
| Inc. | *Incorporated* Gesellschaft mit beschränkter Haftung, G.m.b.H. |
| incl. | *including* einschliesslich, einschl. |
| IOU, I.O.U. | *I owe you* Schuldschein *m.* |
| IQ | *intelligence quotient* Intelligenzquotient *m.* |
| IUD, I.U.D. | *intrauterine device* Intrauterin-Pessar *neu.,* (Gebär-) Mutterhalter *m.* |

## J

| | |
|---|---|
| J.P. | *Justice of the Peace* Friedensrichter *m.* |
| Jr | *Junior* der Jüngere, jun. |

## K

| | |
|---|---|
| KO, K.O., k.o. | *knockout* durch Niederschlag kampfunfähig gemacht, Knockout *m.,* K.o. |
| KP | *kitchen police* Küchendienst *m.* |

## L

| | |
|---|---|
| lb., lb | *pound* Pfund *neu.,* Pf. |
| LP | *long-playing (phonograph record)* Langspiel(-platte *f.*) |
| LSD | *lysergic acid diethylamide* Lysergsäurediäthylamid *neu.,* LSD |
| Ltd. | *Limited* Gesellschaft mit beschränkter Haftung, G.m.b.H. |
| Lt.Gen. | *lieutenant general* Generalleutnant *m.* |

## M

| | |
|---|---|
| M.A. | *Master of Arts* Magister der Philosophie, Magister der freien Künste |
| Maj. Gen. | *major general* Generalmajor *m.* |
| MC, M.C., m.c | *master of ceremonies* Conferencier *m.* |
| MD, M.D. | *Doctor of Medicine* Doktor der Medizin, Dr. med. |
| MIRV | *multiple independently targeted reentry vehicle* Mehrfachsprengkopf *m.* |
| MP, M.P. | *Military Police* Militärpolizei *f.* |
| mph, m.p.h. | *miles per hour* Stundenmeilen *f. pl.* |
| Mr., Mr | *Mister* Herr *m.,* Hr. |
| Mrs., Mrs | *Mistress* Frau *f.,* Fr. |
| Ms. | *(married)* Frau *f.,* Fr.; *(single)* Fräulein *neu.,* Frl. |
| M.S. | *Master of Science* Magister der Naturwissenschaften |
| Msgr. | *monsignor* hoher Geistlicher |

**N**

| | |
|---|---|
| NASA | *National Aeronautics and Space Administration* Nationale Luft- und Raumfahrtbehörde f. |
| NATO | *North Atlantic Treaty Organization* Nordatlantikpakt-Organisation f., Nato |
| No. | *number* Nummer f., Nr. |

**O**

| | |
|---|---|
| OAS, O.A.S. | *Organization of American States* Organisation amerikanischer Staaten |
| OECD, O.E.C.D. | *Organization for Economic Cooperation and Development* Organisation für wirtschaftliche Zusammenarbeit und Entwicklung |
| OK, O.K. | *all correct* (alles) in Ordnung; stimmt, richtig |
| oz., oz | *ounce(s)* Unze(n) f. (pl.) |

**P**

| | |
|---|---|
| Pfc. | *private first class* Obergefreiter m. |
| Ph.D. | *Doctor of Philosophy* Doktor der Philosophie |
| p.m. | *post meridiem, afternoon* nachmittags, abends |
| POW, P.O.W. | *prisoner of war* Kriegsgefangene m. |
| pt., pt | *pint(s)* Pinte(n) f. (pl.) |
| PTA | *Parent-Teacher Association* Eltern-Lehrer-Vereinigung f. |
| P.T.O. | *please turn over* bitte wenden, b.w. |
| Pvt. | *private* Soldat, Gemeine(r) m. |
| PX | *post exchange* Verkaufsladen der amerikanischen Streitkräfte |

**Q**

| | |
|---|---|
| qt., qt | *quart(s)* Quart(e) neu. (pl.) |

**R**

| | |
|---|---|
| Rev. | *Reverend* Ehrwürden f., Ew. |
| R.N. | *registered nurse* (Kranken-) Schwester f. |
| RNA | *ribonucleic acid* Ribonukleinsäure f., RNS |
| R.S.V.P., r.s.v.p. | *répondez s'il vous plait, please reply* um Antwort wird gebeten, u. A.w.g. |
| rte. | *route* Landstrasse f. |

**S**

| | |
|---|---|
| SAC | *Strategic Air Command* Strategisches Luft-Kommando neu. |
| SEATO | *South East Asia Treaty Organization* Südostasienpakt-Organisation f. |
| Sec. | *Secretary* Sekretär, Minister m.; Sekretärin f. |
| S(er)gt. | *sergeant* Feldwebel m. (army); Wachtmeister m. (police) |
| SOS | *international distress signal* internationales Notzeichen, Hilferuf in Notlage, SOS |
| Sq. | *square* Platz m., Pl.; sq, sq. (math.) Quadrat neu.; (geom.) Viereck, Rechteck neu. |
| Sr. | *Senior* der Ältere, Senior m., sen. |
| St. | *saint* Sankt, St.; *street* Strasse f., Str. |
| Sta. | *station* Bahnhof m., Bhf. |

**T**

| | |
|---|---|
| TB, t.b. | *tuberculosis* Tuberkulose f., Tb(c) |
| TNT, T.N.T. | *trinitrotoluene* Trinitrotoluol neu., TNT |
| TV | *television* Fernsehen neu., Fernseh-, FS |
| TVA | *Tennessee Valley Authority* Tennesseetal-Behörde f. |

## U

**UFO**     *unidentified flying object* Unbekanntes Flugobjekt neu.

**UHF, U.H.F.**     *u.h.f. ultrahigh frequency* Dezimeterwelle(nbereich) f. (m.)

**UK, U.K.**     *United Kingdom* Vereinigtes Königreich neu.

**UN, U.N.**     *United Nations* Vereinte Nationen f. pl., Uno f.

**UNESCO**     *United Nations Educational, Scientific, and Cultural Organization* Organisation der Vereinten Nationen für Erziehung, Wissenschaft und Kultur

**UNICEF**     *United Nations International Children's Emergency Fund* Kinderhilfswerk der Vereinten Nationen

**UNSC**     *United Nations Security Council* Sicherheitsrat der Vereinten Nationen

**US, U.S.**     *United States* Vereinigte Staaten m. pl.

**USA, U.S.A.**     *United States of America* Vereinigte Staaten von Amerika, USA m. pl.; *United States Army* Landstreitkräfte der Vereinigten Staaten

**USAF**     *United States Air Force* Luftwaffe (or Luftstreitkräfte) der Vereinigten Staaten

**USMC**     *United States Marine Corps* Marineinfanterie der Vereinigten Staaten

**USN**     *United States Navy* Seestreitkräfte der Vereinigten Staaten

**USS**     *United States Ship* Schiff der Vereinigten Staaten

**USSR, U.S.S.R.**     *Union of Soviet Socialist Republics* Union der Sozialistischen Sowjetrepubliken, UdSSR

## V

**VD, V.D.**     *venereal disease* Geschlechtskrankheit f., G.K.

**VHF, V.H.F.**     *v.h.f. very high frequency* Ultrakurzwelle f.

**VIP**     *very important person* grosses Tier neu., hohe Persönlichkeit f.

**vol.**     *volume* Band m., Bd.; *vols. volumes* Bände m. pl., Bde.

**v(s).**     *versus, against* gegen

**VTOL**     *vertical takeoff and landing* Senkrechtstart m.

**v.v.**     *vice versa* umgekehrt

## W

**WAC, Wac**     *a member of Women's Army Corps* Amerikanische Armeehelferin f.

**WAF, Waf**     *a member of Women's Air Force* Amerikanische Luftwaffenhelferin f.

**WAVE, Wave**     *a member of Women's Reserve, United States Naval Reserve* Amerikanische Kriegsflottenhelferin f.

**WHO**     *World Health Organization* Weltgesundheitsorganisation f.

**wt.**     *weight* Gewicht neu.

## X

**Xmas**     *Christmas* Weihnachten neu.

**X rays**     Röntgenstrahlen m. pl.

## Y

**yd(s)., yd(s)**     *yard(s)* Yard(s) neu. (pl.), Yd(s).

**YMCA**     *Young Men's Christian Association* Christlicher Verein junger Männer, CVJM

yr(s).         *year(s)* Jahr(e) *neu. (pl.)*
YWCA      *Young Women's Christian Association*
Christlicher Verein junger Mädchen

**Z**

z         *zero* Null *f.; zone* Gebiet *neu.,* Zone *f.*

# German Irregular Verbs
# Deutsche unregelmässige Zeitwörter

The forms of German verbs are listed in the following order: infinitive, present tense in the third person singular, past tense in the first and third person singular, and the past participle with its auxiliary verb in the third person singular. Variant forms appear in parentheses. English translations follow in italics. German compound verbs derived from simple verbs in this list are not given. Thus for **zunehmen,** look up forms under **nehmen.**

Abbreviations:
*coll.* colloquial
*fig.* figurative
*vi.* intransitive verb
*vt.* transitive verb

**backen,** bäckt, backte (buk), hat gebacken *to bake*
**befehlen,** befiehlt, befahl, hat befohlen *to command*
**befleissen,** befleisst, befliss, hat beflissen *to be busy with, to be occupied with*
**beginnen,** beginnt, begann, hat begonnen *to begin*
**beissen,** beisst, biss, hat gebissen *to bite*
**bergen,** birgt, barg, hat geborgen *to shelter, to save*
**bersten,** birst (berstet), barst, ist geborsten *to burst*
**bewegen,** bewegt, bewegte (*vt. fig.* bewog), hat bewegt (*vt. fig.* hat bewogen) *to move; to stir*
**biegen,** biegt, bog, hat gebogen *to bend*
**bieten,** bietet, bot, hat geboten *to offer, to bid*
**binden,** bindet, band, hat gebunden *to tie, to bind*
**bitten,** bittet, bat, hat gebeten *to ask, to beg*
**blasen,** bläst, blies, hat geblasen *to blow, to sound*
**bleiben,** bleibt, blieb, ist geblieben *to stay*
**braten,** brät, briet, hat gebraten *to roast*
**brechen,** bricht, brach, *vt.* hat gebrochen (*vi.* ist gebrochen) *to break*
**brennen,** brennt, brannte, hat gebrannt *to burn*
**bringen,** bringt, brachte, hat gebracht *to bring*
**denken,** denkt, dachte, hat gedacht *to think*
**dingen,** dingt, dang (dingte), hat gedungen (hat gedingt) *to hire, to engage*
**dreschen,** drischt, drasch (drosch), hat gedroschen *to thresh*
**dringen,** dringt, drang, ist gedrungen *to break through*
**dünken,** dünkt (deucht), dünkte (deuchte), hat gedünkt (hat gedeucht) *to seem; to imagine*
**dürfen,** darf, durfte, hat gedurft (dürfen) *may; must*
**empfehlen,** empfiehlt, empfahl, hat empfohlen *to recommend*

essen, isst, ass, hat gegessen *to eat*
fahren, fährt, fuhr, hat gefahren (ist gefahren) *to drive, to go; to ride*
fallen, fällt, fiel, hat gefallen *to fall*
fangen, fängt, fing, hat gefangen *to catch*
fechten, ficht, focht, hat gefochten *to fight; to fence*
finden, findet, fand, hat gefunden *to find*
flechten, flicht, flocht, hat geflochten *to plait*
fliegen, fliegt, flog, ist geflogen *to fly*
fliehen, flieht, floh, *vi.* ist geflohen (*vt.* hat geflohen) *to flee*
fliessen, fliesst, floss, ist geflossen *to flow*
fressen, frisst, frass, hat gefressen *to eat, to devour*
frieren, friert, fror, hat gefroren (*vi.* ist gefroren) *to freeze*
gären, gärt, gor (*fig.* gärte), hat gegoren (*fig.* hat gegärt) *to ferment*
gebären, gebiert, gebar, hat geboren (*vi.* ist geboren) *to bear, to give birth to; to be born*
geben, gibt, gab, hat gegeben *to give*
gedeihen, gedeiht, gedieh, ist gediehen *to thrive*
geh(e)n, geht, ging, ist gegangen *to go; to walk*
gelingen, gelingt, gelang, ist gelungen *to succeed*
gelten, gilt, galt, hat gegolten *to be worth*
genesen, genest, genas, ist genesen *to recuperate*
geniessen, geniesst, genoss, hat genossen *to enjoy*
geraten, gerät, geriet, ist geraten *to get into, to fall*
geschehen, geschieht, geschah, ist geschehen *to happen*
gewinnen, gewinnt, gewann, hat gewonnen *to win*
giessen, giesst, goss, hat gegossen *to pour*
gleichen, gleicht, glich, hat geglichen *to be like*
gleiten, gleitet, glitt, ist geglitten *to slide*
glimmen, glimmt, glomm (glimmte), hat geglommen (hat geglimmt) *to glow; to glimmer*
graben, gräbt, grub, hat gegraben *to dig*
greifen, greift, griff, hat gegriffen *to seize*
haben, hat, hatte, hat gehabt *to have*
halten, hält, hielt, hat gehalten *to hold*
hängen, hängt, hing (*vt.* hängte), *vi.* hat gehangen (*vt.* hat gehängt) *to hang*
hauen, haut, hieb (haute), hat gehauen *to strike; to ax*
heben, hebt, hob, hat gehoben *to raise, to lift*
heissen, heisst, hiess, hat geheissen *to be called*
helfen, hilft, half, hat geholfen *to help*
kennen, kennt, kannte, hat gekannt *to know*
klimmen, klimmt, klomm, ist geklommen *to climb*
klingen, klingt, klang, hat geklungen *to ring*
kneifen, kneift, kniff, hat gekniffen *to pinch*
kommen, kommt, kam, ist gekommen *to come*
können, kann, konnte, hat gekonnt (können) *can, to be able to*
kriechen, kriecht, kroch, ist gekrochen (hat gekrochen) *to crawl, to creep*
laden, lädt, lud, hat geladen *to load; to invite*
lassen, lässt, liess, hat gelassen (lassen) *to let; to allow; to cause, to make*
laufen, läuft, lief, ist gelaufen *to run*
leiden, leidet, litt, hat gelitten *to suffer*
leihen, leiht, lieh, hat geliehen *to lend, to loan*
lesen, liest, las, hat gelesen *to read; to gather*
liegen, liegt, lag, hat gelegen *to lie, to rest*
löschen, lischt, losch, hat geloschen *to put out*

**lügen**, lügt, log, hat gelogen *to lie, to tell a lie*

**meiden**, meidet, mied, hat gemieden *to avoid, to shun*

**melken**, melkt (milkt), melkte (molk), hat gemelkt (hat gemolken) *to milk*

**messen**, misst, mass, hat gemessen *to measure*

**misslingen**, misslingt, misslang, ist misslungen *to fail*

**mögen**, mag, mochte, hat gemocht (mögen) *to like*

**müssen**, muss, musste, hat gemusst (müssen) *must*

**nehmen**, nimmt, nahm, hat genommen *to take*

**nennen**, nennt, nannte, hat genannt *to name, to call*

**pfeifen**, pfeift, pfiff, hat gepfiffen *to whistle*

**preisen**, preist, pries, hat gepriesen *to praise*

**quellen**, quillt (*vt.* quellet), quoll (*vt.* quellte), ist gequollen (*vt.* hat gequellt) *to gush*

**raten**, rät, riet, hat geraten *to guess; to advise*

**reiben**, reibt, rieb, hat gerieben *to rub; to grate*

**reissen**, reisst, riss, hat gerissen *to tear, to rip*

**reiten**, reitet, ritt, hat geritten (ist geritten) *to ride, to ride horseback*

**rennen**, rennt, rannte, ist gerannt (*vt.* hat gerannt) *to run*

**riechen**, riecht, roch, hat gerochen *to smell*

**ringen**, ringt, rang, hat gerungen *to wrestle*

**rinnen**, rinnt, rann, ist geronnen *to drip, to flow*

**rufen**, ruft, rief, hat gerufen *to call, to cry out*

**salzen**, salzt, salzte, hat gesalzen (hat gesalzt) *to salt*

**saufen**, säuft, soff, hat gesoffen *to booze, to drink*

**saugen**, saugt, sog (saugte), hat gesogen (hat gesaugt) *to suck, to absorb*

**schaffen**, schafft, schuf (schaffte), hat geschaffen *to do, to be busy; to make, to create*

**schallen**, schallt, schallte (scholl), hat geschallt *to sound*

**scheiden**, scheidet, schied, *vt.* hat geschieden (vi. ist geschieden) *to separate; to divorce*

**scheinen**, scheint, schien, hat geschienen *to shine; to seem*

**schelten**, schilt, schalt, hat gescholten *to scold*

**scheren**, schiert (schert), schor (scherte), hat geschoren *to clip, to shear, to crop*

**schieben**, schiebt, schob, hat geschoben *to push*

**schiessen**, schiesst, schoss, hat geschossen *to shoot*

**schinden**, schindet, schund, hat geschunden *to skin*

**schlafen**, schläft, schlief, hat geschlafen *to sleep*

**schlagen**, schlägt, schlug, hat geschlagen *to hit*

**schleichen**, schleicht, schlich, ist geschlichen *to creep, to sneak, to crawl*

**schleifen**, schleift, schliff, hat geschliffen *to grind*

**schleissen**, schleisst, schliss (schleisste), hat geschlissen *to strip; to slit, to split*

**schliessen**, schliesst, schloss, hat geschlossen *to close, to shut; to lock*

**schlingen**, schlingt, schlang, hat geschlungen *to devour, to gorge, to gulp; to wind*

**schmeissen**, schmeisst, schmiss, hat geschmissen (coll.) *to throw, to fling; to slam*

**schmelzen**, schmilzt, schmolz (schmelzte), *vt.* hat geschmolzen or geschmelzt (vi. ist geschmolzen) *to melt, to fuse*

**schnauben** schnaubt, schnaubte (*fig.* schnob), hat geschnaubt (*fig.* hat geschnoben) *to snort; to puff; to rage*

**schneiden**, schneidet, schnitt, hat geschnitten *to cut*

**schrecken**, schrickt, schrak, hat geschrocken vi. *to be frightened, to get scared*

**schreiben**, schreibt, schrieb, hat geschrieben *to write*

**schreien**, schreit, schrie, hat geschrie(e)n *to shout*

**schreiten**, schreitet, schritt, ist geschritten *to step*

**schweigen**, schweigt, schwieg, hat geschwiegen *to be silent*

**schwellen**, schwillt, schwoll, *vi.* ist geschwollen (*vt.* hat geschwollen) *to swell, to puff up*

**schwimmen**, schwimmt, schwamm, hat geschwommen (ist geschwommen) *to swim; to float, to drift*

**schwinden**, schwindet, schwand, ist geschwunden *to fade, to dwindle, to vanish*

**schwingen**, schwingt, schwang, hat geschwungen *to swing*

**schwören**, schwört, schwur (schwor), hat geschworen *to swear, to take oath*

**sehen**, sieht, sah, hat gesehen *to see; to look*

**sein**, ist, war, ist gewesen *to be*

**senden**, sendet, sandte (sendete), hat gesandt (hat gesendet *to send, to ship*

**sieden**, siedet, sott (seidete), hat gesotten (hat gesiedet) *vi. to seethe, to simmer*

**singen**, singt, sang, hat gesungen *to sing*

**sinken**, sinkt, sank, ist gesunken *to sink*

**sinnen**, sinnt, sann, hat gesonnen *to think, to plan*

**sitzen**, sitzt, sass, hat gesessen *to sit*

**sollen**, soll, sollte, hat gesollt (sollen) *shall; must*

**spalten**, spaltet, spaltete, hat gespalten (hat gespaltet) *to split; to slit*

**speien**, speit, spie, hat gespie(e)n *to spit*

**spinnen**, spinnt, spann, hat gesponnen *to spin*

**spleissen**, spleisst, spliss (spleisste), hat gesplissen *to split*

**sprechen**, spricht, sprach, hat gesprochen *to speak*

**spriessen**, spriesst, spross, ist gesprossen *to sprout*

**springen**, springt, sprang, ist gesprungen (hat gesprungen) *to jump, to spring, to leap*

**stechen**, sticht, stach, hat gestochen *to prick, to pierce, to stab*

**stecken**, steckt, steckte (*vt.* stak), hat gesteckt *to stick*

**steh(e)n**, steht, stand, hat gestanden (ist gestanden) *to stand*

**stehlen**, stiehlt, stahl, hat gestohlen *to steal*

**steigen**, steigt, stieg, ist gestiegen *to climb*

**sterben**, stribt, starb, ist gestorben *to die*

**stieben**, stiebt, stob, hat gestoben (ist gestoben) *to swirl*

**stinken**, stinkt, stank, hat gestunken *to stink*

**stossen**, stösst, stiess, hat gestossen (ist gestossen) *to strike, to hit, to knock; to push*

**streichen**, streicht, strich, hat gestrichen (ist gestrichen) *to stroke; to strike out*

**streiten**, streitet, stritt, hat gestritten *to quarrel*

**tragen**, trägt, trug, hat getragen *to carry; to wear*

**treffen**, trifft, traf, hat getroffen *to hit (target)*

**treiben**, treibt, trieb, hat getrieben (ist getrieben) *to drive, to move, to propel*

**treten**, tritt, trat, hat getreten (ist getreten) *to step, to tread, to walk; to enter*

**triefen**, trieft, troff (triefte), hat getroffen (hat getrieft) *to drip, to trickle, to ooze*

**trinken**, trinkt, trank, hat getrunken *to drink*

**trügen**, trügt, trog, hat getrogen *to deceive*

**tun**, tut, tat, hat getan (tun) *to do*

**verderben**, verdirbt, verdarb, hat verdorben *to spoil*

**verdriessen**, verdriesst, verdross, hat verdrossen *to annoy*

**vergessen**, vergisst, vergass, hat vergessen *to forget*

**verlieren**, verliert, verlor, hat verloren *to lose*

**wachsen,** wächst, wuchs, ist gewachsen *to grow*
**wägen,** wägt, wog (wägte), hat gewogen (hat gewägt) *to weigh*
**waschen,** wäscht, wusch, hat gewaschen *to wash*
**weben,** webt, webte (wob), hat gewebt (hat gewoben) *to weave*
**weichen,** weicht, wich, ist gewichen *to yield*
**weisen,** weist, wies, hat gewiesen *to point out*
**wenden,** wendet, wandte (wendete), hat gewandt (hat gewendet) *to turn, to turn around*
**werben,** wirbt, warb, hat geworben *to apply; to promote*
**werden,** wird, wurde, ist geworden (worden) *to become*
**werfen,** wirft, warf, hat geworfen *to throw*
**wiegen,** wiegt, wog, hat gewogen *to weigh*
**winden,** windet, wand, hat gewunden *to wind, to twist*
**wissen,** weiss, wusste, hat gewusst *to know*
**wollen,** will, wollte, hat gewollt (wollen) *to want*
**wringen,** wringt, wrung, hat gewrungen *to wring*
**zeihen,** zeiht, zieh, hat geziehen *to charge*
**ziehen,** zieht, zog, hat gezogen *to pull; to move by*
**zwingen,** zwingt, zwang, hat gezwungen *to force*

# English Irregular Verbs
# Englische unregelmässige Zeitwörter

*The forms of English verbs are given in the following order:*
*infinitive, past tense, past participle. Variant forms are*
*shown in parentheses.*
Die Formen der englischen Zeitwörter sind in folgender
Reihe angegeben: Infinitiv, Präteritum, Partizip des Per-
fekts. Abweichende Formen sind in Klammern gesetzt.

**abide,** abode (abided), abode (abided) *festhalten an*
**arise,** arose, arisen *entstehen; sich erheben*
**awake,** awoke (awaked), awaked (awoke, awoken) *aufwachen; wecken*
**be,** was, been *sein*
**bear,** bore, born (borne) *tragen, ertragen; gebären*
**beat,** beat, beaten (beat) *schlagen; besiegen*
**become,** became, become *werden*
**beget,** begot, begotten (begot) *zeugen, erzeugen*
**begin,** began, begun *beginnen, anfangen*
**bend,** bent, bent *biegen; (sich) beugen*
**bereave,** bereaved (bereft), bereaved (bereft) *berauben*
**beseech,** besought (beseeched), besought (beseeched) *anflehen, ersuchen*
**bet,** bet (betted), bet (betted) *wetten, setzen*
**bid,** bade (bid), bidden (bid) *bieten; gebieten*
**bind,** bound, bound *binden*
**bite,** bit, bitten (bit) *beissen*
**bleed,** bled, bled *bluten*
**blow,** blew, blown *blasen*
**break,** broke, broken *brechen*
**breed,** bred, bred *züchten; brüten; erziehen*
**bring,** brought, brought *bringen, herbringen*
**build,** built, built *bauen, errichten, erbauen*
**burn,** burned (burnt), burned (burnt) *brennen*
**burst,** burst, burst *platzen, bersten, zerspringen*

**buy**, bought, bought *kaufen, einkaufen, ankaufen*
**can**, could *können*
**cast**, cast, cast *werfen, schmeissen; giessen*
**catch**, caught, caught *fangen; erreichen*
**chide**, chided (chid), chided (chid, chidden) *schelten*
**choose**, chose, chosen *wählen, auswählen*
**cleave**, cleft (cleaved, clove), cleft (cleaved, cloven) *spalten, aufspalten*
**cling**, clung, clung *haften, sich klammern*
**clothe**, clothed (clad), clothed (clad) *kleiden*
**come**, came, come *kommen, ankommen*
**cost**, cost, cost *kosten*
**creep**, crept, crept *kriechen, schleichen*
**cut**, cut, cut *schneiden, abschneiden; mähen*
**deal**, dealt, dealt *handeln*
**dig**, dug, dug *graben, ausgraben*
**do**, did, done *tun; machen, herstellen*
**draw**, drew, drawn *ziehen, anziehen; zeichnen*
**dream**, dreamed (dreamt), dreamed (dreamt) *träumen*
**drink**, drank, drunk (drunken) *trinken*
**drive**, drove, driven *fahren, lenken; treiben*
**dwell**, dwelt (dwelled), dwelt (dwelled) *wohnen*
**eat**, ate, eaten *essen; fressen*
**fall**, fell, fallen *fallen, stürzen*
**feed**, fed, fed *ernähren, speisen; füttern; zuführen*
**feel**, felt, felt *fühlen, empfinden*
**fight**, fought, fought *kämpfen, streiten*
**find**, found, found *finden*
**flee**, fled, fled *fliehen, entfliehen, flüchten*
**fling**, flung, flung *schleudern, werfen, stürzen*
**fly**, flew, flown *fliegen*
**forbear**, forbore, forborne *sich enthalten*
**forbid**, forbade (forbad), forbidden *verbieten*
**forget**, forgot, forgotten *vergessen*
**forgive**, forgave, forgiven *verzeihen, vergeben*
**forsake**, forsook, forsaken *aufgeben, verlassen*
**freeze**, froze, frozen *frieren, einfrieren*
**geld**, gelded (gelt), gelded (gelt) *verschneiden*
**get**, got, got (gotten) *bekommen, kriegen; werden*
**gild**, gilded (gilt), gilded (gilt) *vergolden*
**gird**, girded (girt), girded (girt) *gürten*
**give**, gave, given *geben*
**go**, went, gone *gehen; fahren; reisen*
**grave**, graved, graved (graven) *schnitzen*
**grind**, ground, ground *mahlen; schleifen, wetzen*
**grow**, grew, grown *wachsen; werden*
**hang**, hung (hanged), hung (hanged) *hängen, aufhängen*
**have**, had, had *haben*
**hear**, heard, heard *hören*
**heave**, heaved (hove), heaved (hove) *heben; hieven*
**hew**, hewed, hewed (hewn) *hauen, hacken*
**hide**, hid, hidden (hid) *verstecken, (sich) verbergen*
**hit**, hit, hit *stossen, schlagen; treffen*
**hold**, held, held *halten, festhalten*
**hurt**, hurt, hurt *verletzen; schmerzen, weh tun*
**keep**, kept, kept *halten; behalten; einhalten*
**kneel**, knelt (kneeled), knelt (kneeled) *knien*
**knit**, knitted (knit), knitted (knit) *stricken*
**know**, knew, known *wissen; kennen*
**lade**, laded, laded (laden) *beladen*
**lay**, laid, laid *legen*
**lead**, led, led *führen, leiten*
**leap**, leaped (leapt), leaped (leapt) *springen*
**learn**, learned (learnt), learned (learnt) *lernen*

329

**leave**, left, left *verlassen, lassen; weggehen*
**lend**, lent, lent *verleihen, leihen; gewähren*
**let**, let, let *lassen, gestatten; vermieten*
**lie**, lay, lain *liegen*
**light**, lighted (lit), lighted (lit) *anzünden*
**lose**, lost, lost *verlieren; versäumen*
**make**, made, made *machen; herstellen*
**may**, might *mögen, dürfen, können*
**mean**, meant, meant *meinen, denken; bedeuten*
**meet**, met, met *treffen, begegnen*
**mow**, mowed, mowed (mown) *mähen, abmähen*
**must**, must *müssen; dürfen*
**ought**, *sollen, müssen*
**pay**, paid, paid *zahlen, bezahlen*
**put**, put, put *legen; stellen; setzen*
**read**, read, read *lesen; deuten*
**rend**, rent, rent *reissen, zerreissen*
**rid**, rid (ridded), rid (ridded) *frei machen*
**ride**, rode, ridden *fahren; reiten*
**ring**, rang, rung *läuten; klingen*
**rise**, rose, risen *steigen, aufgehen; aufstehen*
**rive**, rived, rived (riven) *spalten*
**run**, ran, run *laufen; rennen*
**saw**, sawed, sawed (sawn) *sägen*
**say**, said, said *sagen*
**see**, saw, seen *sehen*
**seek**, sought, sought *suchen*
**sell**, sold, sold *verkaufen*
**send**, sent, sent *senden, schicken*
**set**, set, set *setzen, stellen; legen*
**sew**, sewed, sewn (sewed) *nähen*
**shake**, shook, shaken *schütteln, rütteln*
**shall**, should *sollen, dürfen; werden*
**shave**, shaved, shaved (shaven) *rasieren; schälen*
**shear**, sheared, sheared (shorn) *scheren; abschneiden*
**shed**, shed, shed *ausgiessen, vergiessen*
**shine**, shone (shined), shone (shined) *scheinen*
**shoe**, shod (shoed), shod (shoed) *beschuhen*
**shoot**, shot, shot *schiessen; stossen*
**show**, showed, shown (showed) *zeigen*
**shred**, shredded (shred), shredded (shred) *zerfetzen*
**shrink**, shrank (shrunk), shrunk (shrunken) *schrumpfen*
**shut**, shut, shut *schliessen, zumachen*
**sing**, sang (sung), sung *singen*
**sink**, sank (sunk), sunk (sunken) *sinken; senken*
**sit**, sat, sat *sitzen*
**slay**, slew, slain *töten, erschlagen*
**sleep**, slept, slept *schlafen*
**slide**, slid, slid (slidden) *gleiten; rutschen*
**sling**, slung, slung *schleudern*
**slink**, slunk, slunk *schleichen*
**slit**, slit, slit *schlitzen*
**smell**, smelled (smelt), smelled (smelt) *riechen*
**smite**, smote, smitten (smote) *schlagen*
**sow**, sowed, sown (sowed) *säen, aussäen*
**speak**, spoke, spoken *sprechen; reden*
**speed**, sped (speeded), sped (speeded) *schnell fahren*
**spend**, spent, spent *verbrauchen, verwenden*
**spill**, spilled (spilt), spilled (spilt) *vergiessen*
**spin**, spun, spun *spinnen; wirbeln*
**spit**, spat (spit), spat (spit) *spucken; sprühen*
**split**, split, split *spalten*
**spoil**, spoiled (spoilt), spoiled (spoilt) *verderben*

spread, spread, spread *ausbreiten, verbreiten*
spring, sprang (sprung), sprung *springen (lassen)*
stand, stood, stood *stehen*
stave, staved (stove), staved (stove) *einschlagen*
stick, stuck, stuck *stecken; haften; kleben*
steal, stole, stolen *stehlen*
sting, stung, stung *stechen; schmerzen*
stink, stank (stunk), stunk *stinken*
strew, strewed, strewed (strewn) *streuen*
stride, strode, stridden *einherschreiten*
strike, struck, struck (stricken) *stossen, schlagen*
string, strung, strung *spannen; aufreihen*
strive, strove (strived), striven (strived) *streben*
swear, swore, sworn *schwören; beschwören; fluchen*
sweat, sweat (sweated), sweat (sweated) *schwitzen*
sweep, swept, swept *fegen, kehren*
swell, swelled, swelled (swollen) *schwellen*
swim, swam, swum *schwimmen*
swing, swung, swing *schwingen, schwanken; schaukeln*
take, took, taken *nehmen; bringen, holen*
teach, taught, taught *lehren*
tear, tore, torn *reissen, zerren; zerreissen*
tell, told, told *sagen, erzählen*
think, thought, thought *denken*
thrive, throve (thrived), thrived (thriven) *gedeihen*
throw, threw, thrown *werfen; schmeissen*
thrust, thrust, thrust *stossen, schieben*
tread, trod, trodden (trod) *treten, schreiten*
wake, waked (woke), waked (woken, woke) *aufwachen*
wear, wore, worn *(an sich) tragen*
weave, wove, woven *weben, wirken*
weep, wept, wept *weinen*
wet, wet (wetted), wet (wetted) *nässen, nass machen*
will, would *werden; wollen*
win, won, won *gewinnen; siegen*
wind, wound (winded) wound (winded) *winden*
work, worked (wrought), worked (wrought) *arbeiten*
wring, wrung, wrung *wringen; ringen*
write, wrote, written *schreiben*

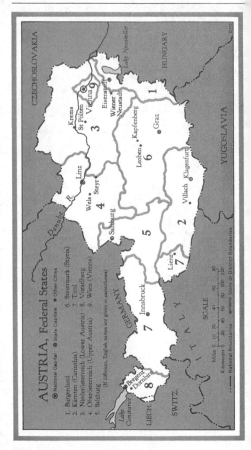

AUSTRIA, Federal States

⊛ National Capital  ⊛ State Capitals  • Other Cities

1. Burgenland
2. Kärnten (Carinthia)
3. Niederösterreich (Lower Austria)
4. Oberösterreich (Upper Austria)
5. Salzburg
6. Steiermark (Styria)
7. Tirol
8. Vorarlberg
9. Wien (Vienna)

(If different, English names are given in parentheses)

Miles 0  10  20  40  60  80
Kilometers 0  20  40  60  80  100 120
SCALE

—— National Boundaries
---- State or District Boundaries

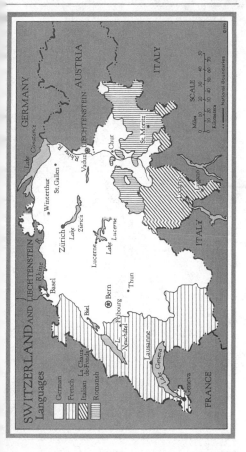

SWITZERLAND AND LIECHTENSTEIN
Languages

German
French
Italian
Romansh

SCALE

Miles
Kilometers

···· National Boundaries

GERMANY

Lake Constance

Rhine R.

St. Gallen

Winterthur

Zürich

Lake Zürich

Basel

Biel

Lake Neuchâtel

Neuchâtel

La Chaux de Fonds

Fribourg

Bern

Thun

Lucerne

Lake Lucerne

Lausanne

Lake Geneva

Geneva

FRANCE

LIECHTENSTEIN

Vaduz

Chur

AUSTRIA

St. Moritz

ITALY

Lugano

Lake Lugano

ITALY

GERMANY

⊗ National Capitals ● State or District Capitals ● Other Cities

SCALE

Miles
0  10  20  30  40  50  60  70  80  90  100
0  20  40  60  80  100 120 140 160
Kilometers

National Boundaries
State or District Boundaries
East-West German Boundary

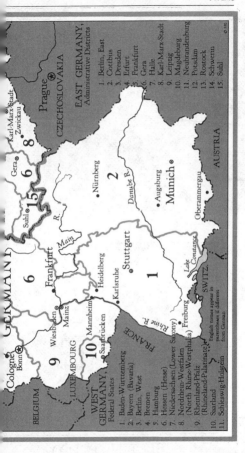

EAST GERMANY,
Administrative Districts

1. Berlin, East
2. Cottbus
3. Dresden
4. Erfurt
5. Frankfurt
6. Gera
7. Halle
8. Karl-Marx-Stadt
9. Leipzig
10. Magdeburg
11. Neubrandenburg
12. Potsdam
13. Rostock
14. Schwerin
15. Suhl

WEST
GERMANY,
Federal States

1. Baden-Württemberg
2. Bayern (Bavaria)
3. Berlin, West
4. Bremen
5. Hamburg
6. Hessen (Hesse)
7. Niedersachsen (Lower Saxony)
8. Nordrhein-Westfalen
   (North Rhine-Westphalia)
9. Rheinland-Pfalz
   (Rhineland-Palatinate)
10. Saarland
11. Schleswig-Holstein

English names appear in
parentheses when different
from German

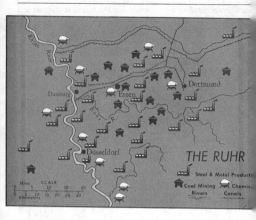

THE RUHR

Duisburg
Essen
Dortmund
Düsseldorf

SCALE
Miles
0    5    10    15    20
Kilometers
0    5   10   15   20   25   30

Steel & Metal Products
Coal Mining          Chemical
Rivers               Canals

BERLIN TODAY

## MAJOR INDUSTRIAL AREAS

●● Industrial Cities    Industrial Areas
〰〰 Rivers    Canals

SCALE

Miles
0   25   50     100     150     200

0   50   100     200     300
Kilometers

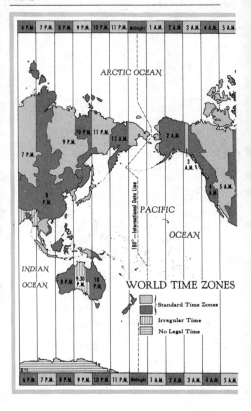

WORLD TIME ZONES

Standard Time Zones

Irregular Time

No Legal Time

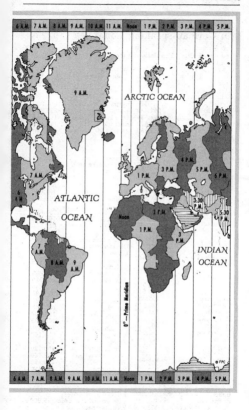

# Cities with Population Over 100,000 in German-speaking Countries (1972)

| Country & City | Population | City | Population |
|---|---|---|---|
| **AUSTRIA** | | | |
| Graz | 248,500 | Salzburg | 128,850 |
| Innsbruck | 115,200 | Wien (Vienna)* | 1,614,840 |
| Linz | 202,870 | | |
| | | | |
| **EAST GERMANY** | | | |
| Berlin* | 1,086,370 | Leipzig | 583,890 |
| Dresden | 502,430 | Magdeburg | 272,240 |
| Erfurt | 196,530 | Potsdam | 111,340 |
| Gera | 111,540 | Rostock | 198,640 |
| Halle | 257,260 | Zwickau | 126,990 |
| Karl-Marx-Stadt | 299,410 | | |
| | | | |
| **WEST GERMANY** | | | |
| Aachen | 173,480 | Lübeck | 239,340 |
| Augsburg | 211,570 | Ludwigshafen am | |
| Berlin (West) | 2,122,350 | Rhein | 176,030 |
| Bielefeld | 168,940 | Mainz | 172,200 |
| Bochum | 343,970 | Mannheim | 332,160 |
| Bonn* | 274,520 | Mönchengladbach | 151,090 |
| Bottrop | 106,660 | Mülheim a. d. Ruhr | 191,470 |
| Braunschweig | 223,700 | München | |
| Bremen | 582,280 | (Munich) | 1,293,590 |
| Bremerhaven | 140,460 | Münster, Westf. | 198,370 |
| Darmstadt | 141,220 | Neuss | 114,610 |
| Dortmund | 639,630 | Nürnberg | |
| Duisburg | 454,840 | (Nuremberg) | 473,560 |
| Düsseldorf | 663,590 | Oberhausen | 246,740 |
| Essen | 698,430 | Offenbach am | |
| Frankfurt am Main | 669,640 | Main | 117,310 |
| Freiburg im | | Oldenburg | |
| Breisgau | 162,220 | (Oldenburg) | 130,850 |
| Gelsenkirchen | 348,290 | Osnabrück | 143,910 |
| Göttingen | 108,990 | Recklinghausen | 125,240 |
| Hagen | 200,910 | Regensburg | 129,590 |
| Hamburg | 1,793,820 | Remscheid | 136,420 |
| Hannover | 523,940 | Rheydt | 100,080 |
| Heidelberg | 121,020 | Saarbrücken | 127,990 |
| Heilbronn | 101,660 | Salzgitter | 118,200 |
| Herne | 104,080 | Solingen | 176,420 |
| Karlsruhe | 259,250 | Stuttgart | 633,160 |
| Kassel | 214,160 | Trier | 103,720 |
| Kiel | 271,720 | Wiesbaden | 250,120 |
| Koblenz | 119,430 | Wilhelmshaven | 102,730 |
| Köln (Cologne) | 848,350 | Wuppertal | 418,450 |
| Krefeld | 222,250 | Würzburg | 117,150 |
| Leverkusen | 107,550 | | |
| | | | |
| **SWITZERLAND** | | | |
| Basel | 212,860 | Luzern (Lucerne), | |
| Berne (Bern)* | 162,410 | *metropolitan area* | 148,930 |
| Genève (Geneva) | 173,620 | Winthertur, | |
| Lausanne | 137,380 | *metropolitan area* | 105,570 |
| | | Zürich | 422,640 |

*indicates capital city
Based on the *Demographic Yearbook/1972*, United Nations

**German-speaking Countries and Some of Their Trading Partners**
**Area, Population, and Industrial Production in 1972**

| Country | Area sq mi | Area km² | Population In thousands | Coal Metric tons | Oil Metric tons | Natural Gas Cubic meters in millions | Steel Metric tons in thousands | Passenger Cars Units in thousands | Electric Power Kilowatt-hours in millions |
|---|---|---|---|---|---|---|---|---|---|
| Austria | 32 | 84 | 7,470 | | 2,490 | 1,960 | 4,100 | .4 | 29,390 |
| Belgium* | 12 | 31 | 9,710 | 10,500 | — | 50 | 14,480 | 1,155 | 37,460 |
| Canada | 3,852 | 9,976 | 21,850 | 15,800 | 72,300 | 82,500 | 11,860 | | 237,630 |
| Denmark* | 17 | 43 | 4,990 | | 70 | | 500 | | 19,370 |
| France* | 212 | 547 | 51,720 | 29,760 | 1,480 | 7,520 | 24,050 | 2,990 | 163,410 |
| Germany, East | 42 | 108 | 17,040 | 820 | | 2,850 | 5,670 | 140 | 72,830 |
| Germany, West* | 96 | 249 | 61,670 | 102,700 | 7,100 | 17,450 | 43,710 | 3,510 | 274,770 |
| Ireland* | 27 | 70 | 3,010 | 80 | | | | | 6,920 |
| Italy* | 116 | 301 | 54,350 | 150 | 1,150 | 14,140 | 19,820 | 1,730 | 134,930 |
| Liechtenstein | .06 | .16 | 21 | | | | | | 45 |
| Luxembourg* | 1 | 3 | 348 | | | | 5,460 | | 2,220 |
| Netherlands* | 16 | 41 | 13,330 | 2,810 | 1,600 | 58,420 | 5,590 | 80 | 49,520 |
| Switzerland | 16 | 41 | 6,420 | | 80 | | 550 | | 31,300 |
| United Kingdom* | 94 | 244 | 55,790 | 171,320 | | 26,700 | 25,320 | 1,920 | 263,680 |
| United States | 3,615 | 9,363 | 208,840 | 535,240 | 466,960 | 638,030 | 120,880 | 8,820 | 1,853,390 |
| U.S.S.R. | 8,650 | 22,402 | 247,460 | 451,120 | 400,440 | 221,390 | 125,600 | 730 | 857,440 |
| WORLD | 58,420 | 135,770 | 3,780,000 | 2,144,800 | 2,527,400 | 1,204,000 | 626,300 | 27,630 | 5,646,700 |

*Member of the European Economic Community
—Not produced
Source: Based on the *Statistical Yearbook/1973*, United Nations

341

### German-speaking Countries and Some of Their Trading Partners Agricultural Production in 1972

| Country | Area harvested in thousands of hectares** | Total cereals | Wheat | Corn | Rye | Potatoes | Total meat | Beef | Pork |
|---|---|---|---|---|---|---|---|---|---|
| | | In thousands of metric tons | | | | | | | |
| Austria | 975 | 3,320 | 860 | 730 | 400 | 2,340 | 490 | 150 | 280 |
| Belgium* | 460 | 1,970 | 950 | 22 | 76 | 1,520 | 930 | 270 | 520 |
| Canada | 17,780 | 35,600 | 14,590 | 2,660 | 340 | 1,890 | 2,110 | 900 | 650 |
| Denmark* | 1,780 | 5,080 | 590 | — | 160 | 720 | 1,040 | 190 | 760 |
| France* | 9,700 | 40,990 | 18,120 | 8,610 | 330 | 7,970 | 3,850 | 1,390 | 1,120 |
| Germany, East | 2,320 | 8,530 | 2,740 | 27 | 1,900 | 12,140 | 1,360 | 340 | 870 |
| Germany, West* | 5,300 | 20,240 | 6,610 | 560 | 2,910 | 15,040 | 3,890 | 1,210 | 2,350 |
| Ireland* | 370 | 1,360 | 250 | — | 1 | 1,230 | 470 | 220 | 160 |
| Italy* | 5,375 | 15,880 | 9,420 | 4,800 | 50 | 3,000 | 2,590 | 1,050 | 680 |
| Luxembourg* | 44 | 140 | 36 | — | 5 | 53 | 20 | 11 | 9 |
| Netherlands* | 330 | 1,320 | 670 | 10 | 150 | 5,580 | 1,475 | 350 | 780 |
| Switzerland | 185 | 750 | 400 | 100 | 55 | 1,000 | 370 | 120 | 220 |
| United Kingdom* | 3,800 | 15,490 | 4,760 | — | 19 | 6,440 | 2,110 | 920 | 930 |
| United States | 58,500 | 228,090 | 42,040 | 141,050 | 750 | 13,360 | 23,720 | 10,330 | 6,190 |
| U.S.S.R. | 114,250 | 160,170 | 85,800 | 9,800 | 9,600 | 77,800 | 13,750 | 5,750 | 5,500 |
| WORLD | 698,400 | 1,275,140 | 347,600 | 301,390 | 28,170 | 279,890 | 108,940 | 41,040 | 39,940 |

*Member of the European Economic Community
**1 hectare = 2.4710 acres
—Not produced
Source: Based on the *Production Yearbook/1972*, Vol. 26, Food and Agriculture Organization of the United Nations

# Equivalents of Measures and Weights

**UNITS OF LENGTH**
**American Measures**
1 inch (in) = 2.54 cm
1 foot (ft) = 12 in = 30.48 cm
1 yard (yd) = 3 ft = 0.9144 m
1 fathom (fm) = 6 ft = 1.8288 m
1 rod (rd) or 1 perch (p) or 1 pole (p) = 5½ yd = 5.0292 m
1 furlong (fur) = 40 rd = 201.1684 m
1 (statute) mile (mi) =1,760 yd = 5,280 ft = 1.60934 km
1 nautical mile = 1.150779 statute miles = 6,076.11549 ft
= 1,852 m
1 league = 3 statute miles = 4.8280 km

**Metric Measures**
1 millimeter (mm) = 0.001 m = 0.0394 in
1 centimeter (cm) = 10 mm = 0.3937 in
1 decimeter (dm) = 10 cm = 3.937 in
1 meter (m) = 10 dm = 39.37 in
1 kilometer (km) = 1,000 m = 0.621371 mi

**UNITS OF AREA**
**American Measures**
1 square inch (sq in) = 6.4516 cm²
1 square foot (sq ft) = 144 sq in = 0.0929 m²
1 square yard (sq yd) = 9 sq ft = 0.8361 m²
1 square rod (sq rd) = 30¼ sq yd = 25.293 m²
1 acre (A, a, ac) = 160 sq rd = 0.4047 ha
1 square mile (sq mi) = 640 A = 258.9988 ha = 2.5899 km²

**Metric Measures**
1 square millimeter (mm²) = 0.01 cm² = 0.0015 sq in
1 square centimeter (cm²) = 100 mm² = 0.1549 sq in
1 square decimeter (dm²) = 100 cm² = 15.499 sq in
1 square meter (m²) = 100 dm² = 10.7639 sq ft
1 square kilometer (km²) = 1,000,000 m² =0.3861 sq mi
= 247.104 A

**Metric Land Measures**
1 are (a) = 100 m² = 119.599 sq yd
1 hectare (ha) = 100 a = 2.4710 A
1 square kilometer (km²) = 100 ha = 247.104 A

**UNITS OF VOLUME**
**American Measures**
1 cubic inch (cu in) = 16.3871 cm³
1 cubic foot (cu ft) = 1,728 cu in = 0.0283 m³
1 cubic yard (cu yd) = 27 cu ft = 0.7646 m³
1 cubic mile (cu mi) = 4.1682 km³
1 register ton (reg. tn) = 100 cu ft = 2.832 m³

**Metric Measures**
1 cubic millimeter (mm³) = 0.001 cm³ = 0.00006 cu in
1 cubic centimeter (cm³) = 1,000 mm³ = 0.0610 cu in
1 cubic decimeter (dm³) = 1,000 cm³ = 61.024 cu in
= 0. 0353 cu ft
1 cubic meter (m³) = 1,000 dm³ = 1.3079 cu yd
1 cubic kilometer (km³) = 1,000,000,000 m³ = 0.2399 cu mi

## UNITS OF CAPACITY
### American Liquid Measures
1 fluidounce (fl oz) = 0.0296 l
1 gill (gi) = 4 fl oz = 7.22 cu in = 0.1183 l
1 pint (pt) = 4 gi = 28.87 cu in = 0.4732 l
1 quart (qt) = 2 pt = 57.75 cu in = 0.9463 l
1 gallon (gal) = 231 cu in = 3.7854 l
1 barrel (bbl) = 31.5 gal = 119.24 l
1 barrel petroleum (bbl) = 42 gal = 158.97 l

### American Dry Measures
1 pint (pt) = ½ qt = 0.5506 l
1 quart (qt) = 2 pt = 67.200 cu in = 1.1012 l
1 peck (pk) = 8 qt = 537.60 cu in = 8.8098 l
1 bushel (bu) = 4 pk = 2,150.42 cu in = 35.2381 l
1 barrel (bbl) = 7,056 cu in = 115.62 l

### British Imperial Liquid Measures
1 fluidounce (fl oz) = 1.7339 cu in = 0.0284 l
1 gill (gi) = 5 fl oz = 8.669 cu in = 0.1421 l
1 pint (pt) = 4 gi = 34.6774 cu in = 0.5683 l
1 quart (qt) = 2 pt = 69.3548 cu in = 1.1365 l
1 gallon (gal) = 4 qt = 277.4193 cu in = 4.5460 l

### British Imperial Dry Measures
1 peck (pk) = 2 gal = 554.8385 cu in = 9.0922 l
1 bushel (bu) = 4 pk = 2,219.354 cu in = 36.3687 l

### Metric Measures of Capacity
1 milliliter (ml) = 0.001 l = 0.0610 cu in
1 centiliter (cl) = 10 ml = 0.6102 cu in
1 deciliter (dl) = 10 cl = 6.1025 cu in
1 liter (l) = 10 dl = 61.025 cu in = 1.0567 liquid qt
   = 0.9081 dry qt
1 decaliter (dkl) = 10 l = 610.25 cu in
1 hectoliter (hl) = 10 dkl = 6,102.50 cu in = 26.417 liquid gal
1 kiloliter (kl) = 10 hl = 35.315 cu ft = 264.178 liquid gal

## UNITS OF WEIGHT
### American Avoirdupois Weights
1 grain (gr) = 0.0648 g
1 dram (dr) = 27.3437 gr = 1.7718 g
1 ounce (oz) = 16 dr = 28.3495 g
1 pound (lb) = 16 oz = 0.4536 kg
1 hundredweight (cwt) = 100 lb = 45.3592 kg
1 short ton (s.t., tn) = 2,000 lb = 907.1847 kg = 0.9072 t, MT
   = 1.12 l. t.

### British Avoirdupois Weights
1 stone (st) = 6.35 kg
1 hundredweight (cwt) = 112 lb = 50.8023 kg
1 long ton (l.t.) = 2,240 lb = 1016.0469 kg = 1.0160 MT

### Metric Weights
1 milligram (mg) = 0.001 g = 0.0154 gr
1 centigram (cg) = 10 mg = 0.1543 gr
1 decigram (dg) = 10 cg = 1.5432 gr
1 gram (g) = 1,000 mg = 0.0353 oz
1 kilogram (kg) = 1,000 g = 2.2046 lb
1 metric ton (t, MT) = 1,000 kg = 2,204.623 lb = 1.102 s.t.
   = 0.984 l.t.